AWST YN
ANOGIA

AWST YN ANOGIA

GARETH F. WILLIAMS

Argraffiad cyntaf: 2014
Argraffiad diwygiedig: 2016
© Hawlfraint Gareth F. Williams a Gwasg Gwynedd

Cynllun y clawr: Sion Ilar

Rhif Llyfr Rhyngwladol: 978 1 78461 377 8

Dymuna'r cyhoeddwyr gydnabod cymorth ariannol
Cyngor Llyfrau Cymru

Cyhoeddwyd ac argraffwyd yng Nghymru
ar bapur o goedwigoedd cynaladwy gan
Y Lolfa Cyf., Talybont, Ceredigion SY24 5HE
e-bost ylolfa@ylolfa.com
gwefan www.ylolfa.com
ffôn 01970 832 304
ffacs 01970 832 782

I
RACHEL

Kennst du das Land, wo die Zitronen blühn . . . ?
Dahin! dahin
Möcht ich mit dir, o mein Geliebter, ziehn.

GOETHE

Mae'r grym gan yr Almaen i orfodi ei hewyllys yn eich tir, a Duw a helpo'r rhai sy'n ei gwrthsefyll.

Y CADFRIDOG ALEXANDER 'WALDEMAR' ANDRAE

Hence we will not say that Greeks fight like heroes, but that heroes fight like Greeks!

WINSTON CHURCHILL

Who has the power to tell the tale of bloodshed, death and pillage,
The power from God, the grace to sing, the wonders of the village?

GEORGE PSYCHOUNDAKIS
THE CRETAN RUNNER (1955)

Prolog

Knossos, Creta
Medi 1943

Ni wyddai Alexandros beth oedd enw'r Un Cloff, ac roedd o
eto i weld ei wyneb. Byddai'r Almaenwr wastad yn gwisgo
helmed haul, a doedd Alexandros erioed wedi bod yn ddigon
agos ato i gael sbec dan gysgod yr helmed. Roedd o'n dal ac yn
fain ac yn gloff: dyna'r cwbl a wyddai Alexandros amdano.

Weithiau, ar ambell noson ddi-gwsg, byddai'n llunio gwahanol
fywgraffiadau iddo, ac yn ceisio dyfalu pam, tybed, y gwnâi
hwn yr hyn a wnâi. Wrth gwrs, doedd hynny'n ddim o fusnes
Alexandros. Ei fusnes o oedd sgubo'r strydoedd o gwmpas y
fynedfa at adfeilion hen ddinas y Minoaid, a chadw'i lygaid ar
agor am jîp yr Un Cloff y tu allan i'r giatiau. Deuai yma i Knossos
yn aml, y swyddog anhysbys hwn; roedd rhywbeth am y lle
oedd yn amlwg yn ei ddenu yma o leiaf unwaith yr wythnos.

Alexandros oedd wedi'i fedyddio 'yr Un Cloff', er bod y
cloffni'n amrywio o wythnos i wythnos. Ambell dro fyddai 'na
fawr ddim cloffni, ar wahân i fymryn o herc; dro arall byddai
arno angen ffon, a phob cam yn amlwg yn boenus iddo. Yn
amlach na pheidio, ar ôl dod allan trwy'r giatiau, byddai'n
dringo i'w jîp a gyrru i ffwrdd yn syth. Anaml y cariai ddim byd
yn ei ddwylo. Ond weithiau – fel heddiw – byddai'n tynnu'r
sigarét olaf allan o baced, gwasgu'r paced gwag yn belen,
gollwng y belen i'r bin sbwriel, tanio'r sigarét, ei hysmygu'n
hamddenol wrth bwyso yn erbyn boned ei jîp, gollwng y stwmp
ar lawr a'i sathru, ac yna'n dringo i'r jîp a gyrru i ffwrdd.

Ei wylio'n gwneud hyn trwy gornel ei lygad wrth sgubo, ac
o gryn bellter, y byddai Alexandros. Arferai gymryd awr reit

dda iddo sgubo'i ffordd o ble bynnag yr oedd o at y bin sbwriel, cyn gwagio cynnwys hwnnw i'w drol a mynd yn ei flaen gyda'i frws a'i raw. Dim ond ar ddiwedd ei shifft y dôi o hyd i'r paced sigaréts wedi'i wasgu'n belen. Y cam nesaf fyddai mynd am wydraid o *rakí* mewn caffi arbennig yn Iráklion – cyfle iddo ymlacio a chael smôc hefo'i ddiod. Ar ôl gwneud hynny byddai'n codi a mynd, gan adael paced sigaréts yr Un Cloff yn dal yn un belen yn y blwch llwch ar y bwrdd.

A dyna fo, Alexandros, wedi gwneud ei ran.

Heddiw – yn ddiarwybod iddo, wrth gwrs – achosodd y neges ar y darn papur (oedd hefyd yn belen fach ddi-nod yng ngwaelodion y paced sigaréts) gryn dipyn o gynnwrf.

Yn enwedig felly mewn pentref bychan o'r enw Koustoyérako yn ne-orllewin yr ynys.

*

Koustoyérako, Creta
Medi 1943
Lle gythral oedd y dynion i gyd?

Doedd y sarjant Almaenig ddim yn teimlo'n gyfforddus o gwbl. Gwyliodd yr is-gapten ifanc yn poeri-sgrechian yn wynebau'r merched a safai'n ddistaw yng nghanol sgwâr y pentref wrth iddo frasgamu o un pen i'r llall, a'r cyfieithydd wrth ei gwt yn gwneud ei orau i adleisio pob sgrech. Waeth i ti heb, 'y ngwas i, meddyliodd y sarjant. Does 'na 'run o'r rhain yn mynd i ddeud yr un gair wrthat ti.

Safai holl ferched a phlant y pentref yn y sgwâr, a'r plant yn edrych fel petaen nhw'n sownd yng nghluniau eu mamau a'u chwiorydd hŷn. Dwsinau o lygaid duon, mawrion yn rhythu arno fo a'r lleill – rhai'r plant yn llawn ofn, ond rhai'r merched yn dangos dim byd ond dirmyg a chasineb.

Roedd yr Almaenwyr wedi cyrraedd yma ben bore, gyda'r gwlith, ac wedi amgylchynu'r pentref. Roedd y gwlith bellach wedi hen ddiflannu a thrawai'r haul yn boeth, boeth. Oedd yn rhaid iddi fod mor uffernol o boeth, meddyliodd y sarjant, ac oedd raid i'r blydi sicadas yna gadw cymaint o dwrw yn nail y coed a dyfai o gwmpas y sgwâr? Tynnodd ei helmed er mwyn cael sychu'r chwys, eto fyth, oddi ar ei dalcen a'i wyneb.

Yn ôl a ddeallai, cawsai cryn dipyn o arfau eu gollwng yma gan awyren Brydeinig tuag wythnos ynghynt. Yr ardal hon hefyd oedd cynefin y teulu Paterakis – tylwyth o fugeiliaid a phob un o'r brodyr yn aelod gweithgar iawn o'r mudiad gwrthsefyll, teulu fu'n ddraenen go boenus yn ystlys yr Almaenwyr ers dros ddwy flynedd. Doedd dim golwg o'r un ohonyn nhw rŵan, wrth gwrs. Er hynny, teimlai'r sarjant nad oeddan nhw'n bell o gwbl. Trodd yn ei unfan, a'i lygaid yn crwydro'n araf dros y llethrau uwchben y pentref. Efallai mai ei ddychymyg oedd yn creu bwganod, ond bron na allai deimlo sawl pâr o lygaid yn rhythu i lawr arno.

Fesul llond dwrn dychwelai'r milwyr fu'n creu llanast wrth chwilio'r tai, pob un ohonynt yn waglaw. Roedd wyneb yr is-gapten yn biws gan rwystredigaeth. Cyfarthodd orchymyn, a dechreuodd un o'r milwyr roi'r gwn peiriant at ei gilydd, y clician a'r clecian metelaidd yn atseinio'n uchel yn nistawrwydd y sgwâr. Am eiliad, meddyliai'r sarjant yn siŵr iddo deimlo rhyw furmur yn ymledu trwy'r merched a'r plant, fel awel fechan yn chwythu trwy gae o wenith. Wedi i'r milwr orffen adeiladu'r gwn peiriant, eisteddodd y tu ôl iddo a rhoi nòd bychan ar yr is-gapten.

Doedd wyneb hwnnw ddim yn biws erbyn hyn, sylwodd y sarjant; yn hytrach, roedd yn ddigon llwyd wrth iddo ofyn i'r merched – am y tro olaf, meddai wrthynt – ble roedd y dynion? Roedd o bron iawn yn erfyn arnyn nhw.

Chafodd o ddim ateb ond dechreuodd y merched fwmian yn dawel, a sylweddolodd y sarjant mai gweddïo roeddan nhw. Trodd yr is-gapten tuag ato. Roedd wyneb hwnnw bellach yn wyn, ac edrychai fel petai ar fin beichio crio.

Be wna i?

Dwi ddim isio gneud hyn.

Merched . . . a phlant!

Edrychodd y sarjant unwaith eto i fyny tua'r llethrau. Credai iddo weld rhywbeth yn symud yno, ond hwyrach mai dim ond gafr oedd hi. Dim byd ond gafr. Roedd ei nerfau i gyd yn sgrechian arno i ymguddio, i chwilio am unrhyw fath o gysgod yn rhywle – rŵan! Doedd hyn ddim yn *iawn*. Mi ddylai fod 'ma ddynion . . .

Trodd yr is-gapten oddi wrtho mewn anobaith ac edrych ar y milwr a eisteddai'r tu ôl i'r gwn peiriant . . . ddim ond i weld rhosyn coch yn blodeuo ar diwnig werdd y milwr, lai na chwarter eiliad cyn i sŵn yr ergyd ddod o'r llethrau. Fel petaen nhw'n gwylio rhyw wyrth ryfedd, rhythodd y milwyr i gyd ar yr un y tu ôl i'r gwn peiriant yn syrthio'n araf, yn freuddwydiol bron, ar ei ochr ac i'r llawr . . . yna un arall o'r milwyr yn disgyn yn sydyn ar ei liniau dan grawcian yn wlyb, ei wddf wedi'i rwygo'n rhacs gan y fwled a ffrwydrodd trwyddo cyn i sŵn y reiffl a'i saethodd gyrraedd y sgwâr.

Dechreuodd y sarjant droi ond teimlodd ergyd galed rhwng ei ysgwyddau, fel petai 'na hen ffrind wedi sleifio i fyny'r tu ôl iddo a'i gyfarch â waldan gyfeillgar. Trodd ei goesau'n gortynnau o glai; synnodd ei gael ei hun ar ei liniau gerbron y merched a'r plant, fel tasa fo am weddïo hefo nhw. Dyna inni syniad da, meddyliodd – dyma'r amser i weddïo os bu un erioed – ond doedd ganddo mo'r nerth i godi'i freichiau nac i blethu'i ddwylo ynghyd. Ar y ddaear, yn y llwch, teimlodd rywbeth gwlyb a phoeth yn ffrwydro o'i geg. Roedd yr holl lygaid duon bellach yn syllu i lawr arno *fo*.

Ro'n i'n iawn – mi ddylien ni fod wedi troi ar ein sodlau a'i g'leuo hi o 'ma. Mi ddylien ni fod wedi mynd . . .

Gwyliodd y llygaid duon yn tyfu'n fwy ac yn fwy, nes o'r diwedd iddo gael ei sugno i mewn i'w dywyllwch.

Mewn eiliadau roedd wyth milwr arall wedi'u lladd gan y ffiwsilâd o'r llechweddau. Gwasgarodd yr Almaenwyr fel haig o bysgod mewn cawod genllysg, a sgrechiodd yr is-gapten arnyn nhw i gyd i ddychwelyd i'w cerbydau. Anafwyd dau arall cyn iddyn nhw fedru dianc, ac erbyn i'r llwch setlo dros y cyrff a orweddai bob sut yn sgwâr Koustoyérako, roedd synau'r tryciau a'r beiciau modur a'r jîp wedi hen ddiflannu i'r pellter.

*

Bum niwrnod yn ddiweddarach dychwelodd yr Almaenwyr i Koustoyérako. Wrth gwrs. Doedd hynny ddim ond i'w ddisgwyl – doedd yr Almaenwyr ddim yn rhai am hel llwch pan oedd galw am ddial. Roedd 'na dros fil ohonyn nhw'r tro yma. Ac nid i Koustoyérako yn unig y daethon nhw, chwaith, ond hefyd i ddau bentref arall yn ardal Selino – Livadas a Moni. Llosgwyd y tri lle yn ulw.

Ond pentrefi gweigion oeddan nhw. Oherwydd yr hyn oedd wedi digwydd yn Koustoyérako, gwyddai'r trigolion ei bod hi'n amen ar bentrefi'r ardal, a chan gasglu eu trysorau prin ynghyd, i fyny â nhw i'r mynyddoedd. A chollodd yr Almaenwyr bedwar milwr ar hugain arall cyn iddyn nhw ddod â'u llosgi a'u hysbeilio i ben.

Am y tro.

*

Iráklion, Creta
Medi 1943

Mewn ystafell fyglyd, dlodaidd yn un o westai strydoedd cefn y ddinas, wylai cyn-gerddor ifanc o'r enw Tobias Jung, gynt o ddinas Regensburg yn yr Almaen, ddagrau hallt. Ceisiai fygu ei ochneidiau a'i igian yn y gobennydd, a gwnâi hynny'r sŵn yn fwy torcalonnus fyth.

Ni allai'r ddynes a orweddai wrth ei ochr wneud mwy na gorffwys ei llaw yn ysgafn ar ei gefn, a oedd fel ei chefn hithau'n llithrig o chwys. Gadawodd i'w bysedd grwydro dros siâp y graith fawr hyll ar ei ysgwydd. Roedd 'na un arall debyg iddi ar ei glun.

Buasai eu caru cynharach yn fwystfilaidd, bron, a'u bysedd lletchwith yn melltithio pob botwm a bwcwl styfnig. Roedd hi wedi dod cyn iddo lithro i mewn iddi, hyd yn oed – fel roedd yn ei chyffwrdd wrth wthio ochr ei nicyr o'r ffordd yn ddiamynedd. Cododd hithau er mwyn diosg gweddill ei dillad, cyn mynd yn ôl ato a rhoi'i llaw eto ar ei gefn.

'Tobias,' sibrydodd yn dyner. 'Tobias . . .'

Yna symudodd ei llaw ac anwesu'i wallt golau, cwta, tenau.

Cyn bo hir iawn, meddyliodd, mi fydd y rhan fwyaf o hwn wedi diflannu. Melltith dynion ei deulu – dyna roedd o wedi'i ddeud wrthi un tro: roedd ei dad yn foel fel wy cyn ei fod yn ddeg ar hugain, a'i daid yr un fath.

Yn araf, araf, daeth Tobias Jung ato'i hun. 'Magda,' meddai o'r diwedd. 'Mae'n ddrwg gen i . . .'

Rhoddodd hithau ei llaw dros ei geg. 'Faint o weithiau sy isio i mi ddeud, Tobias?'

'Wn i, wn i. Ond . . .'

'Shh.'

Arhosodd nes iddo nodio arni cyn tynnu'i llaw oddi ar ei geg ac estyn am ei sigaréts. Taniodd ddwy a rhoi un rhwng ei wefusau. Doedd dim swildod rhwng y ddau yma bellach, a gwthiodd Jung ei drywsus a'i drôns i lawr dros ei fferau a'i draed, cyn gorwedd yn ei ôl ar y gwely haearn, gwichlyd, cyn noethed â hithau.

Ond doedd eu meddyliau ar hyn o bryd ddim ar gyrff ei gilydd. Roedd ei feddwl o ar y darn papur bychan hwnnw roedd o wedi'i adael mewn paced sigaréts gwag mewn bin sbwriel y tu allan i giatiau Knossos, a'i meddwl hi ar yr wybodaeth roedd hi wedi'i sleifio iddo – pytiau o sgyrsiau roedd hi wedi hanner eu clywed yn y swyddfeydd ac mewn adroddiadau roedd hi wedi gwrando arnyn nhw trwy glustffonau'r setiau radio. Roedd yntau wedyn wedi'u didoli'n ofalus fesul brawddeg, cyn penderfynu bod ganddo ddigon o wybodaeth i gyfiawnhau sgriblo enw'r pentref a'r dyddiadau tebygol ar ei damaid papur bach tila.

A'r darn papur hwnnw oedd yn gyfrifol am y ffaith fod meddyliau'r ddau ar y pentrefi bach gwynion rheiny oedd wedi diflannu oddi ar lethrau'r mynyddoedd, ac ar yr ysbrydion a grwydrai'n ddryslyd ymysg rwbel y cartrefi a'r trawstiau duon, llosgedig.

Doedd dim angen geiriau rhyngddyn nhw, felly ysmygai'r ddau yn dawel. Yna, diffoddodd Magda'r ddwy sigarét mewn hen dun baco, cyn troi'n ôl ato a'i deimlo'n chwyddo'n galed eto rhwng ei bysedd.

Pendwmpiodd hi wedyn, ond aeth Tobias Jung at y ffenest a sbecian allan rhwng y caeadau pren a thros y rwbel a orweddai yn y stryd. Safodd yno'n ysmygu nes i'r haul ddechrau troi'n oren. Syllodd ar ei ddwylo, ac ar yr ewinedd ar ben ei fysedd hirion wedi'u cnoi i'r byw; daliodd hwy i fyny i'r haul a'u hastudio fel petaen nhw'n perthyn i rywun arall, a rhyw lawfeddyg direidus wedi'u gwnïo i'w arddyrnau tra oedd o'n cysgu.

Mwmiodd Magda yn ei chwsg a throdd Jung ati. Teimlai'r dagrau'n cronni yn ei lygaid unwaith eto; edrychai hi mor fregus yn gorwedd yno yn ei noethni tenau a heb ei sbectol, ei bronnau di-nod yn fawr mwy na rhai plentyn ifanc.

O'r Arglwydd, meddyliodd, pryd mae hyn i gyd yn mynd i orffen?

A sut?

Sut?

Rhan 1

1

Icarws

Tua hanner ffordd i fyny'r mynydd, eisteddai pedwar o bobol yn gwylio'r nos yn cropian yn araf ond yn bendant dros y llethrau.

Bachgen deuddeng mlwydd oed oedd yr ieuengaf o'r pedwar, ac roedd ei ysgwydd yn amlwg yn ei boeni eto heno. Roedd y tri arall eisoes wedi sylwi arno'n gwingo wrth iddo blygu neu godi rhywbeth, er gwaethaf ymdrechion y bachgen i guddio hynny oddi wrthyn nhw.

Tarodd yr hynaf winc ar y lleill. 'Nikos,' meddai. 'Tyd i mi gael golwg ar yr ysgwydd yna.'

Ysgydwodd y bachgen ei ben yn swta.

Chwarddodd Siphi, yr ieuengaf o'r ddau ddyn. 'Waeth i ti heb, Yanni,' meddai.

Edrychodd Yanni ar y ferch ddeunaw oed a eisteddai wrth ochr Siphi. 'Tria di, Maria.'

Cyn i Maria fedru dweud gair, cododd Nikos a chrwydro draw at y gorlan.

'Niii-koooos . . .' galwodd Maria ar ei ôl, ond chymerodd Nikos ddim sylw ohoni. Eisteddodd ar y ddaear wrth ochr Tasia'r ci, a lapio'i fraich denau am y gwddf blewog, cynnes, gan gadw'i gefn at y lleill.

'Cythral bach styfnig ydi o,' ochneidiodd Yanni – ac nid am y tro cyntaf.

Roeddan nhw'n eistedd ar seddau cerrig y tu allan i hen gwt bugail – adeilad carreg crwn, diffenest a tho conigol iddo –

oedd wedi'i godi wrth droed ac yn erbyn craig berthog. Cododd Yanni gan riddfan a rhwbio bochau ei ben-ôl. Edrychodd Nikos yn chwim i'w gyfeiriad rhag ofn bod yr hen fugail yn benderfynol o'i hambygio eto trwy ei holi ynglŷn â'r ysgwydd roedd o wedi'i chleisio'n hegar dridiau ynghynt pan adawodd Yanni iddo saethu'i reiffl. Roedd y gic a gawsai wrth i'r gwn danio fel cic mul.

Ond roedd sylw Yanni ar y dyn arall, y gŵr ifanc roeddan nhw'n ei adnabod fel 'Siphi', oedd yn prysur wneud smonach eto fyth o dorri dail baco, a'i reiffl Lee Enfield ar ei lin wrth iddo ddefnyddio'r carn fel bwrdd bychan.

Sylwodd Maria ar Yanni'n gwgu arno.

'Rwyt ti'n ei dorri fo'n rhy fân, Siphi,' meddai hi dan chwerthin.

'Neu'n rhy fawr, yndê?' ategodd Yanni. 'Faint o weithia sy isio deud wrthat ti? Dangos iddo fo, Maria, wnei di? Tasa rhywun fymryn haws . . .'

Rhoddodd Siphi'r reiffl yn ofalus ar lin y ferch, gan wneud i Maria wenu: roedd o'n ei hatgoffa o rywun yn gosod aberth gerbron duwies. Tynnodd Yanni gyllell o'i wregys, un ddigon mawr i alw 'chi' arni, a'i chynnig i Maria.

'Fel hyn 'drycha, Siphi . . .'

Rhoddodd Maria ddeilen baco ar garn y reiffl. 'Thwc-thwc-thwc-thwc-thwc' hefo ochr y gyllell, ac yna un 'thwc' arall.

'Dyna chdi.'

'Mae Manoli'n amlwg wedi dysgu'i blant yn dda,' oedd sylw sarrug Yanni, cyn rhoi waldan fach ysgafn i Siphi ar draws ei ben. 'Pwy fasa'n meddwl bod hwn wedi bod yma efo ni ers deunaw mis?'

Gwenodd Siphi ei wên dannedd cam.

Ar yr olwg gyntaf, dau fugail oedd Yanni ac yntau – tad a mab, hwyrach; roeddan nhw'n ddigon tebyg i'w gilydd o ran pryd a gwedd er bod tua deugain mlynedd rhyngddyn nhw. Yr un locsyn sgraglyd oedd gan y ddau, ond bod blewiach Yanni'n wyn tra oedd locsyn Siphi'n ddu, ac awgrym pendant o gochni rhydlyd yn rhedeg trwyddo. Roedd hynny oedd i'w weld o groen eu hwynebau wedi'i grychu a'i grasu'n frown gan wyntoedd a heulwen Creta. Dros eu hysgwyddau gwisgai'r ddau glogyn hir, cynnes – y *kapóta* â'i wlân gwyn wedi gweld gwell dyddiau; ar eu pennau roedd tyrban du a'r ffrinj bychan o gwmpas ei odre'n cosi'r talcen, ac am eu traed fotasau uchel a gyrhaeddai hyd at eu pengliniau.

Fodd bynnag, dim ond un ohonyn nhw oedd yn fugail go iawn: Yanni Tyrakis – Yanni'r Chwibanwr i drigolion pentrefi'r ardal – a oedd eleni'n bump a thrigain mlwydd oed. Cawsai ei eni a'i fagu yma ar lethrau'r mynydd, ac roedd yn nabod pob llwybr cudd, pob un ogof a thwll. Pob carreg a gwelltyn, mynnai amryw.

Aeth Yanni i'w gwman wrth ddiflannu i mewn i'r cwt. Gan roi gwên fach swil a mymryn yn ansicr ar Siphi, cododd Maria a chroesi draw at Nikos a'r ci. Gwyliodd Siphi hi'n rhoi fflic fach chwareus i un o glustiau rhyfedd y bachgen cyn eistedd wrth ei ochr. Daeth murmur ei llais tuag ato ar yr awel, ac ochneidiodd y dyn ifanc yn dawel. Genod Anogia, be gythral ddaw ohonoch chi? meddyliodd – gan deimlo'r hen lwmp cas yna'n chwyddo unwaith eto y tu mewn i'w wddw. Yn enwedig genod gwyllt a mentrus fel Maria Alevizakis . . .

Roedd Siphi wedi cael sioc yn gynharach heddiw o'i gweld hi yma ar y mynydd. Roedd yr Almaenwyr wedi cyhoeddi bod ardal Psiloritis, fel pob ardal fynyddig, yn un waharddedig. Sioc arall oedd clywed gan Yanni fod Maria a Nikos wedi bod yno hefo fo ers bron i wythnos.

'Dwi'n gwbod, dwi'n gwbod,' meddai Yanni pan welodd wyneb Siphi. 'Ond be wnei di? Ti'n gwbod fel maen nhw, Siphi. Yn enwedig Maria. Cofia mai un o'r Alevizakisiaid ydi hi! Roeddan nhw'n ddigon diogel, sti. Rhai o'r *andártes* ddaeth â nhw yma o Anogia. Mi gawson nhw lond ceg gen i, elli di fentro.'

'Do, mwn.'

Ond tybed *faint* o lond ceg? Roedd yn debygol iawn fod Yanni wedi edmygu gwrhydri'r ddau ifanc am fentro dod i'r mynydd yn y lle cyntaf – ond nefi wen, mae isio gras efo'r bobol yma weithia, meddyliodd Siphi. Doedd 'na ddim tair wythnos ers i un o gadfridogion yr Almaenwyr, Heinrich Kreipe, gael ei herwgipio. O ganlyniad roedd milwyr y gelyn fel morgrug ar hyd a lled yr ynys – yn enwedig ar lethrau Psiloritis a dyffryn Amari – ac yn mentro'n uwch nag erioed, ac yn llawer amlach, i'r mynyddoedd a'r pentrefi mynyddig.

Hyd y gwyddai Siphi, roedd Kreipe a'r rhai oedd wedi'i gipio yn dal i fod ar yr ynys. O leiaf, doedd o ddim eto wedi clywed unrhyw newyddion i'r gwrthwyneb trwy gyfrwng ei set radio, na chwaith trwy gyfrwng yr hyn roeddan nhw'n ei alw'n 'Radio Creta', sef y duedd i unrhyw newyddion wibio ar lafar o un pen o'r ynys i'r llall, diolch i natur glebrog ei thrigolion. Roedd honno'n aml yn ffynhonnell newyddion fwy effeithiol a dibynadwy na'r setiau radio, meddyliodd Siphi'n sarrug.

Ar y llaw arall, efallai fod y ddau ifanc yn saffach yn fama efo Yanni nag i lawr yn Anogia. Roedd cynifer o bentrefi Creta wedi'u llosgi'n ulw gan yr Almaenwyr, a chynifer o'u trigolion wedi'u dienyddio – na, cywirodd Siphi ei hun, wedi'u *llofruddio*. Roedd 'dienyddio' yn air rhy barchus o beth myrdd.

Trwy gornel ei lygad gallai weld bod Maria a Nikos yn eistedd â'u cefnau'n pwyso yn erbyn clawdd cerrig y gorlan. Gwyddai fod llygaid Maria'n dawnsio i'w gyfeiriad o bob hyn a hyn, yn y gobaith y byddai'n codi a mynd ati ac yn gwneud neu ddweud rhywbeth wrthi fyddai'n tawelu ei meddwl. Roedd ei hwyneb wedi goleuo pan welodd hi o'n cyrraedd, ond fe giliodd ei gwên wrth i'w wyneb ddangos yn glir iddi nad oedd o, am unwaith, yn hapus o'i gweld hi. Hoffai petai'n gallu dweud wrthi, â phob gonestrwydd, mai dim ond poeni amdani roedd o, ond celwydd fasa hynny. Ac roedd yr ansicrwydd a welsai ar ei hwyneb wrth iddi godi oddi wrtho gynnau wedi dangos yn ddigon plaen ei bod hithau'n ofni bod mwy i'r peth na dim ond pryder am ei diogelwch.

Yr eironi oedd mai amdani hi – a'i ffrind, Hanna – roedd Siphi'n meddwl wrth iddo ymlwybro tuag yma.

Mor braf fuasai cael eu gweld nhw unwaith eto.

Genod Anogia.

Cymaint haws – a chymaint doethach – fuasai *peidio* â'u gweld nhw.

*

Mae gan yr awel 'ma ddannedd bach miniog heno, meddyliodd Maria.

Roedd Nikos a hithau'n ddiolchgar o gael clawdd y gorlan yn erbyn eu cefnau. Gallai glywed Yanni'n tuchan wrth iddo geisio cynnau'r tân rhedyn y tu mewn i'r cwt. Byddai'r cwt, am ychydig, yn annioddefol o fyglyd nes i'r tân setlo; wedyn, byddai'n gynnes ac yn glyd.

Wrthi'n casglu rhedyn roedd hi a Nikos pan gyrhaeddodd Siphi, a hithau wedi codi o'i chwman wrth ei weld yn siarad hefo Yanni. *O'r diwedd*, cofiai iddi feddwl . . . *mae o wedi dŵad o'r diwedd*. Roedd hi wedi brysio i lawr y graig – wedi baglu i lawr, bron. Mi fasa hynny wedi bod yn urddasol, yn basa, meddyliodd: bowndian i lawr a glanio'n bendramwnwgl wrth ei draed, yn brwydro i fygu'r wên a lanwai ei hwyneb.

O'r diwedd – a hithau wedi gweddïo'n llythrennol ac yn slei bach bob nos ers bron i wythnos y byddai Siphi'n ymddangos cyn iddi hi a Nikos orfod mynd i lawr o'r mynydd, yn ôl am Anogia.

'Be sy'n bod arno fo, Nikos. Y?' gofynnodd. Cododd Nikos ei ysgwyddau'n ddi-hid ond hefyd yn ddiamynedd. Sylwodd hi ddim ar hynny; roedd ei llygaid wedi crwydro unwaith eto at y fan lle'r eisteddai Siphi. Doedd fawr ohono i'w weld heblaw ei siâp amwys a llygad bach orengoch ei sigarét yn wincian bob hyn a hyn. Yn ei meddwl gallai ei gweld ei hun yn rhuthro tuag ato ac yn lapio'i breichiau am ei wddw, a'i chlywed ei hun yn gofyn iddo, 'Siphi – be sy?'

Roedd y ddelwedd yma mor gryf fel y synnodd Maria wrth sylweddoli ei bod yn dal i eistedd yn y gorlan, a phen-glin esgyrnog Nikos yn boenus yn erbyn ei chlun. Symudodd fymryn oddi wrtho a chlywed clecian cyntaf y tân yn dod o'r tu mewn i'r cwt. Edrychodd Nikos arni'n siarp ac yn biwis ond sylwodd Maria ddim ar hynny chwaith, achos roedd hi'n rhy brysur yn

21

ei dwrdio'i hun am fod mor hurt. Doedd ryfedd fod Siphi wedi edrych arni'n gynharach fel petai hi'n ddim ond rhyw hogan fach wirion oedd yn dipyn o niwsans.

*

Ymysgydwodd Siphi a sgubo'i faco'n ofalus i mewn i'r tun, cyn sefyll a syllu ar y niwl tenau a guddiai gopa gwyn y mynydd.

Mynydd uchaf ynys Creta (dwywaith uchder yr Wyddfa, a mwy, meddyliodd Siphi) – mynydd ac iddo ddau enw: Psiloritis a'r hen enw, Ida.

Yn ôl yr hen, hen chwedlau, yma mewn ogof fechan y ganed Zews, tad y duwiau. Roedd hwn yn fynydd sanctaidd i fam Zews, y dduwies Rhea. Roedd hi wedi llwyddo i achub Zews, ei mab ieuengaf, rhag cael ei lyncu'n fyw gan ei dad, Cronws, oedd eisoes wedi llyncu brodyr a chwiorydd Zews – pump ohonyn nhw i gyd. Yr hyn wnaeth Rhea oedd rhwymo carreg mewn cadachau a rhoi honno i Cronws; llyncodd yntau, felly, y garreg yn hytrach na'r baban newydd, a magwyd Zews wedyn naill ai gan ei nain, Gaia, neu gan nymff o'r enw Adamanthea . . . neu, efallai, gan gyfnither iddo oedd yn afr. Ie, gafr! Un o'r enw Amalthea, os oedd Siphi wedi llwyddo i gofio'r enw'n iawn. Roedd cymaint o enwau'n britho'r hen straeon hyn, i gyd yn swnio mor debyg i'w gilydd!

I lawr yn y dyffrynnoedd ac ar y glannau roedd yn wanwyn cynnes, ond i fyny yma roedd yr awel yn llawn o arogl y glaw mân oedd ddim ond newydd roi'r gorau i sgubo ar draws y llethrau. Ond fydd y niwl acw ddim yn para'n hir, meddyliodd Siphi; bydd heno'n noson glir. Roedd y cymylau eisoes wedi teneuo, a gallai weld ambell seren yn wincian arno.

Daeth Yanni allan o'r cwt a darnau o fara garw yn ei ddwylo – bara wedi'i bobi ddwywaith ac wedi'i wlychu ganddo mewn llaeth gafr. Eisteddodd y ddau ochr yn ochr yn cnoi'n dawel am rai munudau. Yna, taflodd Yanni olwg dros ei ysgwydd i gyfeiriad Maria a Nikos, cyn dweud dan ei wynt: 'Rwyt ti'n ddistaw iawn heno, Siphi. Be sy?'

Aeth bron i funud cyfan heibio cyn i Siphi ei ateb. 'Dwi'n gorfod mynd, Yanni.'

Nodiodd Yanni'n araf. 'Pryd?'

'Duw a ŵyr. Pan benderfynan nhw ei bod hi'n saff iddyn nhw anfon cwch. Fory, falla, neu drennydd. Falla mhen y mis. Unwaith y bydd Kreipe wedi'i symud oddi ar yr ynys.'

'Ond yn o fuan?'

'Ia.'

'Ro'n i'n ama,' meddai Yanni. 'Ro'n i'n ama bod gen ti rywbath ar dy feddwl.'

'Ia, wel . . .' Teimlodd Siphi frathiad bach creulon dan ei gesail. Crafodd. 'Cofia mod i wedi bod ar yr ynys yma ers deunaw mis. Ma hynna'n amser hir ar y diawl.'

'Yn *rhy* hir, Siphi?'

Bu rhagor o dawelwch rhyngddyn nhw am ychydig. Dim ond sŵn y ddau ohonyn nhw'n cnoi'r bara, ac ambell fref gysglyd o gyfeiriad y praidd. Mae'n siŵr ei fod o'n rhy hir, meddyliodd Siphi, ond dydi o ddim yn teimlo'n *ddigon* hir, o bell ffordd – ddim heno.

Yn hytrach nag ateb Yanni, fodd bynnag, dywedodd:

'Mi hoffwn i feddwl . . . ryw ddiwrnod, pan fydd hyn i gyd drosodd . . .'

Safodd Yanni, a thorri ar ei draws. 'Bwyd,' meddai. 'Ei di i nunlla heb rywfaint o fwyd yn dy fol.'

Trodd a diflannu'n ei ôl i mewn i'r cwt.

*

'Glywaist ti rywfaint o hynna?' gofynnodd Maria i Nikos. Ysgydwodd Nikos ei ben yn swta, a'r olwg ddiamynedd yna ar ei wyneb. Ond sylwodd hi ddim ar hynny eto.

Roedd rhywbeth ynglŷn â'r ffordd roedd Yanni wedi codi a mynd yn ei ôl i'r cwt. Rhoddai'r byd am fedru clywed fel Tasia'r ci. Ar ôl clustfeinio nes bod tu mewn i'w chlust dde'n brifo, doedd hi ddim wedi medru clywed dim byd ond murmur lleisiau'r ddau ddyn.

Rhoes bwniad i Nikos. 'Be 'di'r pwynt cael clustia fel rheina sgen ti os nad wyt ti'n eu defnyddio nhw?' meddai'n greulon. Ddywedodd Nikos ddim byd, dim ond symud ychydig oddi wrthi a rhythu ar y ddaear.

Ochneidiodd Maria. 'O, Nikos, ma'n ddrwg gen i.' Syllodd arno am rai eiliadau, ond chymerodd Nikos ddim arno ei fod wedi'i chlywed. Iawn, meddyliodd hithau, bydd fel'na, ta. Trodd oddi wrtho gan fygu'r ysfa blentynnaidd i'w frifo ymhellach trwy ddweud rhywbeth arall sbeitlyd am ei glustiau, a'i hatgoffa'i hun ei bod chwe mlynedd yn hŷn na fo. Yn ddeunaw o'i gymharu â'i ddeuddeg o.

Roedd Siphi'n dal i eistedd ar y garreg. Beth, tybed, oedd ar ei feddwl?

Cofiodd Maria y tro cyntaf iddi'i weld, mewn tŷ yn Anogia. Tŷ'r offeiriad, fe gofiai. Roedd hynny yn ystod wythnos gyntaf Siphi ar yr ynys, a swatiai mewn cornel a'i lygaid yn dawnsio o un wyneb i'r llall wrth i'r iaith ddieithr fyrlymu o'i gwmpas . . .

*

Roedd hi'n aeaf, ac yn eithriadol o oer yn Anogia – gwynt y mynydd yn chwibanu rhwng y tai a thrwy'r strydoedd, a'r merched yn eu du (gan gynnwys Thera, ei mam) yn ffysian a chlwcian uwchben y ffigwr bach nerfus yn y gornel, ac yn hwrjio bwydydd arno.

'Pwy ydi o?' sibrydodd Maria yng nghlust ei mam.

Rywsut, roedd y Sais oedd yno hefo fo – yr un a alwai pawb yn 'Michali' – wedi dyfalu beth oedd ei chwestiwn os nad wedi'i glywed.

'Siphi,' meddai Michali, cyn i Thera fedru'i hateb. 'Dyna be ydan ni am ei alw fo – "Siphi".' Trawodd flaen trwyn Maria'n ysgafn â'i fys, gan dynnu arni am fusnesu.

Cofiai ei bod hithau wedi rhowlio'i llygaid a dweud, 'Siphi arall.'

'Ia, ond Siphi'r Canwr ydi hwn,' meddai Michali. Edrychodd i gyfeiriad y dyn ifanc yn y gornel cyn troi at fam Maria. 'Fydd 'na ganu yma heno, Kyría Thera?'

Edrychodd Thera o'i chwmpas. Roedd y tŷ yn llawn erbyn

hyn, a digonedd o wylwyr yn cadw golwg y tu allan. Roedd eraill, mae'n debyg, i lawr yn y pentrefi agosaf yn barod i ruthro i fyny i Anogia petai goleuadau cerbydau'r Almaenwyr yn ymddangos yn y pellter. Crwydrodd llygaid Thera dros y fflasgiau o *rakí* wedi'i wneud o fwyar Mair – neu a rhoi iddo'i enw Cretaidd, *tsikoudiá* – a thros y gowrdiau o win melyngoch tuag at wynebau'r henuriaid a'r offeiriad â'u llygaid eisoes yn sgleinio.

Gwenodd. 'Mae digon o win yma i bawb, Michali, a *tsikoudiá* – a bwyd. Tân cynnes a chwmni da. Fydd hi ddim yn hir cyn y bydd rhywun yn torri allan i ganu ac yn dechrau ar y *mantinádes*, a phawb ohonan ni'n morio canu'r cytgan efo fo bob tro.'

'Dwi'n siŵr y medra i ddwyn perswâd ar Siphi i roi cân neu ddwy i ni toc. Mae'r creadur yn rhy swil ar y funud. Hwyrach na fyddwn ni'n dallt yr un gair, ond . . .' Gwenodd Michali. 'Gewch chi weld, mae gynnoch chi wledd o'ch blaen. Un o Wlad y Gân ydi Siphi, wedi'r cwbwl.'

'Gwlad y Gân?'

Cododd Michali ei law a'i tharo dros ei geg. 'Shh, ddeudis i'r un gair, cofiwch.' Rhoddodd winc arnyn nhw cyn ei esgusodi'i hun a throi i ffwrdd.

Gwlad y Gân. Gwlad y Gân . . .

Swniai mor fendigedig, meddyliodd Maria Alevizakis. Dychmygai wrychoedd yn chwyddo â cherddoriaeth, a choedwigoedd lle roedd hyd yn oed y brain yn crawcian yn swynol. Pobol y pentrefi'n mynd o gwmpas eu gwaith bob dydd â chwiban a chân ar eu gwefusau – ffermwyr yn morio canu hen alawon gwerin, pysgotwyr yn bloeddio siantis môr wrth hwylio'r don . . .

Gwlad y Gân.

*

Wedi disgyn yma roedd o, i bob pwrpas. Ei barasiwt yn mudlosgi, ond trwy drugaredd yn ei warchod rhag gorfod gwylio'r tri dyn ifanc arall – tri chyfaill iddo, erbyn hynny – yn llosgi i farwolaeth wrth i'w hawyren Halifax droi'n belen o dân ar ei ffordd i lawr i'r môr. Byddai'n deffro'n aml berfeddion nos, yn argyhoeddedig ei fod yn gallu clywed eu sgrechian ar y gwynt.

Fo oedd yr un lwcus. Mwy lwcus nag Icarws, meddai Michali wrtho wedyn. Ceisio *dianc* o Greta roedd hwnnw, gyda chymorth adenydd oedd wedi'u gwneud iddo allan o blu a chŵyr gan ei dad, Daedalws, ond fe anwybyddodd rybudd ei dad i beidio â hedfan yn rhy agos i'r haul: toddodd yr haul y cŵyr, a syrthiodd Icarws i'r môr a boddi . . .

Awyr-ringyll oedd 'Siphi', ar ei ffordd o Greta ar ôl yr ymosodiad ar faes awyr Kastelli pan gafodd yr Halifax ei saethu i lawr. Cawsai ei achub gan gyw bugail a drefnodd iddo gael ei guddio ac yna'i symud i fyny i'r mynyddoedd dan gysgod nos. Ddyddiau'n ddiweddarach cafodd ei gyflwyno fel 'Siphi' i un o'r Cretiaid ffyrnicaf a mwyaf brawychus ei olwg iddo'i weld hyd hynny – a bu bron iddo gael ffit binc pan gyfarchodd hwnnw fo mewn Saesneg ac iddi acen ysgol fonedd gref.

Uwch-gapten gyda'r SOE, y Special Operations Executive – y corff Prydeinig a gynorthwyai'r mudiadau gwrthsefyll lleol – oedd 'Michali', deallodd wedyn. Cyn iddo droi rownd, bron, roedd Siphi hefyd yn perthyn i'r SOE ac yn ddyn radio, yn treulio cyfnodau hirion o ddiflastod llwyr ar ei ben ei hun mewn ogofâu nad oeddan nhw fawr mwy na thyllau yng nghreigiau'r mynyddoedd – holltau culion y buasai unrhyw gadno â'r mymryn lleiaf o hunan-barch yn troi'i drwyn arnyn nhw, hefo lloriau caled a'r waliau a'r nenfydau'n wylo dagrau oerion ddydd a nos. Weithiau, welai o 'run wyneb cyfeillgar am wythnosau, ar wahân i ambell negesydd neu fugail.

Y gaeaf oedd waethaf. Er ei fod bron â fferru fedrai o ddim cynnau tân bychan, hyd yn oed, rhag ofn i'r gelyn weld y mwg. Roedd mentro allan i'r awyr agored yn beryg bywyd, hefyd, rhag ofn i batrôl o filwyr weld olion traed yn yr eira. Ar adegau eraill profai Siphi ysbeidiau o banig llwyr, a blas chwd yn llenwi'i geg wrth iddo orfod ffoi am ei fywyd hefo'r setiau radio lletchwith, annibynadwy. Droeon, gorfu iddo fustachu dros greigiau danheddog ac ar hyd llwybrau llithrig oedd bron cyn guled â chwysi mewn cae.

Ambell dro, dim ond cael a chael fyddai hi. Ar ei Nadolig cyntaf yma, er enghraifft, cawsai ei hun yn eistedd yn ddiolchgar wrth fwrdd bwyta teulu yn un o bentrefi dyffryn Amari. A bod yn gwbwl onest, doedd o ddim mewn unrhyw gyflwr i eistedd wrth fwrdd neb, yn enwedig ar noswyl y Nadolig: gwyddai ei fod yn berwi o chwain, ei wallt a'i locsyn yn sgraglyd ac yn ysglyfaethus, a doedd wybod sut ddrewdod a godai'n un cwmwl o'i ddillad a'i gorff bob tro y symudai. 'Ogla iach, ogla mynydd,' cofiai Yanni'n dweud wrtho rai wythnosau ar ôl iddo gyrraedd yr ynys, a Siphi erbyn hynny wedi dechrau dyheu am ddŵr a sebon – hyd yn oed y lympiau haearn o garbolig oedd ganddyn nhw yn ystafelloedd ymolchi'r orsaf awyrennau yn El Amiriya. Ia, wel – un peth ydi ogleuo fel mynydd pan mae rhywun *ar* y mynydd, ond mewn tŷ ar lawr gwlad, ofnai Siphi mai buan iawn y byddai oglau iach y mynydd yn troi'n ddrewdod annioddefol.

Ond doedd yr un o'r teulu – tad, mam, dwy ferch hardd a hudolus yn eu harddegau a mab dengmlwydd oed – fel petai'n malio'r un iot. Hyd yma, doedd o ddim wedi llwyddo i droi trwyn yr un ohonyn nhw, heb sôn am eu stumogau. Cafodd groeso mawr ar eu haelwyd, a'i dynnu i mewn i'r gwmnïaeth fel petai'n frawd mawr neu ewythr oedd wedi bod oddi cartref ers blynyddoedd, yn hytrach na meudwy gwyllt o ogofâu'r mynyddoedd oedd ddim ond yma tra oedd ei set radio annibynadwy'n cael ei thrwsio.

Daeth teimlad o banig drosto ar ôl iddo eistedd, ac am rai eiliadau roedd o fewn dim i'w sgidadlio hi am y drws gan fwmian rhyw esgus neu'i gilydd. Teulu – dyna be oedd, sylweddolodd wedyn – roedd y teulu cynnes yma wedi ailgynnau'r hiraeth oedd wedi bod yn mudlosgi'r tu mewn iddo. Wrth iddo'u gwylio'n mynd o gwmpas eu pethau yn y bwthyn cysurus, a gwrando ar eu parablu cyfforddus wrth iddyn nhw fynd yn ôl a blaen, pob un yn fflachio gwên arno wrth wasgu heibio iddo, sylweddolodd ei fod o mewn peryg o grio.

Dolig, Dolig . . . go damia fo, meddyliodd. A dyna pryd, mae'n siŵr, y sleifiodd 'Dawel Nos' i flaen ei feddwl. Ei hoff garol. Petai'n cau ei lygaid, gwyddai y byddai yn ei ôl yn y capel adra, ac arogl y polish ar y seddau derw'n llenwi ei ffroenau. Ei fys wedi'i fachu dros ochr y ddolen fach fetel ar gyfer dal gwydryn y gwin cymun, ac yntau'n clywed yr hen Naomi Parri'n llusgo canu dair sedd y tu ôl iddo, a dim byd ond seren Nadolig – bylb cyffredin y tu mewn i focs pren roedd rhywun wedi bod yn naddu siâp seren ynddo – i oleuo'r gynulleidfa.

Yma, safai merch hynaf y tŷ o'i flaen gan wenu arno'n swil wrth iddi dywallt *tsikoudiá* i'w gwpan. Roedd ei llygaid duon a'r gwallt cyrliog, tywyll fel tasan nhw'n fflachio ac yn sgleinio yng ngolau'r canhwyllau, gan wneud iddo deimlo'n fwy aflan nag erioed.

'*Efcharistó*,' meddai wrthi, a chael y '*Parakaló*' arferol yn ôl. Gwenodd arni a chodi'r cwpan . . . a dyna pryd y ffrwydrodd y drws yn agored, a'r gwyliwr yn rhuthro i mewn. Maen nhw yma! meddai – maen nhw yma, rŵan hyn – yn y pentref! – y moch, y diawliaid, y rhai a wisga gyrn – ac yn meddiannu tai am y noson. Neidiodd Siphi ar ei draed a sgrialu am ei reiffl a'i sgrepan, y *sakoúli* lliwgar, gyda'r bwriad o . . . O wneud beth? Doedd ganddo 'run clem. O ffoi, ia, ond dyn a ŵyr sut – doedd ganddo ddim syniad ble'n union roedd yr Almaenwyr, a hyd y gwyddai gallai ruthro o'r tŷ ac yn syth i'w canol. Ac wrth gwrs, byddai ei bresenoldeb o yn y pentref yn ddigon i beri i'r pentref cyfan gael ei losgi'n ulw, a Duw a helpo'r teulu oedd wedi rhoi lloches iddo – gan gynnwys y merched a'r hogyn dengmlwydd oed . . .

Rhuthrai hyn i gyd trwy ei feddwl. Gwyddai hefyd nad oedd o eto'n edrych nac yn swnio'n ddigon fel Cretiad i dwyllo hyd yn oed y milwr ifancaf a mwyaf naïf.

Yna teimlodd law yn cau am ei fraich. Y tad – dyn bychan, boliog mewn siwt ddu, lychlyd a hongiai'n llac amdano – yn dal ei fys dros ei wefusau ac yna'n ei dywys o, Siphi, o'r ystafell ac i fyny'r ysgol i'r llawr uwchben cyn sefyll ar gadair er mwyn agor trap-dôr yn y nenfwd. Llwyddodd i'w wthio i fyny i'r atig fechan, ond cael a chael oedd hi a'r dyrnu wrth y drws yn digwydd fel roedd y trap-dôr yn cael ei gau ar ei ôl.

Roedd yr atig fel y fagddu – ond diolch, diolch amdani; petai o mewn tŷ yn yr ucheldir, fyddai 'no ddim atig o gwbl . . .

Am ychydig dim ond synau a lanwai ei fyd. Swatiai yno'n gwrando ar y cyfarthiadau o '*Raus! Raus!*' – gan weddïo bod y teulu o bump wedi llwyddo i guddio'r ffaith fod y bwrdd wedi'i osod ar gyfer chwech – ac ar y gweiddi (ond dim saethu, diolch i Dduw) a ddôi o'r stryd. Yna, sŵn traed ar yr ysgol bren, ond hefyd synau chwerthin a droriau a drysau cypyrddau'n cael eu hagor a'u cau. Synau busnesu ydyn nhw, penderfynodd o'r diwedd, nid synau chwilio. Faint ohonyn nhw oedd yn y tŷ oddi tano, doedd ganddo ddim syniad. Ar adegau, swniai fel petai 'na garsiwn gyfan o filwyr.

Diolchodd ei bod hi'n aeaf. Petai'n haf, byddai'r gwres naill ai wedi'i fygu neu ei ddrysu'n lân. Wrth i'w lygaid ddechrau dygymod â'r tywyllwch, gwelodd nad oedd y to ddim ond ychydig fodfeddi uwch ei ben. Atig gul oedd hi, os atig hefyd: yn sicr doedd hi ddim yr un hyd â llawr ucha'r tŷ o bell ffordd, ac ychydig iawn o le oedd ganddo i droi, hyd yn oed petai'n gallu mentro gwneud hynny.

Ymdrechodd i beidio â meddwl am arch.

Sylweddolodd ei fod yn crynu – o ofn; doedd yr oerni ddim wedi dechrau'i frathu eto, diolch i'r adrenalin a ruthrai drwy ei gorff. Gwnaeth ei orau i orwedd yn hollol lonydd. Rywbryd, meddyliodd, bydd fy nghorff yn mynnu cael cysgu – a be wedyn? Be taswn i'n troi yn fy nghwsg, neu'n pesychu neu disian yn yr holl lwch yma?

Oedd raid i'r taclau ddŵad *yma*?

Ond roedd yr Almaenwyr mewn hwyliau da, yn ôl y pyliau o chwerthin a glywai'n llifo i fyny tuag ato drwy'r lloriau a'r nenfwd. Doedd ganddyn nhw ddim clem ei fod o yno uwch eu pennau, penderfynodd, ar ôl i'r awr gyntaf grwbanu heibio. Buasai wedi cael ei lusgo allan ymhell cyn hyn a'i guro'n ddidrugaredd, a byddai'r teulu druan i gyd yn gelain ymhell cyn iddo gyrraedd carchar Ayia, lle byddai wal mewn buarth yn aros amdano yntau ar ôl dyddiau o gael ei arteithio. Ond roedd ei reiffl Lee Enfield ganddo, a'i ddryll Smith and Wesson. 'Mi a' i â hynny fedra i o'r diawliaid efo fi,' meddyliodd, er y byddai hynny wedyn yn golygu bod rhagor o'r pentrefwyr yn cael eu dienyddio. Deg Cretiad i bob un Almaenwr – felly roedd hi, go damia nhw.

Daeth arogl bwyd i fyny i'w boenydio ymhellach. Chawsai o mo'r cyfle i fwyta 'run tamaid na hyd yn oed i gael yr un llymaid o *tsikoudiá* cyn gorfod diflannu i mewn i'r to fel llygoden fawr. Yn ôl eu harfer, byddai'r Almaenwyr wedi bod o gwmpas y pentref yn hawlio cywion ieir, wyau a chawsiau, a hynny o gigoedd eraill a gwin a *rakí* oedd gan y trigolion i'w gynnig. Ond yn enwedig y cywion ieir, a hithau'n Nadolig, meddyliodd yn chwerw.

Ymhen hir a hwyr, ac ar ôl cryn dipyn o weiddi a chwerthin, dechreuodd y canu. Roedd o leiaf ddau lais da yn eu plith, cyfaddefodd Siphi'n gyndyn: un bas ac un tenor. Dechreuodd y tenor ganu anthem yr Almaen, y 'Deutschlandlied', a llifodd llais y tenor ifanc i fyny tuag ato:

> Deutschland, Deutschland über alles,
> Über alles in der Welt.

Yna'r lleill yn ymuno, gan floeddio dros y tŷ – ond buasai'n well o beth myrdd tasan nhw i gyd wedi cau eu cegau, barnodd Siphi, a gadael i'r tenor a'r baswr ei chanu fel deuawd:

> Von der Maas bis an die Memel,
> Von der Etsch bis an den Belt –
> Deutschland, Deutschland über alles,
> Über alles in der Welt.

Cryn gymeradwyo wedyn, cyn iddyn nhw ddechrau ar yr 'Horst-Wessel-Lied', y gân a ddewiswyd gan y Natsïaid yn gyd-anthem yr Almaen, â'r un statws â'r 'Deutschlandlied':

Die Fahne hoch! Die Reihen fest geschlossen!

Ychwanegwyd at y côr di-siâp oddi tano gan leisiau o'r stryd y tu allan, a mynnodd y rhain fod y gân yn cael ei hail a'i thrydydd ganu, ac erbyn iddyn nhw orffen bloeddio 'Gute Nacht!' a dymuno Dolig Llawen – 'Fröhliche Weihnachten!' – yn swnllyd y naill i'r llall, roedd yn rhaid i Siphi ymdrechu'n galed i lacio'i afael ar ei reiffl.

Roeddan nhw'n bur feddw erbyn iddyn nhw ddechrau ar y carolau. Roedd 'na ambell un ddieithr, wrth reswm, ond diawl, roedd o'n nabod nifer ohonyn nhw hefyd – yr alawon, o leiaf. 'O Tannenbaum, o Tannenbaum, Wie treu sind deine Blätter!' glywodd o gyntaf, yna 'Morgen kommt der Weihnachtsmann, Kommt mit seinen Gaben' ac yntau'n nabod yr alaw fel un 'Twinkle, Twinkle Little Star'.

Ac yna . . . 'Dawel Nos'.

'Stille Nacht, heilige Nacht' canai'r lleisiau oddi tano – nifer ohonyn nhw allan o diwn yn rhacs – 'Alles schläft; einsam wacht . . .' Wrth gwrs, meddyliodd, carol o Awstria oedd hon yn wreiddiol, a chofiai weld y geiriau 'Stille Nacht' mewn cromfachau uwchben y sol-ffa yn ei lyfr emynau yn yr ysgol.

Daeth dagrau i'w lygaid. Na, meddyliodd yn ffyrnig, dwi ddim am feddwl am adra – ddim rŵan yn fama, a'r cythreuliaid yna ddim ond troedfeddi oddi wrtha i. Gwasgodd ei ddwylo dros ei glustiau ond dôi'r sŵn drwy'r muriau a'r lloriau yr un fath yn union, drosodd a throsodd, wrth i'r rakí a'r gwin gael eu hyfed i lawr y grisiau, wrth i fwydydd gael eu sglaffio ac i fotymau a strapiau'r lifreiau llwydion gael eu llacio a'u hagor, wrth i wynebau chwysu a chochi ac i ddwylo gael eu hysgwyd ac ysgwyddau eu waldio – yr un garol, eto ac eto ac eto – wrth i'r hiraeth am eu cartrefi a'u teuluoedd hwythau ddwysáu gyda phob un pennill.

A 'run ohonyn nhw fymryn callach fod yno, uwch eu pennau, un a wylai'n dawel o hiraeth am ei aelwyd a'i anwyliaid yntau ym Meirionnydd.

Roedd hi'n Ddydd Gŵyl San Steffan arnyn nhw'n mynd, ac

ar y teulu'n cael dod yn eu holau i'w ryddhau. Erbyn hynny roedd o wedi gwlychu a baeddu'i hun sawl gwaith, ac wedi cyffio mor ofnadwy nes ei fod yn gweiddi mewn poen wrth i'r pentrefwyr ei dynnu i lawr o'r atig.

*

Brathodd Yanni ei ben allan o'r cwt.

'Bwyd,' meddai'n swta.

Yn ei wahanol ogofâu roedd Siphi wedi breuddwydio am gael bod mewn cwt fel hwn, efo'r tân rhedyn yn rhechan o ganol y llawr pridd a silffoedd carreg i ddal cawsiau hyd y muriau. *Misíthra* oedd y bwyd – caws ysgafn a gwlyb oedd heb eto droi'n galed, a chwpanaid fawr o lefrith cynnes.

Roedd Yanni, sylwodd Siphi, yn gwrthod edrych i fyw ei lygaid, ond roedd Maria'n hollol fel arall, yn rhythu arno fel petai'n ei ewyllysio i edrych yn ôl arni. Roedd Nikos yn rhythu arno hefyd ond, yn ôl ei arfer, â gwg yn tywyllu'i wyneb, a meddyliodd Siphi: Wel, dyma i ni un person na fydd arno fo 'run gronyn o hiraeth ar f'ôl i, beth bynnag.

Doedd y bachgen erioed wedi cymryd ato, dim ond syllu arno'n surbwch bob amser, a chlosiai'n agos at Maria rŵan fel petai'n disgwyl i Siphi wneud rhywbeth ofnadwy iddi. Pethau bach digon hoffus oedd y rhan fwyaf o'r plant roedd Siphi wedi dod ar eu traws yng Nghreta, ond ni allai ddweud hynny am Nikos. Yn ôl Yanni, roedd y bachgen yn ddeuddeg oed, ond edrychai o leiaf ddwy flynedd yn iau na hynny – creadur bach eiddil, a'i glustiau'n ymwthio'n ddigri o'i ben fel dwy adain fechan.

Doedd o a Maria ddim yn frawd a chwaer – yn wir, doedd dim perthynas waed rhyngddyn nhw o gwbl. Manoli, tad Maria, ynghyd â Levtheri a Marko, ei brodyr, oedd wedi dod o hyd i Nikos ac Adonia, ei fam, yn cuddio mewn ogof ym Medi 1941 – y ddau ohonyn nhw wedi llwyr ymlâdd ac o fewn dim i lwgu. Fe roddon nhw gartref i'r ddau yn Anogia, er nad oedd gan neb unrhyw syniad pwy oeddan nhw nac o ble daethon nhw.

Caed gwybod 'mhen hir a hwyr mai wedi ffoi roedd y ddau

yn sgil y gyflafan fu ym mhentref Kondomari dros dri mis ynghynt. Nikos ddywedodd hynny – wrth Marko, brawd Maria. Roedd o wedi cymryd at Marko, yr ieuengaf o'r ddau frawd, a bron yn ei eilunaddoli. Doedd Adonia, ei fam, ddim wedi dweud gair o'i phen wrth neb, na chydnabod lle roedd hi na chyda phwy. Doedd hi ddim wedi dweud yr un gair hyd heddiw. Eisteddai'r naill ddiwrnod ar ôl y llall a'i llygaid llonydd yn syllu'n syth o'i blaen, a Duw'n unig a wyddai beth a welai'r llygaid rheiny pan fyddai'r nos o'r diwedd yn eu gorfodi i gau. Am fisoedd bu Adonia'n deffro'r tŷ, a thai'r cymdogion, hefo'i sgrechfeydd.

Heno, yng nghwt bugail Yanni'r Chwibanwr, roedd Nikos a'i rythu'n gwneud i Siphi deimlo'n bur anghyfforddus. Dyna be mae'r cythral bach isio, decini, meddyliodd Siphi, felly gwnaeth yntau ei orau i beidio â dangos ei anghysur. Ond wnâi hynny ddim ond ychwanegu at yr awyrgylch annifyr, a doedd mudandod pwdlyd Yanni ddim yn helpu rhyw lawer, chwaith.

Roedd Maria wedi hen sylwi ar y tensiwn rhwng y ddau ddyn; gwibiai ei llygaid duon yn ôl ac ymlaen rhwng y ddau, yn disgwyl i'r naill neu'r llall ddweud *rhywbeth*, neno'r tad. O'r diwedd, trodd at Yanni a'i ddwrdio am baratoi'r bwyd: ei lle hi oedd gwneud hynny, meddai. Edrychodd Yanni arni, yna gwenodd yn dawel o sylweddoli mai siarad er mwyn torri ar y tyndra roedd hi.

'Y tro nesa'r ei di allan i hel malwod,' meddai, 'cofia amdana i, wnei di? Chdi a dy fam. Dy fam yn enwedig.'

Gwenodd Maria. 'Awydd *kohli bourbouristí*, ia?'

Caeodd Yanni ei lygaid fel dyn mewn poen.

'Ma 'na rywbath am *kohli bourbouristí* Thera . . .' ochneidiodd. 'Yn does, Nikos? Y?'

Nodiodd y bachgen wrth yfed ychydig o'r llefrith: roedd ganddo fwstás gwyn ar ôl gorffen, rhywbeth a wnâi iddo edrych yn fwy o blentyn nag erioed. Sôn roedd Yanni am y pryd blasus o falwod wedi'u ffrio yn eu cregyn, ac wedi'u gweini ar wely o halen ag olew olewydd, finegr a rhosmari.

Teimlodd Siphi bigiad arall, ar ei ystlys y tro hwn, a chrafodd yn ffyrnig. Y chwain, y blydi chwain . . .

'Mi fydd gan dy ffrindiau bach hiraeth mawr ar d'ôl di,' meddai Yanni, yr ias wedi'i dorri.

'Mwy na fydd gen i ar eu hola nhw.'

Y chwain, a'r llau . . . Roedd yn frwydr gyson rhyngddo a'r diawliaid, ac roedd wedi dechrau cadw'r rhai mwyaf mewn hen dun sigaréts John Player's er mwyn i'r ellyllon bach rheibus lwgu i farwolaeth. Wrth gwrs, roedd hyn wedi dod yn dipyn o jôc gan greaduriaid fel Yanni'r Chwibanwr, oedd wedi dechrau holi am y chwain bob tro y gwelai o Siphi, fel petai'n holi am hen, hen ffrindiau.

Nid heno, fodd bynnag.

'Ma Siphi am ein gadael ni,' meddai Yanni'n swta wrth Maria a Nikos, a theimlodd Siphi bedwar llygad du yn rhythu arno, ac allai o ddim edrych arnynt.

'Ma Siphi'n *gorfod* eich gadael chi,' meddai yntau, yn teimlo fel petai'n gwingo'n euog. 'Does gynno fo ddim dewis.'

'Ond . . . rwyt ti am ddŵad yn ôl yma?' meddai Maria.

'O, ydw . . .'

'Pryd?'

Syllodd Siphi i'r tân.

'Ryw ddiwrnod,' meddai'n llipa.

*

Arth wen o gi oedd Tasia, un o ddisgynyddion y Ci Akbash o ardaloedd mynyddig Twrci, a'i chôt drwchus wastad yn ogleuo o'r mynydd. Claddodd Maria'i hwyneb yn ei blew, gan deimlo talcen yr ast yn gynnes yn erbyn ei thalcen hi.

Dylai fod wedi arfer bellach gyda phobol yn mynd a dŵad – pobol yn dod yn rhan o'i bywyd, ac yna'n diflannu. Am byth, gan amlaf.

Meddyliodd am wyneb Siphi'r noson gyntaf honno yn nhŷ'r offeiriad, yn welw yng ngolau'r tân, a'i lygaid yn fawr yn ei ben – llygaid oedd wedi neidio'n ddirybudd i'w chyfeiriad hi. Roedd Maria wedi dweud wrthi'i hun droeon mai ei theimlo hi'n syllu arno oedd wedi peri i hynny ddigwydd. Yna roedd yntau wedi syllu'n ôl arni hi am eiliad neu ddwy, cyn tynnu'r stumiau mwyaf ofnadwy nes bod Maria wedi gorfod troi i ffwrdd dan fygu chwerthin. Pan fentrodd edrych arno eto roedd y stumiau, os rhywbeth, yn waeth. Roedd Siphi wedi cochi at ei glustiau pan sylweddolodd fod yr ystafell wedi distewi, a bod sawl un yn edrych arno – yn enwedig Thera, a safai wrth ochr ei merch yn gwgu arno a'i dyrnau ynghau. Ond gwg ffug oedd un Thera, a sylweddolodd yntau hynny pan ymunodd Thera yn y chwerthin hefo pawb arall. Er hynny, bu'n dipyn go lew cyn i'r cochni ddiflannu'n gyfan gwbl o'i ruddiau.

Meddyliodd Maria rŵan am y swildod hoffus hwn – am ei gwrteisi a'i wên fach sydyn. Ei chwerthin ansicr, hefyd, bob tro y byddai pawb arall yn chwerthin. Ei ymdrechion styfnig i ddysgu eu hiaith, nes ei fod bellach yn gallu'i siarad yn ddigon da i fedru cynnal sgyrsiau herciog ynddi.

A meddyliodd am ei ganu. Oedd, roedd o wedi canu'r noson gyntaf honno: mi lwyddodd Michali i'w berswadio yn y diwedd. Cân drist oedd hi, hefyd – o Wlad y Gân, eglurodd drwy gyfrwng Michali – am ŵr ifanc oedd wedi colli'i gariad i un arall. Roedd y tŷ mor dawel ag eglwys, cofiai Maria, a dim byd i'w glywed ond llais Siphi, clecian y tân a chwiban y gwynt oddi allan.

Y tro nesaf iddi ei weld roedd hi'n fis Ionawr; roedd ei locsyn wedi tyfu a hynny wedi'i heneiddio, ond roedd y bachgen direidus yn dal yno'r tu ôl i'r wên.

Deunaw mis . . . ac mae o'n dal i fod yn anobeithiol am dorri baco, meddyliodd Maria. Ac yn swil o hyd.

O'r tu ôl iddi, y tu allan i'r cwt, gallai glywed lleisiau'r ddau ddyn wrth iddyn nhw ffarwelio â'i gilydd. Gwyddai fod Siphi'n edrych i'w chyfeiriad er nad oedd yn debygol o fedru gweld fawr ohoni, dim ond cysgod tywyll wedi'i lapio am gôt olau Tasia. Dwi ddim am droi, meddai wrthi'i hun; dwi ddim am droi a'i wylio fo'n mynd. Yn hytrach, claddodd ei hwyneb yn ddyfnach yng ngwddw'r ci.

'Dim mwy o ganu, Tasia,' sibrydodd i mewn i un glust sidan. 'Dim mwy o ganeuon bach trist.'

Sylweddolodd fod ei bochau'n llaith. Doedd hi ddim wedi disgwyl teimlo fel hyn, ddim heno . . .

'Maria.'

Rhoes naid fechan. Doedd hi ddim wedi'i glywed yn agosáu'r tu ôl iddi. Teimlodd ei law yn gorffwys yn ysgafn ar ei hysgwydd, a meddyliodd: dyma'r tro cyntaf erioed iddo gyffwrdd yndda i, ac mae o wedi penderfynu gwneud hynny *heno*, o bob noson.

Dyheai Maria am fedru codi'i llaw ei hun a'i rhoi dros ei law yntau. Oedd o'n gallu'i theimlo hi'n crynu? Roedd o'n ogleuo o faco ac o'r tân. Heb droi nac edrych i fyny ato, meddai:

'*Adío*, Siphi.'

Clywodd o'n ochneidio, a gallai ei deimlo'n petruso wrth geisio meddwl beth i'w ddweud. Ond beth oedd 'na i'w ddweud? Roedd o'n mynd – yn gorfod mynd – a dyna ddiwedd arni. Felly '*Adío*, Siphi' oedd hi, nid *yásou* na hyd yn oed *kaliníchta* – nid hwyl fawr na nos da ond ffarwél.

Teimlodd un gwasgiad bach sydyn – swil! – ac yna roedd ei law wedi'i thynnu oddi ar ei hysgwydd a gwingodd Maria, fel petai'r llaw wedi'i tharo.

Chlywodd hi mohono'n mynd, chwaith, dim ond sylwi ar ôl ychydig ar absenoldeb yr arogl baco. Roedd y lleuad allan erbyn hyn, a'r awyr wedi clirio, ac ochneidiodd Tasia'n drwm wrth orffwys ei phen ar ei phalfau.

Eto, fe wrthododd Maria Alevizakis droi. Ymhen ychydig, teimlodd law arall ar ei hysgwydd.

Yanni.

'Ydi o wedi mynd?' gofynnodd iddo.

'Ydi.'

Ymsythodd. Roedd y sgarff a wisgai am ei phen wedi dod yn rhydd, a chymerodd arni ei bod yn cael trafferth ei glymu'n ôl i'w le er mwyn er mwyn cael defnyddio'i waelodion i sychu'i llygaid a'i gruddiau. Yng ngolau gwan y tân rhedyn y tu ôl iddo, gallai weld siâp Nikos yn pwyso yn erbyn ochrau'r twll oedd yn ddrws i'r cwt carreg, ac yn syllu tuag ati.

'Dwi'n difaru peidio â gofyn iddo fo ganu i ni heno,' meddai hi wrth Yanni.

'Maria . . .'

'Ond ar yr un pryd dwi'n falch na wnes i,' ategodd yn frysiog. 'Dwi ddim yn meddwl y baswn i wedi gallu . . . wel . . .'

Cododd a mynd yn ei hôl i'r cwt, ac awel y nos yn ei brathu go iawn erbyn hyn. Teimlodd lygaid Nikos yn cropian yn araf dros ei hwyneb. Gadawodd i'r tân ei chynhesu ac ar ôl ychydig dechreuodd bendwmpian, ei dagrau a'i thristwch annisgwyl wedi'i blino'n lân. Estynnodd Nikos flanced o'r gornel a gorweddodd y ddau oddi tani. Caeodd Maria'i llygaid ond gwyddai fod Nikos wedi troi'i ben tuag ati a'i fod yn syllu arni. Doedd ganddi mo'r egni i'w ddwrdio fo heno. Yn hytrach, meddyliodd am y caneuon trist o Wlad y Gân, a sylweddoli mai dim ond rhithiau o'r alawon oedd ganddi ar ôl yn ei chof, ac na fyddai'r rheiny efo hi'n hir iawn eto. Roeddan nhw'n ganeuon mor wahanol i'r *mantinádes* a ganai ei thylwyth hi o gwmpas y tân.

Cofiodd iddi dynnu ar Siphi un tro: 'Oes gan dy wlad di ddim caneuon hapus o gwbwl?' Erbyn hyn, fedrai hi ddim cofio'i ateb: efallai nad oedd o wedi'i hateb, dim ond gwenu'i wên dannedd cam. Dro arall, cofiai iddo ymdrechu i egluro ble'n union roed ei wlad o. Prydeinwr oedd o, ia, ond nid Sais fel Michali a'r Capten Billy Moss a rhai eraill o'r SOE, meddai. Na, byth yn Sais, meddai wrthi wedyn hefo rhyw ffyrnigrwydd chwarae bach, er bod ei wlad y drws nesa i wlad y Saeson.

'Gwlad fechan ydi hi, Maria. Gwlad fechan iawn. Ond un fynyddig a hardd – fel Creta.'

'Mi faswn i'n hoffi'i gweld hi rywbryd,' meddai hithau. 'Ryw ddiwrnod.'

Roedd o wedi syllu arni'n hir. Syllodd hithau'n ôl wedyn, yn bowld ac yn hy; buasai Thera wedi'i leinio am ymddwyn fel hyn.

'Mi fasa hynny'n . . .' Ond yna edrychodd Siphi i ffwrdd. 'Pwy a ŵyr, yndê?' meddai. 'Hwyrach, ryw ddiwrnod . . .' Y wên yna eto. 'Do'n i rioed wedi clywed am Creta nes i mi ddod yma.'

Gwlad fechan a hardd, meddai wrthi – fel Creta. Wrth gwrs, roedd hi wedi dychmygu ynys ar ei phen ei hun yng nghanol y môr, ac aeth i weld Grigori Daskalakis, yr athro ifanc yn Anogia.

'Dwi am i ti ddangos i mi lle mae gwlad Siphi, yn y llyfr mawr efo'r mapiau.'

Syllodd Grigori arni am ychydig cyn dweud, 'Siphi'r Canwr, dwi'n cymryd?'

'Ma hi'r drws nesa i wlad y Saeson, medda fo.'

Cafodd yr argraff fod Grigori'n ceisio meddwl am ffordd o'i gwrthod, ond yn y diwedd trodd a mynd i mewn i'w dŷ. Aeth rhai munudau heibio cyn iddo ddod allan yn ei ôl hefo'r atlas. Dangosodd iddi fap o Ewrop. 'Dyma iti lle mae Creta . . .'

'Ia, dwi'n gwybod hynny, siŵr.'

'A dyma Brydain Fawr . . .'

'A hynny,' yn ddiamynedd.

Trodd y dalennau nes dod at fap o Brydain. Rhoddodd ei fys ar ddarn o dir, ac ar fraich hir yn pwyntio tua'r gorllewin.

'Iawn?' meddai ar ôl ychydig.

Roedd Maria wedi nodio'n araf, ei llygaid ar y map.

'Iawn . . .' Edrychodd i fyny a dal Grigori'n syllu arni. 'Iawn,' meddai eto. 'Diolch.'

Roedd o'n dal i syllu arni, gwyddai, wrth iddi gerdded i ffwrdd, a siâp y wlad yn setlo yn ei phen.

Gwelai hi'n glir yn awr wrth iddi lithro i gwsg – y fraich denau, hir yn ymwthio i'r môr, a'r ynys fechan, unig ei golwg, fel gewin wedi'i frathu i ffwrdd.

Ryw ddiwrnod, meddyliodd, ryw ddiwrnod . . .

Mi ddylwn fod wedi gofyn iddo fo am un gân arall, wedi'r cwbwl.

2

Colomennod

Brechdanau cimwch. A rym mewn mygiau tun.

Doedd y cadfridog ddim wedi disgwyl hyn. Na'r holl sigaréts Prydeinig a'r gwely bync a'i gynfasau claerwyn, glân. Edrychodd i fyny a gweld yr holl wynebau eraill yn wên o glust i glust, wrth eu boddau'n gwylio'i syndod amlwg, a cheisiodd fygu'r wên a deimlai'n plycio corneli ei geg. Yfodd ei rym, felly, a bwyta'i frechdanau, gan feddwl na flasodd o rioed unrhyw beth cystal â'r swper rhyfedd hwn.

Ond efallai fod heno'n noson o ryfeddodau, meddyliodd. I ddechrau, roedd yn wyrth ei fod o yma, ar y cwch allan ar Fôr Libia, a rhaid oedd iddo gyfaddef bod y ddau Brydeiniwr, Moss a Leigh Fermor, wedi cyflawni tipyn o gamp. Roedd o wedi credu, pan gafodd ei gipio, y byddai ei gyd-Almaenwyr wedi dod o hyd iddo o fewn awr neu ddwy – deuddydd, fan bellaf. Ond na. Roedd y ddau yma wedi llwyddo i'w sleifio o un pen o'r ynys i'r llall – o'r gogledd i'r de – er bod miloedd o filwyr yn chwilio amdano ddydd a nos.

Rhyfeddod arall oedd yr holl *andártes* oedd wedi heidio i'r traeth i'w weld yn gadael yr ynys – dwsinau o wŷr arfog a barfog, nes iddo fynd i deimlo'n ddigon nerfus, a bod yn hollol onest. Ymdrechodd i guddio hynny dan fwgwd ysgafnder wrth droi at Leigh Fermor a gofyn iddo pwy'n union oedd wedi goresgyn yr ynys, yr Almaenwyr ynteu'r Prydeinwyr?

A'r ddefod yna wedyn o dynnu eu botasau, a'u rhoi – ynghyd â'u harfau, a hynny o fwyd a baco oedd ganddyn nhw yn eu pocedi – i'r rhai oedd yn aros ar ôl ar yr ynys. Roedd yr holl beth fel parti, bron.

Ond rŵan, a llawr y cwch yn crynu-gosi dan ei draed, teimlai wedi llwyr ymlâdd. Serch hynny, ac er gwaethaf y boen yn ei fraich ar ôl ei godwm oddi ar gefn mul rai dyddiau ynghynt (ia, mul, o bopeth, a gallai'n hawdd ddychmygu'r gweryru chwerthin yn ystafell fwyta'r swyddogion petaen nhw'n cael clywed am hynny!), dilynodd y lleill i fyny'r ysgol bren i fwrdd y cwch modur. Er ei bod yn noson go niwlog, cyrhaeddodd mewn pryd i gael ei gip olaf ar draeth Peristeres cyn i'r niwl ei sugno o'r golwg. Yna siâp unigryw'r ynys, a'r mynydd uffernol hwnnw fel asgell siarc mawr du, hefyd yn diflannu i'r tywyllwch.

Safai ychydig oddi wrth y dynion eraill. Sylweddolodd eu bod nhw i gyd wedi tawelu wrth i Greta fynd o'u golwg. Pawb yn hel meddyliau gwahanol . . .

Yna symudodd un ohonyn nhw tuag ato.

'Herr General.'

'Herr Major.'

Bu tawelwch rhwng y ddau am ychydig. Syllodd y cadfridog ar yr ewyn gwyn a ferwai yn y môr yn sgil y cwch. Yna meddai mewn Almaeneg, yn hyderus y gallai'r dyn arall ei ddeall: 'Chi oedd o, yntê, Herr Major?'

'Mae'n ddrwg gen i?'

'Ar y ffordd ger Knossos y diwrnod hwnnw . . . a chanddoch chi'r wyneb i godi llaw arna i wrth i mi yrru heibio.'

'A-aa.'

'Dwi wedi bod yn trio meddwl, lle gweles i'r dyn yma o'r blaen? Mi ddaeth imi gynnau, yn ystod yr holl ffarwelio ar y traeth acw. Be ydi'i enw fo, gyda llaw?'

'Y traeth? Peristeres.'

'Pe-ri-ster-es.' Ynangodd y cadfridog bob sill yn unigol. 'A'i ystyr?'

'Y . . .' Ymbalfalodd yr uwch-gapten o Sais am y gair Almaeneg am golomennod. '*Taube*? *Die Taube*?'

Trodd y cadfridog ato. '*Tauben*?!' Waldiodd ei benelin iach yn erbyn ei ystlys, fel aden, gan geisio dynwared cwynfan colomen. 'Yr aderyn – *der Vogel*. Pam?'

Sylweddolodd fod y dynion eraill yn rhythu arno. A pha ryfedd, meddyliodd. Go brin fod yr un ohonyn nhw wedi breuddwydio y bydden nhw, un diwrnod, yn gwylio cadfridog yn y *Wehrmacht* yn dynwared colomen ar fwrdd cwch yng nghanol Môr Libia.

'Maen nhw'n nythu mewn ogof ger y traeth,' atebodd yr uwch-gapten. 'Felly dwi'n dallt, beth bynnag.'

'Dwi'n gweld.' Trodd y llall a syllu eto ar y môr tywyll. 'Mae'n siŵr eich bod *chi* ar ben eich digon heno, Herr Major.'

Meddyliodd yntau cyn ateb. 'Mi o'n i. Ond rŵan . . .' Ochneidiodd ac edrych yn ôl i gyfeiriad yr ynys.

'*Post coitum triste*, efallai?' cynigiodd y cadfridog yn dawel.

Gwenodd y ddau: nid dyma'r tro cyntaf iddyn nhw ddyfynnu o'r Lladin i'w gilydd.

'Rhywbeth fel'na, ia.'

'Be nesa, sgwn i?' meddai'r cadfridog. 'Wel, i chi, beth bynnag. Mae'r rhyfel drosodd i mi, 'swn i'n deud. A ngyrfa yn y fyddin hefyd. Ond i chi? Clod a bri milwrol? Anrhydeddau di-rif?' Amhosib, sylweddolodd, wrth wrando arno'i hun yn siarad, oedd cuddio'r chwerwder a deimlai.

'Gawn ni weld.'

Y gwir amdani oedd, doedd yr uwch-gapten ddim yn teimlo'n dda iawn. Teimlai ei goesau'n anghyffredin o stiff – rhywbeth oedd wedi digwydd yn aml dros y dyddiau diwethaf. Canlyniad yr holl ddringo dros lethrau Mynydd Psiloritis, yn sicr, ynghyd â'r nosweithiau hirion mewn ogofâu a mannau eraill tebyg, yn oer ac yn wlyb ac wedi llwyr ymlâdd. Heb sôn am holl straen y cyfnod hwnnw pan fu bron iddo farw o'r clefyd cryd cymalau.

Roedd y cadfridog yn syllu arno. 'Wyddoch chi be, Herr Major, dwi'n ei chael hi'n anodd deall: pam fi? Fasa'n well o lawer i bawb petaech chi wedi cipio fy rhagflaenydd.'

Edrychodd yr uwch-gapten arno'n siarp: doedd o ddim wedi colli arwyddocâd yr 'i bawb' yna.

'Bosib iawn,' atebodd. 'Ond roedd hi'n haws eich cadw chi'n fyw yn y mynyddoedd na'r Cadfridog Müller.'

Nodiodd y cadfridog yn araf. Cofiodd fel roedd nifer o'r *andártes* Cretaidd wedi gwgu arno pan oedd o i fyny yn y mynyddoedd, eu llygaid yn llawn casineb a'u dwylo'n hofran yn anghyfforddus o agos at eu cyllyll a'u drylliau.

A phwy, mewn gwirionedd, allai eu beio am deimlo felly tuag ato? meddyliodd. Roedd pwynt yr uwch-gapten yn un digon teg. Go brin y buasai Friedrich-Wilhelm Müller yma heno i fwynhau rym a sigaréts a brechdanau cimwch.

Trodd i ffwrdd ac edrych yn ôl i gyfeiriad Creta, oedd bellach ar goll yn y gwyll.

'I feddwl mod i wedi edrych ymlaen at gael dod yma. Newid bendigedig ar ôl Rwsia – i fod. Y tywydd, yr hanes a'r diwylliant . . . Ond ar y foment, Herr Major, fasa'n dda calon gen i petawn i rioed wedi clywed am y lle.'

*

Mersa Matruh, yr Aifft
Mai 1944

Oherwydd y môr aflonydd, roedd hi bron yn hanner nos drannoeth arnyn nhw'n paratoi i lanio ym Mersa Matruh. Roedd y cadfridog wedi cael cyfle i ddod ato'i hun, ond roedd aflonyddwch y tonnau'n gwneud eu gorau i godi pwys go hegar arno. Fu Heinrich Kreipe erioed yn gyfforddus iawn ar y môr. Hogyn y wlad oedd o, wedi'r cwbl, a milwr tir.

Ond nid milwr mwyach, gwyddai. Roedd yr hyn a ddywedodd wrth yr uwch-gapten ar fwrdd y cwch neithiwr yn hollol wir: roedd ei yrfa ar ben. Ac yntau'n tynnu am ei hanner cant, ac wedi bod yn filwr proffesiynol ers iddo ymuno â'r fyddin yn ôl yn 1914. Gyrfa ddisglair, hefyd – nes iddo gyrraedd yr ynys felltith 'na.

Beth, tybed, fyddai ei ddyfodol? Roedd o bellach yn garcharor rhyfel, ond am faint eto? Teimlai'n gryf fod y rhyfel eisoes wedi'i golli, i bob pwrpas. Roedd y *Wehrmacht* wedi colli'i ffordd a Hitler wedi colli'i go. Bu Ffrynt y Dwyrain yn un cam yn ormod.

A phan ddôi'r holl wallgofrwydd i ben, sut groeso fyddai'n aros amdano gartref yn yr Almaen? Hen lanc oedd o, a'i rieni wedi marw. Roedd ganddo ddeuddeg brawd ond enw'i chwaer, Margarete, a roesai yn ei ffeil fel ei berthynas agosaf, ac ati hi yn Hanofer y byddai'n sgwennu pwt o lythyr bob hyn a hyn. Ond y cwestiwn mawr oedd, sut Almaen fyddai'n aros amdano? Oedd hi'n rhy hwyr iddo ddod o hyd i ryw gornel fechan o'r hyn y meddyliai amdano fel 'ei Almaen o'? Ynteu a oedd y cyfan wedi'i ddifetha gan y staen a adawyd dros ei wlad gan ddigwyddiadau megis y *Kristallnacht*, pan ymosodwyd ar eiddo Iddewon yn yr Almaen a rhannau o Awstria; gan y sterics llwyr a welsai yn Nuremberg, a chan erchyllterau fel y gwersylloedd yng Ngwlad Pwyl a'r gyflafan mewn lleoedd fel Lidice – ac, yn wir, yma yng Nghreta?

Oedd ei Almaen o wedi bodoli erioed heblaw yn ei feddwl ei hun?

Ymysgydwodd wrth glywed lleisiau'n gweiddi a sŵn prysurdeb yn dod o fwrdd y cwch uwch ei ben. Rydan ni wedi cyrraedd, meddyliodd. Cododd oddi ar ei wely bync a thacluso'i iwnifform. Yn y drych bychan a ddefnyddiai ar gyfer siafio fe'i gwyliodd ei hun yn sythu'i ysgwyddau a gwthio'i ên allan yn benderfynol. Efallai, wir, fod ei enw'n gyfystyr â rhyw fath o jôc erbyn hyn ond, Dduw mawr, doedd o ddim am *edrych* fel jôc o ddyn yn cyrraedd yr Aifft.

Ffarwél, felly, i Greta. Mi roddai'r byd am fedru anghofio'r lle. Ond roedd ganddo'r teimlad y byddai'r hyn ddigwyddodd iddo ar yr ynys – ynghyd â'r cywilydd o gael ei gipio gan ddau Sais a llond dwrn o fugeiliaid blewog – yn ei ddilyn weddill ei oes.

Ond oedd o'n wirioneddol ddifaru mynd yno yn y lle cyntaf? Oedd, yn ystod y tair wythnos diwethaf, wrth iddo gael ei lusgo dros greigiau llithrig trwy law ac eira. Bellach, fodd bynnag, doedd o ddim mor siŵr; os rhywbeth, roedd ganddo'r teimlad iddo fod yn gymharol lwcus, oherwydd ofnai y byddai'r misoedd nesaf yn rhai trychinebus, un ffordd neu'r llall. Hwyrach y byddai bod allan ohoni'n fendith yn y pen draw, hyd yn oed mewn gwersylloedd rhyfel.

Difaru? Na. Mi gafodd weld Knossos, yndô? – rhywbeth fu'n freuddwyd ganddo ers blynyddoedd. Diolch i Tobias Jung.

Tynnodd ei gap am ei ben, a chynnig salíwt i'w lun yn y drych – y salíwt filwrol, nid yr un Natsïaidd.

Daeth cnoc ar ei ddrws.

'*Ja?*'

Daeth yr Uwch-gapten Leigh Fermor i mewn. 'Rydan ni yma, Herr General.'

'*Danke*, Herr Major.'

Wrth iddo ddilyn Leigh Fermor i fyny'r grisiau i fwrdd y cwch, gwenodd iddo'i hun wrth sylweddoli ei fod o yn difaru un peth bach – nad oedd o wedi cael yr amser i ddatrys dirgelwch Tobias Jung, y cerddor ifanc o Regensburg.

3

Y crydd o Lokhria

Dyffryn Amari, Creta
Mai 1944

Tarw chwyslyd o ddyn oedd y crydd o bentref Lokhria – hwnnw oedd â'i wg yn dilyn Marko Alevizakis drwy'r adeg bellach – yn dalach o gryn dipyn na'r Cretiad arferol, ac yn llydan fel trol.

Roedd pawb, teimlai Marko, fel petaen nhw'n ochri efo'r llabwst hwn yn hytrach nag efo fo, gan gynnwys Manoli a Levtheri, ei dad a'i frawd ei hun. Er, roedd yn rhaid iddo gyfaddef, nhw'u dau oedd y rhai cyntaf i neidio ar gefn y crydd neithiwr, a'i dynnu oddi arno. Ei rwygo i ffwrdd, i bob pwrpas; roedd yn wyrth nad oedd wedi mynd â phen Marko efo fo, o feddwl mor dynn roedd ei fysedd tewion wedi'u lapio am ei wddw.

'Ma'n hen bryd i ti ddysgu cau'r geg 'na.'

Roedd Manoli a Levtheri wedi'i gludo'n ddigon pell oddi wrth y gŵr o Lokhria – wedi'i lusgo fel sachaid o datws, a'i ollwng yn ddiseremoni ar lawr wrth draed y mulod. Roedd Marko wedi glanio ar garreg fechan, finiog, a honno wedi brathu'n greulon i mewn i waelod ei gefn. Er bod ei wddw'n llosgi a'i lais fawr mwy na chrawc druenus, bustachodd yn ôl ar ei draed, ei wyneb yn goch o fyll a chywilydd. Ond sodrwyd o'n ei ôl gan ei dad a'i frawd – yn ôl ar yr un garreg finiog – a'r tro hwn roedd y garreg wedi'i frifo go iawn. Sgrialodd amdani y tu ôl i'w gefn ac ar ôl cael gafael arni, gwgodd arni'n blentynnaidd. Buasai wedi'i thaflu at y crydd oni bai fod Levtheri'n sefyll uwch ei ben, rhyngddo a'i darged.

'Callia, 'nei di?!' Ei dad, y tro hwn, wedi camgymryd y garreg am gyllell ac yn cicio'i law gan beri iddo ollwng y garreg, yna'n craffu'n herfeiddiol arno, yn amlwg yn ysu am gael rhoi swadan iawn iddo ar draws ei ben. Gwgodd Marko ar y ddau ohonyn nhw – y ddau fradwr. Y tu ôl i'r ddau gallai weld y *kapetán* yn siarad yn bwyllog ac yn ddwys efo'r crydd, a edrychai'n debycach nag erioed i darw gwyllt: disgwyliai Marko weld cymylau o stêm yn bytheirio o'i ffroenau.

I goroni'r cyfan gallai weld Nikolaos, ffrind gorau ei dad, yn syllu arno cyn troi i ffwrdd ag ebychiad dilornus. Gwyddai Marko y byddai hwn, ar ôl cyrraedd yn ôl i Anogia, yn mynd i hwyl wrth ddweud wrth y byd a'r betws am holl gamweddau Marko yn ystod yr wythnosau diwethaf. Gallai'n hawdd iawn ddychmygu'r holl biffian chwerthin slei a'r clecian migyrnau fyddai'n dod o'r byrddau y tu allan i dai coffi Anogia wrth iddo gerdded heibio iddyn nhw, a'i glustiau ar dân.

Byddai hynny'n ddigon drwg, ond roedd merch ddwy ar bymtheg oed gan Nikolaos. Merch oedd yn ffrindiau mawr efo . . . Eris.

Eris Stagakis. Roedd y syniad fod Eris yn chwerthin am ei ben yn annioddefol. Gwenu roedd hi'r tro diwethaf i Marko'i gweld hi. Gwên gariadus, hoffai feddwl – fflach sydyn o ddannedd gwynion cyn iddi edrych i ffwrdd yn swil. Roedd o wedi dawnsio gyda hi droeon y noson cyn iddo fynd gyda'r *andártes*, a doedd neb wedi neidio'n uwch wrth ddawnsio'r noson honno na Marko Alevizakis wrth i Yanni'r Chwibanwr, ar un o'i ymweliadau prin â'r pentref, chwibanu nes bod holl gŵn Anogia'n udo fel bleiddiaid, a'r cathod i gyd yn ymguddio'n fwndeli crynedig o ffwr yng nghysgodion y cloddiau gwynion.

Roedd o wedi ymadael hefo'r *andártes* cyn toriad gwawr, ond nid y *tsikoudiá* a barai i'w waed ganu yn ei wythiennau ond y cof am sut roedd corff Eris wedi teimlo dan ei ddwylo wrth iddyn nhw ddawnsio, ac fel roedd hi wedi edrych yn ôl arno dros ei hysgwydd wrth adael hefo'i mam a'i chwiorydd, a'r wên lydan, lawn addewid, roes hi iddo cyn diflannu i'r nos.

Eris Stagakis, merch arlywydd y pentref.

Eris Stagakis, y ferch harddaf yn Anogia.

Eris, Eris.

Roedd Marko Alevizakis wedi edrych ymlaen yn arw am gael dychwelyd i Anogia. Ac er gwaethaf ymdrechion pawb arall a'r olwg ddilornus ar wyneb yr hen ffŵl Nikolaos hwnnw, roedd o'n benderfynol mai fel arwr y byddai'n mynd yn ei ôl yno, hefyd.

Nid yn destun sbort.

*

Mewn hafn go ddofn yng nghanol y creigiau uwchben pentref Vistagi yr oeddan nhw i gyd – wyth o'r *andártes* dan arweiniad Xylouris, y *kapetán* o Anogia. Yn bell oddi cartref, hefyd, yn bellach o lawer nag arfer, a llethrau Psiloritis yn un corff anferth y tu ôl iddyn nhw.

Rywle'r ochr draw i'r mynydd y tu ôl iddynt yr oedd Anogia. O'u blaenau ac oddi tanynt gorweddai dyffryn Amari – 'Tir y Lotys', fel y galwai'r Prydeinwyr y dyffryn – yna'r iseldiroedd, arfordir y de a'r môr glas yn y pellter. Golygfa fendigedig, yn sicr, ond roedd yr *andártes* wedi hen alaru arni.

Oherwydd prysurdeb yr Almaenwyr yn sgil cipio'r Cadfridog Kreipe, roeddan nhw fwy neu lai yn gaeth yma ers bron i wythnos. I wneud pethau'n waeth roedd ganddyn nhw sawl bocsiad o arfau a ffrwydron, o'r golwg ar hyn o bryd dan gynfas gwrth-ddŵr y tu ôl i'r mulod yng nghysgod un o'r creigiau. Roedd presenoldeb yr arfau yn y fan yma wrth droed Psiloritis, ar ôl teithio dros y môr mewn *kaïki* ac wedyn ar gefnau gwahanol fulod o un pentref i'r llall, yn dystiolaeth gref fod ambell wyrth yn gallu digwydd o bryd i'w gilydd, hyd yn oed mewn oes o drais a gorthrwm.

Wrth gwrs, doedd criw Xylouris ddim wedi bod ar gyfyl yr arfordir; dod i lawr yma i gasglu'r arfau wnaethon nhw, a'u tasg rŵan fyddai mynd â'r pedwar mul llwythog yn ôl i fyny i'r ucheldiroedd. Yno byddai'r arfau a'r ffrwydron yn cael eu dosbarthu rhwng gwahanol griwiau o *andártes* eraill – tasg ddigon anodd a pheryglus dan amgylchiadau cyffredin, ond efo'r holl filwyr Almaenig yn chwilio am Kreipe, roedd hi'n un amhosib, bron. Clywent leisiau milwyr Almaenig yn bloeddio'i enw yn y pellter wrth chwilio amdano, ac nid mor bell â hynny chwaith ar fwy nag un achlysur.

Rhwng popeth, doeddan nhw ddim yn teimlo'n rhy gyfforddus yma, er mai hogia'r mynydd oeddan nhw bob un – un rheswm pam roedd cynifer ohonyn nhw wedi para yma cyhyd. Y creigiau uchel, danheddog oedd eu cynefin, ac mewn unrhyw sgarmes ar lethrau'r mynyddoedd rhwng y Cretiaid a'r Almaenwyr, y Cretiaid a enillai bron yn ddi-ffael.

Ond roeddan nhw i gyd, bellach, wedi cael hen lond bol ac yn ysu am gael symud. Ac roedd Marko Alevizakis wedi bod yn mynd ar eu nerfau ers tro hefyd. Yn dair ar hugain oed, fo oedd yr ieuengaf o'r criw. Er mawr ddiflastod iddo roedd y *kapetán* wedi penderfynu mai ei gyfrifoldeb o, Marko, fyddai'r mulod. Diolch byth am rywbeth i fynd â rhywfaint o'i sylw a rhoi mymryn o daw ar ei dafod, meddyliodd Xylouris ar y pryd. Ers iddyn nhw gychwyn ar eu taith i lawr yma, roedd Marko wedi bod yn hefru am Kreipe. Tasa fo'n cael dewis, meddai hyd syrffed, yna fasa Kreipe ddim yn gadael Creta'n fyw. Yn hytrach, mi fasa'n gorwedd yn gelain ar waelod dibyn, ei wddw wedi'i hollti.

'Reit o un glust i'r llall. Rywbath i'r diawl feddwl amdano ar ei ffordd i lawr,' ddywedai Marko bob tro, gan dynnu ochr ei fys ar draws ei wddw'i hun. 'Mi gâi o wers ar sut i hedfan heb adenydd wrth foddi yn ei waed ei hun.' Ychwanegai wedyn y basa fo wedi bod yn ddigon hapus i gyflawni'r hollti hwnnw ei hun tasa fo mond wedi cael y cyfle.

Roedd rhyw siarad fel hyn yn iawn yn ei le, ond roedd y lle a'r amser hwnnw bellach wedi hen fynd heibio – fel y ceisiodd ei frawd mawr, Levtheri, ddweud wrtho un noson.

'Felly,' meddai Levtheri, 'mi fasat ti wedi bod yn ddigon bodlon mynd yn groes i ddymuniadau Michali?'

Roedd 'Michali' – y capten Prydeinig Leigh Fermor – wedi dweud yn ddigon clir droeon nad oedd neb o'r *andártes* i gyffwrdd â Kreipe mewn unrhyw ffordd, a'i fod i gael ei drin â phob cwrteisi posib. 'A bloodless coup' oedd ei union eiriau, ac roedd hyd yn oed *andártes* Petrakoyeorgis wedi gwrando arno, er nad oeddan nhw'n rhy hapus, yn ôl Nikolaos. Roedd y cadfridog, meddai, wedi synhwyro'r perygl ac wedi'i wneud ei hun mor fychan a didrafferth â phosib, ond dyn a ŵyr beth allai fod wedi digwydd petai rhyw geg fawr wirion fel Marko Alevizakis wedi bod yno.

'Hwyrach fod *rhai* ohonan ni wedi cael llond bol ar Michali'n dweud wrthon ni be i'w neud,' atebodd Marko.

'A pwy ydi'r "ni" yma, felly? Dwyt ti rioed wedi torri gair efo fo, na fynta efo chditha – hyd y gwn i.'

Roedd Marko wedi cochi rhywfaint, ac wedi gwgu ar ei frawd mawr mewn ffordd oedd yn awgrymu bod ganddo lawer mwy i'w ddweud, ond roedd Levtheri wedi hen arfer â chastiau gwirion fel hyn.

'Sôn am lond bol, mae 'na amryw byd ohonan ninna wedi hen flino clywad be fasat *ti* wedi'i neud i Kreipe tasat ti wedi cael y cyfla,' meddai. 'Doeddat ti ddim yno, diolch i'r drefn, felly chest ti mo'r cyfla, naddo? Felly . . .' Rhoddodd ei fys ar ei wefusau.

Yn ddiweddarach, sylweddolodd Levtheri y dylai'r hen olwg bwdlyd, blentynnaidd yna a ddaeth dros wyneb Marko fod wedi'i rybuddio fod rhagor i ddod yn hwyr neu'n hwyrach.

Ac mi ddigwyddodd hynny hefo dyfodiad y crydd o Lokhria. Un o griw y Kapetán Petrakoyeorgis oedd o, ar ei ffordd i ailymuno â'r *andártes* eraill ar ôl bod yn ymweld â hynny oedd ar ôl o'i hen gartref, sef nemor ddim. Roedd Lokhria wedi'i losgi gan yr Almaenwyr ddechrau Mai, ynghyd â thri phentref arall yn yr un ardal – Kamares, Margarikari a Saktouria. Cawsai nifer o ddynion eu harestio, a'r gwragedd a'r plant eu symud i bentrefi eraill. Saethwyd tua phymtheg o ddynion Saktouria yng ngharchar Ayia.

'Rwbel,' meddai'r crydd am ei bentref. 'Dyna'r cwbwl sy ar ôl.' Roedd ei deulu, diolchodd i Dduw, yn ddiogel. Ar y pryd roedd o a nifer fawr o *andártes* Petrakoyeorgis wedi gorfod swatio yn y creigiau a gwylio'r cymylau anferth o fwg du yn codi uwchben y pentrefi, a synau ffrwydro a saethu'n nofio i fyny tuag atynt ar yr awel, a hwythau'n gallu gwneud dim heblaw gweddïo.

Roedd y crydd wedi dod â chopi o'r papur newydd, y *Paratiritis*, hefo fo – papur oedd dan reolaeth yr Almaenwyr. Ynddo roedd yr hysbysiad canlynol:

Mae pentrefi Kamares, Lokhria, Margarikari a Saktouria, ynghyd â mannau cyfagos yn nhalaith Iráklion, wedi'u difa a'u dileu. Cafodd y dynion eu harestio ac aed â'r merched a'r plant i bentrefi eraill gerllaw. Am fisoedd bu'r pentrefi hyn yn cysgodi ac yn cynnig lloches i griwiau Comiwnyddol dan arweiniad herwfilwyr. Mae'r pentrefwyr heddychlon yr un mor euog gan na wnaethant hysbysu'r awdurdodau am y gweithredoedd bradwrus hyn. Bu banditiaid yn ymweld ag ardal Saktouria gyda chefnogaeth y bobl leol gan gludo arfau, nwyddau a therfysgwyr, a'u cuddio yno. Rhoddodd Kamares a Lokhria fwyd a lloches i'r banditiaid hyn. Ym Margarikari, sydd hefyd yn euog o roddi lloches a bwyd i'r herwyr, dathlwyd y Pasg gan y bradwr a'r terfysgwr Petrakoyeorgis heb unrhyw ymyrraeth o gwbl ar ran y trigolion.

Gretiaid – gwrandewch yn astud! Gwybyddwch pwy yw eich gwir elynion! Gwarchodwch eich hunain rhag llofruddion eich cyd-wladwyr a'r lladron sy'n dwyn eich preiddiau. Bu Lluoedd Arfog yr Almaen yn ymwybodol o'r gweithredoedd bradwrus hyn ers peth amser, fel y gŵyr y trigolion lleol yn iawn, ar ôl derbyn sawl rhybudd. Ond daethom i ben ein tennyn. Mae cleddyf cyfiawn yr Almaen yn dial ar yr euog rai, ac o hyn ymlaen bydd yn cosbi pob person sy'n euog o fod â chysylltiad â'r banditiaid a'u hanogwyr Seisnig.

'Dim sôn o gwbwl am Kreipe,' meddai Xylouris ar y pryd, ac roedd dynion Anogia i gyd wedi edrych a gwenu ar ei gilydd â chryn ryddhad.

'Kreipe?' meddai'r crydd, bron fel petai'r enw'n un hollol ddieithr iddo. Ysgydwodd ei ben. 'Does a wnelo hyn gythraul o ddim â Kreipe, siŵr Dduw. Mi ffeindion nhw lwyth o arfau yn

Lokhria yn ôl ym mis Mawrth. Ac mi ddangosodd cynhebrwng mam y *kapetán* iddyn nhw nad oedd pobol Margarikari am adael i'r bastads ddeud wrthyn nhw be i'w neud.'

Brathodd y crydd ei fawd yn ddilornus. Cyfeirio roedd o at angladd mam y Kapetán Georgios Petrakoyeorgis, a drodd yn dipyn o sioe, a dweud y lleiaf. Margarikari oedd cartref Petrakoyeorgis, ac roedd o eisoes wedi gwylltio'r Almaenwyr trwy fod â'r wyneb i ddathlu'r Pasg yn eglwys ei bentref ei hun – bron fel pe na bai'r un Almaenwr wedi bod ar gyfyl yr ynys erioed. I goroni hyn, pan roed ei fam i orwedd yn ei harch agored, roedd yr holl bentrefwyr wedi galw heibio i dalu teyrnged iddi a chusanu'i thalcen, yn ogystal â phump offeiriad oedd yn gofalu am y Litwrgi Dwyfol.

Bellach, roedd tair wythnos wedi mynd heibio ers i Kreipe gael ei gipio. Petai'r Almaenwyr am ddial ar y trigolion lleol buasai hynny wedi hen ddigwydd erbyn hyn. Roedd eu dialedd, yn ddi-feth, yn digwydd yn syth bìn.

Pwniodd Levtheri Marko. 'Ti'n gweld? Mi fasa hi'n stori go wahanol tasa'r *andártes* wedi lladd Kreipe.'

Cytunai Manoli. 'Synnwn i ddim na fasa'r diawlad wedi mynd o gwmpas yn llosgi pob un pentref ar yr ynys 'ma.'

Gan nad oedd o'n siŵr iawn beth i'w ddweud, ac ar yr un pryd yn teimlo y dylai ddweud rhywbeth, petai hynny ddim ond i gael y gair ola, gwnaeth Marko benderfyniad go ddwl: dewisodd ddyfynnu un o hen ddiarhebion Creta. 'Wel,' meddai, gan godi'i ysgwyddau'n ddi-hid, 'ma'n amhosib cynnal gwledd briodas heb gig.'

Camddeallodd y crydd. Chlywsai o mo ddechrau'r sgwrs, dim ond ei chynffon. Edrychodd i fyny'n siarp, jest mewn pryd i weld gwên hunanfodlon ar wyneb Marko. Credai fod yr *andárte* ifanc yn dangos y diffyg parch mwyaf ofnadwy at yr hyn oedd wedi digwydd yn y pedwar pentref a losgwyd.

Yn wahanol i deirw cyffredin, chafwyd dim math o rybudd gan hwn. Rhuthrodd am Marko gan ei fwrw i'r ddaear â holl bwysau'i gorff – fel matres yn syrthio ar ddol, meddyliodd Manoli wedyn – a chyn bod neb wedi sylweddoli beth oedd yn digwydd, roedd bysedd y crydd wedi'u lapio'n dynn am wddw'r dyn ifanc, a hwnnw'n gweld yr awyr uchel, las yn troi'n biws ac yna'n ddu . . .

. . . nes i'r crydd o Lokhria gael ei dynnu oddi arno gan Manoli, Levtheri, a dau neu dri o'r *andártes* eraill.

Yn ei ffantasïau, wrth gwrs, fe welai Marko ei hun yn sefyll yn llonydd a gwên fechan yn dawnsio dros ei wefusau wrth i'r tarw ruthro amdano. Yn ei ffantasïau, roedd o fel un o'i gyndadau, y Minoaid, yn aros nes roedd y tarw ychydig fodfeddi'n unig oddi wrtho cyn cydio ynddo gerfydd ei gyrn, a mynd din-dros-ben ddwywaith dros gefn y bwystfil a glanio ar ei draed y tu ôl iddo. Yn yr un ffantasi byddai'n troi'n ystwyth ac yn plannu andros o gic ym mhen-ôl y tarw nes bod hwnnw'n baglu'n ei flaen ac yn taro'i ben yn erbyn un o'r creigiau – hyn oll i gyfeiliant chwerthin uchel a chymeradwyo brwd gan yr *andártes* eraill.

Yn lle hynny, eisteddai efo'r mulod unwaith eto, ei dad a'i frawd nid nepell oddi wrtho. Edrychai Levtheri fel petai'n canolbwyntio ar lanhau ei reiffl, ond roedd y wên fach dawel 'na ar ei wyneb.

'Hei!'

'Hei, be?' meddai Levtheri heb edrych i fyny.

'Be sy mor ddigri?' gofynnodd Marko. Roedd o'n dal ychydig yn gryg ar ôl neithiwr, a gwgodd unwaith eto i gyfeiriad y crydd o Lokhria. Gwgodd hwnnw'n ôl arno a throdd Marko at Levtheri.

'Wel?'

'Dim byd,' meddai Levtheri. 'Mond hel meddyliau.'

Edrychodd Marko ar ei dad. Roedd Manoli'n syllu arno'n feddylgar. Ydi'r ddau yma'n cael hwyl am 'y mhen i, meddyliodd? Ma nhw wastad yn gneud i mi deimlo fel taswn i mond dengmlwydd oed.

Rhegodd dan ei wynt a throi ei gefn arnyn nhw. Welodd o mo'r winc, felly, a darodd Manoli ar Levtheri, ond gwyddai'n iawn fod 'na un wedi neidio rhyngddyn nhw – bron na allai ei theimlo'n bowndian dros y ddaear y tu ôl iddo. Eisteddodd â'i gefn yn erbyn bôn clawdd yr hen gorlan. Roedd wedi rhoi ei reiffl i orffwys yn erbyn y clawdd cyn tynnu carreg o'i boced a hogi'i gyllell. Gwyddai fod 'na olwg go bwdlyd ar ei wyneb: digwyddai hyn bob tro y byddai'r ddau arall yn tynnu arno, a rhoddai'r byd am fedru'i rwystro, ond roedd o wedi dechrau ofni mai fel'ma y byddai hi arno weddill ei oes.

Cwestiwn, meddyliodd wrtho'i hun: pryd mae bachgen yn troi'n ddyn? Ateb: pan fydd o'n rhoi'r gorau i edrych yn bwdlyd wrth gael ei bryfocio. Y casgliad? Mae'n amlwg nad ydw i eto'n ddyn. Rhywbeth gafodd ei brofi neithiwr. O flaen pawb. Edrychodd eto tuag at y crydd, gan ddal i hogi'i gyllell yn araf.

'Na wnei, wnei di ddim,' meddai ei dad wrtho.

Rhoes Marko naid fach euog. Roedd llygaid Manoli wedi'u hoelio ar ei wyneb.

'Be?'

'Mi wn i'n iawn be sy ar dy feddwl di. Anghofia fo, ti'n clywed? Rŵan hyn.'

Syllodd Marko'n ôl arno am eiliad neu ddau, ond doedd o ddim am herio'i dad. Edrychodd i lawr ar ei gyllell a'i garreg hogi, a theimlo'i wyneb yn cochi. Daliodd Manoli i syllu arno am rai eiliadau cyn ysgwyd ei ben a throi i ffwrdd, a'r un wên dawel ar ei wyneb ag oedd ar wyneb ei fab hynaf.

Maen nhw mor wahanol, meddyliodd, y ddau fab yma sy gen i: Levtheri'n dawel a phwyllog ac yn tynnu ar f'ôl i (neu felly y bydda i'n hoffi meddwl), a Marko'n debycach i Thera ac yn debyg *iawn* i Maria – cymaint felly nes eu bod nhw'n fwy fel dau efaill na brawd a chwaer â phum mlynedd rhyngddyn nhw. Dyna pam maen nhw'n ffraeo cymaint â'i gilydd, decini: maen nhw'n rhy debyg i'w gilydd.

Cododd ar ei draed, yna plygu a thrio sythu droeon. Llai na deng munud o eistedd, a dyma fo'n ei deimlo'i hun yn dechrau cyffio'n barod. Dwi'n mynd yn hen, meddyliodd Manoli Alevizakis. Edrychodd ar Levtheri a chodi'i aeliau, a chael nòd yn ôl ganddo. Wrth iddo grwydro oddi wrth ei feibion, drwy gornel ei lygad gwelodd Levtheri'n codi ar ei draed ac yn croesi at Marko, oedd yn dal i bwdu.

Eisteddodd Levtheri wrth ochr ei frawd bach. 'Pan fyddi di wedi gorffan efo hi . . .' meddai, gan amneidio i gyfeiriad y garreg hogi. Cyffyrddodd Marko ag ochr y gyllell â blaen ei fawd cyn gollwng y garreg ar lin Levtheri.

'Perffaith.'

Tynnodd Levtheri ei ddagr ei hun o'r wain a hongiai oddi ar ei felt, a dechrau ei hogi. 'Perffaith ar gyfer be'n union?' holodd yn dawel.

Edrychodd Marko arno'n ddrwgdybus, yn amau bod ei frawd yn dechrau tynnu arno eto fyth, ac yna meddai, 'Ar gyfer be ti'n feddwl, *ilíthios*?' – ond gofalodd wenu wrth alw Levtheri'n ffŵl. Brawd mawr ydi brawd mawr, wedi'r cwbwl, ac roedd blynyddoedd o reslo wedi dysgu i Marko nad oedd ganddo unrhyw obaith yn erbyn Levtheri.

'Roeddat ti o ddifri, felly, am Kreipe?' meddai Levtheri, gan dynnu'i fys ar draws blaen ei wddw.

'Wel, o'n siŵr.'

Ddywedodd Levtheri ddim byd am ychydig, dim ond canolbwyntio ar hogi ei ddagr. Anodd fuasai dweud y gwahaniaeth rhwng ei ddagr o ac un Marko petai'r ddwy'n gorwedd ochr yn ochr. *Mavrománika* oedd yr enw a roid ar gyllell o'r fath, ei charn tywyll wedi'i wneud o gorn maharen. Roedd un debyg gan eu tad hefyd.

'Dwi ddim yn credu y gallwn i, sti,' meddai Levtheri ar ôl ychydig.

Rhythodd Marko arno. 'Be? Ond . . . ti *wedi* gneud, yndô?' Cyfeirio roedd o at y sgarmes honno'r flwyddyn cynt pan ddaeth Levtheri a dau arall o'r *andártes*, yn annisgwyl, wyneb yn wyneb â thri milwr Almaenig.

'Doedd hynny ddim mewn gwaed oer,' meddai Levtheri. 'Ma peth felly'n . . . wel, yn wahanol.'

Chwarddodd Marko yn sarrug. 'Ond fasa ngwaed i ddim yn oer, Levtheri! Ma hyd yn oed meddwl am un o'r rheina yn gneud i ngwaed i ferwi. Fasa tynnu ochor hon dros wddw unrhyw Almaenwr ddim ond fel lladd mochyn. A ph'run bynnag, nid fo fasa'r Almaenwr cyntaf i mi ei ladd.'

'Na, dwi'n gwbod. Ond . . .'

'Ond be? Lladd ydi lladd, 'de?'

Ysgydwodd Levtheri ei ben. 'Naci, wir.' Gollyngodd y garreg hogi ar lin Marko a gwthio'i ddagr yn ôl i'r wain cyn ailgydio yn ei reiffl. 'Ma lladd efo un o'r rhein neu efo pistol . . . wel, mi fedar unrhyw ffŵl neud hynny os ydi o'n gallu anelu'n ddigon da – yn enwedig o bellter efo reiffl. Ond ma defnyddio *mavrománika*'n rhywbath arall eto.'

'Ydi o, wir?'

Edrychodd Levtheri yn siarp arno. 'Ydi, Marko. Mae o. Yn hollol wahanol, dallta. Ma saethu rhywun yn . . . wel, ma 'na rywbath amdano fo sy bron â bod yn amhersonol, rywsut, oherwydd y pellter sy 'na rhyngddat ti a phwy bynnag ti'n ei ladd.' Tynnodd ei ddagr allan eto. 'Ond ma defnyddio cyllell . . . ti'n gallu teimlo'r bywyd yn llifo allan ohono fo. Ma'r gelyn fwy neu lai yn dy freichia di, Marko; ti'n ei gofleidio fo i bob pwrpas, bron iawn fel tasat ti'n cofleidio dy ffrind gora. Ti'n ddigon agos ato i weld y braw yn llenwi'i lygaid o, y braw a'r dychryn ac yna'r ofn mwya uffernol, ac yna'r boen . . . wedyn y golau'n pallu wrth i'r corff wingo a neidio, yn nerfau i gyd, yn dy freichia di. Ti'n ddigon agos i fedru arogli'r cachu a'r piso sy'n llifo allan ohono fo. O ydi, ma hynny'n digwydd pan wyt ti'n lladd rhywun fel hyn. Ma'r drewdod yn llenwi dy ffroena di ac yn troi dy stumog di – hwnnw a drewdod y gwaed – ac mae o'n aros yn dy ffroena di, ar dy gnawd di, am ddyddia wedyn.'

Syllodd ar ei ddagr am rai eiliadau cyn ei gwthio'n ôl i'r wain.

'Roedd 'y ngwaed i'n bell o fod yn oer pan ddefnyddis i hon,' meddai wedyn. 'Ches i ddim cyfla i feddwl, bron. Ond hyd yn oed rŵan, dros flwyddyn yn ddiweddarach – wyddost ti be?' Ysgydwodd Marko'i ben. 'Dwi'n dal i allu clywad yr ogla. Ogla *ofn* ydi o, Marko. A chreda di fi, dydi o'm yn beth neis i'w gael yn dy ffroena.'

Safodd, ac edrych i lawr ar Marko.

'Felly, paid ti â mynd ar nerfa pawb yn brolio y basat ti'n mwynhau gneud rhywbath nad wyt ti rioed wedi'i neud. A wyddost ti be arall? Dwi'n gobeithio'r nefoedd na fyddi di byth, byth yn *gorfod* ei neud o.'

Trodd a chychwyn draw at weddill yr *andártes*. Wrth basio'i dad, tarodd winc slei arno.

Eistedd efo'i ffrind, Nikolaos Leladakis, yr oedd Manoli, ac fe welodd hwnnw'r winc wrth i Levtheri gerdded heibio iddyn nhw.

'A be,' meddai Nikolaos, 'oedd ystyr *honna*?'

'Gyda lwc,' atebodd Manoli, 'falla na chlywn ni lawer iawn mwy am dynnu cyllell ar draws gwddw unrhyw gadfridog.'

'A-aa, reit.'

Bu tawelwch rhyngddyn nhw am funud neu ddau wrth i Nikolaos gnoi cil dros eiriau Manoli. Yna meddai, 'Kreipe.'

'Ia, be amdano fo?'

'Un rhyfadd.'

'Felly dwi'n dallt,' meddai Manoli. 'Wel, gwahanol.'

'Gwahanol . . . ia, dyna'r gair hefyd. Gwahanol.'

Stwcyn byr oedd Nikolaos, ei wallt yn wyn ond ei fwstás, am ryw reswm, yn hollol ddu. Mwstás anhydrin a diarhebol o anufudd oedd hwn. Gwrthodai gyrlio i fyny'n filwrol ac yn falch fel mwstashys y rhan fwyaf o'r Cretiaid eraill; yn hytrach, roedd yn well ganddo hongian yn hir ac yn ddiog i lawr heibio ochrau ceg Nikolaos, gan wneud i'r dyn edrych fel rhyw hen gi oedd wastad yn cael ei siomi gan fywyd. Ond cymeriad Nikolaos oedd yn gyfrifol am hyn, credai pawb; creadur go ddolefus fuodd o erioed, hyd yn oed yn blentyn, ac roedd y mwstás yn amlwg wedi dewis adlewyrchu hynny yn hytrach na brwydro'n ofer yn ei erbyn.

'Mab i offeiriad o ryw fath – ydw i'n iawn?' meddai Manoli.

Nodiodd ei ffrind. 'Dim byd tebyg i Müller, ma hynny'n sicr.' Poerodd Nikolaos wrth ddweud enw'r Almaenwr fu'n gyfrifol am losgi a dinistrio'r holl bentrefi a lladd cynifer o'u trigolion, ac a gawsai yn sgil hynny'r llysenw 'Cigydd Creta' – gan ymfalchïo ac ymffrostio ynddo, mwy na thebyg. 'Dwi ddim yn credu y basa hwnnw wedi cael mynd o'r ynys yma'n fyw. Ond am Kreipe . . .' Munud arall o bendroni cyn mynd yn ei flaen.

56

'Roedd Kreipe yn *filwr*. Rhubanau ar ei siaced o, Manoli, a medalau: y Groes Haearn, Dosbarth Cyntaf, ac Eryr y *Wehrmacht*. Nid ar chwarae bach mae ennill medalau fel y rheina.'

'Na.'

'Nid fel y bwystfilod eraill rheiny. Roedd gan Michali barch at hwn – y ddau ohonyn nhw'n dyfynnu barddoniaeth mewn rhyw iaith arall.'

Roedd Manoli eisoes wedi clywed am hyn – fel roedd Kreipe wedi dechrau adrodd barddoniaeth wrth wylio'r wawr yn torri, a 'Michali' wedi troi'r adrodd unigol yn ddeuawd. Ond wedyn, meddyliodd Manoli y tro cyntaf iddo glywed y stori, doedd y ffaith fod Kreipe yn ddyn diwylliedig ddim yn ei wneud o'n angel.

Cawsai Müller ei symud yn annisgwyl a Kreipe ei benodi yn ei le. Mewn gwirionedd, dim ond newydd gyrraedd yr ynys yr oedd o pan gafodd ei herwgipio: dim digon o amser i gael lliw haul, hyd yn oed, heb sôn am gamymddwyn. Hwyrach, ymhen mis neu ddau, y byddai wedi dangos ei fod yntau lawn cymaint o gigydd â'r erchyll Friedrich-Wilhelm Müller.

'Mm . . .' meddai Manoli, ac edrychodd Nikolaos arno.

'Be?'

'Dim ond meddwl, hwyrach na fasa Kreipe wedi cael ei anfon yma oni bai ei fod wedi dangos y byddai'n fodlon gneud yr un gwaith â Müller. Pwy a ŵyr, falla mai Schubert arall oedd o.'

Rhythodd Nikolaus arno gyda braw. 'Brenin mawr, Manoli!'

'Wel, wyddost ti ddim.'

Schubert. Fritz Schubert. 'Y Twrc', am ei fod yn siarad Groeg ag acen Dwrcaidd gref. Anghenfil o ddyn os bu un erioed. Yr eironi oedd ei fod o dras Groegaidd ei hun, ond am ryw reswm yn casáu'r Cretiaid â chasineb oedd yn wir seicotig. Fel aelod blaenllaw o'r Gestapo, bu'n gyfrifol am ladd ac arteithio dros fil o bobol ar yr ynys, yn enwedig ar ôl ffurfio uned o 'filwyr' Groegaidd mewn lifrai Almaenig, sef y *Jagdkommando*. Gwehilion cymdeithas oedd y criw yma – troseddwyr a charcharorion oedd yn ymhyfrydu mewn lladd a phoenydio. Nhw losgodd bentrefi Kallikrates a Kale Sykia, gan saethu nid yn unig y dynion ond hefyd nifer fawr o ferched a phlant; fe aethon nhw mor bell â gwthio llawer ohonyn nhw yn ôl i'w tai ar ôl cynnau'r tanau, er mwyn eu gwylio'n llosgi i farwolaeth. Roedd sôn fod campau Schubert yn ormod hyd yn oed i'r Natsïaid eraill, a chawsai ei symud i swyddfa yn Athen rai misoedd ynghynt. Ond roedd ei enw'n dal yn gyfystyr â'r farbariaeth fwyaf eithafol yng Nghreta.

'Wir i ti, Manoli, tasat ti ddim ond wedi gweld Kreipe dy hun. Ond dwi'n dallt be sy gen ti; nes i mi gyfarfod Kreipe, ro'n inna dan yr argraff mai bastad creulon oedd pob Almaenwr.' Edrychodd Nikolaos o'i gwmpas a gostwng ei lais. 'Wst ti be? Mi fasa'n ddifyr gwbod be fasa wedi dŵad o betha tasa fo wedi cael aros yma. Dwi'm yn credu, rywsut, y basa'r un pentra arall wedi cael ei losgi.'

'Be – wyt ti'n credu, felly, mai camgymeriad oedd cipio Kreipe?' rhyfeddodd Manoli.

'Na, na, ddim o'r ffasiwn beth!' Edrychodd Nikolaos o'i gwmpas eto rhag ofn fod rhywun yn clustfeinio arnyn nhw. 'Roedd cipio Kreipe yn goblyn o hwb i bawb, yn doedd? Toeddan ni i gyd, pawb ar yr ynys, yn teimlo droedfedd yn dalach pan glywon ni? Na, deud *nad* ydw i'n gwbod ydw i, Manoli. A fydd neb yn gwbod rŵan, chwaith, yn na fydd?'

Edrychodd i fyny at gopaon Psiloritis, i gyfeiriad Anogia.

'Ma'n hwyr gen i gael mynd adra, Manoli,' ochneidiodd, gan edrych yn fwy dolefus nag erioed. 'Ni'n dau – rydan ni'n mynd yn hen. Yn rhy hen, falla. A'r *kapetán* hefyd.' Trodd yn ôl at ei ffrind. 'Yr hyn sy'n 'y nghadw i'n effro'r nos ydi, pwy tybad ddaw yma yn lle Kreipe?'

'Os daw rhywun. Mae 'na sôn y bydd y diawlad yn ei heglu hi o 'ma cyn bo hir. Ma petha'n o ddrwg arnyn nhw, yn ôl y radio. Yn Rwsia, yn enwedig.'

Ond roedd Nikolaos yn ysgwyd ei ben. 'O, mi ddaw 'na rywun, paid ti â phoeni. Dydyn nhw ddim yn mynd i sleifio i ffwrdd fel llwynogod cyn y wawr. Hyd yn oed os gwnân nhw hynny, mi ofalan nhw ddifa'r cwt ieir cyn mynd.'

Chwaraeodd Manoli â'r syniad o geisio ysgafnhau rhywfaint ar y sgwrs – o dynnu ar Nikolaos drwy ddiolch yn goeglyd iddo am godi'i galon – y fo a'i lwynogod a'i gytiau ieir. Ond sylweddolodd nad oedd ganddo bellach mo'r egni i wneud hynny.

Trodd, yn hytrach, a syllu i fyny'r llethrau.

Rhoddai'r byd am deimlo glaw mân y mynydd yn cosi'i wyneb ac yn gwlychu'i farf unwaith eto.

4

Mystiká Prágmata

Anogia, Creta
Mehefin 1944

Ceiliogod

Y dyddiau hyn, roedd y Tad Kosta Yrakis ar ei draed cyn bod ceiliogod y pentref wedi dechrau ar eu cân foreol. Achubai'r blaen arnynt yn feunyddiol, a hoffai ddychmygu eu bod i gyd yr un mor flin hefo fo am eu deffro ag yr arferai o fod efo nhw.

Heddiw, wrthi'n golchi'i wyneb yr oedd o pan glywodd yr un cyntaf. Gwenodd. Ei geiliog o ei hun, allan yn y buarth bychan yng nghefn y tŷ. Bob bore, llwyddai ei ganu i godi gwên ar wyneb yr offeiriad, a'i ysgogi i fwmian geiriau Ioan, 'Mi a fynnwn pe bait oer neu frwd.' Synau ymddiheurol, rywsut, oedd rhai'r ceiliog, fel petai arno ofn cael row gan yr ieir am gadw sŵn ben bore. Efallai fod hynny'n wir: doedd yr hen greadur ddim yn cael llawer o barch, nac o fywyd, gan y pedair iâr a deyrnasai dros y buarth. Ond mynnai hwn gyfarch y diwrnod cyn gynted ag y synhwyrai'r wawrddydd yn y gwynt, a'r peth rhyfeddaf oedd ei fod yn llwyddo i gael y blaen ar holl geiliogod y pentref bob dydd yn ddi-ffael.

Sychodd Kosta'i wyneb a chychwyn i lawr y grisiau ar flaenau'i draed . . .

'Kosta?'

Gwenodd eto. Roedd hi'n amhosib mynd i lawr y grisiau heb i'w wraig, Eva, ei glywed. Aeth yn ei ôl efo'i lantarn i'r ystafell wely, a'i gweld, fel y disgwyliai, yn eistedd i fyny yn y gwely. Er bod ei thresi duon bellach wedi troi'n rhai arian, roedd y ffaith fod ei gwallt hir yn hongian yn rhydd dros ei hysgwyddau'n gwneud iddi edrych fel y ferch ifanc a briododd Kosta ugain mlynedd ynghynt. Cyn iddo gael ei ordeinio'n offeiriad.

'Paid ti,' meddai Eva, 'â rhoi'r bai ar y ceiliog.'

'Be?'

'Ro'n i'n effro cyn iddo fo ddechra efo'i nada. Fel roeddat titha,' ychwanegodd. Cododd o'r gwely, gan beri i sbrings hynafol hwnnw brotestio'n wichlyd. Gwyddai Kosta nad sŵn y gwely wrth iddo fo droi a throsi oedd wedi'i deffro, chwaith, ond yn hytrach ei lonyddwch yno wrth ei hochr. Daeth Eva ato – ysbryd mewn coban wen, laes yng ngoleuni tila'r lantarn – a gorffwyso'i phen yn erbyn ei fron.

Roedd hi'n gwybod yn iawn pam nad oedd o'n cysgu nemor ddim y dyddiau yma, ar wahân i ryw unwaith yr wythnos pan fyddai'i gorff wedi gorfod ildio o'r diwedd i ludded llwyr.

Cusanodd Kosta'i chorun yn ysgafn. 'Dwi am fynd i agor yr eglwys.'

Gwasgodd Eva'i gŵr yn dynn am eiliad, yna'i ollwng.

'Ia, cer di. Mi wna i frecwast i ni'n dau.'

Cusan chwim arall, ar ei thalcen y tro hwn, ac yna roedd Kosta wedi mynd allan o'r ystafell ac i lawr y grisiau. Oedd, roedd o am agor yr eglwys, gwyddai Eva, ond byddai hefyd yn crwydro'n araf trwy'r pentref ar ei ffordd yno. Mae'n rhy gynnar, meddyliodd Eva Yrakis, yn rhy gynnar o lawer i'r ferch ddychwelyd o'r fynachlog, ond gwyddai nad oedd unrhyw bwynt iddi geisio dweud hynny wrth Kosta. Roedd o'n gwybod hynny ei hun, ond roedd codi a gwisgo a mynd allan i ddatgloi ac agor yr eglwys – hyd yn oed i sefyllian o gwmpas gan syllu'n ddisgwylgar i fyny'r ffordd – yn well o beth wmbredd na gorwedd yma adra, yn poeni.

Arhosodd Eva nes y clywodd ddrws y tŷ yn agor a chau cyn diosg ei choban a dechrau gwisgo amdani.

*

Môr-forynion

Erbyn iddo gamu allan o'r tŷ, roedd y ceiliogod eraill wedi

61

deffro ac yn canu nerth eu pennau, fel tasan nhw am y gorau i foddi synau ei gilydd. Amhosib, meddyliodd Kosta, fyddai cysgu trwy'r fath gacoffoni. Ac yn wir, roedd nifer o drigolion y pentref eisoes ar eu traed, yn ôl y canhwyllau brwyn a welai'n llosgi y tu ôl i sawl ffenest wrth iddo gerdded heibio.

Roedd o wedi disgwyl y byddai awel y bore bach ychydig yn fain – roedd y pentref oddeutu wyth can metr uwch lefel y môr, wedi'r cwbl – ond teimlai'n anarferol o drymaidd iddo'r bore hwn, fel petai'n fore o Awst yma yn Anogia yn hytrach nag yn ganol Mai. Ac, erbyn meddwl, onid oedd canu'r ceiliogod yn fwy byddarol nag arfer heddiw? Fel tasan nhw'n melltithio'r diwrnod newydd yn hytrach na'i groesawu.

Ac onid wyt titha, Kosta Yrakis, yn hel hen feddyliau gwirion? meddai wrtho'i hun. Er hynny, arhosodd am funud yn gwylio mwy a mwy o'r pentref yn dod i'r golwg wrth i oleuni'r dydd ymledu o'i gwmpas, a blaenau bysedd ei law dde ar goll ym mlewiach trwchus ei locsyn. Trodd ac edrych i fyny tua'r mynydd, heb wybod yn iawn pam y gwnâi hynny, dim ond rhyw hen deimlad – gwirion eto, Kosta, gwirion! – fod 'na rywbeth cythryblus heddiw ynglŷn â'r llethrau llonydd, solet wrth iddyn nhw ymddangos, fesul tipyn, o'r tywyllwch.

'*Evlogeité*, Pater,' meddai rhywun wrth ei ochr, gan wneud iddo neidio. Iríni Saviolakis oedd yno, yn sefyll yn nrws ei thŷ, lle roedd hi a'i gefeilles – y ddwy'n weddwon – yn cyd-fyw. Wel, roedd o'n *meddwl* mai Iríni oedd hon – roedd hi'n anodd iawn dweud os nad oedd y ddwy'n sefyll ochr yn ochr, yn enwedig yng ngolau gwan y bore cynnar.

'*O Kýrios*,' ymatebodd Kosta â'i fendith. '*Kaliméra*, Kyría Iríni,' mentrodd wedyn.

Chywirodd hi mohono, felly mae'n rhaid ei fod wedi gwneud y dewis iawn. Wrth i Iríni ei ateb daeth y chwaer arall, Rodianthe, allan o'r tu ôl iddi â'i '*Kaliméra*' hithau. Cyfarchodd Kosta hi'n hyderus – yn falch ei fod wedi medru dyfalu p'run oedd p'run.

Roedd yr efeilliaid ymhell yn eu saithdegau, a nhw – ynghyd

ag Eleni Vandoulakis oedd yn ei hwythdegau – oedd bydwragedd Anogia.

'Chwain yn dy wely, Kosta?' holodd Rodianthe dan wenu, a chael pwniad a gwg o gerydd gan ei chwaer am gyfarch offeiriad yn y fath fodd. Ond doedd dim ots gan Rodianthe: onid hi oedd wedi llusgo Kosta Yrakis i'r byd 'ma gerfydd ei fferau? Onid hi oedd wedi'i ddal o â'i ben i lawr a rhoi slasan iddo ar ei din nes ei fod o'n gwichian fel ystlum bach llithrig a phinc?

O'r ddwy, Rodianthe oedd y fwyaf direidus a hwyliog. Nid bod Iríni'n sych, o bell ffordd: gyda'r pwnio a'r gwgu daeth gwên fach swil, a gwyddai Kosta o brofiad – er na fedrai mo'u gweld yn yr hanner tywyllwch – fod llygaid y ddwy yn pefrio.

'Ynteu chwain yn dy locsyn?' ychwanegodd Rodianthe, a sylweddolodd Kosta fod ei fysedd yn dal i fod ynghlwm yn ei farf. Smaliodd blycio chwannen o ganol ei flewiach, a'i chlecian rhwng ewinedd ei fys a'i fawd.

'Ia, cannoedd ohonyn nhw. Gymwch chi un?' Cymerodd arno roi fflic i'r chwannen ddychmygol i'w cyfeiriad, a gwichiodd y ddwy fel genod yn eu harddegau. 'Mae hi'n fwll y bore 'ma, dach chi ddim yn meddwl?'

Nodiodd y ddwy. 'Ha' poeth eleni eto,' meddai Iríni.

'Ond glaw cyn hynny,' atododd Rodianthe.

Trodd ei chwaer ati. 'Glaw?! Paid â siarad yn hurt.'

'Gei di weld.'

'O, ia? Pryd?'

'Yn o fuan. Un cyfla arall i hel malwod.'

'Sothach!'

'Dwi'n deud wrthat ti . . .'

Torrodd Kosta ar eu traws i ffarwelio. Clywodd hwy wedyn yn ailafael yn eu dadl wrth iddo gerdded i ffwrdd. Fel hyn roeddan nhw, yn cael mwynhad mawr o dynnu ar ei gilydd trwy ddadlau am y peth lleiaf, er eu bod nhw'n cytuno go iawn.

Ys gwn i, meddyliodd, pa un o'r ddwy feddyliodd am chwedl eu hanes cynnar? Doeddan nhw ddim yn enedigol o Anogia. Wedi dod yma yn eu harddegau hwyr roeddan nhw, yn ôl a ddeallai Kosta, pan oedd yr ynys yn dal i fod dan reolaeth Twrci.

O ble daethon nhw, chafodd neb wybod. Yn hytrach, dywedai'r ddwy eu bod wedi cael eu cipio gan fôr-forynion pan oeddan nhw'n fabis, a'u magu gan y rheiny nes oeddan nhw'n ddeg oed. Ond roedd y môr-forynion yn gallu bod yn bethau digon creulon, meddai'r ddwy, ac un diwrnod fe lwyddon nhw i ddianc, a chael eu tynnu o'r môr gan bysgotwyr o orllewin yr ynys. A dod i fama oherwydd mai Anogia oedd pentref uchaf Creta, ac felly'r pellaf un o'r môr lle roedd y môr-forynion – y Seirēnes – yn aros iddyn nhw ddim ond cyffwrdd y dŵr â bodiau eu traed, cyn eu llusgo'n ôl i'r dyfnderoedd.

Dyna'r stori. A chan eu bod wedi colli'r gallu i nofio ac anadlu o dan y dŵr oherwydd iddyn nhw feiddio dianc, roeddan nhw am aros yma yn Anogia rhag ofn iddyn nhw gael eu temtio, un pnawn poeth, i olchi'u traed yn y tonnau.

Rodianthe, penderfynodd Kosta, oedd awdur y stori hon: roedd yna ddireidi Rodianthe-aidd yn perthyn iddi, rywsut. Roedd o wedi llyncu pob gair o'r stori pan oedd yn blentyn, ond pan fyddai o a'r plant eraill yn gofyn i'r chwiorydd am ragor o'u helyntion o dan y môr, arferai'r ddwy edrych draw fel tasan nhw wedi'u hypsetio'n ofnadwy: roedd rhai pethau, medden nhw, yn rhy boenus i'w cofio. A ph'run bynnag, doeddan nhw ddim yn cofio llawer: golchwyd eu cof yn lân – bron – wrth i'r pysgotwyr eu tynnu o afael y tonnau.

Ond roedd y Seirēnes wedi'u dysgu nhw i ganu, oherwydd gan y môr-forynion roedd y lleisiau mwyaf swynol a grëwyd erioed; onid oeddan nhw wedi hudo miloedd ar filoedd o forwyr â'u canu dros y canrifoedd? A phan fyddai Iríni a Rodianthe'n canu'r hen ganeuon, byddai'r rhan fwyaf o drigolion Anogia yn teimlo'n reit anghyffforddus wrth feddwl hwyrach fod 'na rywfaint o wirionedd yn straeon y ddwy, wedi'r cwbwl.

Roeddan nhw hefyd yn ferched anhygoel o hardd, ac adlais o'r harddwch yn eu hwynebau o hyd. Felly pam ar wyneb y ddaear y priodon nhw ddau labwst di-ddim fel Stavro ac Artemis Saviolakis, Duw yn unig a ŵyr.

Ia, meddyliodd Kosta wrth ddynesu at yr eglwys, dwy chwaer hardd yn priodi dau frawd diarhebol o hyll – a hynny ym mhob ystyr. Moch o ddynion oedd y brodyr Saviolakis. Bugeiliaid, fel y mwyafrif o ddynion Anogia, ond hefyd yn lladron a llofruddion ac yn boen ar enaid yr ardal gyfan.

Cawsai Iríni a Rodianthe sawl cynnig gwell o lawer dros y blynyddoedd, ond gwrthodwyd pob un. Un noson, pan oedd Stavro ac Artemis yn gwneud un o'u hymweliadau (prin, diolch byth, meddyliai pawb) â'r pentref, mae'n debyg iddyn nhw ddigwydd cerdded heibio i dŷ Iríni a Rodianthe a'u clywed yn canu. Roedd y ddau, yn ôl y sôn – er yn feddw chwil ac arogl gwaed yn eu ffroenau – wedi aros yn stond lle roeddan nhw, eu harfau'n clatran i'r ddaear dan eu traed, ac wedi sefyll yno'n hollol lonydd yn rhythu ar y tŷ mewn braw a syndod. Sefyll yno weddill y nos nes roedd gwlith y bore fel gwe pryf cop dros eu gwalltiau a'u barfau.

Roedd y ddwy chwaer wedi hen orffen canu oriau maith ynghynt – wedi noswylio, cysgu drwy'r nos a chodi drannoeth. Ond credai'r brodyr eu bod nhw wedi canu iddyn nhw'u dau drwy'r nos yn ddi-baid – iddyn nhw a neb arall – a'u bod yn dal i wneud hynny ymhell ar ôl i'r haul godi dros strydoedd culion a serth Anogia, oherwydd roedd y lleisiau'n dal i godi a disgyn y tu mewn i'w penglogau dwl. Daeth nifer o bobol Anogia ar eu traws y bore hwnnw – onid oedd y ddau'n sefyll yn ffordd pawb yng nghanol y stryd? – ond doedd yr un o'r ddau'n ymwybodol fod 'na bobol o'u cwmpas. Yno roeddan nhw'n syllu ar y tŷ a gwên fach freuddwydiol ar eu hwynebau hurt, yn siglo o ochr i ochr wrth wrando ar alawon hudolus na fedrai neb arall eu clywed ond y nhw.

Yna, rywbryd, fe ddaeth y merched allan o'r tŷ.

Dyma lle mae'r stori'n troi'n rhwystredig o amwys, meddyliodd Kosta, a sawl fersiwn o'r hyn ddigwyddodd wedyn yn troi a throsi ac yn uno â'i gilydd fel plu eira yn y gwynt. Dywedai rhai fod y brodyr wedi mynd ar eu gliniau a chrefu yn y fan a'r lle ar i'r gefeillesau eu priodi; dywedai eraill iddynt ddod yn ôl i'r stryd y tu allan i'r tŷ bob nos am dros flwyddyn, ac o'r herwydd wedi bod yn rhy brysur yn datgan eu cariad i fod yn boen ar eneidiau neb.

Ta waeth – priodi fu eu hanes yn y diwedd. Daliodd y brodyr ati i fugeilio, ond rhoesant y gorau i ddwyn defaid a geifr pobol eraill – a lladd, dim ond er mwyn y pleser o ladd – ac i feddwi'n ysbeidiol ar *rakí* a gwin. Yna, ddwy flynedd union ar ôl y ddwy briodas, gadawodd y ddau frawd yr efeilliaid a dychwelyd i lethrau Psiloritis; dywedai rhai fod sawl person wedi'u gweld y bore hwnnw, wedi sylwi bod yr un olwg hurt, freuddwydiol honno ar eu hwynebau wrth iddyn nhw gychwyn i fyny'r mynydd, a bod Artemis a Stavro Saviolakis yn siglo mynd, rywsut, fel y gwna llongwyr wrth sefyll ar dir sych ar ôl bod ar fordaith hir.

Yr un nesaf i'w gweld oedd Yanni'r Chwibanwr, oedd yn fugail ifanc y dyddiau hynny. Daeth o hyd iddyn nhw'n gorwedd ochr yn ochr wrth droed un o glogwyni Psiloritis, pob asgwrn yn eu cyrff wedi'i dorri'n siwrwd ond eu llygaid yn llydan agored, a'r wên lywaeth honno ar eu hwynebau.

Wrth gwrs, dechreuodd pobol Anogia ailystyried chwedl Iríni a Rodianthe yn sgil hyn, ac aeth nifer cyn belled â'u croesi eu hunain wrth gerdded heibio'r tŷ neu wrth basio'r ddwy ar y stryd. Yn ôl ambell ysgolhaig a ymddiddorai yn y pethau 'ma, mae hen hen chwedlau gwlad Groeg yn reit glir ynglŷn â'r mater: nid yn y môr ei hun mae'r Seirēnes yn byw, ond yn hytrach ar ynys – mewn cae yn llawn o flodau. Ar ôl i rywun ddatgan hyn, buan y tyfodd y sibrydion yn fwy a mwy gwallgof, gyda rhai'n taeru'n ddu las eu bod wedi gweld y ddwy efeilles yn rhowlio'n noethlymun mewn cae o'r fath . . .

Tyfodd chwedl arall o gwmpas Iríni a Rodianthe, sef eu bod hwythau, fel pawb arall, wedi cael hen lond bol ar gastiau dieflig y brodyr Saviolakis, ac wedi penderfynu eu cosbi trwy eu hudo â'u canu, eu swyno, ac yna'u rhoi mewn perlewyg cyn eu hanfon yn ôl i'r mynydd, ac at ymyl y dibyn.

A thybed, wrth iddyn nhw neidio oddi arno, a gredai'r ddau frawd mai neidio i fôr gwyrddlas, cynnes a chroesawgar yr oeddan nhw?

*

Y bachgen canol oed

Y ddwy yma oedd ar feddwl Kosta, felly, wrth iddo gerdded trwy'r pentref – meddwl sut roedd y Bod Mawr yn mwynhau chwarae ambell dric eironig ar ei addolwyr. Dwy briodas ddiffrwyth gafodd yr efeilliaid, ond eto Efe a'u gwnaeth yn fydwragedd Anogia.

Ar fin troi'r gornel am y ffordd i'r eglwys yr oedd o pan welodd symudiad drwy gornel ei lygad. Arhosodd a throi, ac wrth graffu'n ei ôl i lawr yr allt gwelodd ffigwr cyfarwydd yn rhyw sleifio i ffwrdd, rywsut, yng nghysgod cloddiau'r tai. Ffigwr esgyrnog a main, lliprynnaidd a di-lun – ansoddeiriau, sylweddolodd Kosta, a ddisgrifiai'r athro ifanc Grigori Daskalakis i'r dim.

'Grigori?' meddai'n uchel.

Wnaeth y ffigwr ddim troi, ond mi rewodd am eiliad cyn brysio'n ei flaen gan gymryd arno na chlywsai mo'r offeiriad yn galw arno. Wrth iddo ddiflannu heibio'r gornel nesaf, cafodd Kosta gip sydyn ar bâr o sbectols trwchus.

Grigori Daskalakis, yn sicr.

Trodd yn ei ôl a mynd tua'r eglwys. Rŵan, meddyliodd, ys gwn i be goblyn mae'r llo yna'n ei wneud o gwmpas y lle ben bore fel hyn? Yna fe'i dwrdiodd ei hun am feddwl am yr hogyn yn y fath dermau. Ond wir, doedd Grigori ddim yn helpu'i hun ryw lawer – bron nad oedd o'n gwneud ati i dynnu pobol i'w ben y dyddiau hyn.

Cyrhaeddodd yr eglwys ond yn hytrach na mynd i mewn iddi ar ôl datgloi ac agor y drysau trymion, oedodd Kosta am funud neu ddau gan syllu i fyny'r ffordd a arweiniai allan o'r pentref, tua'r dwyrain.

Tua'r fynachlog.

Erbyn hyn roedd yn fore llwydlas, a'r ceiliogod wedi tewi, ond doedd dim sôn am y ferch ifanc yn dod yn ei hôl. Wel, nag oedd, wrth reswm, meddai wrtho'i hun – mae'n rhy gynnar. Ond wir, fasa'n dda gen i taswn i'n gallu'i gweld hi'n dod, petai ddim ond er mwyn i mi gael ymlacio ychydig am ryw hyd.

Yn enwedig heddiw: doedd y teimlad annifyr hwnnw a

brofodd yn gynharach ddim wedi'i adael, a doedd yr aer drymaidd ddim yn helpu, chwaith. Cyn dyfodiad yr Almaenwyr mi fyddai wedi anwybyddu teimladau o'r fath, wedi'i geryddu'i hun am hel meddyliau gwirion. Ond roedd yr annaturiol wedi dod yn gyffredin erbyn hyn, a'r gwallgof a'r gwirion bellach yn ddigwyddiadau naturiol, bob dydd. Erbyn meddwl, teimlai fod y pentref cyfan wedi mynd yn lle annaturiol, yn enwedig â'r rhan fwyaf o'r dynion ifanc i ffwrdd yn ymladd yn Albania, a'r mwyafrif o'r gweddill yn cuddio yn y mynyddoedd hefo'r *andártes*.

Cyn i'r Almaenwyr ddod yma, meddyliodd, go brin y baswn i o gwmpas y lle ben bore fel hyn. Oherwydd un hoff o'i wely oedd Kosta Yrakis, a chyn y rhyfel byddai ei ffigwr tal, lletchwith i'w weld yn aml yn carlamu tua'r eglwys, ei ddillad yn hongian amdano a gweddillion ei frecwast yn britho'i locsyn. Ond roedd y dyddiau hynny wedi hen fynd heibio, a fedrai'r Tad Yrakis ddim cofio pryd oedd y tro diwethaf iddo fwynhau'r profiad o orweddian yn ei wely yn y bore, tan y funud olaf.

Edrychodd unwaith eto i fyny'r llwybr, oedd i'w weld yn hollol glir erbyn hyn. Ond doedd neb yn cerdded ar hyd-ddo i'w gyfeiriad. Trodd a mynd i mewn i'r eglwys, a'i weddi bersonol ar ei wefusau: 'Arglwydd Iesu Grist, fab Duw, trugarha wrthyf, oherwydd pechadur wyf.' Teimlai ei haddasrwydd fwyfwy'r dyddiau hyn, ac yn ôl ei arfer adroddodd hi drosodd a throsodd wrth fynd o gwmpas yn cynnau canhwyllau ac ymbaratoi ar gyfer ei brif weddi. Wedi'r cwbl, dyna oedd pwrpas y gweddïau personol hyn – paratoi'r gweddïwr ar gyfer canolbwyntio ar Dduw yn unig.

Ond eto heddiw roedd Kosta Yrakis yn cael trafferth canolbwyntio. Gadawodd i'w lygaid grwydro o gwmpas muriau'r eglwys nes iddyn nhw orffwys ar ei hoff eicon, yr un o Sant Ioan – Ioan Fedyddiwr – yn sefyll a mantell werdd dros ei ysgwydd a bwyell waedlyd yn gorwedd ar y ddaear wrth ei droed, ac yn dal ei ben ar blât yn ei law dde. Ioan – *Prodromos*, y rhagflaenydd – yr un ddaeth â'r neges am ddyfodiad Crist ac a baratôdd y ffordd ar ei gyfer, ac a ddienyddiwyd gan Herod.

Ei ben wedi'i dorri i ffwrdd ar fympwy geneth fach orchestlyd
– ei thâl am ddawns a blesiodd ei hewythr, y brenin. Fel ym
mhob delwedd ohono roedd gan Ioan ddwy adain angylaidd
yn tyfu o'i gefn; *ángelos* yw'r gair Groeg am angel, ond
'negesydd' yw ystyr cywiraf y gair – ac onid negesydd a
phroffwyd oedd yr Ioan hwn?

Merthyr, hefyd, yn sicr. Un o'r merthyron cyntaf. Ac roedd
Creta, dros y tair blynedd diwethaf, wedi cynhyrchu mwy na'i
siâr o ferthyron – nid dros ffydd ond dros ryddid. Dychwelodd
y Tad Yrakis at ei weddi â ffyrnigrwydd newydd, gan erfyn ar
Dduw i beidio gadael i'w hebyrth fod yn ofer, a hefyd ofalu na
fyddai un ferch ifanc arbennig yn cael ei chofio yn y dyfodol fel
un o ferthyron Creta.

Pan orffennodd o'r diwedd, gwnaeth arwydd y groes cyn
ymsythu a stryffaglu'n boenus i'w draed. Roedd ei goesau wedi
cyffio heb iddo sylwi, ond croesawodd y boen: dangosai ei fod
wedi llwyddo i ganolbwyntio go iawn ar ei weddi. Dôi pelydr
cryf o haul i mewn drwy'r ffenest ddwyreiniol gan ddallu'r Tad,
a chaeodd ei lygaid am rai eiliadau nes roedd y smotiau duon
wedi rhoi'r gorau i'w dawns.

Cychwynnodd am y drws, a neidio am yr ail dro fore heddiw,
y tro hwn â bloedd o fraw.

Roedd rhywun yn eistedd ar y gadair ym mhen y rhes agosaf
at y drws – rhywun mewn siwt ddu, garpiog, a chrys gwyn heb
goler, a oedd bellach yn grys melynfrown.

'Ydi'ch brawd yn leicio pys, Pater?'

'Y? Be . . .?' atebodd Kosta'n ffwndrus, ei galon heb eto
setlo'n ôl i'w rhythm naturiol.

'Ydi'ch brawd yn leicio pys, Pater?'

Ochneidiodd Kosta â rhyddhad.

'Dimítris . . .'

'*Ydi* o'n leicio pys, Pater?'

Dimítris Peros – dyn yn ei bedwardegau a chanddo feddwl
plentyn pump oed, o ganlyniad i ddarn o shrapnel a drywanodd
ei ben yn ystod brwydr Doiran yn Salonika yn 1918. Doedd y
cwestiwn hwn ddim yn un anghyffredin gan Dimítris; am ryw

reswm, roedd hi'n bwysig iawn ganddo gael gwybod a oedd gwahanol bobol – a'u perthnasau – yn hoffi gwahanol bethau. Heddiw, yn amlwg, pys oedd pwnc y dydd, a byddai'r un cwestiwn wedi'i ofyn i sawl un o drigolion Anogia cyn i'r haul ddiflannu heno.

Cododd ar ei draed wrth i Kosta gerdded ato. Rhoddodd yr offeiriad ei ateb arferol.

'Sgen i ddim brawd, Dimítris.'

'O! reit . . . hmm.'

Cydgerddodd y ddau at y drws, a Dimítris yn meddwl yn ddwys am ateb Kosta.

'Ond mae gen i dair chwaer,' meddai Kosta.

Edrychodd Dimítris arno fel petai newydd ddweud y peth gwirionaf dan haul, cyn ysgwyd ei ben yn ddiamynedd.

Ymddiheuriadau i chi, Iokaste, Elena a Melaina, meddyliodd Kosta: does gan Dimítris ddim diddordeb ynddach *chi*, genod.

Allan yma yn yr heulwen cynnar, gwelodd fod gwallt trwchus Dimitrís, oedd yn prysur fritho, yn sgleinio'n lân. 'Rwyt ti wedi golchi dy wallt, Dimítris,' meddai gan geisio troi'r stori.

Nodiodd Dimítris.

'Pwy ddaru dy helpu di – dy fam, ia?'

Gwgodd Dimítris yn biwis: roedd cwestiynau amherthnasol yr offeiriad fel hen bryfed bach diflas a fynnai fynd â'i sylw, a doedd hynny ddim yn iawn. Roedd pethau pwysicach o lawer ganddo i'w trafod. Trawodd flaenau ei fysedd yn erbyn braich Kosta.

'Tasa gynnoch chi, frawd, Pater, ydach chi'n meddwl y basa fo'n leicio pys?'

'Dimítris, dwi'n siŵr y basa fo wrth ei fodd efo nhw.'

Gwenodd Dimítris fel giât. 'Reit!' meddai, fel petai'n berchen ar storfa anferth yn llawn o bys ac yn chwilio am gwsmeriaid i'w prynu. 'Reit . . .'

Trodd i adael, yna arhosodd yn stond a synhwyro'r aer. Edrychodd i gyfeiriad y pentref.

'Dimítris? Be sy?'

'*Fotiá!*'

'Tân? Yn lle?' Synhwyrodd Kosta'r aer hefyd, a'r ddau ohonyn nhw bellach fel dau hen gi wrth ddrws yr eglwys, ond roedd ffroenau Kosta'n llawn o arogl mwg y canhwyllau – degawdau ohono bellach, yn rhan o anadl yr eglwys fechan.

Yna ysgydwodd Dimítris ei ben.

'Ddim eto . . .'

'Be?'

'*Yásas*, Pater.'

'*Yásou*, Dimítris. Cofia fi at dy fam.'

I ffwrdd â Dimítris tua'r pentref – cerdded, yna rhedeg ychydig lathenni, yna aros a phlygu a chodi carreg oddi ar y llwybr a'i hastudio'n fanwl, cyn penderfynu nad oedd hi'n ddiddorol iawn wedi'r cwbl a'i gollwng i'r ddaear wrth frysio yn ei flaen unwaith eto.

Be goblyn oedd hynna i gyd yn ei feddwl, sgwn i? meddyliodd Kosta. Y creadur bach . . . Y fendith oedd fod Dimítris yn ddigon hapus yn ei fyd bach ei hun; doedd ganddo ddim cof o gwbl o'r frwydr hurt honno a newidiodd ei fywyd am byth, a dim ond cof bychan iawn – cof plentyn, yn wir – o'i fywyd cyn iddo fynd i ffwrdd i ymladd gydag Adran Gretaidd Byddin Gwlad Groeg.

Un arall o ddirgelion rhyfedd Anogia oedd sut goblyn y llwyddodd Dimítris i ffeindio'i ffordd yn ôl adra. Roedd rhywun yn amlwg wedi ei helpu – sawl 'rhywun', mwy na thebyg – ond cyrraedd yma ar ei ben ei hun wnaeth o flwyddyn ar ôl diwedd y rhyfel. Cerdded yma o Dduw a ŵyr ble.

Roedd Maia, ei fam weddw, allan pan gyrhaeddodd o adra. Eisteddai Dimítris wrth fwrdd y gegin fel petai o rioed wedi bod i ffwrdd – yn ei feddwl dryslyd o, wedi bod allan yn chwarae efo'r hogia roedd o, ac wedi dod yn ôl i mewn i'r tŷ am ddiod o ddŵr a phum munud o gysgod. A rhywbeth i'w fwyta, efallai.

Dywedid i Maia roi un sgrech ac yna llewygu pan gyrhaeddodd hi adra a'i weld o yno'n bwyta tomatos a nionod wrth y bwrdd. Pan ddaeth ati'i hun doedd dim golwg o Dimítris, a meddyliodd Maia fod ei hofnau wedi'u gwireddu – fod ei mab wedi cael ei ladd yn y rhyfel, ac mai ei ysbryd oedd wedi'i

71

chroesawu hi adra'n gynharach. Ond wedyn, dydi ysbrydion ddim yn enwog am fwyta nionod a thomatos, a gadael llanast ar eu holau ar y bwrdd.

Rhedodd Maia allan o'r tŷ a gweld Dimítris yn cael andros o hwyl yn rhedeg ar ôl dwy iâr i fyny ac i lawr y stryd. Ar y dechrau, credai mai gwneud lol yr oedd o, nes iddi alw arno – a dod yn agos at sgrechian a llewygu unwaith eto pan edrychodd Dimítris arni â'i wên blentynnaidd. Sylweddolodd fod y dyn ifanc oedd wedi canu'n iach iddi dros ddeunaw mis ynghynt, mor falch ohono'i hun yn ei iwnifform, wedi dychwelyd yn blentyn iau o lawer, ac mai fel y plentyn hwnnw y byddai'n aros hyd ddiwedd ei oes.

Corff dyn canol oed oedd gan Dimítris Peros, felly, a meddwl plentyn pumlwydd. Ond, yn rhyfedd iawn, doedd ei wyneb ddim wedi heneiddio fel ei gorff. Duw a wyddai pam, meddyliai Kosta; ia, dyna'r peth, Duw yn unig a wyddai pam – fel petai'r Bod Mawr wedi penderfynu rhoi rhyw gildwrn bach i Dimítris yn fath o wobr gysur oherwydd iddo Fo andwyo'i feddwl. Llwyddai wyneb Dimítris i edrych ychydig yn iau gyda threigl y blynyddoedd: y plentyn oddi mewn yn brwydro yn erbyn y dyn canol oed oddi allan ac yn ennill. Doedd dim raid iddo siafio, yn un peth, er bod ganddo fwstás digon parchus pan ymunodd â'r fyddin. Roedd hwnnw bellach wedi hen ddiflannu, a gruddiau a gên Dimítris cyn lyfned â rhai plentyn na phrofodd gusan unrhyw rasal na chyllell erioed.

Rhywbeth rhyfedd arall ynglŷn â fo oedd na fu gan y Dimítris canol oed erioed awydd i chwarae hefo plant y pentref. Bodlonai'n ddigon hapus ar hofran ar ymylon eu chwarae, cyn belled â'u bod nhw'n ei gyfarch â 'Yásou, Dimítris!' Roedd fel pe bai ganddo lais bach mewnol a sibrydai wrtho nad oedd o'n perthyn efo nhw go iawn – ei fod yn rhy fawr a lletchwith a chryf i allu ymuno yn eu gêmau. Fel plant ledled y byd roedd plant Anogia yn bell o fod yn angylion, a do, fe gafodd Dimítris ei siâr o bryfocio sbeitlyd, ond doedd y creulondeb hwn ddim fel petai'n ei boeni rhyw lawer. A chan fod y rhan fwyaf o'r plant eraill yn tueddu i droi ar y galwyr enwau a'r taflwyr cerrig beth bynnag, câi lonydd ganddyn nhw ar y cyfan. Fel eu rhieni a'u teidiau a'u neiniau roedd y plant wedi dysgu trin ei gwestiynau hynod fel petai'r atebion yr un mor bwysig iddyn nhw ag yr oeddan nhw i Dimítris ei hun.

'Dwi wedi'i gael o 'nôl, yndô?' dywedai Maia. 'Bu Duw'n garedicach tuag ata i nag at sawl mam.'

Ac meddai hi wrth Kosta ac Eva un diwrnod, 'Dwi'n f'ystyried fy hun yn ddynes lwcus. Dwi wedi cael fy *hogyn bach* yn ôl.' Oherwydd roedd y llond dwrn pitw o hogia Anogia oedd wedi dod adra ar ddiwedd y rhyfel wedi newid yn llwyr: rhai wedi troi'n ddieithriaid surbwch, rhai'n neidio ar y sŵn annisgwyl lleiaf, rhai'n bloeddio yn eu cwsg, rhai'n wylo ar ddim. Ond llwyddodd y shrapnel a drawodd Dimítris i ddileu'r erchyllterau welodd o yn Salonika o'i feddwl, a'i hyrddio'n ôl i ddyddiau diniwed ei blentyndod.

Yr unig beth ynglŷn â Dimítris a achosai beth pryder i ddynion Anogia oedd ei duedd i fynd at ferched beichiog a rhoi cledr ei law yn ysgafn ar eu boliau. Hoffai deimlo'r babi'n cicio, a phan ddigwyddai hynny gwenai'r wên fach hyfrytaf a welsai'r merched erioed. Efallai fod y dynion yn grwgnach ac yn gwgu ond doedd dim ots o gwbl gan y merched. Os rhywbeth, roeddan nhw'n mwynhau gadael i Dimítris roi ei law ar eu boliau chwyddedig, ac roedd ei wên, meddan nhw, yn llenwi eu llygaid â dagrau o hapusrwydd. Daethant i gredu bod cyffyrddiad Dimítris, ac yna'i wên, yn dod â lwc dda iddyn nhw a'u babanod, ac yn sicrhau genedigaeth gymharol ddidrafferth; credent hefyd y byddai'r plant wedyn yn tyfu'n blant hapus a holliach.

Efallai, wir, mai nhw oedd yn iawn, meddyliodd Kosta Yrakis wrth wylio Dimítris yn diflannu heibio'r tro.

'*Mystiká prágmata*,' meddai wrtho'i hun. Pethau cudd, pethau cyfrin. Roeddan nhw *yn* digwydd, gwyddai: roedd o wedi gweld gormod o ryfeddodau, gormod o wyrthiau'n cael eu cyflawni gan rai o hen wragedd pentrefi'r mynyddoedd iddo allu coleddu llawer o amheuon. Fel merched beichiog Anogia, hoffai yntau feddwl mai rhai o'r pethau cyfrin hynny oedd gwên a chyffyrddiad Dimítris.

*

Y ferch o'r fynachlog

Yn dawel, dawel, llithrodd Hanna Kallergis allan trwy un o ddrysau ochr y fynachlog.

Fel arfer, y peth cyntaf a wnâi wedyn oedd diosg y siôl a wisgai dros ei hysgwyddau a'i phen pan fyddai yn y fynachlog – ei gwisgo'n rhannol o ran parch ond hefyd o ran cynhesrwydd. Gallai oerni iach y fynachlog, a'i muriau trwchus, fod yn fendigedig ar bnawniau poeth ond doedd o ddim cyn brafiad unwaith roedd yr haul wedi machlud.

Fore heddiw, fodd bynnag, lapiodd Hanna'r siôl yn dynnach amdani, er gwaetha'r ffaith fod y bore cynnar hwn yn un trymaidd a mwll. Teimlai'r oerni mwyaf ofnadwy; nid o furiau'r adeilad y dôi o, ond yn hytrach oerni oedd wedi llifo i mewn i'w chorff, i'w hesgyrn – i'w henaid, teimlai – drwy'r clustffonau trymion y bu Hanna Kallergis yn eu gwisgo am ei phen mewn cell fechan, wag yng nghefn y fynachlog.

Tip . . . tip-tip . . . tip . . . tip . . . tip-tip-tip . . . tip . . .

Teimlodd law'r Abad yn gorffwys yn ysgafn ar ei hysgwydd chwith, a dyna pryd y sylweddolodd fod y person diwyneb gannoedd o filltiroedd i gyfeiriad y de yng Nghairo wedi gorffen darlledu – wedi mynd – tra oedd hi'n eistedd yno'n syllu ar y set radio a'i hwyneb yn wyn.

'Hanna?'

Roedd ei garddyrnau'n brifo eto, canlyniad anochel y sesiwn gyda'r set radio. Ymysgydwodd a diffodd y radio'n frysiog. Ers faint roedd hi wedi bod yn darlledu?

Ond roedd yr Abad wedi dehongli ei phryder. 'Mae'n iawn, mae'n iawn,' meddai. Roedd ei law yn gynnes dros ei dwrn ond gwyddai Hanna fod ei chnawd hi'n oer fel marmor. 'Ond Hanna – be glywest ti?'

Atebodd ag un gair. Un enw.

'Müller.'

Syllodd yr Abad arni, yna nodio cyn mynd ati i guddio'r set radio yn y twll yn y mur y tu ôl i'r gwely syml, anghyfforddus.

Un nòd swta.

A be ydi ystyr hynna? meddyliodd Hanna. Yna gwylltiodd yn sydyn. Be gythral mae hynna'n dda i neb? Roedd y dyn wedi ymddwyn fel tasa hi wedi dweud rhywbeth wrtho am y tywydd. Daeth ysfa drosti i gydio ynddo a mynnu rhyw fath o ymateb – rhyw arwydd o fraw, unrhyw beth fyddai'n adleisio'i dychryn hi, ac yn dangos ei fod yntau'n teimlo'r un ofn o ddeall bod Cigydd Creta ar ei ffordd yn ôl i'r ardal, os nad oedd yma'n barod. Cododd oddi ar ei chadair a sibrwd gair o ffarwél. Roedd o'n dal i fod yn ei gwrcwd wrth droed y gwely, ac wrth iddo'i hateb heb droi, gwelodd Hanna fod ei ben moel yn sgleinio gan chwys. Dwi wedi gwneud cam â fo, sylweddolodd; gwn, taswn i'n estyn fy llaw a chyffwrdd â'i gorun, mai chwys oer fyddwn i'n ei deimlo dan fy mysedd.

Aeth o'r gell gan dynnu'i siôl amdani. Fel arfer, byddai wedi aros am funud neu ddau i fwynhau'r haul cynnar yn goleuo eicon y *Megas ei Kyrie*, a'r golau euraid a lifai drosto'n gwneud iddo ymddangos fel petai'n cael ei oleuo o'r tu mewn. Ond nid heddiw.

Y tu allan i'r fynachlog caeodd ei llygaid ac anadlu'n ddwfn wrth deimlo'r haul yn ei synhwyro, fel ci bach ansicr, cyn ei llyfu â'i dafod cynnes. Pan agorodd ei llygaid gwelodd fod cysgod rhywun arall wedi ymddangos wrth ochr ei chysgod hi ar wyneb caregog y ffordd; neidiodd mewn braw, a brwydro i fygu'r sgrech oedd yn dechrau yn ei gwddw.

'Ma'n ddrwg gen i, ma'n ddrwg gen i . . .'

Un o'r mynaich oedd yno – Kallinikos, yr un ifanc. Neu felly y meddyliai Hanna amdano er ei fod ymhell yn ei dridegau, ond roedd hynny'n ei roi yn nes at ei hoed hi, deunaw, nag at oed ei gyd-fynaich.

Doedd y creadur ddim yn gyfforddus yn ei chwmni, roedd hynny i'w weld yn glir yn y ffordd y byddai ei lygaid yn neidio fel pryfed dryslyd i bob cyfeiriad, a byth yn setlo arni hi. Roedd yn ddyn anghyffredin o olau o ran pryd a gwedd, a'i locsyn truenus yn gwneud i Hanna feddwl am edafedd o wlân melyn. Roedd o hefyd yn cochi at ei glustiau am y peth lleiaf, ac edrychai rŵan fel petai Hanna wedi'i ddal o'n sbecian arni'n newid ei dillad neu'n ymolchi. Fel arfer, mi fyddai hi wedi treulio rhyw funud neu ddau'n sgwrsio efo fo, gan fygu gwên wrth weld ei anesmwythyd yn cynyddu hefo pob brawddeg.

Ond nid heddiw. Heddiw, trodd arno fel llewes biwis. 'Oes raid i ti sleifio'r tu ôl i rywun fel'na? Dwyt ti'm yn sylweddoli bod nerfa pawb yn rhacs fel mae hi?'

Rhythodd y mynach arni, a'i wyneb os rhywbeth yn gochach nag arfer. Doedd Hanna erioed wedi siarad fel'na efo fo o'r blaen.

'Hanna . . . ma'n wir ddrwg gen i. Do'n i ddim wedi bwriadu . . .' Craffodd arni. 'Ydi popeth yn iawn?'

Funudau'n ddiweddarach, wrth frysio'n ei hôl tuag Anogia, fedrai Hanna Kallergis ddim credu ei bod wedi siarad hefo fo yn y fath fodd, a'r dyn druan ddim ond yno i edrych ar ei hôl hi. Ond roedd y brawddegau wedi llifo ohoni, a phetai wedi ceisio'u rhwystro a'u llyncu, yna buasai wedi gorfod plygu ymlaen a chwydu yn y fan a'r lle.

'Nac ydi, Kallinikos, dydi popeth *ddim* yn iawn! O bell ffordd! O'r holl gwestiyna dwl, difeddwl! Dydi popeth ddim wedi bod yn iawn ers tair blynedd, ydyn nhw? Be sy'n bod arnat ti'r ffŵl? Tasa popeth yn iawn, faswn i ddim yma – faswn i ddim ar gyfyl y lle 'ma!'

Sylweddolodd fod y mynach yn syllu arni mewn braw, ei wrid arferol wedi diflannu a'i wyneb yn wyn. Daeth yr awydd i feichio crio drosti, a bu ond y dim iddi grefu arno i lapio'i freichiau amdani a'i gwasgu'n dynn, dynn yn ei erbyn, ac i beidio â'i gollwng nes byddai 'popeth yn iawn'.

'O, Kallinikos,' meddai, 'ma'n ddrwg calon gen i.'

'Hanna? Be *sy*?'

Rhoes ei law allan fel petai o am gyffwrdd ynddi, cyn ei thynnu'n ôl yn frysiog. Sylweddolodd Hanna'i bod wedi dechrau crynu, er gwaetha'r haul a deimlai'n gryf ar ei gwar. Rhwbiodd ei breichiau drosodd a throsodd, a'r unig beth a lanwai ei phen oedd yr enw roedd hi newydd ei glywed dros y clustffonau.

'Ma'n rhaid i mi fynd . . .' meddai, a dechrau cerdded oddi wrtho, i lawr y llwybr ac yn ôl am Anogia.

'Hanna!'

'Ma'n rhaid i mi *fynd*, Kallinikos,' meddai eto, heb droi, a safodd yntau'n ei gwylio – yn brasgamu, a'i thraed yn creu cymylau bychain o lwch a cherrig mân.

Arhosodd yno, yn syllu ar ei hôl, nes iddi ddiflannu rownd y tro.

*

Cigfrain

Nid Kosta Yrakis oedd yr unig un i gael cip ar yr athro, Grigori Daskalakis, ben bore. Roedd y ddynes y breuddwydiai Grigori – y gweddïai Grigori – am ei chael yn fam-yng-nghyfraith iddo ryw ddiwrnod hefyd wedi'i weld o. Cafodd Thera Alevizakis, mam Maria, gip ar ei sbectol yn sgleinio yng ngolau'r lleuad wrth iddo lechu yng nghysgod y cloddiau gyferbyn â'r tŷ.

'Mae o yma eto,' meddai wrth Adonia, mam Nikos. Ond er iddi frysio allan o'r tŷ ac i lawr y grisiau a redai ar hyd ei ochr, erbyn iddi gyrraedd y lôn roedd Grigori wedi diflannu. Edrychodd i bob cyfeiriad a chraffu i'r cysgodion: roedd hi'n dal i fod yn ddigon tywyll i rywun allu cuddio ynddyn nhw'n ddigon hawdd.

'Grigori . . .?' meddai. 'Grigori Daskalakis?'

Arhosodd am funud neu ddau nes i'w llygaid ddygymod â'r hanner gwyll cyn penderfynu ei fod o wedi hen fynd. Aeth yn ei hôl i'r tŷ. Tasa heddiw'r tro cyntaf iddi weld y sbectol yn sgleinio yng nghysgod y clawdd, yna mi fasa hi wedi credu mai dychmygu pethau roedd hi.

'Dyna be feddylis i'r tro cynta imi'i weld o,' meddai wrth Adonia. 'Wyt ti'n cofio? Mi ddois i i mewn a deud mod i'n dechra gweld petha – pryd oedd hi hefyd? Tua pythefnos yn ôl? Rywbath fel'na. Ond mi welais i o eto, yndô, rai dyddia wedyn, yno fel rhyw gysgod aflan.'

Newydd ddod yn ôl roedd y ddwy ddynes o fod yn gwneud eu busnes boreol yn y cae y tu ôl i'r tŷ, a dim ond newydd orffen ymolchi roeddan nhw pan sylwodd Thera ar Grigori.

'Mae o'n lwcus,' meddai Thera wedyn, 'nad ydi Manoli a'r hogia adra. Yn enwedig Marko. Fasa'n ddim gan Marko ei gicio fo bob cam yn ôl i'w dŷ ei hun. Dydi o rioed wedi leicio hwn ryw lawer.'

Chafodd hi ddim ateb gan Adonia: doedd hi ddim yn disgwyl un, ac mi fyddai wedi cael andros o sioc petai Adonia wedi'i hateb. Roedd hi bellach wedi hen arfer 'sgwrsio' efo Adonia; credai fod clywed sŵn ei llais hi'n sôn am bethau bob dydd mewn tôn naturiol yn bwysig i'r ddynes arall. Efallai, un diwrnod, y byddai Adonia'n ei dychryn trwy ddweud rhywbeth yn ôl – neu o leia'n gwneud rhyw sŵn a ddangosai ei bod wedi'i chlywed a'i deall.

Ers i Nikos fynd hefo Maria i fyny'r mynydd y bore hwnnw, roedd Adonia wedi bod yn eistedd yn ei lle arferol ar y stôl bren isel yn y gegin, a'i llygaid wedi'u hoelio ar ddrws ochr y tŷ. Disgwyl i Nikos ddod yn ei ôl yr oedd hi, gwyddai Thera, a dyna pryd y byddai'r stôl yn cael ei symud i'w hen le ger y lle tân. Nid y ceid unrhyw ymateb arall ganddi. Dim gwên, yn sicr ddim gair nac arwydd o gwbl ei bod yn falch o'i weld o 'nôl yn fyw ac yn iach, dim ond symud y stôl i'w lle priodol.

'Dwi wedi sylwi ers tro fod hwnna â'i lygad ar Maria,' meddai Thera. Cyneuodd ddwy gannwyll a'u gosod y naill ben i'r bwrdd, cyn cydio mewn brws gwallt a dechrau brwsio gwallt Adonia, rhywbeth oedd wedi dod yn ddefod foreol ddyddiol erbyn hyn. 'Mae o'n lwcus mod i *wedi* sylwi ar hynny, neu fel arall mi fasa'n rhaid gofyn o ddifri be gythral mae o'n ei neud yn sbecian ar y tŷ 'ma cyn golau dydd. Ac nid fi fasa'n gofyn iddo fo chwaith, Adonia. Dyna be o'n i am ddeud wrtho fo rŵan – i roi'r gorau iddi er ei les ei hun. Tasa rhywun arall yn ei weld o ac yn achwyn . . .'

Tynnodd dwnshiad o flew gwallt Adonia oddi ar y brws a'i ollwng i'r lle tân cyn mynd yn ôl at y brwsio.

'Yn enwedig fo, o bawb. Blydi ffŵl . . . Mae 'na hen ddigon

o betha cas wedi cael eu deud am Grigori Daskalakis yn barod, siawns ei fod o'n gwbod hynny ei hun os nad ydi o'n hollol ddwl. A dydio ddim, nac'di? Ma'r hogyn yn athro, neno'r tad! Ond os caiff o 'i ddal yn edrach fel tasa fo'n ysbïo ar dŷ Manoli Alevizakis . . .'

Rhoes y brws i lawr.

'"*Dwi*'n gwbod pam dy fod ti yma, Grigori Daskalakis – dwi wedi gweld y ffordd rwyt ti'n sbio ar Maria ni hefo dy dafod yn hongian allan o dy geg. Ond dydi pobol eraill ddim yn gwbod, a does dim ond isio i un person dy ddal di." Dyna be o'n i am ddeud wrtho fo heddiw, Adonia. Siawns na fasa'r ffŵl hurt wedi gwrando arna i.'

Yn raddol, dechreuodd oleuo. Diffoddodd Thera'r ddwy gannwyll wrth iddi hi ac Adonia fwyta'u brecwast o gaws a bara garw – Adonia â'i phlât ar ei glin, a'i hwyneb tua'r drws oedd bellach ar agor er mwyn i'r ieir allu dod i mewn ac allan a phigo'r briwsion oddi ar y llawr. Doedd Adonia ddim wedi tynnu'i llygaid oddi ar y drws; eto roedd hi'n ymwybodol fod ganddi fwyd ar ei glin. Fu hi erioed angen unrhyw help i fwyta ac yfed. Nac i ymolchi, chwaith: gwnâi hynny sawl gwaith y dydd, ac roedd angen cadw golwg arni rhag ofn iddi gymryd yn ei phen i wneud hynny pan oedd y dynion o gwmpas. Gwyliodd Thera hi'n pigo'r bwyd oddi ar y plât a'i roi yn ei cheg, ei gnoi ac yna'i lyncu heb edrych arno unwaith.

'Dwyt ti'n ddim cwmpeini, 'sti, Adonia,' meddai, gan wybod wrth ddweud y geiriau nad oeddan nhw'n wir. Roedd Adonia *yn* gwmni iddi – cwmni mud, efallai, ond cwmni 'run fath yn union. Cwmni oedd yn ei chadw rhag hel gormod o'r hen feddyliau duon rheiny a ddilynai ferched Anogia i bobman y dyddiau hyn. Meddyliai Thera amdanyn nhw fel hen adar duon, mawr, hyll – cysgodion dros wyneb yr haul – a'r peth lleiaf, y peth mwyaf diniwed, yn ddigon i'w denu. Dwy gigfran anferth: *Fóvos* a *Tromára*.

Dyna beth oedd eu henwau gan Thera: Braw a Dychryn. Dwy gigfran sgraglyd a'u plu yn drewi o bydredd y bedd. Doeddan nhw byth yn cysgu; roeddan nhw'n ei dilyn drwy'r dydd, gan grawcian yn annisgwyl uwch ei phen a pheri iddi neidio'n wyllt. A bob nos roeddan nhw'n setlo ar y to neu ar sil ffenest ei hystafell wely, hyd yn oed pan fyddai Manoli yno gyda hi yn ddiogel wrth ei hochr, a Levtheri a Marko a Maria am y gorau'n chwyrnu cysgu ar feinciau hirion y gegin oddi tani.

Ond yn llawer amlach yn ddiweddar, roeddan nhw yno efo hi ym mhob ystafell, eu crafangau'n brathu'n giaidd i mewn i'w bronnau a'i bol, a'u hanadl ffiaidd yn golchi dros ei hwyneb fel dŵr golchi llestri budur ac yn codi'r cyfog gwag mwyaf ofnadwy arni, fel nad oedd dewis ganddi ond codi a chrwydro'r tŷ dan weddïo, gweddïo, gweddïo . . .

Ymysgydwodd. Be oedd arni, yn gwneud ati i hel meddyliau o'r fath a hithau ddim ond newydd gydnabod bod Adonia'n help i'w cadw nhw draw?

'Wyt ti wedi gorffan?' Cododd a chymryd y plât oddi ar lin Adonia. Tywalltodd ychydig o ddŵr iddyn nhw'u dwy, a rhoi'r gwpan rhwng bysedd y ddynes arall. 'Mi fydd angan mwy o ddŵr arnon ni cyn diwedd y bore. Wyt ti am ddod draw efo fi i'r ffynnon?'

Roedd yr haul yn dechrau treiddio i'r gegin, a gwallt Adonia'n sgleinio yn ei lewyrch. Mae hon, meddyliodd Thera, er gwaetha'r crychau yng nghorneli ei llygaid a'i cheg, yn ddynes hardd: dwi'n siŵr y basa hi'n harddach tasa hi'n magu rhywfaint o gig. Mae hi'n denau fel brwynen, y greadures.

Tynnodd nionod i lawr o'r nenfwd, a dechrau eu torri. A dwi'n siŵr, meddyliodd wedyn, petai hi ddim ond yn gallu gwenu rhywfaint . . .

. . . a dechreuodd Braw a Dychryn fflapian eu hadenydd uwch ei phen, a chrawcian-sgrechian yn ei chlustiau wrth i'r synau saethu o gyfeiriad y mynydd dorri ar heddwch twyllodrus y bore.

5

Y rhedwr o Asi Gonia

Llethrau Psiloritis

Roedd Nikos a Maria wedi cychwyn yn eu holau i lawr y mynydd tuag at Anogia ben bore yng nghwmni Elias y Rhedwr. Aethai Yanni'r Chwibanwr gyda nhw beth o'r ffordd; roedd y wawr eto i dorri a'r llwybrau'n dywyll.

'Yanni, mi fyddan ni'n tshiampion, wir,' mynnai Elias, a ystyriai bresenoldeb Yanni fel sarhad ar ei allu i edrych ar ôl y ddau ifanc.

'Dwi'n gwbod y byddi *di*, ond fy nghyfrifoldeb *i* ydi'r rhain.'

'Ond mi fyddan nhw hefo mi, byddan?'

'Wn i, wn i.'

'Yanni . . .'

'Be?'

Edrychodd Elias arno, yna ochneidiodd. 'Rwyt ti'n benderfynol, yn dwyt?'

'O, ydw.'

'Ti'n gwbod be maen nhw'n dy alw di'r tu ôl i dy gefn, yn dwyt?'

'Yanni'r Chwibanwr.'

Ysgydwodd Elias ei ben. 'Naci, tad. Yanni'r Mul, dyna iti be. Welis i neb mwy styfnig.'

*

Roedd Elias wedi glanio'r tu allan i'r cwt bugail neithiwr gan ymddangos o nunlle, bron, yn ôl ei arfer. Daeth â'r newydd fod y Cadfridog Kreipe wedi hen adael yr ynys, a'i fod o bellach yn yr Aifft. Yn ninas Cairo.

'Yn Cairo, Yanni.' Daeth golwg freuddwydiol dros wyneb Elias wrth iddo ochneidio'r enw.

Edrychodd Yanni arno, ar goll braidd.

'Ro'n i wedi gobeithio cael mynd efo nhw,' eglurodd Elias.

'Chdi?'

Gwgodd y llall arno. 'Ia, fi. Pam lai?'

'Rwyt ti wedi bod yno, yndô?' meddai Yanni. 'Pam gythral fasat ti isio mynd yno eto?'

Syllodd y rhedwr ar y bugail ac ysgwyd ei ben yn drist. Roedd tynnu Yanni'r Chwibanwr oddi ar y mynydd fel tynnu dant, felly roedd ceisio sôn wrtho am ysblander dinas fel Cairo – yn enwedig y sw a gerddi Ynys Gazira, llefydd roedd Elias wedi mopio arnyn nhw yn ystod ei ymweliad â'r Aifft y flwyddyn cynt – fel ceisio disgrifio wyneb y lleuad i dwrch daear. Nid bod Yanni'n ddwl, o bell ffordd. Fel nifer o hen fugeiliaid y mynyddoedd gallai adrodd ar ei gof bob gair, bron, o'r gerdd anhygoel o hir, yr *Erotókritos* – y gerdd epig honno â'i dros ddeng mil o benillion a adroddai bugeiliaid Creta wrth ei gilydd fesul darn, weithiau drwy'r nos, gydag un yn ei dechrau a'r lleill yn cymryd drosodd wrth i'r adroddwr blaenorol flino.

'Fasa'n neis cael mynd i Gairo unwaith eto, dyna'r cwbwl,' meddai Elias.

Nodiodd Yanni, ond doedd o ddim am roi'r cyfle i Elias fwydro eto fyth am ryw wlad bell nad oedd gan Yanni ddim bwriad o ymweld â hi. Doedd mo'r ffasiwn beth â 'dyna'r cwbwl' unwaith y dechreuai'r rhedwr draethu am yr Aifft. Edrychodd dros ei ysgwydd at lle roedd Maria a Nikos yn eistedd y tu allan i'r cwt, cyn cydio yn Elias gerfydd ei benelin a'i dywys ychydig ymhellach oddi wrthyn nhw.

'Anogia,' meddai. 'Sut ma pethau yno, wyddost ti?'

Cleciodd Elias ei figyrnau'n ddirmygus. Wrth gwrs ei fod o'n gwybod, meddai'r ystum. 'Tawel. Does 'na'r un o'r diawliad wedi bod ar gyfyl y lle ers wythnosau. Na'r un o'r pentrefi cyfagos, chwaith.'

'Felly,' meddai Yanni, 'ma hi'n weddol saff i'r ddau acw fynd adra'n eu holau?'

Nodiodd Elias. 'Mi faswn i'n deud.' Sylwodd fod Yanni'n edrych arno mewn ffordd awgrymog. 'Na, paid â sbio arna i, dim ond newydd ddod o 'no rydw i.'

'Ti rioed yn gwrthod eu danfon nhw adra?'

'Ydw. Ma'n ddrwg gen i, Yanni, ond – ydw. Yli, ddylian nhw ddim bod yma yn y lle cynta.'

'Nid Elias Vernadakis ydi hwn sy'n siarad?'

'Ia, bob modfedd ogoneddus ohono.'

'Yr un Elias Vernadakis ag sy'n enwog am ei garedigrwydd tuag at bawb? Y dyn wnaiff unrhyw beth i unrhyw un?'

'Ia, hwnnw.'

'Na, go brin. Fasa'r Elias Vernadakis *dwi*'n ei nabod byth yn gyfrifol am adael i ddau blentyn ifanc . . .'

'Dydi'r ferch yna ddim yn blentyn, Yanni Tyrakis.'

Edrychodd Yanni i fyw ei lygaid. 'Dydi hynny ddim yn fwy o reswm dros beidio â gadael iddi grwydro'r mynydd yma heb rywun i edrych ar ei hôl hi?'

Ochneidiodd Elias. 'O, Yanni!'

'Yn enwedig ar ôl be ddigwyddodd y llynadd?'

'Ia, dwi'n gwbod hynny, siŵr!' atebodd Elias yn bigog.

Cyfeirio roedd Yanni at dair merch o Anogia gafodd eu harestio am fod ar y mynydd y flwyddyn cynt. Aed â nhw i'r carchar bychan ym mhentref Agios Myron, ac yno fe gawson nhw eu treisio a'u lladd gan dri milwr Almaenig.

Nodiodd Yanni. 'Fedra i ddim credu bod yr Elias Vernadakis dwi'n ei nabod yn fodlon gadael i ddau ifanc gerdded i lawr y mynydd 'ma – sydd, wrth gwrs, yn ardal waharddedig ac yn beryg bywyd – ar eu pennau eu hunain. Fasa'r Elias Vernadakis dwi'n ei nabod byth yn gorfodi hen fugail truan i gefnu ar ei ddefaid a'i eifr fel bod unrhyw ddiawl o *kerata* ddaw heibio'n cael rhwydd hynt i'w helpu'i hun iddyn nhw . . .'

'Reit!'

'Fasa'r Elias Vernadakis dwi'n ei nabod . . .'

'Yanni – iawn! Digon!' Edrychodd Elias dros ei ysgwydd tuag at Nikos a Maria: roeddan nhw ill dau'n syllu arno fo a Yanni, wedi hen synhwyro bod y dynion yn siarad amdanyn nhw.

Ochneidiodd Elias. 'Be gythral maen nhw'n da yma, beth bynnag?'

'Ar y bychan 'cw roedd y bai,' meddai Yanni. 'Fasa fo'n byw ac yn bod yma ar y mynydd tasa fo'n cael. Pa mor bell ydi Anogia o fama beth bynnag, Elias? Hyd pedair sigarét? Pump?'

'Rhywbeth fel'na, ia.' Gwyddai Elias ei fod wedi colli'r frwydr, ac nad oedd unrhyw bwrpas dadlau ymhellach. 'Iawn. O'r gora.'

'Fyddi di ddim chwinciad yn piciad â nhw. Ac os cychwynnwch chi cyn iddi ddyddio . . .'

'Iawn!'

Gwenodd Yanni. 'Chwarae teg i ti, Elias – a diolch yn fawr am gynnig, yndê.' Rhoes waldan galed i'r rhedwr rhwng ei ysgwyddau. 'Dwi wastad wedi deud hyn am bawb o'r teulu Vernadakis: maen nhw'n bobol y medrwch chi ddibynnu arnyn nhw.'

Doedd Nikos ddim yn hapus pan ddeallodd y bydden nhw'n mynd yn eu holau i Anogia drannoeth. Daeth yr hen olwg bwdlyd yna dros ei wyneb yn syth, ond doedd Yanni ddim yn mynd i gymryd dim o'i lol. 'Meddylia am dy fam, wnei di?' meddai wrtho'n ddigon siarp. 'Efo hi mae dy le di, fachgan.' Gallai deimlo llygaid Maria arno, ond gwrthododd edrych arni.

Unwaith eto, felly, roedd 'na gryn densiwn dros swper y tu mewn i'r hen gwt bugail – tensiwn na allai hyd yn oed Elias a'i jôcs a'i dynnu coes arferol ei leddfu.

Un bychan oedd o, â mwstás trwchus, du a phen nyth brân, a'i lygaid byth a beunydd yn fflachio â rhyw ddireidi neu'i gilydd. Creaduriaid prin a gwerth eu halen oedd Elias a'i debyg. Rhedwyr, yn llythrennol. Ganddyn nhw roedd y gwaith mwyaf blinedig a pheryglus ar yr ynys, sef cludo negeseuon cyfrin o un lle i'r llall: o'r trefi i'r pentrefi ac i fyny'r mynyddoedd, ac i'r ogofâu lle'r ymguddiai'r *andártes* a'r meudwyon oedd yn gyfrifol wedyn am anfon y negeseuon ymlaen trwy gyfrwng eu setiau radio. Byddai raid iddynt hefyd, yn aml iawn, gludo batris trymion, lletchwith, drwy diriogaeth hynod beryglus a than drwynau'r Almaenwyr.

Mae 'na olwg ar goll, braidd, arno fo heno, meddyliodd

Yanni, wrth wylio Elias yn sglaffio'i fwyd – ond wedyn, pa ryfedd? Roedd y dyn wedi llwyr ymlâdd y rhan fwyaf o'r amser. A Duw a ŵyr sut roedd ei nerfau wedi dal cyhyd: dim syndod ei fod o'n dyheu am gael mynd yn ôl i'r Aifft am hoe fechan. Ond o leiaf roedd ganddo fotasau call am ei draed heddiw: y tro diwethaf i Yanni ei weld, roedd ei fotasau'n prysur bydru, a darnau o weiar yn cadw'r gwadnau di-ddim yn sownd wrth weddill yr esgid. A'r tro cyn hynny doedd ganddo fo ddim botasau o gwbl, dim ond darnau o rwber wedi'u torri allan o hen deiar, peth cyffredin iawn ymysg yr *andártes*. Roedd hi'n bosib cael pedair gwadan ar hugain allan o un teiar car.

Ond doedd blinder Elias byth, bron, yn cael effaith ar ei dafod. Roedd o'n un bwrlwm o egni nerfus, a phan gyrhaeddodd yn gynharach heddiw roedd yn paldaruo bymtheg y dwsin, gan wneud ati i fod yn dipyn o glown o flaen Maria a Nikos wrth iddo ddynwared rhai o'r cymeriadau gwahanol roedd o wedi taro arnyn nhw yn ystod ei grwydro. Tynnai'r ystumiau mwyaf ofnadwy wrth adrodd yr hanesion, yna rowlio chwerthin, ac roedd 'na rywbeth heintus iawn am y chwerthin hwn – cymaint felly nes roedd Nikos, hyd yn oed, wedi methu ymatal rhag ymuno ynddo.

Yn sicr, roedd cwmni Elias wedi gwneud byd o les i Maria. Roedd hi wedi bod yn hynod o dawedog yn ystod y dyddiau yn dilyn ymadawiad Siphi, gan dreulio oriau'n eistedd ar ei phen ei hun ac yn harthio ar Nikos am y pethau lleiaf. Doedd Yanni ddim wedi sylweddoli ei bod hi wedi cymryd at Siphi i'r fath raddau: cofiai fel roedd ei llygaid yn sgleinio'n llaith yng ngolau'r lleuad, ac am y gwlybaniaeth ar ei gruddiau. Wrth gwrs, roedd hi bellach yn ddeunaw oed ac yn ddynes ifanc, ac erbyn meddwl doedd 'na ddim cymaint â hynny rhyngddi a Siphi. Trafferth Yanni oedd ei fod o'n dal i feddwl amdani fel cyw melyn olaf Manoli a Thera – yr hogan fach fywiog a arferai wiweru drosto fel tasa fo'n goeden fawr, ryfedd.

Ond heddiw mi gafodd hithau chwerthin, diolch i Elias y Rhedwr, ac mi chwarddodd Yanni hefo nhw wrth i Elias fynd trwy'i bethau. Beth oedd y Saeson yn galw hwn, hefyd? O, ia –

'the Changebug'. Doedd gan Yanni'r Chwibanwr ddim syniad beth oedd peth felly nes i Siphi egluro mai fersiwn o'r gair Saesneg 'changeling' oedd 'changebug'. Un o blant y *daímon* – ellyllon neu'r tylwyth teg – oedd 'changeling', a dyna enw cod gwreiddiol Elias. Yn ôl Siphi, arferai'r *daímon* ym Mhrydain a sawl gwlad arall gipio baban dynol o bryd i'w gilydd, gan adael ellyll (un o'u plant nhw) yn ei le – y 'changeling'. Doedd ganddo ddim clem beth oedd 'change*bug*', ond bod yr enw'n gweddu i Elias!

'Ma hi'n wyrth nad oes 'run o'i bobol o ei hun wedi'i saethu fo cyn heddiw,' oedd barn Siphi, nad oedd erioed wedi dod ar draws creadur fel Elias o'r blaen. Gallai ymddangos o nunlle, heb yr un smic ac fel rhyw ysbryd hoffus, yn wên o glust i glust wrth weld pobol yn neidio fel sgwarnogod. Roedd Siphi ei hun wedi teimlo'i galon yn llamu'n wyllt ar fwy nag un achlysur wrth droi i fynd i mewn i'w ogof i nôl rhywbeth neu'i gilydd, a gweld Elias yn eistedd ar graig, reit y tu ôl iddo, fel rhyw gorrach direidus.

*

Ar ôl iddyn nhw orffen bwyta aeth Elias a Yanni allan am smôc. Roedd Elias yn ei dweud hi'n arw am yr holl ddwyn defaid oedd yn digwydd ledled yr ynys. Roedd hyn wedi bod yn digwydd yng Nghreta ers canrifoedd lawer, wrth gwrs – bron y gellid dweud ei fod yn draddodiad i fyny yma yn y mynyddoedd. Ond roedd yn digwydd yn amlach o lawer ers dyfodiad yr Almaenwyr, yn sgil yr holl brinder bwyd a'r anarchiaeth gyffredinol.

'Ma hi'n ddigon drwg bod y blydi Almaenwyr yn helpu'u hunain i'n hanifeiliaid ni,' meddai Elias, 'heb i gymdogion fod wrthi hefyd. Fasa rhywun yn meddwl, efo petha fel maen nhw, y basan ni'n hunain yn rhoi'r gora iddi nes bydd y diawliad eraill 'ma wedi mynd – ond wnawn ni? Gwnawn, o ddiawl!'

Roedd yr Almaenwyr hefyd yn esgus dros gryn dipyn o ladd ymhlith y Cretiaid eu hunain, gyda nifer yn manteisio ar bresenoldeb y gelyn i dalu ambell hen bwyth yn ôl. Na, doedd y rhyfel ddim wedi golygu bod galanasau teuluol a fendetâu wedi'u rhoi o'r neilltu. Roedd rhai ohonyn nhw'n bodoli ers cenedlaethau – y mwyafrif o'r rheiny oherwydd i braidd rhywun neu'i gilydd gael ei ddwyn, neu i ferch un teulu gael ei chipio a'i gorfodi i briodi aelod o deulu arall.

'Be ddigwyddith yma unwaith bydd y rhyfel 'ma drosodd, Duw a ŵyr,' meddai Elias. 'Mi gymrith flynyddoedd i bethau ddechrau setlo'n ôl yn gymharol gall.' Daeth yr olwg freuddwydiol honno dros ei wyneb unwaith eto. 'Dwi bron â symud i fyw i Cairo, cofia, unwaith y bydd yr Almaenwyr wedi gadael, a dŵad yn f'ôl yma ymhen rhyw ddeng mlynedd.'

Blydi Cairo eto, meddyliodd Yanni. *'Deng mlynedd*, Elias? A chditha'n ysu am gael dŵad adra ar ôl chydig wythnosa – dyna be ddeudist ti!' Rhoes bwniad iddo yn ei ystlys. 'Fedri di ddim mynd o'r ynys yma, Elias bach, ddim mwy na fedra inna adael y mynydd.'

Chwarddodd Elias, a bu tawelwch rhwng y ddau am ychydig wrth iddyn nhw ysmygu'n feddylgar.

Yna meddai Yanni, 'Siphi . . .'

Edrychodd Elias arno. 'Mae 'na sawl Siphi ar yr ynys yma, Yanni. Pa un?'

Taflodd Yanni edrychiad dros ei ysgwydd rhag ofn fod Maria'n clustfeinio gerllaw, ond roedd hi a Nikos y tu mewn i'r cwt.

'Siphi'r Canwr.'

'O, reit. Be amdano fo?'

'Y tro diwetha i mi ei weld o,' meddai Yanni, 'wedi dŵad yma i ffarwelio roedd o. Dros dair wsnos yn ôl rŵan.' Nodiodd Elias, a meddyliodd Yanni: oes 'na *rywbath* nad ydi'r cythral bach 'ma'n ei wbod? 'Deud i mi, pan gafodd Kreipe a'r lleill eu symud oddi ar yr ynys, aeth Siphi hefo nhw?'

'Mi fasan nhw wedi gallu gwneud hefo fo yno!' meddai Elias. Dechreuodd chwerthin eto. Nefoedd, mae isio 'mynadd efo hwn weithia, meddyliodd Yanni. Deallodd, ar ôl i Elias sobri fymryn, fod 'Michali' a'r criw wedi sylweddoli, ar ôl yr holl drafferth a'r teithio blinedig, nad oedd yr un ohonyn nhw'n gwybod y Cod

Morse yn ddigon da i fedru fflachio neges i'r cwch oedd yn aros amdanyn nhw allan yn y tywyllwch ar Fôr Libia. 'Roeddan nhw'n gwybod yr SOS, a dyna'r cwbwl!' chwarddodd Elias. 'Trwy lwc mi gyrhaeddodd Dionysios mewn pryd, neu fel arall mi fasan nhw'n dal yma.'

Ond roedd Yanni eto i gael ateb llawn i'w gwestiwn. 'Aeth o ddim hefo nhw, felly, dwi'n cymryd?'

'Pwy?'

Ochneidiodd Yanni. 'Siphi.'

'Naddo. Ond fydd o ddim yma'n hir iawn, yn ôl fel dwi'n dallt. Yn enwedig rŵan a Kreipe wedi mynd. Fydd 'na ddim cymaint o'r diawlad o gwmpas y glannau, gyda lwc. Dyna pam dwi'n mynd i Monopari, ar ôl imi fod yn Anogia. Am yr ail dro . . .' ychwanegodd yn arwyddocaol gan wgu ar Yanni.

Os oes gan hwn fai o gwbwl, meddyliodd Yanni, yna'r busnes 'ma o droi popeth mae o'n ei ddweud yn berfformiad dramatig ydi hynny. Teimlai fel cydio yn Elias gerfydd ei wddw a'i ysgwyd yn galed.

Amynedd, Yanni Tyrakis, amynedd. 'Pam, felly, Elias?'

'Mae set radio Siphi yn Monopari, tydi?'

'Ydi hi?'

'Wel, ydi!'

'Ac ydi Siphi yno hefo hi?'

'Be? Nac'di, siŵr.'

Erbyn hyn, roedd pen Yanni wedi dechrau troi. Gofynnodd y cwestiwn mwyaf syml y gallai feddwl amdano. 'Lle mae Siphi, Elias?'

Sioe o edrych o gwmpas a chraffu i bob cyfeiriad cyn sibrwd 'Skoteini' yng nghlust Yanni.

Skoteini – 'Yr Un Dywyll'. Ogof go fawr oedd hon, nid nepell o afon Mousela, oedd yn rhan o'r ffin rhwng taleithiau Rethymnon a Hania. Ogof ddofn iawn, hefyd, a'r siambr anferth yn ei chanol yn gartref i gannoedd ar filoedd o ystlumod; gwenodd Yanni wrth feddwl am Siphi druan yng nghanol y rheiny. Os oedd o'n cael trafferthion hefo chwain . . .

Deallodd Yanni o'r diwedd mai yn Monopari yn cael ei

thrwsio roedd y set radio, ac mai tasg Elias wedyn fyddai mynd
â hi oddi yno i ogof Skoteini, ac o'r fan honno wedyn i fyny i'r
mynyddoedd uwchben Asi Gonia, ei hen gartref, i guddfan arall
lle roedd 'Dionysios' yn aros amdani.

'Ond fydd o ddim yma'n hir iawn eto, dwi'm yn meddwl,'
gorffennodd Elias. 'Falla wir fod y diawl lwcus ar gwch yn
barod, ac ar ei ffordd i'r Aifft.'

Cododd ar ei draed gan ddylyfu gên.

'Reit, Yanni, dwi am ei throi hi am y cwt – gan fod *rhai*
ohonan ni'n gorfod codi'n gynnar uffernol fory.'

*

Wedi i Elias ddiflannu i mewn i'r cwt efo'r ddau ifanc, roedd
Yanni wedi aros a mwynhau smôc arall wrth i'r nos ymledu o'i
gwmpas.

Noson ola leuad, hefyd. Ar nosweithiau fel hon, mae
dyffrynnoedd mynyddig Creta yn gallu twyllo rhywun i gredu
eu bod nhw'n ddiwaelod. Does ond eisiau i rywun blygu
ymlaen fymryn yn ormod, meddyliodd Yanni – cymryd cam neu
ddau, efallai – a dyna ni. Disgyn am byth, nes i'r corff farw o
syched neu newyn. Ond hwyrach mai dyna be ydi marwolaeth
– y teimlad eich bod yn disgyn, disgyn, am byth ac am byth . . .
Ai dyna'r cwbwl sydd o'n blaenau?

Ymysgydwodd a mynd i gerdded o gwmpas ei braidd, gan
ddweud wrth Tasia am aros lle roedd hi, ar yr ymylon.
Symudai'n araf, gan hymian canu'n dawel – mae popeth yn
iawn, ddefaid bach, does dim byd yn bod, annwyl eifr.
Weithiau, ar nosweithiau clir o haf, hoffai orwedd yma yn eu
canol yn syllu ar y sêr.

Manoli, tad Maria, oedd piau hanner y praidd. Pan
ymosododd yr Almaenwyr, gwyddai Yanni mai yma ar y
mynydd roedd ei le fo, yn hytrach nag yn ymladd hefo Manoli
a'r *andártes* eraill. Roeddan nhw, a'r milwyr Prydeinig, yn
gwybod bod bwyd a lloches wastad ar gael gan Yanni'r
Chwibanwr. Gwyddai pawb hefyd mai creaduriaid go ynysig
oedd bugeiliaid y mynyddoedd, yn hapus braf ar eu pennau eu

hunain ac yn casáu bod mewn criw. Mi fasa Yanni'n drysu'n lân tasa fo'n gorfod treulio wythnosau'n ymguddio mewn ogofeydd hefo nifer o ddynion eraill.

Gyda lwc, meddyliodd, bydd Manoli a'i feibion yn eu holau cyn bo hir. Am ryw hyd, beth bynnag, nes bydd Xylouris yn galw arnyn nhw unwaith eto i fynd i gyflawni rhyw weithredoedd o *sabotage* neu'i gilydd, neu i symud dynion ac arfau o un lle i'r llall.

Ac yntau'n crwydro rhwng y defaid a'r geifr, roedd hi'n anochel ei fod yn meddwl am yr hyn ddywedodd Elias am yr holl ddwyn defaid oedd yn digwydd y dyddiau hyn. Wel, Creta ydi Creta, meddai wrtho'i hun, gan wenu wrth feddwl mai rhai da ar y naw oedd o ac Elias i dwt-twtian dros hynny, a'r ddau ohonyn nhw wedi gwneud mwy na'u siâr o ddwyn dros y blynyddoedd. A Manoli Alevizakis hefyd, tasa hi'n dod i hynny . . . fo a'i feibion.

Onid oedd un o'r caneuon poblogaidd yn cysylltu dwyn defaid o braidd â brawd bedydd, hyd yn oed? Canodd Yanni'r *mantináda* wrth grwydro ymylon y praidd – a heno, yn ei feddwl, gallai glywed llais Siphi'n ei morio dros y lleisiau eraill:

O frawd bedydd, roedd y nos mor ddu â haid o gigfrain,
Ond ar ôl gweld dy seriad di, fe gipion nhw ddeg ar hugain.

Yna Siphi'n canu '*Poté tha kánei xasteriá*?' ('Pa bryd y daw'r ffurfafen eto'n glir?') yn ei acen ryfedd. Cofiodd iddo ofyn i Siphi un tro a oedd o, tybed, am ddod yn ei ôl yma rywbryd? Cafodd ateb mwy pendant nag a gawsai Maria.

'Saff i ti, Yanni. Pan fedra i. Pan fydd hyn i gyd drosodd.'

'Ia, wel – fydda i ddim yma i weld hynny'n digwydd.'

Roedd Siphi wedi gwenu'i wên gam, ond roedd ei lygaid yntau'n sgleinio ychydig yng ngolau'r lleuad, sylwodd Yanni.

'Chdi, Yanni?' meddai. 'Byddi, siŵr Dduw. Rwyt ti fel y mynydd 'ma – wastad yma.'

*

O'r diwedd, aeth Yanni i mewn i'r cwt ond gwyddai na chysgai ryw lawer heno. Yn wahanol i'r rhain, meddai wrtho'i hun wrth wylio'r tri arall yn cysgu'n sownd, fel llond twlc o foch bodlon, er bod Elias yn chwyrnu dros y cwt.

Syllodd ar wynebau Nikos a Maria yng ngolau gwan hynny oedd ar ôl o'r tân rhedyn. Maen nhw eisoes wedi bod yma'n rhy hir, meddyliodd, a'u presenoldeb yn ei rwystro fo, Yanni, rhag crwydro'r llethrau fel y dymunai, ac yn gwneud nemor ddim lles i'w nerfau hwythau. Un patrôl, dyna'r cwbl oedd ei angen – llond dwrn o filwyr yn cyrraedd yno dros y creigiau tra oedd ei sylw fo ar rywbeth neu rywun arall.

Ac roedd Thera'n siŵr o fod yn poeni nes gwneud ei hun yn swp sâl erbyn hyn. Roedd y ffaith fod ei gŵr a'i meibion hefo'r *andártes* yn ddigon o boen ar enaid y greadures, heb iddi orfod poeni am ei hunig ferch hefyd. O, byddai Thera'n dal i boeni wedi i Maria gyrraedd 'nôl yn ddiogel i Anogia – doedd merched Creta ddim wedi gallu peidio â phoeni ers y diwrnod ofnadwy hwnnw pan benderfynodd yr awyr chwydu miloedd o Almaenwyr dros yr ynys. Ond efallai na fyddai hi'n poeni cymaint â Maria adra. A Nikos hefyd, petai'n dod i hynny.

Y gwir amdani oedd, hyd yn oed cyn i Siphi ddweud ei fod am adael yr ynys, fod Yanni wedi dod yn fwyfwy ymwybodol o ryw hen deimlad o aflonyddwch annifyr y tu mewn iddo. Ar y dechrau, fedrai Yanni ddim dweud yn iawn beth oedd o. Ond wrth iddo gynyddu'n feunyddiol, daeth i sylweddoli beth ydoedd – nes ei fod bellach yn ei gadw ar ddi-hun bron bob nos: y teimlad fod rhywbeth ar fin dirwyn i ben. Ac os oedd Yanni'n gywir yn hynny o beth, doedd arno fo ddim eisiau'r un o'r ddau ifanc yma ar gyfyl y lle.

Craffodd eto ar eu hwynebau, hynny fedrai ei weld o wyneb Maria dan ei gwallt cyrliog, gwyllt. Cysgai Nikos a'i wyneb wedi'i droi tuag ati, ac ar ôl rhannu sawl noson hefo nhw yn y cwt, gwyddai Yanni mai dyna sut roedd yr hogyn yn arfer syrthio i gysgu – yn syllu ar Maria. Roedd o mor amddiffynnol ohoni, yn amlwg wedi mopio arni, ac yn mynd i'w gragen fwy nag erioed bob tro y byddai unrhyw ddyn arall o gwmpas y lle, yn enwedig os oedd hwnnw'n gymharol ifanc ac yn un am fflyrtian hefo Maria. Gwgai arnyn nhw y tu ôl i'w cefnau, fel petai'n breuddwydio am eu gwthio dros y dibyn agosaf.

Y noson honno pan gyfaddefodd Siphi fod raid iddo ymadael â'r ynys, roedd llygaid Nikos wedi llenwi â phleser pur. Dim ond am eiliad neu ddau, ond roedd Yanni wedi sylwi ac wedi gwylio'r un llygaid yn dilyn Maria pan gododd hi a mynd allan o'r cwt, cyn iddyn nhw setlo eto ar Siphi hefo rhywbeth tebyg i atgasedd yn eu llenwi.

Symudodd Maria yn ei chwsg. Dim ond y mymryn lleiaf, ond roedd y mymryn hwnnw'n ddigon i agor llygaid Nikos a'u cadw ar agor nes i Maria setlo unwaith eto. Arhosodd Yanni'n hollol lonydd – prin yn anadlu – nes iddo weld llygaid Nikos yn cau yn araf.

*

Dim ond heddiw, wrth godi, y penderfynodd Yanni fynd efo nhw beth o'r ffordd. 'Dim ond nes bydd hi'n dechrau goleuo,' meddai.

'Yanni'r Mul,' meddai Elias eto.

Gwenodd Maria, ond sbio fel bwch wnaeth Nikos.

Rywsut, yn swrth ac yn y tywyllwch, llwyddodd Maria i sgrialu'r tu ôl i'r creigiau i wneud ei busnes. Ond deffrodd drwyddi, yno yn ei chwrcwd, pan glywodd Yanni'n galw, 'Cofia am y *vrykólakas*, Maria!' Chwarddodd Yanni o glywed sgrech fechan a bloedd o 'Yanni! Paid!' yn dod o'r düwch y tu ôl i'r cwt. Ysbryd fampiraidd oedd y *vrykólakas*, ac mi fyddai'n codi arswyd go iawn ar Maria pan oedd hi'n fach. Roedd y straeon am ysbrydion o'r fath yn dringo allan o grombil y ddaear, a'u bysedd hirion, gwyn yn crafangu amdani, yn llwyddo i godi croen gŵydd ar ei breichiau hyd heddiw. Cafodd Yanni waldan iawn ganddi pan ddychwelodd. 'Doedd hynna *ddim* yn ddigri!'

Gwyliodd Yanni hi'n ysgwyd ei sgarff yn ffyrnig cyn ei glymu eto dros ei gwallt. Gwgodd arno, ond roedd hi wedi synhwyro nad oedd 'na fawr o'r hiwmor arferol yn bwydo'r pryfocio heddiw: ffordd o'i chael hi i frysio ydoedd yn anad dim arall.

Daeth Nikos allan o'r cwt y tu ôl iddi a'i *sakoúli* ar ei ysgwydd, yn barod i fynd.

Wrth edrych ar y ddau, chwyddodd yr hen deimlad annifyr 'na'r tu mewn i Yanni'r Chwibanwr unwaith eto, a'r tro hwn fel tasa fo'n benderfynol o'i fygu. Diolchodd fod Elias wrth ei ochr, neu fel arall ofnai y buasai wedi cydio yn Nikos a Maria, un ym mhob llaw, a rhedeg i lawr y mynydd efo nhw. Roedd o'n chwys oer drosto i gyd, sylweddolodd. Edrychodd o'i gwmpas, ond roedd hi'n dal yn rhy dywyll iddo fedru gweld fawr ddim; cysurodd ei hun y basa Tasia wedi hen chwyrnu cyn hyn tasa 'na unrhyw beryg yn agos. Cyfarthodd Yanni orchymyn ar yr ast i aros lle roedd hi.

'Dowch,' meddai'n swta. 'Mi awn ni. Gora po gynta.'

'Rydan *ni*'n barod ers meitin.' Tarodd Elias winc ar Maria. 'Chdi sy'n tin-droi, Yanni.'

Rhoddodd Maria ei *sakoúli* lliwgar ar ei hysgwydd, a throdd Yanni, Elias a hithau am y llwybr. Ar ôl edrych yn gam ar y llwybr am eiliad, trodd Nikos ei gefn ato a brysio at Tasia, gan ei chofleidio a sibrwd yn ei chlust.

'Nikos!'

Oedd y diawl bach yn gwneud ati i lusgo'i draed? Pan ollyngodd Nikos yr ast o'r diwedd, syllodd ar Yanni ag edrychiad go debyg i'r un roddodd o i Siphi ar ei noson ola fo hefo nhw. Clywodd Yanni Elias yn ebychu'r tu ôl iddo, a throdd oddi wrth y bachgen: tasa fo heb wneud hynny, mae'n beryg y byddai wedi rhoi clustan iawn iddo ar draws ei wyneb bach herfeiddiol.

Gallai deimlo llygaid Maria arno wrth iddyn nhw gychwyn i lawr y llwybr, yn llawn cwestiynau – cwestiynau na fedrai Yanni mo'u hateb. Doedd o ei hun ddim yn gwybod sut oedd egluro'r panig a lanwai ei stumog. Ymhen ychydig, cliriodd ei wddw:

'Ynglŷn â'r *kohli bourbouristí*, Maria . . .'

Edrychodd hi arno. 'Ia?'

'*Kohli bourbouristí*?' meddai Elias. 'Yn lle? Pryd?'

Ei anwybyddu wnaeth Yanni. 'Hwyrach y basa'n well inni anghofio amdano fo'r tro 'ma, Maria.'

'Yanni, mi fydd hi'n fisoedd cyn i ni gael digon o law i ddenu'r malwod allan.'

Ysgydwodd Yanni ei ben. 'Na, mi gawn ni law cyn hynny,' meddai â sicrwydd bugail. 'Mi gei di weld.'

Roedd Nikos wedi mynd o'u blaenau, ac Elias ychydig y tu ôl iddyn nhw.

'Be sy, Yanni?' gofynnodd Maria'n dawel. 'Be ddeudodd Elias neithiwr?'

'Elias?' Ceisiodd Yanni roi chwerthiniad yn ei lais. 'Lle basa rhywun yn dechra, Maria bach? Cant a mil o betha – chaeodd o mo'i geg o'r eiliad y cyrhaeddodd o acw.'

'Nid dyna be sy gen i!'

Roedd Maria wedi siarad yn o siarp – rhyw fflach sydyn o dymer enwog yr Alevizakisiaid.

'Ddeudodd o ddim byd mawr, Maria,' meddai Yanni. 'Wir yr.'

'Wel, be sy 'ta? Rwyt ti fel gafr ar d'rana, fel tasat ti'n ysu i gael gwared ohonan ni.'

Mae hynny'n wir, meddyliodd Yanni, ond plis, Maria, paid â gofyn i mi egluro pam.

'Ydan ni wedi gneud rhywbath i bechu yn d'erbyn di, Nikos a finna?'

'Naddo, naddo.' Doedd y wawr ddim yn bell erbyn hyn, a gallai Yanni weld wyneb Maria'n gliriach. 'Dwi ddim yn meddwl y bydd y mynydd 'ma'n saff iawn am ychydig, dyna'r cwbwl. Dwi am symud y praidd fymryn yn uwch.'

'A ddeudodd Elias ddim byd – wyt ti'n siŵr?'

'Ydw.'

Arhosodd Maria. Trodd at Yanni a rhoi ei llaw ar ei fraich. 'Gest ti freuddwyd, Yanni?'

Syllodd Yanni arni a meddwl: nefoedd, mae hon yr un ffunud â'i mam! Yr un llygaid duon, yr un aeliau trwchus dan yr un ffrinj cyrliog . . . a'r un ffydd mewn breuddwydion ac arwyddion. Mor hawdd fuasai dweud wrthi, do, mi ges i freuddwyd, a dyna ti pam dwi'n mynnu'ch bod chi'n mynd adref heddiw. Gallai ddweud hynny, a buasai Maria yn ei goelio, yn derbyn hynny – roedd Thera wedi'i thrwytho hi yn y *mystiká prágmata*.

Ond ysgwyd ei ben wnaeth o. 'Nid breuddwyd, Maria. Mond . . . teimlad, dyna'r cwbwl. Teimlad.'

Roedd hi'n syllu i fyw ei lygaid; roedd Nikos hefyd wedi aros ac yn edrych i fyny'n ôl tuag atyn nhw â gwg ddiamynedd ar ei wyneb bach miniog. Elias, wedyn, ychydig y tu ôl iddyn nhw, yntau'n sefyll yn llonydd ac yn dawel am unwaith, wedi synhwyro mai un breifat oedd eu sgwrs. Gwyddai Yanni fod Maria'n gallu gweld yr ansicrwydd yn ei lygaid, yr ansicrwydd a'r ofn – dau beth nad oedd hi erioed o'r blaen wedi eu cysylltu ag Yanni'r Chwibanwr.

O'r diwedd, gwasgodd Maria ei fraich yn ysgafn. 'O'r gora, Yanni,' meddai. 'O'r gora.'

Gallai glywed ambell geiliog yn canu ym mhentrefi'r mynydd wrth iddyn nhw fynd i lawr y llwybr.

*

Canodd yn iach iddyn nhw pan welodd fod yr haul yn goleuo'r awyr uwchben mynyddoedd Lasithi yn y dwyrain.

'Peidiwch â thin-droi, reit?'

'Ha!' oedd ymateb Elias.

Cydiodd Yanni yn Maria gerfydd ei hysgwyddau, a theimlodd hithau grafiad cyfarwydd ei wefusau ar ei thalcen. Dyheai am iddo'i chodi i fyny yn ei freichiau – ia, hyd yn oed ei dal â'i phen i lawr a hithau'n gwichian ac yn gwingo fel ystlum aflonydd, fel yr arferai ei wneud pan oedd hi'n fach, ac ysai am gael claddu'i hwyneb yn ei ddillad a llenwi'i phen â'i arogl. Ond fe ollyngodd o hi a chamu'n ôl oddi wrthi'n greulon o gyflym, gan rythu arni.

'Cariad mawr i dy fam,' meddai.

Yna edrychodd ar Nikos, ond cyn i Yanni fedru dweud gair, trodd Nikos oddi wrtho'n surbwch a chychwyn i lawr y llwybr.

'Nikos!' galwodd Maria, wedi dychryn, ond chymerodd yr hogyn ddim sylw ohoni. 'Hei! Tyd yn d'ôl, yr hen . . .' Cychwynnodd ar ei ôl yn fygythiol, ond teimlodd law Yanni ar ei braich.

'Hidia befo. Wedi llyncu mul efo fi mae o.' Gollyngodd ei

braich. 'Well i chditha fynd hefyd, *matákia mou*.' *Matákia mou* – fy llygaid bach i. Roedd ei lygaid o, fodd bynnag, wedi methu cuddio'r boen a deimlodd pan gerddodd Nikos i ffwrdd heb ddweud yr un gair.

Cydiodd yn Maria eto a'i throi nes ei bod yn wynebu'r ffordd i lawr. Rhoes slap fach ysgafn ar ei phen-ôl. 'Cer! Bydded i'r Fendigaid Fair edrych ar eich holau chi i gyd.'

Pwniodd Elias o'n ysgafn wrth gerdded heibio. 'Paid ti â phoeni, 'rhen ddyn, mi fyddan nhw'n tshiampion.'

Nodiodd Yanni. Yna: 'Elias . . .?'

Trodd Elias.

'*Efcharistó polí*.'

'Faswn i'n meddwl, hefyd.'

Fflach o wyn yn yr hanner gwyll wrth iddo wenu, yna dilynodd Elias y ddau arall i lawr y llwybr.

Safodd Yanni yno nes iddo'u gweld yn diflannu i darth y bore cynnar, cyn dechrau dringo'n ôl i fyny. Ymhen llai nag awr, gobeithiai, mi fyddent wedi mynd yn ddigon pell i fedru gweld toeau Anogia yn sgleinio'n wyn oddi tanyn nhw.

Roedd niwl yn ei lygaid wrth iddo ddringo. Ymdrechodd i feddwl am y straeon doniol roedd Elias wedi'u hadrodd iddo neithiwr, ac am yr ystumiau a dynnai'r creadur wrth eu hadrodd. Ceisiodd hefyd ganu rhai o'r *mantinádes* a wnâi iddo chwerthin fwyaf. Ceisiodd restru yn ei ben y gwahanol fannau ar y mynydd lle gallai fynd hefo'r defaid a'r geifr . . .

Ond dim ots beth a wnâi, mynnai Maria Alevizakis lamu i flaen ei feddwl, a'i gruddiau'n hallt yng ngolau'r lloer.

*

Pan drodd Maria ac edrych yn ôl i fyny'r mynydd, doedd dim golwg ohono. Roedd yr awyr eisoes yn las uwch copa Mynydd Ida, a'r llethrau'r tu ôl iddyn nhw i'w gweld yn glir yng ngolau'r wawr.

'Wyt ti'n gallu'i weld o?' gofynnodd i Elias, oedd yn craffu gyda hi.

'Nac'dw. Ond ma hynny'n beth da, Maria. Fydd neb arall yn

debygol o fedru'i weld o chwaith.' Pwniodd Elias ei braich yn ysgafn. 'Faswn i'n poeni taswn i *yn* gallu gweld Yanni o'r pellter yma.'

Sylwodd Elias na lwyddodd ei eiriau i'w chysuro rhyw lawer – daliai Maria i syllu i fyny'r mynydd gan frathu'i gwefus isaf.

'Mae'r aer yn rhy drymaidd,' clywodd Elias hi'n mwmian wrthi'i hun. 'Ddim yn iawn . . . ddim yn iawn.' Yna trodd at Elias. 'Dwi isio'r gwir, Elias. Ddeudodd o wrthat ti neithiwr pam roedd o mor awyddus i'n hel ni adra heddiw?'

Ysgydwodd Elias ei ben. 'Gweld cyfla wnath o, yndê? Gan mod i'n mynd i Anogia.'

'Ond *doeddat* ti ddim, nag oeddat?' torrodd Maria ar ei draws. 'Ar dy ffordd *o* Anogia oeddat ti ddoe.'

Ro'n i yn llygad fy lle, meddyliodd Elias, pan ddeudis i wrth Yanni neithiwr nad plentyn mo hon bellach. Roedd ei llygaid yn treiddio i mewn i'w rai o, a gwyddai nad oedd unrhyw ddiben hyd yn oed meddwl dweud celwydd wrthi.

'Ia, o'r gora,' atebodd. 'Ti'n iawn, do'n i ddim wedi bwriadu mynd yn ôl yno heddiw. Ond gan fod Yanni wedi gofyn – wedi *mynnu*, i bob pwrpas . . .'

'Ond pam, Elias?'

'Dwi'm yn gwbod, Maria. Na, wir yr rŵan, ar fy marw.'

'Soniodd o ddim byd wrthat ti am ryw deimlada mae o wedi bod yn eu cael?'

'Teimlada? Naddo, wir. Sut deimlada, Maria?'

'Ynglŷn â'r mynydd – na tydi hi ddim am fod yn saff iawn yma.' Edrychodd Maria i fyny eto, tua'r copa. 'Mae o am symud y praidd yn uwch, medda fo.'

'Wel, does 'na nunlla'n saff y dyddia yma,' meddai Elias.

'Wyt ti'n siŵr,' meddai Maria, gan droi ato'n ffyrnig, 'na ddoist ti ag unrhyw negas iddo fo ddoe? Unrhyw rybudd?'

'Ydw, wir i chdi.'

Efallai, meddyliodd Elias, mai presenoldeb Maria a Nikos oedd wedi peri i Yanni gael y 'teimladau' hynny, beth bynnag oeddan nhw, ac y bydden nhw'n diflannu unwaith y byddai'r hen fugail wedi setlo'n ei ôl a neb o'i gwmpas ar wahân i'w gi a'i ddefaid a'i eifr.

Efallai. Ar y llaw arall, roedd yntau wedi sylwi ar anniddigrwydd Yanni'r Chwibanwr; roedd y bugail wedi atgoffa Elias o ddefaid a geifr pan fydd hi'n hel am homar o storm.

Edrychodd Maria ar Nikos, oedd yn aros yn ddiamynedd amdanyn nhw ychydig lathenni i lawr y llwybr.

'Wyt *ti*'n gallu'i weld o?' gofynnodd Maria iddo.

Ysgydwodd Nikos ei ben. Ond doedd o ddim yn edrych yn galed iawn, sylweddolodd Maria: yn hytrach, dilynai ei lygaid ehediad hebog tramor oedd yn troi mewn cylchoedd sinistr, uchel yng nghanol y glas.

'Dwyt ti ddim hyd yn oed yn edrych!'

Trodd Nikos oddi wrthi gan dwt-twtian yn ddiamynedd o dan ei wynt. Gwylltiodd Maria. Cyn i Elias sylweddoli beth oedd ar fin digwydd, roedd hi wedi rhuthro at Nikos. Roedd sŵn y slasan roddodd hi iddo'n clecian yn uchel yn nhawelwch y wawr, ac ôl ei llaw yn dechrau blodeuo ar ei foch.

'Maria!' ebychodd Elias.

Rhythodd Nikos arni'n syfrdan. Dechreuodd godi'i law at ei foch, ond mae'n rhaid fod rhyw lais mewnol wedi dweud wrtho fod hynny'n beth plentynnaidd i'w wneud, oherwydd tynnodd hi i lawr yn ôl. Cyn i'r dagrau eu llenwi, cafodd Maria gip sydyn ar rywbeth tywyll a hyll yn fflachio'r tu mewn i'w lygaid.

'*Skíla*!' sibrydodd Nikos. '*Ellinída skíla*!' Gellid meddwl y byddai hynny – galw Groeges fel hi yn 'ast', peth anfaddeuol – yn ddigon ganddo, ond bu'n rhaid iddo gael ychwanegu (gan ei boeri, bron): '*Karióla*!' – y ffycin ast! – cyn troi a cherdded i lawr y llwybr.

'Nikos!' Roedd Elias wedi'i ddychryn am yr ail dro. Arglwydd mawr, meddyliodd, doedd dim rhyfedd fod Yanni mor awyddus i gael gwared ar y ddau yma os mai fel'ma maen nhw'n arfer ymddwyn. Edrychodd Maria arno fel petai hi'n disgwyl iddo ddweud rhywbeth wrthi – rhyw air o gerydd, efallai – ond ar ôl gweld y swadan gafodd Nikos ganddi, bron nad oedd ar Elias ofn edrych arni. Ar y llaw arall, doedd o ddim yn bwriadu gadael i'r cythral bach Nikos 'na siarad fel'na efo 'run ddynes yn ei bresenoldeb o, dim ots sut waldan gafodd o ganddi.

Cychwynnodd ar ei ôl. 'Nikos!' meddai'n siarp, ond waeth iddo fod yn siarad hefo un o'r creigiau ddim: chymerodd Nikos ddim sylw ohono o gwbl. 'Nikos! Go damia chdi, hogyn – Nikos . . .!'

Dilynodd Maria nhw'n araf, araf. Hi oedd wedi'i syfrdanu rŵan: roedd yr enwau a alwodd Nikos hi'n rhai hollol ffiaidd iddi, yn enwau nad oedd hyd yn oed Marko yn ei dymer ffyrnicaf wedi meiddio'u defnyddio erioed. Nid wrthi hi: mi fasa Manoli wedi'i leinio'n ddu las.

Roedd yr un cynta'n ddigon drwg, ond am yr ail! Lle goblyn roedd yr hogyn wedi clywed y ffasiwn eiriau? Ceisiodd ddweud wrthi'i hun nad oedd o'n gwybod yn iawn be'n union roeddan nhw'n ei olygu, ac nad oedd o'n sylweddoli pa mor ofnadwy oeddan nhw. Ond rywsut doedd hynny ddim yn tycio rhyw lawer: roedd y tywyllwch hwnnw a welsai yn ei lygaid yn dweud yn glir ei fod yn gyfarwydd iawn ag ystyron ei eiriau – ei fod wedi'u dethol yn ofalus a'u dweud yn fwriadol.

Teimlai ei thymer yn bygwth cyrraedd y berw unwaith eto, a dychmygodd ei hun yn rhuthro ar ei ôl a chydio ynddo gerfydd ei glustiau rhyfedd a'i luchio i'r llawr, cyn neidio arno fel cath wyllt. Felly, arhosodd gryn bellter oddi wrtho.

Y gwir amdani oedd fod Nikos wedi dechrau ei dychryn cyn iddo'i rhegi fel'na. Y ffordd roedd o wedi anufuddhau i Yanni y peth cyntaf fore heddiw . . . wedi'i herio, i bob pwrpas, ac yna cefnu arno'n ddilornus wrth i Yanni, o bawb, geisio ffarwelio ag o. Roedd Yanni'n amlwg wedi cael ei frifo, ac yng ngolwg Maria roedd hynny'n anfaddeuol. Iawn, doedd ar yr hogyn ddim eisiau gadael y mynydd a mynd yn ei ôl i Anogia – a hwyrach fod rhywfaint o fai ar Yanni am eu bwndelu i lawr y mynydd heb unrhyw rybudd, bron, cyn iddyn nhw gael cyfle i ddeffro'n iawn. Roedd disgwyl i Nikos fod yn fwy tawedog a phwdlyd nag arfer, ond doedd hi ddim wedi disgwyl y fath elyniaeth oddi wrtho.

Roedd y cyfan yn anos i'w ddeall o feddwl bod Nikos, dros

yr wythnosau diwethaf – ers pan gyhoeddodd Siphi ei fod o'n gorfod gadael yr ynys – wedi bod yn fwy gofalus ohoni nag arfer. Roedd o wedi ymateb i'w chwestiynau a'i sylwadau hi, os nad â sioncrwydd a bwrlwm o eiriau, yna gyda mwy na dim ond y nòd neu'r ysgydwad pen arferol. Roedd o wedi lledwenu arni hefyd, fwy nag unwaith. Ond heddiw – hyn.

Nefoedd, on'd oedd o'n greadur bach od?! Ddangosodd o rioed nemor ddim emosiwn: doedd dim ond eisiau i rywun ofyn y cwestiwn mwyaf diniwed iddo ynglŷn â'i deimladau – fel y gwnaethai Siphi'r noson honno pan holodd a oedd Nikos yn edrych ymlaen at weld ei fam eto – a byddai ei wyneb yn cau ac yn aros felly am hydoedd. Ar adegau felly teimlai Maria fel ei ysgwyd yn galed. Doedd hyn ddim fel petai'n poeni cymaint ar ei mam; rhoes Thera'r gorau i drio sgwrsio hefo fo'n fuan wedi i Manoli a'r hogia ddod ag Adonia a fynta adra efo nhw, a bellach roedd hi'n siarad *ato* fo yn hytrach nag efo fo. Y peth rhyfedd oedd fod Nikos fel petai'n ddigon bodlon eistedd yn y gegin a gadael i Thera ei bledu â brawddegau wrth iddi fynd o gwmpas ei phethau.

Kondomari, meddyliodd Maria – ar Kondomari roedd y bai am hyn i gyd. Hoffai Maria feddwl mai plentyn hollol gyffredin oedd Nikos cyn y gyflafan, yn llawn miri a direidi. Ond mynnai geiriau Grigori Daskalakis, yr athro ifanc, ddod yn ôl i'w meddwl: 'Dwi'n rhyw amau ei fod o wastad wedi bod fel hyn.' Wfftio'r syniad wnaeth Maria ar y pryd, wedi hen synhwyro nad oedd Grigori yn hoffi'r hogyn bach ryw lawer, a dywedodd hynny wrtho.

'Dydi hynna ddim yn wir,' gwadodd Grigori, ond teimlai Maria nad oedd 'na ddigon o argyhoeddiad yn ei lais.

'Pam wyt ti wedi cymryd yn ei erbyn o, ta?'

'Dydw i ddim.'

'Wyt, Grigori – mi wyt ti. Dwi'n gallu deud. Be sy? Ydi o'n cambyhafio yn y gwersi neu rywbath?'

'Nac'di, ddim o gwbwl.' Roedd o wedi ceisio chwerthin ond doedd hynny, chwaith, ddim wedi'i hargyhoeddi hi ryw lawer. 'Coelia di fi, Maria, mae gen i rai sydd ganmil gwaeth na Nikos.'

Roedd dros ddwy flynedd ers iddi hi a Grigori gael y sgwrs honno, sgwrs ddaeth yn agos at droi'n ffrae wrth i Grigori fynd yn fwyfwy anghyfforddus, am ryw reswm. Bellach, roedd Nikos wedi hen ymadael â'r ysgol; ychydig iawn o amser a dreuliai plant pentrefi'r mynyddoedd mewn ysgolion – yn enwedig y bechgyn, oedd wedi bod yn cael eu dysgu i ofalu am breiddiau eu teuluoedd ers iddyn nhw ollwng, fwy na heb. Ond roedd Maria wedi dechrau meddwl efallai fod cryn dipyn o wirionedd yng ngeiriau'r athro. Wedi'r cwbwl, yn wahanol i'w fam druan, doedd Nikos ddim wedi cael ei daro'n fud gan yr hyn a ddigwyddodd yn Kondomari: roedd o'n gallu siarad pan ddewisai wneud hynny.

Roedd hi mor brysur yn meddwl amdano fel na sylwodd ei fod o ac Elias wedi aros yn stond nes ei bod bron â'u cyrraedd. Meddyliodd am funud fod y pryd o dafod a roddodd Elias iddo wedi gweithio, a'i fod am ymddiheuro iddi, ond yna sylweddolodd mai gwrando'n astud yr oedd y ddau, a'u pennau ar un ochr.

'Be sy . . .?' dechreuodd Maria, a daeth yr awyren yn isel o'r haul gan swnio'n flin ac yn filain, fel rhyw gacynen anferth.

Cafodd Maria'r argraff fod Elias yn gweiddi rhywbeth, ond swniai ei lais fel petai'n dod o bellter maith. Gwyddai y dylai hi symud o'r golwg, a hynny'n gyflym, ond fedrai hi wneud dim ond sefyll yn y fan, ei holl ymennydd yn crefu ar i'w choesau ei chludo hi oddi yno, wir Dduw – ei chludo i unrhyw le, petai ond i orwedd yn fflat ar y ddaear – ond roeddan nhw bellach yn goesau o blwm, a'i thraed wedi'u hoelio i lwybr y mynydd. Felly cododd ei hwyneb ac edrych i fyny fel rhywun yn gwylio ehediad rhyw aderyn anghyffredin wrth i'r awyren ddod yn nes ar ruthr, ac oedd, roedd hi'n ddigon isel, yn ddigon agos i Maria weld yn glir y croesau duon ar ei hadain ac yna wyneb y peilot yn rhythu i lawr arni . . .

. . . ac yn gwenu arni.

Yna cafodd ei bwrw'n galed i'r ddaear a'i dannedd yn clecian yn boenus yn erbyn ei gilydd wrth i Elias garlamu i mewn iddi. Yr un pryd roedd Nikos yn ceisio'i thynnu gerfydd ei braich.

Serch hynny, fedrai hi ddim tynnu'i llygaid oddi ar yr awyren oedd yn dringo'n uwch ac yn uwch, cyn troi'n hamddenol, rywsut, bron yn ddiog, a'u hwynebu unwaith eto.

Haliodd Elias hi ar ei thraed. Roedd o'n sgrechian yn ei hwyneb, yna'n gafael ynddi gerfydd ei hysgwyddau ac yn ei hysgwyd. Be oedd yn bod ar y dyn, a pham roedd o'n mynnu sefyll rhyngddi a'r awyr a hithau'n ceisio gweld yr awyren yn nofio tuag ati drwy'r glesni fel siarc yn y môr? Symudodd Maria ei phen er mwyn gallu gweld heibio iddo . . . a brathu'i thafod wrth i gledr llaw dde Elias ffrwydro yn erbyn ochr ei hwyneb.

'Y creigiau!' gwaeddodd arni, gan ei throi a'i gwthio ar ôl Nikos. O'r diwedd dychwelodd yr egni fel trydan i'w thraed a'i choesau, a rhedodd tuag at y creigiau agosaf gan faglu dros y cerrig mân a llithro'n bendramwnwgl i lawr y llethrau, gan feddwl, *Oedd o'n gwenu arna i? Oedd y diawl yn* gwenu *arna i?* – ac yna roeddan nhw yno, Nikos a hithau, yng nghanol clwstwr o greigiau, eu dwylo a'u coesau'n grafiadau i gyd a'u hwynebau'n wyn wrth iddyn nhw rythu ar ei gilydd, a'u cegau'n grimp fel tasan nhw wedi bod yn cnoi blawd.

Dim ond Nikos a hi.

'Elias!'

Ond doedd y rhedwr ddim wedi'u dilyn. Yn hytrach, roedd o'n anelu am glwstwr arall o greigiau a'i goesau byrion yn mynd fel coblyn, creigiau oedd yn ddigon pell oddi wrth y rhai lle swatiai Maria a Nikos.

Ac roedd yr awyren yn ei ddilyn.

Wrth gwrs, dyna beth oedd bwriad Elias. Er y rhoddai hi'r byd am fedru codi'i dwylo a chladdu'i hwyneb ynddyn nhw nes roedd yr hunllef ofnadwy yma drosodd, fedrai hi ddim; allai hi wneud dim ond rhythu, a gwylio. Cafodd gip ar Elias yn edrych yn ôl dros ei ysgwydd dde wrth i'r gacynen anferth, filain ruthro ar ei ôl, a meddyliodd Maria'n hurt: tybed ydi yntau'n gallu gweld y peilot yn gwenu? Yn gwenu wrth i'w fys wasgu'n benderfynol ar ba bynnag fotwm a daniai'r gynnau.

Wrth i'r rheiny ddechrau ar eu pesychu maleisus, codai cymylau o gerrig a phridd a phlanhigion o'r ddaear fel petai'r mynydd yn gwneud ei orau i boeri at yr awyren am iddi feiddio'i rwygo. Symudai coesau Elias, os rhywbeth, yn gyflymach nag erioed wrth i'r cymylau ei ddilyn – ond roedd y clwstwr creigiau roedd o'n anelu amdanyn nhw mor bell, mor uffernol o bell oddi wrtho. Ac fel petai wedi sylweddoli hynny, arafodd Elias.

'Na!' sgrechiodd rhywun, a sylweddolodd Maria mai hi ei hun oedd yn sgrechian.

Ond, wrth gwrs, doedd Elias ddim yn gallu'i chlywed. Trodd, ac am eiliad gallai Maria daeru ei fod yn syllu i'w chyfeiriad hi a Nikos.

Yna roedd y cymylau wedi'i gyrraedd.

Chafodd o ddim cyfle i'w daflu'i hun i'r ddaear, hyd yn oed. Yn lle hynny, dechreuodd ddawnsio – neu felly'r ymddangosai i'r ddau ifanc a rythai arno'n prancio'n wyllt wrth i'r bwledi dreiddio trwyddo.

Welodd Maria mohono'n disgyn: roedd y cymylau wedi'i gofleidio a'i guddio am ennyd neu ddau, ond doedd hynny ddim yn drugaredd iddi, oherwydd cymylau cochion oedd y rhain.

A phan glirion nhw – wrth i'r gynnau roi'r gorau i'w pesychu ac i'r awyren godi unwaith eto i fyny i'r awyr las, ddideimlad – roedd Elias yn gorwedd ar y ddaear.

Roedd y bwledi wedi tyllu trwyddo gan ei dorri'n ddau, ac wrth iddi sylweddoli hyn, gallai Maria weld bod ei goesau byrion yn dal i symud ychydig, fel petaen nhw'n gwneud eu gorau glas i redeg – un waith eto – cyn llonyddu o'r diwedd.

Gwrandawodd y ddau ar sŵn y gacynen yn distewi yn y pellter. Yna tawelwch. Tawelwch llethol, tawelwch annaturiol: roedd Mynydd Ida'n dal ei wynt.

'Mae o . . . mae o wedi mynd,' sibrydodd Nikos, fel tasa'r peilot yn gallu ei glywed, ond caeodd Maria ei bysedd yn dynn am ei fraich gan ysgwyd ei phen arno'n ffyrnig a'i llygaid yn fawr, oherwydd nag oedd, doedd y peilot ddim wedi mynd, roedd hi wedi'i weld o'n gwenu arni – gwên a ddywedai'n glir wrthi y byddai'n dod yn ei ôl i chwilio amdani.

Llond dwrn o eiliadau hirion yn crwbanu heibio, ac yna sïo piwis y gacynen yn dychwelyd. Sŵn llawer iawn mwy penderfynol, rywsut, y tro hwn – sŵn a dyfai'n uwch ac yn uwch cyn i'r gynnau ddechrau tanio unwaith eto â'r un hen dwrw tebyg i ddyn yn pesychu fflem o'i ysgyfaint. Gwasgai Maria a Nikos ei gilydd yn dynn, dwy belen fregus o gnawd ac esgyrn, wrth i'r bwledi a'u cymylau o gerrig a phridd ddawnsio tuag atynt, yn nes ac yn nes ac yn nes, yna cawod ohonyn nhw'n sgrechian oddi ar wynebau geirwon y creigiau, yn sgrechian fel llwynogesau, bron . . . ac yna heibio iddyn nhw, a rhagor o sgrechian wrth iddyn nhw ffrwydro'n ddi-ddim dros y clwstwr nesaf o greigiau, cyn i'r awyren godi eilwaith, troi a diflannu o'r golwg a'r clyw i gyfeiriad y gorllewin.

Mi *wenodd* arna i, meddyliodd Maria. Gwenu – ac yna gwneud ei orau i'm lladd i a Nikos, fel y lladdodd o Elias.

Roedd hi'n crynu, yn crynu fel deilen . . . ac yna gwelodd y gwaed a lifai i lawr dros wyneb gwyn Nikos.

6

Llygod gwylltion

Anogia a llethrau Psiloritis

Yn ôl yn Anogia, y cwestiwn ar wefusau pawb oedd, 'Pwy . . .
pwy rŵan?' wrth iddyn nhw ddod allan o'u tai a chwifio'u
dyrnau ar ôl yr awyren oedd erbyn hynny wedi hen fynd.

A'r cwestiwn nesaf: 'Pwy sy'n debygol o fod allan ar y
mynydd yr adeg yma o'r dydd?'

Yr *andártes*, meddai rhai – ond wedyn, fuodd 'na ddim
saethu'n ôl at yr awyren. Dyna pryd y dechreuodd yr
arbenigwyr draethu – oedd, mi oedd 'na rai i'w cael ym mhob
pentref yng Nghreta – arbenigwyr ar arfau'r gwahanol luoedd
arfog, rhai'r gelyn yn enwedig. Wedi'r cwbl, roeddan nhw wedi
cael bron i dair blynedd i astudio'r pwnc – digon i fedru graddio
ynddo.

Awyren Focke-Wulf oedd hi, medden nhw, ac roedd honno'n
gallu ymddangos o nunlle, a go brin fod pwy bynnag oedd ar y
mynydd wedi cael cyfle i wneud fawr mwy na thaflu eu hunain
ar y ddaear, a dweud gair o weddi.

Ia, wel, dyna'r peth dwytha roedd ar amryw eisiau ei glywed,
pobol oedd â pherthnasau neu ffrindiau allai fod ar y mynydd,
a bloeddiwyd ar yr arbenigwyr i gau eu cegau, wir Dduw, os
nad oedd ganddyn nhw unrhyw beth call i'w ddweud. Ond tyfu
wnaeth y rhestr: *andártes*, bugeiliaid, rhywun o'r SOE hefo set
radio, un o'r rhedwyr, sipsiwn, lladron oedd allan yn dwyn
defaid a geifr . . .

Y gwir amdani oedd y medrai unrhyw un dan haul fod allan
ar y mynydd yr adeg yma o'r dydd – ardal waharddedig neu
beidio.

Gwrandawodd Grigori Daskalakis ar yr holl siarad. Roedd yntau wedi cael ei dynnu allan o'i dŷ gan synau'r awyren a'i gynnau, ond doedd o ddim wedi codi'i ddwrn ar yr awyr. I beth, yntê? Yn hytrach, crwydrai ei lygaid dros wynebau'r dyrfa oedd wedi ymgasglu yn un o sgwariau bach y pentref, y tu allan i un o'r siopau coffi oedd heb agor eto (er mai pur anaml roedd unrhyw goffi go iawn i'w gael y dyddiau yma).

Bellach, gwnâi Grigori hyn yn reddfol, bron, a rŵan setlai ei lygaid ar wyneb pob merch ifanc, er y gwyddai ym mêr ei esgyrn na fyddai Maria yn eu plith. Eris Stagakis oedd y gyntaf iddo'i gweld, hithau'n amlwg wedi gofalu brwsio'i gwallt hir, syth cyn mentro allan o'i thŷ. Roedd hynny fymryn yn bwysicach iddi, wrth gwrs, na beth bynnag oedd wedi digwydd, a sylwodd Grigori arni'n camu'n ôl o gysgod y coed i'r heulwen ifanc er mwyn i'w gwallt fedru sgleinio'n ôl arno fo.

Gaia Leladakis, wedyn, mor wahanol i Eris: plwmpan fach gron yr oedd ei gwên lydan, barod yn arfer harddu'i hwyneb, ond rŵan oedd â'i gwallt dros y lle i gyd, a'i llygaid fawr mwy na dwy hollt yn ei hwyneb, yn amlwg ddim ond newydd fustachu o'i gwely. Gwyliodd Grigori hi'n camu i'r heulwen at Eris, er bod yn well ganddi gysgod y coed planwydd. Ond lle bynnag roedd Eris y dyddiau yma, yno hefyd roedd Gaia – Gaia a arferai fod yn ffrind pennaf i Maria. Eris oedd popeth ganddi bellach. Gaia fach, meddyliodd Grigori, tasat ti ddim ond yn gwybod sut mae Eris yn siarad amdanat ti'r tu ôl i dy gefn – mor ddilornus, mor sbeitlyd. Ac roedd mwy nag un o gwsmeriaid y siopau coffi, wrth wylio'r ddwy ferch yn mynd trwy'r pentref, wedi gwneud y sylw fod Gaia druan fel hwyaden fach dew yn honcian cerdded yn sgil rhyw alarch balch.

Cododd yr alarch ei phen wrth i Hanna Kallergis ddod ati hi a Gaia. Roedd golwg anghyffredin o ddi-raen ar Hanna, sylwodd Grigori: ei hwyneb yn goch fel petai wedi rhedeg yma o rywle, a chudynnau o'i gwallt yn hongian drosto'n llipa. O ochr bella'r sgwâr gwyliodd Grigori'r tair wrth i Hanna ofyn rhywbeth i'r ddwy arall, yna Gaia'n edrych ar Eris ac Eris yn codi'i hysgwyddau ac yn ysgwyd ei phen. Edrychodd Hanna dros y sgwâr eto, o un wyneb i'r llall, cyn troi'n ôl at y lleill, ac – ia – ailofyn ei chwestiwn, penderfynodd Grigori o weld ymateb diamynedd Eris, a phan drodd Hanna'n ddisymwth a chychwyn am droed yr allt a arweiniai at gartref y teulu Alevizakis, brysiodd Grigori ar ei hôl.

'Hanna!' galwodd, gan ddifaru'n syth bìn ei fod wedi gwneud hynny. Be oedd ganddo fo i'w ddweud wrthi, mewn gwirionedd? A go brin fod ganddi hithau lawer i'w ddweud wrtho fo, o bawb.

Hanner ffordd i fyny'r allt, trodd Hanna: merch dal, denau, a chanddi geg a edrychai, ar yr olwg gyntaf, fel petai fymryn yn rhy lydan i'w hwyneb. Gwelodd hi'n cuchio'n ddiamynedd wrth weld pwy oedd yn llamu i fyny'r allt y tu ôl iddi. Yr hyn a welai, gwyddai Grigori, oedd bwgan brain o ddyn, yn freichiau ac yn goesau i gyd: rhywun oedd yn prysur golli'i wallt, hefo mwstás digon sgraglyd a dillad a edrychai'n rhy fach iddo, rywsut, er eu bod nhw mewn gwirionedd yn hongian amdano, a sbectol a fynnai lithro i lawr ei drwyn bob gafael.

'Wel?'

Pam goblyn gwnes i alw arni? meddyliodd Grigori. Roedd o wedi gwneud hynny'n hollol ddifeddwl. Edrychodd heibio iddi a thros ei hysgwydd yn hytrach na'i hateb. Roedd tŷ Maria'n weddol agos, a doedd neb, hyd y gwyddai, wedi dod allan ohono.

Gwenodd yn llipa. 'Mae'r un peth wedi'n taro ni'n dau, dwi'n amau.' Amneidiodd ei ben i gyfeiriad tŷ Maria.

Camodd Hanna ato a rhoi ei llaw ar ei fraich. 'Be ti'n trio'i ddeud, Grigori?'

Achosodd ei chyffyrddiad ysgafn gryn syndod iddo: pryd oedd y tro diwethaf i rywun ei gyffwrdd mewn unrhyw ffordd?

'Dim byd,' baglodd. 'Mond . . . wel, doedd Thera Alevizakis ddim yn y sgwâr, nagoedd? A dwi'm wedi gweld Maria o gwmpas y lle ers . . .' Cododd ei ysgwyddau. 'Mae hi ar y mynydd, yn tydi, Hanna? Hi a Nikos.'

Rhythodd Hanna arno. Yna gollyngodd ei gafael ar ei fraich – ei lluchio, fwy neu lai, oddi wrthi, fel petai'n taflu hen glwt anghynnes a fynnai lynu yn ei bysedd. Byddai rhywun yn meddwl mai Grigori oedd wedi cydio yn ei braich *hi*. Trodd ac ailgychwyn yn frysiog i fyny'r allt, a dilynodd Grigori hi, at y tŷ ac yna i fyny'r grisiau cerrig wrth ei ochr, at ddrws y gegin. Roedd hi'n curo ar y drws ac yn galw pan gyrhaeddodd y tu ôl iddi.

'Maria? Kyría Thera?'

Roedd drws y gegin yn gilagored. Trodd Hanna ac edrych ar Grigori fel pe bai'n ei weld am y tro cyntaf; roedd yn gyfarwydd iawn â'r edrychiad yna ers tro bellach – onid oedd o'n ei chael hi gan bawb, bron, lle bynnag yr âi? Ochneidiodd yn fewnol wrth ymestyn heibio iddi a gwthio'r drws ar agor. Rhoes y ddau naid fechan pan welson nhw fod Adonia, mam Nikos, yn eistedd ar stôl bren y tu mewn i'r drws ac yn eu hwynebu, a dwy iâr yn pigo ar lawr pridd yr ystafell wrth ei thraed.

'O, Kyría Adonia, mae'n ddrwg gynnon ni . . .' dechreuodd Grigori, ond gwthiodd Hanna heibio iddo ac i mewn i'r tŷ, gan anwybyddu'r ddynes yn llwyr wrth wthio heibio iddi hithau hefyd. 'Kyría Thera?' galwodd. 'Helô . . .?'

Tŷ deulawr oedd cartref Manoli a Thera Alevizakis (oedd yn beth prin yn Anogia cyn y rhyfel), ag ysgol bren yn cysylltu'r ddau lawr. Dringodd Hanna hi a brathu'i phen i mewn i'r llawr nesaf, a chanolbwyntiodd Grigori ar hel y ddwy iâr allan drwy'r drws; doedd o ddim eisiau i Hanna droi'n sydyn a'i ddal yn llygadu'i choesau a'i phen-ôl.

I lawr â hi'n ei hôl, gan ysgwyd ei phen. Roedd Grigori'n hofran yn y drws fel petai'n disgwyl iddi ddweud wrtho beth i'w wneud nesaf. Gwthiodd hithau heibio iddo a mynd allan o'r tŷ.

'Hanna?' clywodd Grigori'n galw o'r tu ôl iddi.

'Mae hi wedi mynd i'r mynydd, yn tydi?' meddai Hanna dros ei hysgwydd. 'Mae'n rhaid ei bod hi.'

Cychwynnodd i lawr y grisiau am yr allt gan adael Grigori'n petruso wrth y drws: beth fyddai orau iddo'i wneud, ei gau ynteu ei adael fel ag yr oedd? Roedd llygaid Adonia wedi'u hoelio ar y drws a'i hwyneb yn hollol ddifynegiant. Prin y medrai Grigori edrych arni. Teimlai'n annifyr yn cau'r drws reit yn wyneb y ddynes druan a hithau'n rhythu allan drwyddo fel hyn. Ond be arall fedra i neud? meddai wrtho'i hun. Ceisiodd ei gau'n dawel, gan nodio a gwenu a theimlo fel petai'n cau drws ystafell plentyn oedd yn gyndyn o gysgu.

Trodd a brysio i lawr y stepiau ar ôl Hanna, gan hanner disgwyl clywed bloedd yn ei ddilyn o'r ochr arall i'r drws. Yn ei frys, bu bron iddo faglu dros un o'r ieir.

Dros bennau'r dorf cafodd y Tad Kosta Yrakis gip arnyn nhw'n cychwyn dringo'r llwybr i'r mynydd – Hanna ar y blaen a Grigori'n ei dilyn fel rhyw gi bach llywaeth. Yn reddfol, agorodd Kosta'i geg i alw arnyn nhw cyn sylweddoli ei fod, wrth gwrs, yn rhy bell iddyn nhw fedru'i glywed. Ac i beth y rhybuddiai nhw fod awyrennau'n gallu dod yn eu holau, a hynny ar amrantiad? Roeddan nhw'n gwybod hynny, siŵr iawn – wedi hen ddysgu hynny.

Hwyrach y gallai fod wedi defnyddio rhywfaint ar ei awdurdod i alw Grigori yn ei ôl, gan ddweud wrtho mai yn yr ysgol yr oedd ei le, yn disgwyl pa bynnag blant a ddewisai fynd yno heddiw. Byddai Grigori, ar ôl tin-droi ychydig fel llwdwn y bendro, fwy na thebyg wedi ufuddhau iddo ac wedi dychwelyd yn bwdlyd. Ond yna gwelodd Kosta fod nifer o'r taclau bach ar y mynydd eu hunain, ynghyd â llond dau ddwrn o oedolion.

Fel defaid, meddyliodd Kosta – defaid dwl. Roeddan nhw'n rhy agos i'w gilydd; oeddan nhw ddim yn sylweddoli eu bod felly'n creu targed mawr, cyfleus petai'r awyren honno'n dod yn ei hôl? Nid am y tro cyntaf, meddyliodd Kosta Yrakis nad oedd nemor ddim dysgu ar bobol Anogia, a'u bod nhw'n amlach na pheidio'n gofyn amdani. Petai ei gyfaill, y Tad Ioannis Skoulas, yn eu gweld nhw rŵan, mi fyddai'n eu lambastio i gyd i'r cymylau am fod mor hurt, ond roedd hwnnw rywle yn nwyrain yr ynys, yn ôl ei wraig.

Sylweddolodd ei fod, yn ei feddwl, yn swnio fel Grigori. Ers i'w fam farw'r llynedd, roedd hwnnw fel petai'n gwneud ati i dynnu pobol i'w ben. Tasa fo ddim ond yn dysgu cau ei geg weithiau. Hyd yn oed o bellter y sgwâr, gallai Kosta weld bod bwlch reit dda rhwng Grigori a phawb arall ar lwybr y mynydd – ac eto roedd yr athro'n dal i ddringo'n benderfynol, yn ffigwr unig yn ei siwt lychlyd, ddu.

*

'Dos!' gwaeddodd Nikos. 'Jest dos o 'ma, 'nei di!'

Baglodd Maria'n ei hôl ac oddi wrtho, yn ei chwrcwd, wedi'i dychryn mwy gan ei weiddi na chan y gwaed ar ei wyneb: cynnyrch hollt fechan ar ei dalcen, gwelai yn awr, lle roedd darn o'r graig wedi'i daro wrth i fwled sgrechian oddi arni – un o'r toriadau hynny sydd, diolch byth, yn edrych yn llawer gwaeth nag ydi o mewn gwirionedd. Doedd Nikos ddim yn edrych nac yn swnio fel petai o mewn unrhyw boen mawr. Roedd o wedi aros yn union fel ag yr oedd o pan ymosododd yr awyren arnyn nhw – yn belen a chyda'i lygaid ar y ddaear.

Datododd Maria'i sgarff, a hynny â chryn drafferth; roedd ei dwylo'n crynu a'i bysedd yn anufudd a lletchwith.

'Dim ond crafiad gest ti, Nikos, gad i mi sychu dy wynab di.'

'Na!'

Sylweddolodd Maria beth oedd yn bod ar y creadur wrth i'r drewdod ruthro i fyny'i ffroenau. Llwyddodd i beidio â chyfogi, ac wrth iddi godi i'w chwman, penderfynodd gymryd arni nad oedd hi wedi deall.

'Iawn, ol-reit!' meddai. 'Bydd fel'na, ta. Mond trio helpu o'n i.' Dim ymateb. 'Yli, dwi isio . . . mi fydda i'r tu ôl i'r creigia nesa 'na, iawn?'

Gan aros yn ei chwman, llithrodd allan o'r clwstwr creigiau. Roedd yr awyr yn lasach nag erioed – ac yn wag, diolch i Dduw – ond y tu ôl iddi gorweddai gweddillion corff Elias y Rhedwr, ei ymysgaroedd yn stemio yng ngwres cynnar yr haul. Ceisiodd sefyll ond roedd ei choesau'n wan – yn rhy wan i ddal ei phwysau am ychydig. Gwyddai fod yn rhaid iddi symud er mwyn Nikos, felly gosododd ei dwylo yn erbyn y creigiau a'i llusgo'i hun ar hyd-ddynt nes iddi gyrraedd y pen. Pwysodd yn eu herbyn, nes teimlo'i chalon yn dechrau arafu a rhywfaint o nerth yn dod yn ôl i'w choesau; yna brysiodd ar draws y darn bychan o dir agored at y clwstwr nesaf o greigiau. Eisteddodd, a'i chefn yn pwyso yn erbyn un ohonyn nhw.

Petai Elias ddim ond wedi rhedeg at y creigiau yma! Ond roedd o wedi dewis denu'r awyren oddi wrthi hi a Nikos, ac oherwydd hynny wedi dawnsio mewn cwmwl o waed cyn disgyn yn ddau ddarn blinedig i'r ddaear. Cofiodd fel roedd ei goesau byrion wedi plycio a gwingo ohonyn nhw'u hunain, a gwyddai y byddai'n eu gweld yn gwneud hynny eto ac eto ac eto yn ei breuddwydion. Yn rhedeg gan fynd i nunlle.

Gwthiodd ei dwylo dan ei cheseiliau ond i ddim diben; roedd hi'n crynu drwyddi bellach, o'i chorun i'w sawdl – crynod a ddôi o'r tu mewn iddi. *Arnon ni mae'r bai am hyn,* meddyliodd, *arna i a Nikos am fod yma ar y mynydd yn y lle cynta.* Plygodd ymlaen wrth deimlo'i stumog yn troi, a chwydu nes roedd tu mewn ei gwddw ar dân, a'r dagrau poethion yn powlio i lawr ei gruddiau. Petai'r peilot yn dod yn ei ôl rŵan, meddyliodd, yr hogyn ifanc hwnnw â'i awyren swnllyd a'i wên greulon, yna mi faswn i'n ei groesawu, yn rhedeg allan o gysgod y creigiau a sefyll wrth gorff truenus Elias â'm breichiau'n llydan agored er mwyn i'r bwledi fy lladd innau hefyd. Oherwydd dwi ddim yn haeddu unrhyw beth arall.

Pan safodd o'r diwedd roedd ei gwallt yn glynu'n chwyslyd yn ei thalcen, a theimlai ei choesau fel petaen nhw newydd ei chludo'n llafurus i fyny Psiloritis, dros wyth mil o droedfeddi, at eglwys fach Timios Stavros ar y copa. Symudodd oddi wrth ddrewdod ei chŵd ac eistedd ar garreg, ei dwylo ar ei gliniau a'i phen i lawr. Rhoddai'r byd am fedru golchi'i cheg. Poerodd droeon i gael gwared o rywfaint o'r blas sur a chwerw.

Clywodd sŵn sgrialu, yna llais Nikos. 'Maria?'

Brathodd ei phen heibio i ochrau'r creigiau. 'Yn fama . . .'

Ar ôl un edrychiad sydyn i'w chyfeiriad trodd Nikos i ffwrdd. Cododd Maria ar ei thraed, ond â'i phwysau'n dal i fod ar y graig rhag ofn i'w choesau simsanu eto. Gwelodd fod Nikos yn syllu i gyfeiriad Elias.

'Nikos, paid! Paid ag edrach arno fo.'

Ond ei hanwybyddu wnaeth o. Cerddodd oddi wrthi ar

draws y darn o dir agored nes dod at gorff Elias. Syllodd i lawr ar y gweddillion gyda rhywbeth tebyg iawn i chwilfrydedd.

'*Nikos!*'

Cychwynnodd Maria ar ei ôl. Yna, arhosodd yn stond a chraffu i'r awyr. Na – dim ond yn ei phen yr oedd twrw'r awyren a chlecian herciog y gynnau. Fel hyn mae adar bach a llygod gwyllt yn teimlo drwy'r amser, meddyliodd – yr ofn nerfus, tragwyddol yna fod eryr neu hebog am ruthro amdanyn nhw ar amrantiad o lesni'r awyr.

Cryfhaodd ei choesau ryw ychydig wrth iddi hercian ar ôl Nikos. Gwingodd y bachgen oddi wrthi pan osododd Maria'i llaw yn ysgafn ar ei ysgwydd; roedd hi wedi anghofio mai hon oedd ei ysgwydd dendar. Ond yna meddyliodd: na – mae'i ysgwydd o wedi hen fendio. Gwingo oddi wrtha *i* y mae o.

'Tyd, Nikos.'

Chymerodd o ddim rhagor o sylw ohoni, a sylweddolodd Maria ei bod hi'n sefyll mewn gwaed. Gorweddai'r rhan uchaf o gorff Elias a'i gefn ar y ddaear; roedd ei lygaid yn llydan agored fel petai'n gwylio rhyw ryfeddodau'n digwydd yn yr awyr, ei geg wedi rhewi'n grechwen frawychus. Bron nad arferai o edrych fel hyn wrth dynnu stumiau a gwneud lol . . .

Trodd Maria i ffwrdd wrth deimlo'i stumog wag yn troi unwaith eto. Gwelodd Nikos yn symud ychydig oddi wrthi. Doedd arno ddim eisiau iddi fynd yn rhy agos ato, deallodd; mae'n rhaid mod i'n dal i ddrewi, a'r oglau'n hofran o nghwmpas i fel haid o bryfed. Sylweddolodd fod creigiau eraill ychydig oddi tanynt, a'r llwybr, er yn fwy serth, yn mynd rhyngddyn nhw. Ychydig o goed drain gwynion, hefyd. Llawer mwy o gysgod, yn sicr.

'Fasa'n well i ni symud,' meddai.

Heb aros amdano, cychwynnodd i lawr y mynydd gan anelu am y creigiau a'r coed. Sut goblyn roedd Nikos wedi llwyddo i'w lanhau ei hun? daliodd ei hun yn meddwl, o bopeth. Doedd 'na ddim dŵr ar gyfyl y lle; does 'na ddim afonydd na nentydd ar Fynydd Psiloritis ar wahân i ambell ffynnon yma a thraw, a gwyddai Maria fod y ffynnon agosaf yn ôl i fyny'r llethrau, nid nepell o gwt Yanni'r Chwibanwr. Yna penderfynodd: mae'n rhaid ei fod o wedi tynnu'i drowsus isa gwlân, ac wedi'i adael o'r golwg yn y creigiau – ar ôl sychu'i hun hefo fo, fwy na thebyg.

O, Maria, be 'di'r ots? meddyliodd. Ond, wrth gwrs, doedd ganddi ddim rheolaeth dros ei meddyliau wrth iddyn nhw wibio'n wyllt i bob cyfeiriad, fel y gwibiai ei llygaid yn ôl a blaen dros yr awyr rhag ofn i'r awyren ddod yn ei hôl.

Eisteddodd yng nghysgod coeden ddraenen wen. Caeodd ei llygaid a dal ei hwyneb i fyny at wres yr haul. Pan agorodd nhw, gwelodd fod Nikos wedi cerdded i lawr ati.

'Barod?' gofynnodd iddo. 'Fydd dy fam yn siŵr o fod yn poeni.'

Edrychodd Nikos arni a'i wyneb yn llawn dirmyg. Heb ddweud gair, trodd oddi wrthi a mynd i lawr y llwybr. Roedd ei holl osgo'n dweud yn blaen nad oedd o'n dymuno iddi gerdded wrth ei ochr. Doedd gan Maria ddim dewis ond ei wylio'n mynd. Yn sicr, doedd ganddi mo'r nerth i'w ddilyn y foment honno. Ac oedd, roedd hi wedi haeddu'r edrychiad olaf yna, meddyliodd: go brin fod Adonia druan fymryn callach fod 'na unrhyw saethu wedi digwydd.

Felly, safodd Maria yno yn llygad haul y bore cynnar yn gwylio'r ffigwr bach eiddil, unig yn mynd yn bellach ac yn bellach oddi wrthi. Gwisgai Nikos hen ddillad a berthynai ar un adeg i'w brawd Marko: trowsus hefo cortyn yn ei gadw i fyny am ei ganol, crys a'i lewys wedi'u torchi sawl gwaith dros ei arddyrnau a'i freichiau bach tenau, a'r *kapóta* fechan dros ei ysgwyddau – hen beth ddrewllyd a sgraglyd fuasai'n eiddo i Levtheri yn wreiddiol cyn i Marko ei hetifeddu, ac a oedd ar fin cael ei thaflu nes i Thera ddigwydd ei dangos i Nikos, a bu'r *kapóta* amdano byth ers hynny. Roedd honno, hyd yn oed, fel pob dim a wisgai, yn edrych yn rhy fawr iddo – rhywbeth arall a wnâi iddo ymddangos yn fwy o blentyn nag oedd o go iawn.

Wedi iddo ddiflannu o'i golwg ailgychwynnodd Maria i lawr y mynydd ar ei ôl, gan wybod bod rhywbeth wedi newid rhyngddyn nhw heddiw – er gwaeth, ac am byth – a'i bod hi wedi rhoi fflic fach chwareus i un o glustiau Nikos am y tro olaf.

*

Roedd Thera Alevizakis wedi hen dynnu'r sgarff oedd ar ei phen, ac wedi'i glymu am ei garddwrn. Erbyn hyn glynai cudynnau o'i gwallt arian yn ei gruddiau a'i thalcen, a byddai wedi hoffi gallu diosg ei sgert a'i siwmper wlân hefyd – popeth, yn wir, ond ei sandalau. Roedd yr awyr uwch ei phen, bellach, yn hollol las, a chopa Ida'n ei dallu â'i wynder.

Arhosodd unwaith eto i gael ei gwynt ati, sychu'r chwys oddi ar ei hwyneb a chwilio'r awyr; roedd hi'n dal i fod yn glir, diolch byth. Fodd bynnag, nid ofni gweld yr awyren 'na'n dychwelyd roedd hi, ond ofni gweld siapiau tawel (ac iddi hi heddiw, llawer iawn mwy sinistr) y *kokkaládes* a'r *gýpes* – fwlturiaid yr ynys – yr un Barfog a'r Griffon. Roedd niferoedd y rheiny wedi cynyddu dipyn dros y blynyddoedd diwethaf, ac roedd y syniad fod y sglyfaethod yna'n gwledda ar gorff cynnes ei merch . . .

Dadebrodd Thera a brysio'n ei blaen gan geisio anwybyddu protestiadau ei chluniau. Ymdrechai hefyd i anwybyddu sgrechfeydd Braw a Dychryn, ond roedd hynny'n anos o lawer.

'Aw!' Arhosodd yn stond gan wasgu'i llaw'n galed yn erbyn ei hystlys. Roedd pigyn creulon newydd saethu fel gwiallen boeth drwy'i hochr, a bu'n rhaid iddi eistedd ar graig fechan wrth ochr y llwybr. Gwyddai heb edrych fod Braw a Dychryn wedi setlo ym mrigau'r ddraenen wen a dyfai gerllaw, a'u bod yn ei gwylio'n graff â'u llygaid bach milain, gloyw.

Fe'i cawsai ei hun yn cychwyn am y mynydd gynnau heb unrhyw gof o adael y tŷ. Fel pe na bai ganddi ei meddwl ei hun. Ac nid am y tro cyntaf yn ystod y tair blynedd diwethaf, cafodd Thera achos i synfyfyrio mai rhywbeth elfennol, cyntefig fel hyn yw greddf mam – y gallu rhyfedd i synhwyro bod un o'i phlant mewn perygl, ac i ymateb iddo'n hollol wyllt a difeddwl. Rhyw sicrwydd oer felly'r tu mewn iddi oedd wedi'i gyrru yn ei blaen heddiw, heb unrhyw syniad i ble roedd hi'n mynd, dim ond bod yn rhaid iddi fod yno, waeth beth oedd o'i blaen.

Cododd ei phen wrth i'r wiallen yn ei hystlys gael ei thynnu allan fesul tipyn. Safodd, ychydig yn simsan, a thrwy gornel ei llygad chwith gallai daeru iddi weld y ddwy gigfran yn codi o'r ddraenen wen a hedfan i ffwrdd. Yn eu holau i gyfeiriad Anogia.

Ond o leia roeddan nhw wedi mynd o fama. Trodd gan deimlo sicrwydd arall yn chwyddo'r tu mewn iddi, un llawer iawn cynhesach y tro hwn, a phan graffodd i fyny'r llwybr rhuthrodd dagrau o ryddhad i'w llygaid o weld, yn y pellter, ddau ffigwr cyfarwydd yn igam-ogamu i lawr tuag ati.

EGWYL

Môr Libia

'Am bobol!'

Dau air y byddai Siphi'n eu dweud yn aml, weddill ei oes. Ond nid â dirmyg – na, byth â dirmyg, byth yn ddilornus, ond wastad ag edmygedd yn ei lais ac yn ei ochenaid wrth i'w feddwl grwydro'n ôl i Greta. Hyd yn oed ddegawdau yn ddiweddarach, a'i ddannedd ceimion wedi mynd am byth a rhai syth a thwt wedi cymryd eu lle, meddyliai tybed fuasen nhw'n ei adnabod, yn cofio'i wên?

Genod Anogia . . .

Hanna, a Maria.

'Am bobol,' meddai wrtho'i hun rŵan wrth syllu'n ôl ar yr un dyfroedd, fwy neu lai, ag y syllodd Kreipe arnyn nhw rai wythnosau o'i flaen. Yr un siâp tywyll yn mynd yn llai ac yn llai.

Y fan lle roedd gweithgareddau erchyll yn cael eu cyflawni dros anrhydedd teuluoedd. Y fan lle roedd y teulu'n bwysicach na dim, yn sicr yn bwysicach na phethau pitw ac amherthnasol fel cyfraith gwlad a threfn, a gyddfau'n cael eu hollti a chyrff yn cael eu trywanu i dalu'r pwyth yn ôl am rywbeth oedd wedi digwydd, yn amlach na pheidio, ddegawdau ynghynt. Rhyw sarhad ar y teulu gan aelod o deulu arall, neu eifr a defaid gawsai eu dwyn, neu ferch gawsai ei chipio a'i gorfodi i briodi.

Llawer i'w gondemnio? Efallai – ond, ym marn Siphi, cymaint mwy i'w edmygu. Eu dewrder – ia, wrth gwrs – ond hefyd eu caredigrwydd di-ben-draw, eu tosturi a'u croeso, eu parodrwydd i gofleidio pob cyfaill ac i roi lloches i ddieithriaid llwyr, er bod hynny'n aml yn peryglu eu bywydau nhw'u hunain a bywydau eu teuluoedd a'u plant.

Hiraeth? O oedd, roedd ganddo hiraeth am y lle.

Hiraeth a ddechreuodd cyn iddo ymadael, bron. Hiraeth oedd heno wedi peri i'w lygaid losgi'n wlyb socian wrth iddo ddilyn y traddodiad mewn rhyfel o ddiosg ei fotasau ar y traeth, a'u rhoi yn anrheg i'r rhai oedd wedi'i dywys yno'n ddiogel, cyn sgrialu i mewn i'r cwch rhwyfo a dringo, wedyn, yn nüwch y nos, i fyny i'r *kaïki* pysgota fyddai'n ei gludo i Ogledd Affrica.

Hiraeth oedd yn ddigon cryf i wneud iddo ddyheu am neges radio munud olaf yn dweud bod gormod o'r gelyn o gwmpas, ac y dylai fynd yn ei ôl yn syth bìn. Hiraeth wnaeth iddo gefnu ar weddill y criw a syllu trwy lygaid llaith ar siâp du'r ynys yn pendwmpian yng ngolau'r lleuad.

Hiraeth am leisiau'n canu'r *mantinádes*, am flas y ffacbys a'r malwod a'r ffa'n ffrwydro dros ei dafod, am gaws y geifr a llefrith y defaid, am y gwin, ac am y *rakí* wedi'i wneud o fwyar Mair. Am fysedd tyner hen ferched doeth y pentrefi uchel a wyddai sut i gael gwared o gur pen a chryd cymalau, eu lleisiau'n llafarganu doedd-wybod-be wrth iddyn nhw ollwng pob mathau o olewau, fesul diferyn, i mewn i wydraid o ddŵr, â chysgodion y nionod a'r tomatos a'r garlleg a hongiai oddi ar drawstiau'r nenfwd yn dawnsio'n ddiog yng ngolau canhwyllau. Arwyddion y groes a hen, hen eiriau.

Hiraeth am Elias, y rhedwr siriol; am Yanni a'i chwiban fyddarol, gyfarwydd, a'i sgyrsiau a'i bryfocio tawel yng ngolau'r tân.

Am genod Anogia: Maria, a Hanna.

Llanwodd arogl y teim gwyllt ei ffroenau. Arogl Creta. Llanwodd ei ysgyfaint â'r arogl cyn cefnu ar yr ynys dywyll, a throi am y caban.

RHAN 2

7

Dychweliad yr *Alp*

Traeth Ligaria [1]

Gwyliodd yr Oberleutnant Tobias Jung y ddynes yn dawnsio i mewn ac allan o'r dŵr, yn chwarae mig â'r tonnau bychain. Edrychodd Magda yn ôl dros ei hysgwydd, a'i ddal yn ei gwylio. Syllodd arno am ychydig cyn troi'n ei hôl i wynebu'r môr a symud drwyddo'n benderfynol nes i'r dŵr gyrraedd hyd at ei chanol. Un edrychiad arall dros ei hysgwydd, yna plymio o'r golwg cyn dychwelyd i'r wyneb rai metrau i ffwrdd. Gwelodd hi'n dechrau nofio o ddifrif, yn hyderus ac yn egnïol.

Roedd y môr cyn lased â'r awyr, a'r haul yn taro'n boeth; roedd hi'n fis Mehefin yng Nghreta, wedi'r cwbl. Roeddan nhw wedi darganfod traeth Ligaria a'i fae bychan y drws nesaf i draeth mwy agored Agia Pelagia, a gweld bod un Ligaria'n mwynhau cryn dipyn mwy o gysgod na'r rhan fwyaf o'r traethau eraill. Er hynny, doedd y môr ddim wedi dechrau cynhesu go iawn, a gwyddai Jung na fyddai Magda'n hir iawn cyn dod allan yn ei hôl.

Teimlai'n swp sâl. Doedd Magda ddim yn ddwl; roedd hi wedi troi i edrych arno droeon ar y ffordd yma.

'Be bynnag ydi o, Tobias, dwi'm isio gwbod tan ar ôl i mi fod yn nofio, iawn?'

Nodiodd yntau gan nad oedd o'n edrych ymlaen at orfod dweud wrthi, a chan wybod na fyddai'n teimlo 'run gronyn gwell ar ôl dweud. Wedi iddyn nhw gyrraedd y traeth, rhoes Magda'i sbectol yn ei bag a diosg ei hiwnifform yn syth bìn. Roedd ei gwisg nofio amdani'n barod, a heb edrych arno cerddodd i lawr at y môr.

Doedd o ddim wedi cysgu winc neithiwr. Fo oedd yr un dwl os oedd o wedi tybio am eiliad y gallai guddio hynny oddi wrth Magda. Taniodd sigarét, er ei fod wedi ysmygu'n ddi-dor, bron, rhwng bore ddoe a phnawn heddiw. Edrychodd yn sydyn i'w chwith, yn credu iddo gael cip trwy gornel ei lygad ar rywun yn dynesu tuag atynt ar hyd y traeth – un ffigwr yn rhedeg yn benderfynol i'w cyfeiriad. Ond doedd 'na neb yno.

'O Dduw mawr . . .' sibrydodd.

Teimlai ers tro bellach fod cysgod yn ei ddilyn drwy'r amser, fel rhywun yn mynnu sefyll rhyngddo a'r haul ac yn ei gadw rhag cynhesu drwyddo'n llawn – cysgod oedd wedi tyfu'n fwy ac yn fwy, ac fel petai'n nesáu ato'n slei bach. Wastad yno yng nghornel ei lygad.

Caeodd ei lygaid a dal ei wyneb i fyny i wres yr haul. Pan ailagorodd nhw roedd Magda'n dod tuag ato ar hyd y tywod dan grynu, a'i gwallt brown golau fel gwymon yn wylo dros ei hysgwyddau gwynion. Cododd Jung dan duchan; roedd ei glun yn ei boeni'n o ddrwg heddiw, yn ddigon drwg iddo ddod â'i ffon gerdded hefo fo. Agorodd y tywel a chamodd Magda i mewn iddo'n ddiolchgar.

'Traeth Preveli,' meddai Jung, dim ond er mwyn cael dweud rhywbeth.

'Be?'

'Un diwrnod, mi awn ni yno. Os lici di. Mae o'n draeth prydferth, a choed palmwydd ac afon yn rhedeg trwyddo. Mae'r môr yn gynhesach o dipyn yn fanno. Mae'n rhyfedd cymaint o wahaniaeth sydd 'na rhwng arfordir y de a'r gogledd, o ystyried mai ynys go gul . . .'

Tawodd. Roedd o'n mwydro, a doedd arni hi ddim eisiau gorfod gwrando ar y rwtsh yma, roedd hynny i'w weld yn glir yn y ffordd roedd hi'n rhwbio'i breichiau a'i hysgwyddau a'i choesau â'r tywel. Ysgwyddau, breichiau a choesau go gyhyrog, hefyd: roedd hi wedi treulio'r rhan fwyaf o'i hieuenctid yn nofio'n gystadleuol, yn aelod o dîm nofio merched ym Munich dan lygad barcud Gisela Arendt – enillydd dwy fedal yng Ngêmau'r Haf, 1936 – ac wedi bod ag un llygad ar y posibilrwydd o gystadlu ar lefel Olympaidd ei hun. 'Nes i'r rhyfel 'ma ddod a chwalu'r freuddwyd arbennig honno,' roedd hi wedi'i ddweud wrth Jung pan ddechreuon nhw ddod i'w nabod ei gilydd gyntaf.

Roedd hynny dair blynedd yn ôl bellach, yn yr ysbyty yn Athen lle roedd Magda'n nyrsio ac yntau'n gwella'n boenus o araf ar ôl cael ei anafu yn ystod Brwydr Creta. Yr adeg honno, doedd hi ddim wedi swnio mor chwerw ag y byddai Jung wedi'i ddisgwyl, ond daeth i sylweddoli fesul tipyn fod chwerwder mawr iawn yno, yn llechu dan ei hanner gwên a'i geiriau mingam.

Ac nid oherwydd y nofio yn unig, chwaith.

Gosododd Magda'r tywel ar y tywod a chwilota yn ei bag am ei sigaréts. Eisteddai Jung ar y tywod wrth ei hochr. Roedd ei gwallt yn ogleuo o'r môr a rhoddai'r byd am fedru gwthio'i wyneb i'w ganol ac aros felly am hydoedd a'i lygaid ynghau.

Ond doedd hynny ddim am ddigwydd heddiw. Chwythodd Magda linyn llwyd o fwg i'r awyr. Heb edrych arno, meddai, 'Dwi'n barod, Tobias.' Gwyddai Jung na fedrai ohirio'r dweud un funud yn hwy.

'Golo Wolf,' meddai. 'Mae Golo Wolf yn ôl yma.'

Trodd Magda a rhythu arno, a'r lliw yn llifo o'i hwyneb.

*

Meffistoffeles

Müller yn gyntaf – a rŵan, Golo Wolf.

Pam ddiawl oedd raid iddyn nhw gipio Kreipe? Pam na fedran nhw fod wedi gadael llonydd i'r dyn lle roedd o? Bellach roedd 'na ddau fwystfil yn ôl ar yr ynys yma – dau anghenfil a wnâi i'r Minotor hwnnw roedd Tobias mor hoff o sôn amdano ymddangos fel llo bach llywaeth.

Teimlai Magda fel sgrechian dros y traeth. Roeddan nhw mor hyderus fod eu gwaith nhw'u dau, Tobias a hithau, wedi darfod, a bod penodiad Kreipe yn golygu y byddai'r holl losgi a dienyddio gwallgof yn graddol ddirwyn i ben – cymaint felly nes eu bod wedi dechrau ymlacio a mwynhau cael bod yng nghwmni'i gilydd, heb iddi hi orfod sibrwd enw rhyw bentref

yn ei glust – yr enw a'r dyddiad – a heb orfod meddwl am
Tobias wedyn yn mynd draw i Knossos a'r wybodaeth yma
wedi'i chuddio y tu mewn i'w baced sigaréts, a gorfod gweddïo
mai'r dwylo iawn fyddai'n dod o hyd iddo, a'r llygaid iawn yn
ei ddarllen.

Roedd Tobias wedi sôn cryn dipyn wrthi am Golo Wolf yn
ystod y tair blynedd diwethaf, nes roedd y dyn wedi tyfu'n rhyw
fath o fwgan yn ei meddwl hithau. Er bod Wolf wedi cael ei
symud o'r ynys ddiwedd haf 1941, i Tobias roedd o bron fel
fersiwn dynol o'r *Alp*, y cythraul fampiraidd hwnnw o lên gwerin
yr Almaen sy'n aflonyddu ar freuddwydion pobol. Golo Wolf
oedd un o'r rhesymau pam roedd o, Tobias Jung, yn gwneud yr
hyn a wnâi, meddai wrth Magda un tro.

'Fo sy wedi fy nhroi i'n fradwr,' meddai – a phan glywodd
hi'r gair afiach hwnnw, roedd hi wedi gwthio Tobias oddi wrthi,
ac wedi'i golbio a'i gicio nes iddo rowlio oddi ar y gwely ac aros
yn swatian mewn cornel a'i freichiau dros ei ben.

Gweddïai Jung yn aml fod Wolf wedi cael ei ladd, a bod ei
esgyrn bellach yn pydru'n braf dan bridd oer a chaled rhyw gae
anghysbell yng nghanol Rwsia. Ond teimlai yn ei waed nad felly
roedd hi, ac y byddai Wolf ryw ddydd yn dychwelyd i'w fywyd
– yn wir, ei fod eisoes wedi dechrau gwneud hynny, ac mai
cysgod Golo Wolf a welai Jung yn gyson yn hofran rhyngddo
a'r haul.

'Mae'n bywydau ni ynghlwm – Wolf a finna,' meddai wrth
Magda un tro, 'ers i ni lanio yn fama.'

Cyfeirio roedd o at Frwydr Creta, 'nôl ym Mai 1941, pan
achubodd Jung fywyd Wolf, a hwnnw wedyn yn gorfod achub
ei fywyd yntau funudau'n ddiweddarach. Ond doedd Magda
bragmatig ddim am wrando ar unrhyw hen lol fel hyn.

'Tasat ti wedi gadael i Golo Wolf gael ei saethu, mi fasat titha
wedi gwaedu i farwolaeth yn y lle 'na,' meddai, 'felly paid ti â
siarad mor blydi hurt, Tobias.'

'Y lle 'na' oedd maes glanio Maleme yng ngogledd yr ynys,
yn ystod ymosodiad ar safle gynnau fflac y gelyn. Roedd dau
filwr o Seland Newydd wedi codi i fyny o'r ddaear, bron, â reiffl

un ohonyn nhw wedi'i anelu at Golo Wolf, mor agos ato nes byddai'n amhosib i'r fwled fethu'i daro. Roedd sylw Wolf ar glawdd isel lathenni i'r cyfeiriad arall, felly welodd o mo'r milwyr yn codi o'r tu ôl i domen fechan o rwbel, ond gwelodd Jung nhw. Trwy lwc yn fwy na dim arall, mi saethodd yr un oedd ar fin saethu Wolf, ac wrth i hwnnw syrthio tuag yn ôl, aeth ei fwled i fyny i'r awyr. Yn y cyfamser, saethodd y milwr arall at Jung a'i daro yn ei ysgwydd chwith; fe'i taflwyd yn ôl gan yr ergyd, a baglodd dros ragor o rwbel. Wrth iddo geisio codi, aeth bwled arall trwy ei glun dde.

Cofiai Tobias weld y gwaed yn saethu o'i glun – gwaed coch tywyll, bron yn ddu – a sylweddoli ar yr un eiliad fod yr wythïen fawr wedi'i niweidio. Du hefyd oedd lliw yr awyr, a honno eiliadau ynghynt yn las golau. Teimlai'r oerni mwyaf ofnadwy yn llifo drwy'i gorff, ynghyd â'r blinder mwyaf llethol iddo'i brofi erioed, a chaeodd ei lygaid. Roedd dwylo rhywun yn gwneud rhywbeth iddo, a theimlai'n biwis tuag at bwy bynnag oedd wrthi: pam na fasan nhw'n gadael llonydd iddo fo gael napan fach, wir Dduw? Oedd hynny'n ormod i'w ofyn?

Ond roedd y dwylo'n mynnu ei hambygio, ac agorodd fymryn ar ei lygaid a gweld Golo Wolf yn ei gwrcwd wrth ei ochr, ei ddwylo'n edrych fel petai ganddo fenig cochion amdanyn nhw, yn tynnu gwregys yn dynn, dynn, yn boenus o dynn, am ei glun – reit uwchben lle roedd yr archoll. Yna roedd Jung yn cael ei lusgo gerfydd ei goler, dros y rwbel, ei goes a'i ysgwydd yn llosgi'n wenfflam. Mae'n rhaid fod y boen wedi peri iddo lewygu, oherwydd y tro nesaf iddo agor ei lygaid, roedd yn gorwedd ar wely cynfas, isel yn yr ysbyty maes.

Welodd o mo Golo Wolf wedyn. Drannoeth, deallodd Jung, roedd Wolf wedi arwain y platŵn o filwyr a lwyddodd i gipio Bryn 107, ychydig i'r gorllewin o Balantias. Tipyn o gamp, chwarae teg. *Heil, Wolf*!

Neu dyna feddyliai Jung, nes iddo glywed am 'ymweliad' Wolf â phentrefi Kondomari a Kandanos – a Spilia, Perivolia a Skalani. Dyna pryd y trodd Golo Wolf yn fwgan iddo – yr *Alp* a aflonyddai ar ei freuddwydion. Yr unig fendith oedd mai bwgan a berthynai i'r gorffennol oedd o . . .

Tan ddoe.

*

Wrthi'n ceisio tanio injan gyndyn y jîp roedd Jung pan glywodd floedd y tu ôl iddo. Trodd, a theimlo cwlwm tyn yn ffurfio ac yn cloi yng ngwaelodion ei stumog.

Dyna lle roedd o, yn wên o glust i glust ac wedi ymddangos o nunlle, bron, fel Meffistoffeles gerbron Faust. Yn neidio i mewn i'r jîp, a Jung yn gallu gwneud dim ond rhythu arno. Yn sicr, fedrai o ddim gwenu'n ôl ag unrhyw argyhoeddiad, nid ac yntau'n teimlo fel plygu dros ochr y jîp a chwydu'i berfeddion dros y ddaear.

'Golo?'

'Tobias!' Pwniodd Wolf o yn ei ysgwydd, a gwingodd Jung. 'O, dydi'r ysgwydd 'na rioed yn dal i frifo gen ti?'

'Mond pan fydd rhywun yn ei dyrnu hi.'

'A'r goes?'

'Rhywbeth tebyg.'

Rhoddodd Jung ei law dros ei glun dde rhag ofn i Wolf ddechrau colbio honno hefyd. Y gwir amdani oedd bod Jung yn gloff ers iddo adael yr ysbyty bron i dair blynedd ynghynt, ac roedd yn dal i gael clymau chwithig poenus yn ei goes o bryd i'w gilydd. Fe ddôi'r rheiny'n gwbl ddirybudd, gan ei hyrddio ar ei liniau yn amlach na pheidio, yn griddfan mewn poen.

Ond faswn i ddim yma i deimlo unrhyw boen oni bai am hwn, meddyliodd, felly gwnaeth ymdrech i edrych fel petai'n falch o weld Wolf unwaith eto, gan wybod nad oedd yn llwyddo'n rhy dda: fu Tobias Jung erioed yn fawr o actor. Ac roedd Wolf yn rhy graff. Roedd yr hen arferiad yna o syllu ar rywun fel petai'n gallu darllen ei feddwl ganddo o hyd – fel tasa fo'n gobeithio dod o hyd i rywbeth y gallai ei ddefnyddio yn erbyn y person arall ryw dro.

'Ers pryd wyt ti'n ôl?' gofynnodd Jung, ond yn hytrach na'i ateb chwarddodd Wolf, gan edrych o gwmpas yr orsaf filwrol fel tasa fo ddim yn gallu credu ei fod o yma. Roedd y dirmyg a deimlai i'w weld yn glir ar ei wyneb. Yna pwyntiodd at y bathodyn a wisgai ar goler ei diwnig.

'Wel? Dwyt ti ddim am fy llongyfarch i?'

Capten, gwelodd Jung. Hwn yn gapten – Duw a'n helpo.

'O . . . debyg iawn. Ma'n ddrwg gen i, wnes i ddim sylwi. Llongyfarchiadau, Herr Hauptmann.'

'*Danke.*'

Arhosodd y wên ar ei wyneb wrth i'w lygaid dreiddio i mewn i rai Jung. Ble bynnag mae'r diawl yma wedi bod ers bron i dair blynedd, dydi o ddim wedi newid llawer, meddyliodd Jung. Ei wyneb ychydig yn deneuach, hwyrach, a fymryn yn fwy hagr, ond fel arall yr unig wahaniaeth ydi bod y locsyn bwch gafr bychan a arferai stryffaglu i dyfu ar ei ên wedi rhoi'r ffidil yn y to.

Ar goler ei diwnig werdd roedd medal Croes y Marchog – y *Ritterkreuz des Eisernen Kreuzes* – yn amlwg. Tynnodd ei helmed haul i ddangos ei wallt tywyll, trwchus, cyn sgubo'i lawes dros ei dalcen, yna rhoi'r helmed yn ôl am ei ben a rhoi waldan i olwyn lywio'r jîp.

'Tyd. Dwi'n gorfod bod yn ôl yma erbyn un ar ddeg. Mi hoffwn i gael sgwrs efo'm hen ffrind cyn hynny.' Ac wrth i Jung betruso, ychwanegodd: 'Anghofia am y ffycin adfeilion 'na am heddiw, Herr Oberleutnant. Ti'n byw ac yn bod yno fel mae hi, yn ôl fel dwi'n dallt. Am *ryw* reswm.' Unwaith eto crwydrodd ei lygaid dros wyneb Tobias, cyn troi i ffwrdd ac amneidio â'i ben i gyfeiriad giatiau'r orsaf. 'Yr harbwr,' meddai. 'Ychydig o wynt y môr.'

Fel petai'n gwawdio Jung, cychwynnodd injan y jîp yn syth bìn. Erbyn hyn roedd y cwlwm y tu mewn i'w stumog wedi troi'n ddwrn oedd yn agor a chau.

Yn ôl fel dwi'n dallt.

Roedd Golo Wolf wedi dangos yn blaen ei fod o wedi gwneud ymholiadau go drylwyr ynglŷn â Tobias Jung cyn ailymddangos yn ei fywyd, ac yn gwybod am ei ymweliadau mynych ag adfeilion dinas Knossos.

*

Traeth Ligaria [2]

'Wel, debyg iawn ei fod o'n gwbod am hynny,' meddai Magda. 'Tydi pawb yn gwbod? Dyna be oeddat ti isio, yndê?'

Roedd Tobias Jung wedi creu delwedd ohono'i hun fel ysgolhaig amaturaidd, rhywun oedd â'i fryd ar ryw boitsio archaeolegol, a'i feddwl hanner yr amser ar bethau oedd wedi digwydd filoedd o flynyddoedd yn ôl.

'Ti wedi gofalu hynny, yn dwyt, Tobias? Mi gafodd Kreipe wbod amdanat ti fwy neu lai'n syth bìn ar ôl iddo fo gyrraedd yma, yndô?'

'Do, do . . .' – ond doedd Magda erioed wedi cyfarfod â Golo Wolf, nagoedd? Erioed wedi teimlo'r llygaid craff yna'n cropian fel pryfed cop dros ei hwyneb ac i mewn i'w hymennydd.

'Soniodd o amdana *i* o gwbwl?' gofynnodd Magda.

Ysgydwodd Jung ei ben. 'Naddo.' Roedd hynny, fwy na thebyg, yn beth da, meddyliodd, ac yn awgrymu nad oedd y llall wedi gwneud ymholiadau mor drylwyr â hynny.

'Ddim hyd yn oed i dynnu dy goes di amdana i, neu i holi sut ffwc ydw i?' meddai Magda, ac edrychodd Jung arni wrth iddi wthio stwmp ei sigarét i mewn i'r tywod. Er gwaethaf ei hymdrechion i dawelu'i feddwl, roedd y newydd am Wolf yn amlwg wedi'i hysgwyd hithau hefyd: doedd hi ddim yn arfer bod mor gwrs â hyn yn ei sgwrs.

'Dim gair. Ond yndda *i* mae ei ddiddordeb o.' Sgrialodd Jung am ei llaw a chydio ynddi'n dynn. 'Gad i mi ddeud wrthat ti be ddigwyddodd wedyn.' Meddyliodd am eiliad fod Magda am gipio'i llaw o'i afael, ond dim ond eisiau ei llaw yn rhydd i danio sigarét arall yr oedd hi.

'Iawn,' meddai wrtho. 'Tyd, deuda. Be ddigwyddodd?'

*

Defaid y *Wehrmacht*

'Ces fy ngeni i fod yn filwr.'

Geiriau Golo Wolf amdano'i hun. Roedd Tobias Jung wedi'u clywed hyd syrffed, pan oeddan nhw'n hyfforddi hefo'i gilydd ar gyfer y *Fallschirmjäger*, y gatrawd barasiwtio – ac wedyn yng

Ngwlad Pwyl a'r Iseldiroedd, cyn iddyn nhw gael eu hanfon yma i Greta fel rhan o'r syrcas wirion bost honno (ym marn Jung), y cyrch dan yr enw cod *Unternehmen Merkur*.

A dyma fo rŵan yn *Hauptmann* o'i gorun i'w sawdl.

Tybed be fasa'n digwydd, meddyliodd Jung wrth yrru'r jîp ar hyd ochr harbwr Iráklion, petawn i'n crybwyll enwau'r holl bentrefi 'na wrtho fo? Yn enwedig y ddau gyntaf, Kondomari a Kandanos. Ond dwi'n rhannol gyfrifol am yr hyn a ddigwyddodd yno, atgoffodd ei hun am y canfed tro – a Duw a ŵyr sawl pentref arall ym mha wledydd bynnag y bu Wolf ynddyn nhw yn ystod y tair blynedd diwethaf. Pe bawn i'n hanner dyn – yn chwarter dyn – mi faswn i'n neidio am ei wddw fo rŵan hyn, a'i dagu i farwolaeth yn y fan a'r lle. Fasa hynny ddim ond yn deg, wedi'r cwbwl: fi achubodd ei fywyd o, felly gen i mae'r hawl i'w ddiffodd.

Faint wyddai o am y dyn, mewn difrif? Nemor ddim. Roedd ganddo wraig gartref yn Köln ac roedd ei dad (oedd wedi'i eni i fod yn blismon, yn ôl Wolf) yn swyddog uchel hefo'r Gestapo yn yr un ddinas. Ac roedd ei fam-yng-nghyfraith . . . Wel, dyna beth oedd stori od ar y naw! meddyliodd Jung, wrth iddyn nhw aros i dair lori yn llawn o filwyr grwbanu heibio.

Pan oeddan nhw yn yr Iseldiroedd hefo'i gilydd ar ddechrau'r rhyfel, roedd Wolf wedi brolio droeon (wrth unrhyw un a wrandawai arno) fod ganddo 'ffrindiau dylanwadol'. Ar y pryd, tybiai Jung mai cyfeirio at ei dad ac aelodau eraill o'r Gestapo yn Köln yr oedd o, ond yn raddol, yn enwedig ar ôl Brwydr Creta, fe ddechreuodd glywed sibrydion go wahanol am y ffrindiau dylanwadol hyn. Neu am un ffrind yn arbennig. Neb llai na Hermann Göring ei hun.

Pan oedd Göring yn beilot ifanc gyda'r *Jagdstaffel 5* yn 1916, cawsai ei saethu i lawr ar ôl cael ei anafu'n ddrwg yn ei glun. Roedd wedi cymryd misoedd iddo wella, a'r nyrs a ofalai amdano amlaf oedd y dynes a ddôi, maes o law, yn fam-yng-nghyfraith i filwr ifanc o'r enw Golo Wolf. Roedd Göring wedi cadw mewn cysylltiad â hi dros y blynyddoedd, gan ei sicrhau yn gyson ei fod yn benderfynol o dalu'n ôl iddi rywbryd am ei charedigrwydd a'i gofal . . .

Ymysgydwodd Tobias wrth i Wolf bwyntio i gyfeiriad y Koules – yr hen gaer Fenisaidd a safai fel dant ystyfnig yng ngheg harbwr Iráklion, a gorchymyn iddo barcio yng nghysgod y muriau hynafol.

'Mi wnaiff fama'r tro. Tyd efo fi, Tobias.'

Mi wnaiff y tro i be, tybed? meddyliodd Jung wrth ddiffodd y peiriant. Dringodd y ddau o'r jîp a chamu at ochr y cei. Ymdrechodd Jung, fel y gwnâi bob tro y dôi yma, i ddychmygu'r porthladd fel ag yr oedd cyn y rhyfel – yr adeiladau o'i gwmpas heb eto'u troi'n furddunnod, a harddwch yr harbwr heb ei hagru gan bresenoldeb y llongau a'r cychod milwrol, llwyd. Ond methu fu'i hanes unwaith yn rhagor; doedd ganddo 'run atgof o'r dyddiau hynny i roi hwb i'w ddychymyg gwan. Gwyliodd y gwenoliaid bach prysur yn gwibio'n ôl a blaen dros wyneb y dŵr, ac ambell belican yn ei dow-dowio hi rhwng y llongau, a dyheai am fedru llenwi'i ffroenau a'i ysgyfaint ag arogleuon naturiol harbwr, heb deimlo pwys yn codi yn ei stumog o ganlyniad i ddrewdod yr holl olew.

Roedd tri hen bysgotwr yn trin eu rhwydi ar un o'r cychod a bwniai ochrau'r cei. Roedd eu *caïque* lliwgar yn edrych yn od yma, rywsut, bron fel pe na bai'n perthyn yma o gwbl. Edrychodd y pysgotwyr i fyny mewn braw pan ymddangosodd y ddau swyddog uwch eu pennau: gwaherddid pobol leol rhag defnyddio'r traethau a'r porthladdoedd heb ganiatâd arbennig, a sgrialodd un ohonyn nhw i'w boced am y darn papur hollbwysig hwnnw – un a oedd, fwy na thebyg, yn dwyn llofnod Tobias Jung ei hun gan mai rhan go fawr o'i waith dyddiol oedd mynd trwy'r holl geisiadau gwahanol a phenderfynu pwy a gâi wneud be, ymhle a pha bryd. Ysgydwodd Jung ei ben ar y pysgotwr – dim ots, ddyn, dim ots – ac ymlaciodd hwnnw ryw gymaint.

Doedd gan Golo Wolf ddim diddordeb ynddyn nhw. Safai a'i ddwylo ymhleth y tu ôl i'w gefn, fel tasa fo'n cynhesu'i ben-ôl o flaen tanllwyth o dân. Yna trodd ac edrych ar Tobias. Yr hen edrychiad craff yna, a'r crych bychan rhwng ei aeliau, fel petai'n ei astudio.

Gwenodd Jung ychydig yn ansicr. 'Be . . .?' gofynnodd.

Ysgydwodd Wolf ei ben. 'Do'n i ddim wedi disgwyl dy weld ti'n dal yma, Tobias,' meddai. Tynnodd baced o sigaréts o boced frest ei diwnig. 'Hefo'r anafiadau gest ti, mi fasat wedi cael mynd adra 'nôl i Regensburg. Fel tipyn o arwr hefyd. Ac mae'r Prydeinwyr wedi gadael llonydd i dy gartra di, yn tydyn? Ar wahân i'r ffatri Messerschmitt honno.'

'A'r burfa olew.'

'Nid fel Köln, Tobias,' gwgodd Wolf, fel petaen nhw'n cystadlu'n blentynnaidd – mae nghartra i wedi diodda mwy na dy gartra di! 'Ma Köln druan wedi'i cholbio'n o ddrwg gan y bastads. Prin ro'n i'n nabod y lle y tro dwytha es i adra.'

'Mae'n ddrwg gen i. A dy deulu?'

'O, maen nhw'n iawn. Roeddan nhw wedi mudo'n ddigon buan i rai o'r pentrefi'r tu allan.' Swniai Golo Wolf fel petai ei deulu'n amherthnasol.

Dechreuodd syllu eto ar Jung, a'r paced sigaréts yn ei law o hyd – sigaréts Lucky Strike hefyd, sylwodd y llall.

'Basat, mi fasat ti wedi cael mynd adra, Tobias, i sgwario o gwmpas strydoedd a bariau a chlybiau Regensburg yn goc i gyd. Merchaid o bob oed ar d'ôl di – ma creithia rhyfel yn uffar o *aphrodisiac* i'r merchaid adra, wyddost ti hynny? Yn eu gwneud nhw'n wlyb doman, cred ti fi. Mi fasat yn gallu bod yn amlach dy gotsan nag unrhyw ddyn priod yn Regensburg. Ond ydi Tobias Jung adra i fanteisio ar hyn i gyd? Ydi, o ddiawl! Mae o yma, yma o hyd – wedi *gofyn* am gael bod yma. Wedi gneud *cais arbennig* i gael aros yma – a hynny mewn swydd ddiddiolch y tu ôl i ddesg.' Saib, a Jung yn ceisio'i orau i beidio â gwingo dan y rhaeadr hon o afledneisrwydd. Yna, meddai Wolf: 'Y cwestiwn mawr, wrth gwrs, ydi – pam?'

Daliodd i rythu am rai eiliadau, yna cymerodd arno gofio'n sydyn am y sigaréts yn ei law. 'Mae'n ddrwg gen i, Tobias . . .' Cynigiodd y paced i Jung. 'Paid â gofyn i mi lle ces i nhw.' Nodiodd i gyfeiriad y paced oedd yn sbecian allan o boced tiwnig Jung. 'Tipyn gwell smôc na'r rhai sgen ti, mi fentra i ddeud. Eckstein, mwn?' Ysgydwodd y paced Lucky Strikes dan drwyn Jung. 'Tyd, cymra un. Dwy, os lici di.'

Ufuddhaodd Jung, a derbyn tân oddi ar leitar Wolf. '*Danke*.'

Roedd Golo Wolf yn iawn, doedd yna ddim cymhariaeth rhwng y sigaréts. Y blydi Iancs, meddyliodd Jung, mae hyd yn oed eu ffags nhw'n well na'n rhai ni. Roedd yr Ecksteins yn ffiaidd o gryf, yn rhy gryf i'w mwynhau a'u gwerthfawrogi gan fod un pwffiad cyn gryfed â sigarét Lucky Strike gyfan.

Roedd y llall yn dal i syllu arno. 'Da?'

'Da iawn.'

Gwenodd Wolf. 'Mae'n rhyfedd, dydi, sut mae'r peth lleia weithiau'n ddigon i godi calon rhywun. Mae'n rhaid i mi gyfadda, Tobias, pan ges i wybod mod i'n gorfod dod yn ôl yma, mi suddodd 'y nghalon i.'

Tynnodd ei helmed: roedd yr haul eisoes wedi dechrau taro'n gynnes, a chofiodd Jung nad oedd Wolf yn un am dywydd poeth, ac y byddai'n arfer cwyno'n aml am wres yr haf adra yn Köln, hyd yn oed.

'Dynion fel chdi a fi, Tobias . . . rydan ni'n rhy dda i fod mewn rhyw le fel . . . ' Chwifiodd ei law yn ddilornus. ' . . . fel y *toiled* yma. Na, aros – mae o'n waeth na thoiled. Meddylia am dwll tin anferth yn cachu rhowlyn i mewn i'r môr. Dyna i ti be ydi'r ffycin ynys yma, Tobias – twrdyn yng nghanol Môr y Canoldir. Ac mae'r bobol . . . wel, os pobol hefyd, maen nhw fel y pryfed rheiny sydd i'w gweld yn gwledda ar gachu. Dwi'n deud wrthat ti, 'dan ni'n dau, bois fel ni, yn cael 'yn gwastraffu yma.'

Gollyngodd stwmp ei sigarét ar y llawr a'i sathru'n galed. '*Gottverdammt*, Tobias! Milwyr ydan ni. Ymladdwyr. Nid unrhyw hen filwyr cyffredin ychwaith, ond y *Fallschirmjäger*. Elît y *Wehrmacht*! Dyna pam roedd hyd yn oed yr oerni a'r gyflafan yn Rwsia yn well na'r *Scheißhaus* – y cachdy – yma! Adra mi oeddan ni o leia'n cael ymddwyn fel milwyr, a'n trin fel milwyr. Ond yn fama, be ydan ni?' Edrychai fel petai am boeri i mewn i'r harbwr. 'Fawr gwell na rhyw ffycin plismon pentra!'

Ar hyn, daeth Tobias (fel y dywedodd drannoeth wrth Magda) yn agos iawn at dynnu ei bistol Luger allan a phlannu bwled yng nghanol talcen Golo Wolf. Hwn, o bawb, yn meiddio defnyddio enw'r *Fallschirmjäger* fel hyn, ar ôl yr hyn wnaeth o. Trodd Jung oddi wrtho ac edrych dros yr harbwr, neu fel arall mi fasa fo *wedi*'i ladd o, Duw a'i helpo. Ond roedd yr haul cynnar yn ei ddallu, a syllodd yn hytrach i lawr ar y tonnau bychain yn rhoi ambell sws glec wlyb i ochrau'r cei ac i waelod *caïque* y pysgotwyr.

Plismon pentra, o ddiawl, meddyliodd. Yn ogystal â bod yn gyfrifol am ddod â rhyw lun o gyfraith a threfn i'r 'pentrefi', tasg y 'plismon' delfrydol fyddai ysgogi'r cymunedau gwangalon hynny i glirio rwbel eu hen fywydau ac ail-greu bywydau newydd iddyn nhw'u hunain; go brin mai unrhyw beth felly oedd gan Golo Wolf mewn golwg.

Roedd llygaid Wolf yn fawr yn ei ben a'r cnawd o gwmpas ei geg wedi troi'n wyn, a phan fentrodd Jung godi'i ben ac edrych arno, roedd Wolf yn rhythu arno fel petai Jung, yn bersonol, wedi trefnu iddo orfod dychwelyd i Greta. Wrth iddo siarad roedd dafnau o boer wedi sboncio o'i geg.

Yna ymlaciodd. Rhoes chwerthiniad sydyn a phwnio Jung yn ei ysgwydd iach. 'Hidia befo, mae'n rhaid i ni fynd i le bynnag maen Nhw'n ddeud, yn does? Dim holi pam, dim cwestiynu – mond mynd a gneud yn ufudd, fel defaid. Defaid y *Wehrmacht* . . .' Tywyllodd ei wyneb, ac ofnai Jung ei fod am ddechrau traethu eto. 'Ac rwyt ti'n ddigon hapus i aros yma, felly?'

'Wel . . .' Cliriodd Jung ei wddw a sathru gweddillion ei sigarét. 'Faswn i ddim yn deud mod i'n *hapus*, yndê.'

'Bodlon, ta. Yma, yn yr haul, efo dy hen adfeilion. Y petha rwyt ti wastad wedi dotio arnyn nhw o dy gwmpas di. Hen, hen hanas a ballu. Faint ydi oed y lle, beth bynnag?'

'Knossos? Anodd deud,' atebodd Jung, gan feddwl, tybed lle'n union mae'r sgwrs yma'n mynd? Oherwydd dywedai'r dwrn hwnnw a deimlai'n agor a chau yng ngwaelod ei stumog fod y sgwrs yn arwain i rywle. 'Pedair mil o flynyddoedd, falla? Chwe mil, os wyt ti'n cyfri'r olion neolithig sy wedi'u darganfod yno.'

'Pedair mil, chwe mil, be 'di'r ots? Dydi'r lle ddim mewn unrhyw berygl o ddiflannu dros nos, nac'di?'

Gwenodd Jung.

'Dwi o ddifri, Herr Oberleutnant,' meddai Wolf.

'Be? Nac'di, wrth gwrs, Herr Hauptmann.'

'Pam wyt ti'n mynd yno bob wythnos 'ta, Tobias?'

Gallai Jung deimlo'i wyneb yn ysu am gael troi'n wyn a'i goesau'n ysu am gael rhoi oddi tano.

'Ma'n ddrwg gen i?'

'Chwarae teg, rŵan, be sydd 'no i dy ddenu di o un wsnos i'r llall? Be wyt ti'n ei weld yn y ffycin lle, Tobias? Be sydd 'no i *neud*?'

'Mynd yno i hel meddyliau fydda i,' meddai Jung.

'Hel meddyliau? Am be, felly?'

'Pob mathau o bethau. Am fywyd a ballu.'

'Bywyd.'

'Mae rhywbeth am y lle, Herr Hauptmann,' llyncodd Jung, ei geg wedi sychu'n grimp mwyaf sydyn. 'Mae yno dawelwch . . . hynafol, rywsut, os mai dyna'r gair iawn. Heddychlon, bron.' Mentrodd wên fach ofalus. 'Mi ddyliat ti ddod yno hefo mi un diwrnod, Golo. Mae'n anodd egluro'r peth – mae'n rhaid i rywun ei brofi.' Petrusodd am eiliad, cyn ychwanegu: 'Dwi mond yn gwbod mod i'n teimlo'n . . . wel, yn teimlo'n well, rywsut, ar ôl bod yno.'

'Falla do' i,' meddai Wolf, ei lygaid wedi'u hoelio ar wyneb Jung. 'I brofi rhywfaint o'r . . . be galwist ti o, hefyd? Y "tawelwch hynafol" gwych yma.' Gwenodd, ond roedd yna dywyllwch oer yn llechu yn ei lygaid.

'Ond deuda wrtha i, Tobias – be oedd y Cadfridog Kreipe yn ei feddwl o'r lle?'

*

Traeth Ligaria [3]

'Ma'n wir ddrwg gen i, Magda. Ro'n i wedi edrach ymlaen cymaint at bnawn heddiw.'

O damia chdi, Tobias Jung! meddyliodd Magda. Teimlai ei llygaid yn llenwi, a fedrai hi ddim ymddiried ynddi'i hun i siarad heb i'w llais grynu. Roedd ganddo fo ffordd unigryw o ddweud pethau fel hyn – pethau neis fel hyn – a lwyddai'n ddi-ffael i'w chyffwrdd. Rhywbeth am y ffordd y baglai'r geiriau o'i geg fel petaen nhw wedi sylweddoli nad yno roeddan nhw i fod mewn gwirionedd, ond yng ngheg rhywun arall – rhyw hudwr llyfn a thwyllodrus oedd yn hen law ar chwarae â chalonnau merched. Yna, yn ôl ei arfer, roedd o wedi edrych i ffwrdd yn ffwndrus a'i ruddiau wedi cochi ryw fymryn, fel petai'n hogyn yn ei arddegau yng nghwmni'r ferch y bu'n glafoerio drosti ers iddo daro llygad arni gynta rioed.

'Mi o'n inna wedi edrach ymlaen hefyd,' llwyddodd Magda i'w ddweud o'r diwedd.

Ac roedd hi'n dweud y gwir. Doeddan nhw ddim yn cael digon o amser hefo'i gilydd fel roedd hi, dim chwarter digon, ac er nad oedd y fyddin yn eu gwahardd rhag gweld ei gilydd, doedd hi ddim yn gwneud pethau'n hawdd iddyn nhw chwaith. Câi Magda ei symud o gwmpas yr ynys, ac yn ôl ac ymlaen i'r tir mawr, lawer iawn mwy na Jung – a dueddai i gael ei gadw o gwmpas Iráklion gan amlaf.

Er mai wedi'i hyfforddi fel nyrs yr oedd Magda (Magdalena) Katharina Dürr, roedd hi bellach yn un o weithwyr radio prysuraf y fyddin Almaenig yma ar ynys Creta, diolch i'w dealltwriaeth o'r iaith Saesneg, rhywbeth ddaeth i'r amlwg yn yr ysbyty pan arferai hi sgwrsio â charcharorion rhyfel oedd wedi'u hanafu: Prydeinwyr, a milwyr o Awstralia a Seland Newydd.

Roedd hi'n adnabod Tobias Jung ers bron i dair blynedd bellach, ac wedi cysgu hefo fo saith gwaith i gyd yn ystod y naw mis diwethaf. Roedd wedi gobeithio mai heddiw, ryw ben, fyddai'r wythfed tro. Dim ond gobeithio: doedd Magda Dürr ddim yn un i gymryd unrhyw beth yn ganiataol, yn enwedig y ffaith (y *wyrth*, meddyliai'n aml) fod ar rywun ei heisiau hi –

hi a'i chorff tal, llinynnog, ei bronnau di-nod a'i hwyneb hir, ei sbectol a'i gwallt llipa, brown golau.

Roedd wedi gobeithio – wedi ffantaseiddio – y byddai'r wythfed tro yn digwydd heddiw'n bryfoclyd o raddol ac araf, ill dau'n dadwisgo'i gilydd yn yr ystafell fach fyglyd honno yn y gwesty stryd gefn yn Iráklion, a'r heulwen drwy gaeadau pren y ffenestri yn peintio streipiau poethion ar eu cyrff.

Ond rhywbeth oer, oer a anwesai'i chorff rŵan, er gwaethaf gwres yr haul, oherwydd roedd gan Magda hithau ei chysgod a'i dilynai i bobman – cysgod main dyn bach trwsiadus o'r enw Johann Reichhart a ddôi, bob hyn a hyn, i anadlu ar ei gwegil yn ei gôt ddu, ei het uchel, ei grys a'i fenig gwynion, a'i dei-bo du. Johann Reichhart – dienyddiwr swyddogol yr Almaen, a'i beiriant dienyddio ofnadwy a arhosai amdani yn yr ystafell nesaf. Disgynnai'r cysgod yn amlach drosti ers i'r blydi Saeson dwl 'na gipio'r Cadfridog Kreipe.

Ar y pryd, roedd Jung wedi ceisio'i sicrhau, 'Mi fydd o'n ei ôl yn ddiogel cyn i ni droi rownd, gei di weld,' a'i lais, cofiai Magda, yn llawn hyder ffug. 'Sgynnyn nhw'm gobaith caneri o fynd â fo oddi ar yr ynys.'

Ond aeth yr wythnosau heibio heb unrhyw olwg o Kreipe. Yna, daeth y newydd ei fod wedi gadael Creta, a'i fod bellach yn nwylo'r gelyn yn Cairo. Disgwyliai'r ddau i'r dial ailddechrau, a hynny ar raddfa lawer iawn mwy nag o'r blaen, nes byddai'r ynys yn wenfflam o un pen i'r llall.

Mi gawson nhw ail arall: ddigwyddodd hynny ddim. Daliodd Jung i ymweld â Knossos, i eistedd yn ei jîp yn mwynhau'i smôc – gan anwybyddu'r bin sbwriel. A dechreuodd y ddau ymlacio rhywfaint eto. Ond yna, daeth y newydd fod Müller am ddod yn ei ôl yn lle Kreipe. A rŵan, Golo Wolf.

Mae Tobias yn iawn i boeni, meddyliodd Magda. Bron na allai glywed Johann Reichhart yn sibrwd ei henw.

Daeth yr ysfa drosti i gydio yn Tobias a'i dynnu i lawr arni ac yna i mewn iddi yn y fan a'r lle. Ond doedd o ddim yn edrych arni; safai, yn hytrach, a'i gefn ati yn craffu ar hyd y traeth, ag un llaw yn cysgodi'i lygaid, fel petai'n syllu ar rywbeth neu ar rywun.

Tynnodd Magda'i sbectol o'i bag a'i sodro ar ei thrwyn. Doedd 'na neb yno; dyna un arall o fanteision y traeth yma, pur anaml y byddai'n rhaid iddyn nhw ei rannu â phobol eraill, ac roedd y Cretiaid lleol wedi'u gwahardd rhag mynd ar gyfyl y traethau.

'Tobias?'

Daliai hwnnw i graffu ar y traeth.

'Tobias, be sy?'

Cododd hithau a rhythu i'r un cyfeiriad, ond welai hi neb. Oedd o'n meddwl bod Wolf wedi'u dilyn ac yn eu gwylio o rywle? Cyffyrddodd yn ysgafn â'i fraich a throdd Jung ati'n sydyn; roedd ei dalcen, gwelodd Magda, yn sgleinio o chwys, ac am eiliad edrychai fel un a drigai oddi mewn i hunllef. 'Welaist ti rywbath, Tobias?'

Syllodd yntau arni am funud fel petai o ddim yn siŵr iawn pwy oedd hi. Yna ymlaciodd fymryn, ac ysgwyd ei ben.

'Na. Mond fi oedd yn . . . Na, neb.' Ceisiodd wenu. 'Dim ond un bora yng nghwmni Golo Wolf, a dwi'n byw ar fy nerfa!'

Cusanodd hi'n sydyn, pigiad bach annisgwyl ar ei gwefusau. Yna cydiodd yn ei llaw. 'Tyd,' meddai. 'Mae gen i awydd golchi nhraed.'

Aeth y ddau law yn llaw i lawr at y môr. Roedd o eisoes wedi diosg ei fotasau, ac ochneidiodd â phleser wrth i'r tonnau bychain olchi dros ei draed gwynion. Soniodd wrthi fel roedd o'n colli mynd i nofio, ac fel y byddai wrth ei fodd yn mynd i'r pwll yng nghanolfan chwaraeon Regensburg cyn y rhyfel, a chael ei ddysgu i nofio'n gryf (os nad ag unrhyw steil nac urddas) wrth hyfforddi gyda'r *Fallschirmjäger*. Byddai ei glun a'i ysgwydd bellach yn ei rwystro rhag mentro i mewn i'r môr . . .

Hel dail oedd hyn, gwyddai Magda: doedd o ddim cweit yn barod i ddod yn ôl eto at Golo Wolf. Felly, meddai wrtho, 'Gallai'r ynys yma fod mor hardd . . .' – ac edrychodd Jung arni, yr un mor ymwybodol â hithau mai dyna, fwy neu lai, yn union yr hyn ddywedodd hi'r tro cyntaf iddyn nhw dreulio pnawn hefo'i gilydd ar lan y môr. Hanner gwenodd Magda arno, ac atebodd Jung hi hefo'r un geiriau, fwy neu lai, ag a ddefnyddiodd yntau'r tro cyntaf hwnnw:

'Ac mi fydd hi eto, pan gaiff hi lonydd.'

Unwaith yn rhagor bu raid i Magda Dürr edrych draw oherwydd y dagrau yn ei llygaid, a'r rheiny mor hallt â'r tonnau rhwng bysedd ei thraed. Allai hi ddim anwybyddu'r teimlad fod pethau'n dirwyn i ben, ond ym mha ffordd, Duw a ŵyr. Ac roedd y teimlad hwnnw, am eiliad, bron iawn yn drech na hi. Dyheai am gael syrthio ar ei gliniau a gadael i'r môr ei sugno oddi ar y traeth ac i mewn i'w berfedd, cyn ei chwydu allan ar ryw draeth arall, fawr mwy na swp o gnawd crebachlyd, gwyn. Dim ond unwaith o'r blaen roedd hi wedi teimlo fel hyn.

'Be ddigwyddodd wedyn, Tobias?' gofynnodd yn ddistaw. 'Efo Golo Wolf?'

Chwarddodd yntau'n ddirybudd: cyfarthiad uchel, dihiwmor. 'Ffars,' meddai. 'Dyna iti be ddigwyddodd.'

Roedd Wolf wedi mynnu cael gweld y Villa Ariadne – cartref dros dro Kreipe yn Knossos – ac yna'r ffordd a redai rhwng y fila a'r pencadlys yn Archanes, lle roedd swyddfa Kreipe. Arhosodd droeon mewn gwahanol fannau ar hyd y ffordd gan neidio o'r jîp a cherdded yn ôl ac ymlaen. 'Fama digwyddodd o?' gofynnai'n ddi-ffael, a'i lygaid unwaith eto'n treiddio i mewn i rai Jung. Roedd hi'n amhosib ei ateb, wrth gwrs – gan fod y ffordd yn un mor droellog, gallai'r herwgipio fod wedi digwydd ar unrhyw ran ohoni.

Tasa Wolf yn *Oberleutnant* o hyd, meddai wrth Magda, yna mi faswn i wedi gallu gofyn iddo fo: Pam, Golo? Pam mae hyn mor bwysig? Be 'di'r ots ble'n union digwyddodd y cipio?

Ond roedd y wên lydan, wen honno wedi diflannu, a'r *Hauptmann* oedd yn cyfarth yr un cwestiwn, dro ar ôl tro, felly'r unig beth allai Tobias Jung ei wneud oedd ysgwyd ei ben, codi'i ysgwyddau a dweud nad oedd ganddo ddim clem.

'Sut oedd o'n disgwyl iti wybod?' gofynnodd Magda. Edrychodd Jung arni, a deallodd hithau.

'Be, doedd o rioed yn meddwl . . . ond Tobias, doedd gynnon ni affliw o ddim i'w neud efo'r peth!'

'Wn i.'

'Ond mae'n swnio fel tasa fo'n ama mai *chdi* . . .'

'Magda, ma'n ol-reit.' Roeddan nhw wedi aros yn stond, mewn dŵr at eu fferau, a sylweddolodd Jung fod ei draed wedi dechrau oeri. Camodd yn ei ôl o'r dŵr ac ar y tywod gwlyb. Cydiodd ynddi gerfydd ei hysgwyddau. 'Pysgota roedd o, dyna'r cwbwl.'

'Ond os ydi o'n amau . . .'

Doedd o ddim wedi bwriadu dychryn Magda, ond roedd o wedi gorfod cydnabod – hyd yn oed cyn heddiw – bod hynny'n anochel. Roedd yn rhaid iddi gael gwybod am Golo Wolf, a dyna ddiwedd arni. Yr eironi oedd *fod* Wolf fel petai'n ei amau o fod yn gysylltiedig mewn rhyw ffordd â'r herwgipio – gweithred na wyddai Jung y peth cyntaf amdani.

Ymdrechodd i dawelu rhywfaint ar ei meddwl.

'Magda, mi gaiff y brych amau hynny leicith o. Waeth iddo heb, na waeth? Ffeindith o ddim byd – am y rheswm syml nad oes 'na ddim byd i'w ffeindio.'

Llwyddodd, rywsut, i wenu. 'Pantomeim oedd y cwbwl, Magda. Sioe bìn, wedi'i sgriptio a'i chynllunio a'i pherfformio ar fy nghyfer i yn unig. Wyddost ti be, y ffordd roedd o wrthi, ro'n i'n hanner disgwyl ei weld o'n disgyn ar ei bedwar a chraffu ar wyneb y ffordd trwy chwyddwydr, fel Hans Albers yn *Der Mann, der Sherlock Holmes war!*'

Pwniodd hi'n bryfoclyd a chael rhith o wên yn ôl. Troesant yn eu holau; roedd ei glun wedi dechrau brifo eto, ac roedd breichiau ac ysgwyddau Magda'n groen gŵydd i gyd, er gwaetha'r haul. Wrth droi, meddyliodd Tobias Jung iddo gael cip ar rywun yn rhedeg i'w gyfeiriad o'r pellter.

Un ffigwr unig – un cysgod – yn dod yn benderfynol tuag ato.

8

Y tanau ar y mynydd

Llethrau Psiloritis

O'r pentref, gwyddai Maria, mi fydden nhw'n ymddangos fel haid o bryfed tân.

Pan oedd hi'n iau ac yn rhy fach i gael crwydro llwybrau'r mynydd yn y tywyllwch, arferai sefyll dan gysgod ei hambarél wrth droed yr allt yn syllu i fyny ar y mynydd, gan geisio cyfri'r tanau bychain a winciai i lawr arni o ddüwch y llethrau, a chwarae'r gêm o geisio dyfalu pa rai oedd lampau ei thad a'i brodyr. Roedd hi'n amhosib dweud, wrth gwrs; edrychai'r pryfed tân i gyd yr un fath wrth iddyn nhw chwarae mig â'i gilydd.

Ond un flwyddyn addawodd Levtheri a Marko y buasen nhw'n sefyll ochr yn ochr a chwifio'u lampau mewn cylchoedd uwch eu pennau er mwyn iddi hi fedru gweld lle roeddan nhw'n sefyll. Bu Maria'n craffu i fyny ar y mynydd am hydoedd, yn y glaw, ond welodd hi ddim un o'r pryfed gloyw yn troi mewn cylchoedd. Pan ddaeth ei brodyr adref o'r diwedd, a'u pwcedi'n llawn o'r malwod a aethai â'u bryd, cyfaddefodd y ddau eu bod wedi anghofio popeth am eu haddewid iddi.

Roedd tair blynedd ar ddeg ers y noson honno, ond gallai Maria ei chofio'n glir. Meddyliai amdani bob tro y denai'r glaw mân drigolion Anogia i'r mynydd hefo'u lampau a'u pwcedi, eu powlenni a'u basgedi, i gasglu'r malwod a ddôi allan o dan y cerrig a'r creigiau. Ac roedd hi'n dal yn gallu profi'r siom, yn dal i deimlo rhith bychan o'r gynddaredd a'i gyrrodd i ruthro am ei brodyr – Marko, yn ddeg oed y flwyddyn honno, a Levtheri bron yn bymtheg. Roedd hi wedi mynd am y ddau ohonyn nhw yr un pryd, yn gorwynt bychan o gyrls duon a dyrnau bach miniog, gan eu dychryn ddigon i beri iddyn nhw ollwng y pwcedi nes roedd traed y tri ohonyn nhw'n crensian a sgweltsian a sglefrio dros lawr y gegin.

Heno, ei lantarn hi oedd un o'r pryfed tân oedd yn britho tywyllwch y mynydd. Roedd hi wedi mynnu cael dod yma, er bod Nikos eisoes yma yn rhywle hefo'i bwced – fo a thri o hogia eraill.

'Mi fydd o'n siŵr o gasglu mwy na digon,' meddai ei mam wrthi. 'Does dim raid i ti fynd o gwbwl.' A do, mi gafodd Maria ei themtio i aros adra, yn sych ac yn glyd. Ond doedd hi ddim wedi bod ar y mynydd ers i'r awyren honno ladd Elias y Rhedwr: roedd yn hen bryd iddi fynd yn ei hôl yno, petai ddim ond er mwyn ceisio dileu wyneb sbeitlyd y peilot o'i meddwl ac o'i chof.

'Gora po gynta yr a' i'n ôl yno, yndê Mam? Ac ma Yanni wedi rhoid ei ordor am *kohli bourbouristí*, cofiwch,' meddai â gwen ymdrechgar.

Wrth weld ei mam yn stryffaglu i fyny llwybr y mynydd o flaen pawb arall y diwrnod hwnnw, roedd hi wedi teimlo'n iawn. Yr adrenalin, mae'n siŵr – a'r holl stŵr fuodd 'na wedyn ar ôl iddyn nhw gyrraedd y pentref, a'r holl sylw gafodd Nikos a hithau. Ond roedd hi wedi deffro'r noson honno yn gweiddi dros y tŷ, gan ddychryn Thera am ei bywyd.

Yn ei breuddwyd roedd hi yn ôl ar y mynydd a'r awyren yn rhuthro amdani, ond y tro yma doedd 'na unlle iddi ymguddio – dim llethrau na chlystyrau o greigiau, dim ond rhos agored, ddi-ben-draw. Roedd hi'n rhedeg dros y rhos ar goesau o blwm, a'r awyren yn sgrechian y tu ôl iddi, a phan edrychai dros ei hysgwydd gallai weld y peilot yn glir: sgerbwd, a'i wên yn grechwen filain, yn dod yn nes ac yn nes a hithau'n methu symud gan fod ymysgaroedd Elias wedi'u lapio'u hunain fel nadroedd am ei thraed a'i fferau, ac Elias ei hun yn tynnu stumiau arni fel y coblyn a'i goesau, lathenni i ffwrdd, yn cicio a chicio fel petaen nhwythau hefyd yn gwneud eu gorau i redeg . . .

Drannoeth, roedd y syniad o fynd yn ôl i'r mynydd yn codi croen gŵydd dros ei chorff ac yn gwneud iddi grynu i gyd. Roedd hi hefyd yn crio ar ddim, ac yn gyndyn o roi ei phen allan o'r tŷ, heb sôn am fynd i unman. Neidiai fel ysgyfarnog gyda phob sŵn annisgwyl a ddôi o'r tu allan. Fedrai hi ddim cael gwared ar wyneb y sgerbwd o'i meddwl; roedd o yno bob tro y caeai ei llygaid, a'r wyneb yn dod yn gliriach o hyd, a'r wên yn lletach ac yn lletach.

Ac er iddi olchi a golchi'i thraed, fedrai hi ddim cael gwared ar yr argyhoeddiad eu bod yn drewi o waed Elias y Rhedwr.

*

Erbyn y pnawn roedd y cymylau wedi dechrau hel uwchben y mynydd. Roedd Yanni'n iawn, fel arfer – roedd 'na ragor o law ar y ffordd.

Erbyn hyn, hefyd, roedd Maria wedi dechrau teimlo'n flin efo hi ei hun am fod mor gyfoglyd o wan. Be oedd yn bod arni? Onid Alevizakis oedd ei henw? Enw a gâi ei barchu gan drigolion pentrefi'r mynyddoedd, enw teulu fu'n herio gorthrymwyr lu ers pan oedd y Fenisiaid yn gormesu'r ynys. Ac roedd y mynydd a hithau'n perthyn i'w gilydd, yn rhannau o'i gilydd.

Psiloritis oedd ei hadra hi!

Ar ben hynny, roedd Nikos i'w weld yn rêl boi: doedd o ddim mymryn gwaeth ar ôl ei brofiad. Gwnaeth yr annhegwch hwn iddi fagu hen deimladau sbeitlyd tuag ato, a phan welai ei wyneb difynegiant yn edrych arni wrth iddi hi ddioddef un o'i phyliau o grio dros y peth lleiaf, dôi Maria'n agos at ddweud rhywbeth fel, 'Paid ti ag edrach fel yna arna *i*, Nikos – *chdi*, nid y fi, oedd yr un a gachodd lond ei drowsus!' Ond wedyn, fe'i hatgoffai Maria ei hun – Kondomari.

Kondomari . . . byddai beth bynnag a welsai Nikos yno'n siŵr o fod wedi'i galedu, a hwyrach nad oedd y digwyddiad ar y mynydd yn ddim o'i gymharu â hynny.

Nid bod Maria ei hun yn anghyfarwydd â marwolaeth a thrais – ddim o bell ffordd. Doedd cyfraith y dinasoedd modern

144

ddim wedi cael llawer o effaith ar bentrefi mynyddoedd Creta, a hyd yn oed cyn y rhyfel roedd y mynyddoedd yn gartref i sawl herwr. A'r galanasau gwaed rhwng teuluoedd . . . Tasg gyntaf pob prentis bugail fyddai dysgu sut i saethu.

A'r llynedd, fel nifer o drigolion Anogia, roedd Maria wedi bod yn dyst i ddienyddiad y Kapetán Giannis Dramountanis-Stefanogiannis. Roedd yr Almaenwyr wedi amgylchynu'r pentref ac wedi arestio'r *kapetán* gyda'r bwriad o fynd â fo i ffwrdd i gael ei 'holi'. Gwyddai yntau'n union beth oedd hynny'n ei olygu – arteithio hir a phoenus, ac yna'i osod yn erbyn wal ym muarth y carchar a'i saethu. Penderfynodd fod yn well o lawer ganddo farw yma yn Anogia; felly, gan alw ar ei fab ifanc i droi ei ben i ffwrdd, trodd a neidio ar ben clawdd – er bod ei ddwylo ynghlwm y tu ôl i'w gefn – a chafodd ei saethu yn y fan a'r lle. Roedd yn gelain cyn i'w gorff daro'r ddaear.

*

Roedd Nikos wedi hen gyhoeddi'i fwriad o fynd i'r mynydd heno hefo'i ffrindiau, ac os oedd *o* am fynd, yna'n sicr doedd Maria Alevizakis ddim am aros adra, yn crynu fel llygoden mewn twll. Felly, allan â hi hefo'i phwced a'i lantarn i ganol y glaw mân, gan deimlo ychydig yn siomedig nad oedd Hanna wedi galw amdani. A bod yn deg, doedd Hanna ddim wedi gaddo gwneud hynny, ond ateb digon amwys roedd Maria wedi'i gael pan ofynnodd hi iddi yn gynharach oedd hi am ddod i hel malwod. 'Os galla i,' oedd geiriau Hanna, gan gario mlaen â sgwrs arall cyn i Maria fedru'i holi beth fyddai'n debygol o'i rhwystro.

Beth bynnag oedd o, ddaeth Hanna ddim. Roedd Eris a Gaia yno, fodd bynnag; roedd Maria wedi'u gweld nhw'n brysio i fyny'r llwybr i'r mynydd fel roedd hi'n gadael y tŷ. Cafodd y teimlad eu bod yn gwybod yn iawn ei bod hi'r tu ôl iddyn nhw, ond eu bod yn smalio fel arall. Credai iddi weld Gaia'n dechrau edrych dros ei hysgwydd fwy nag unwaith, a throi'n ei hôl yn frysiog bob tro wrth i Eris ddweud rhywbeth wrthi.

Tan yn gymharol ddiweddar, mi fuasai'r ddwy wedi galw am Maria ar eu ffordd – wel, Gaia, o leiaf. Eris oedd y drwg yn y caws – un o'r merched hynny oedd yn ffrindiau mawr efo chi un funud ac yna'n eich sbeitio y tu ôl i'ch cefn y funud nesaf. Doedd hi a Maria erioed wedi bod yn agos: roeddan nhw'n rhy wahanol o beth wmbredd – y Faria wyllt allan ym mhob tywydd, yn byw ac yn bod ar y mynydd ac yn barod i gwffio hefo hogia'r pentref, tra oedd gan Eris lawer gormod o feddwl ohoni'i hun i ymuno mewn rhyw gastiau o'r fath.

Wrth gwrs, roedd enw teuluol yn hollbwysig ym mhentrefi'r ucheldiroedd, a draenen arall yn ystlys luniaidd Eris oedd y ffaith fod Alevizakis yn enw oedd gryn dipyn yn uwch ei barch o fewn yr ardal na Stagakis, er gwaetha'r ffaith mai ei thad, Georgios Stagakis, oedd yr arlywydd lleol. Pan oedd y ddwy ohonyn nhw'n tyfu i fyny roedd Maria wedi sylwi droeon fel y byddai wyneb Eris yn caledu wrth weld pobol Anogia yn mynnu cael gair bach tawel efo Manoli Alevizakis pan fyddai rhywbeth yn eu poeni, yn hytrach na throi at ei thad hi am gyngor.

Yn ddiweddar roedd Eris wedi dechrau gwneud llygaid gafr ar Marko, ac roedd hwnnw wedi gwirioni'i ben a throi'n dalp o orchest hurt. Cofiai Maria'r cywilydd a deimlai wrth wylio'i brawd yn gwneud ffŵl go iawn ohono'i hun o flaen pawb wrth ddawnsio efo Eris y noson cyn iddo fo fynd i ffwrdd efo'r *andártes*. Roedd ei goesau dros y lle i gyd wrth iddo neidio fel dyn o'i go, heb sylweddoli mai un peth yw neidio'n uchel ond mai dim ond hanner y gamp ydi hynny, a bod eisiau glanio'n ôl ag urddas a rhythm – ac, yn ddelfrydol, heb achosi niwed i ba greadur neu greadures bynnag a ddigwyddai fod yn agos atoch. Roedd Eris yn fwy cyfoglyd byth, ei gwên ffals a'i llygaid yn pefrio wrth iddi gymryd arni edrych i ffwrdd yn swil bob tro yr edrychai Marko i'w chyfeiriad, ac yn ddigon hy i anwybyddu Thera'n gwgu arni fel petai'n un o'r Gorgoniaid a chanddi'r pŵer i droi Eris Stagakis yn ddarn o garreg.

'Does arna i ddim isio cael *honna*'n ferch-yng-nghyfraith i mi!' roedd Thera wedi'i sibrwd yng nghlust Maria. 'Mae'n ei charu ei hun gymaint, does ganddi ddim cariad ar ôl i'w roi i neb arall. Yn enwedig fy hogyn bach i.'

Fu Thera erioed yn un am guddio'i theimladau, ac roedd ei hanfodlonrwydd y noson honno'n amlwg i bawb – hyd yn oed i Eris. Hwyrach mai dyna pam roedd honno wedi gwneud ati i ffalsio efo Maria am ddyddiau wedyn, fel petaen nhw'n ffrindiau mawr. Pan welodd Eris nad oedd hynny'n tycio ryw lawer, trodd at Gaia Leladakis (ar ôl blynyddoedd o gymryd Gaia druan yn greulon o ysgafn), ac ymhen dim roedd hi wedi troi Gaia yn erbyn Maria.

O, twll iddyn nhw, meddyliodd Maria rŵan, os mai fel'na ma nhw isio bod. Sgen i'm mynadd efo'u nonsens nhw – ma pethau llawar iawn mwy nag Eris Stagakis yn gwneud i mi golli cwsg y dyddiau yma. Teimlodd y glaw yn llifo i lawr o'i gwallt, dros ei thalcen ac i mewn i'w llygaid. Glaw mân y mynydd, ac er bod arogl gwres yr haf arno, roedd adlais bychan o'r gaeaf yn dal i fod ynddo hefyd, a llwyddai pob diferyn i dreiddio trwy bopeth. Roedd y sgarff roedd hi wedi'i daro dros ei phen cyn cychwyn allan yn wlyb socian, felly i ffwrdd â fo i gael ei stwffio yn un swpyn i boced ei chôt, ac ysgwyd y diferion glaw o'i gwallt. Fel rhyw hen gi, meddyliodd, ac wrth iddi feddwl hynny, clywodd lais o'r tu ôl iddi'n ebychu 'Ww-wff!' a llais arall yn giglan: oedd rhywun wedi darllen ei meddwl? Trodd hefo'i lantarn a'u gweld nhw yno, Eris a Gaia, y ddwy â'u hwynebau'n orddiniwed wrth iddyn nhw gymryd arnyn eu bod yn canolbwyntio ar gasglu malwod. Yna edrychodd Eris i fyny.

'O, Maria. Wnes i'm sylweddoli dy fod *ti* yma.'

Ochneidiodd Maria, gan ysgwyd ei chyrls gwlyb; wnaiff hon fyth actores, meddyliodd, er cymaint o feddwl sy ganddi hi ohoni'i hun.

'Digri iawn.'

'Ma'n ddrwg gen i?'

Gollyngodd Eris falwoden i mewn i'w basged wrth godi o'i chwrcwd. Roedd hi'n ferch dal, ac edrychai'n dalach fyth y funud yma a hithau'n sefyll ychydig yn uwch na Maria ar y llethr. Dechreuodd wenu, ond yna bu raid iddi droi i ffwrdd wrth i'r glaw lifo i mewn i'w llygaid hithau.

'*Skatá*!' rhegodd.

'Eris!' ebychodd Maria.

Edrychai Gaia o'i chwmpas gan giglo'n nerfus, fel petai'n disgwyl gweld llu o offeiriaid yn sefyll yno'n gwgu. Cododd Eris ei lantarn gan wneud sioe fawr o'i throi a chraffu i bob cyfeiriad. 'Dwyt ti rioed wedi dŵad yma ar dy ben dy hun, Maria?' gofynnodd.

Rwyt ti'n gwbod yn iawn fy mod i, meddyliodd hithau – *a finnau'n cerdded dim ond ychydig lathenni y tu ôl i ti a Gaia*. 'Ma hi'n edrach felly, yn tydi?' meddai, ei llais yn oramyneddgar. 'Pam, Eris?'

Ysgydwodd Eris ei phen a dal ei llaw uwchben ei llygaid fel pe bai'n chwilio am rywun. 'Na . . . na, ma hi'n siŵr o fod yma yn *rhywle*. Be ti'n feddwl, Gaia?'

'Yn rhywle, ydi,' adleisiodd y ferch arall o'i chwrcwd, ond trodd i ffwrdd ychydig yn euog wrth i Maria edrych arni.

'Hanna ti'n feddwl, dwi'n cymryd?' meddai Maria.

'Ia!' Rhythodd Eris arni â syndod ffug. 'Pwy arall? Dwyt ti'n ei dilyn hi i bob man y dyddia yma? Ac ma synnwyr rhywun yn deud, os ydi'r ci bach yma, yna go brin fod y feistres yn bell iawn.'

A-aa, meddyliodd Maria – dyna inni egluro'r 'Ww-wff'. Edrychodd o'r naill ferch i'r llall. Gwrthodai Gaia edrych arni, ac er ei bod yn amhosib dweud yn iawn yn y tywyllwch, roedd Maria'n ei nabod yn ddigon da i wybod ei bod yn cochi rŵan wrth iddi ailbigo ambell falwoden oedd wedi dechrau dianc o'i basged. Ond roedd Eris, ar y llaw arall, yn rhythu arni'n heriol, a'i gwên faleisus i'w gweld yn glir yng ngolau ei lantarn.

Doedd yr un o'r ddwy wedi'i holi sut roedd hi, nac ychwaith wedi hyd yn oed crybwyll yr hyn oedd wedi digwydd iddi ar y mynydd. Wel, doedd hynny ddim ond i'w ddisgwyl. Mae'n siŵr, meddyliodd, fod Eris wedi bod yn lloerig pan gawsai hi, Maria, y sylw i gyd am ddiwrnod neu ddau, a'i bod wedi siarsio Gaia druan i beidio â sôn gair am y peth nac i fynd ar gyfyl ei thŷ.

Gwenodd yn ôl ar Eris – gwên lydan, ddisglair. Dwi am fwynhau hyn, meddyliodd, wrth gofio'r hyn roedd Nikos wedi'i galw wrth iddyn nhw ddisgyn o'r mynydd. 'Does gen i ddim syniad lle mae Hanna, Eris,' meddai. 'A wyddost ti be? Ma'n well o lawar gen i gael fy ngalw'n gi bach ffyddlon' – arhosodd gan gyfrif i dri yn ei meddwl – 'nag yn hen astan annymunol.'

Gigl arall gan Gaia, ond â chryn dipyn o sioc y tu ôl iddi'r tro hwn. Yn y golau gwan, gallai Maria weld bod Gaia wedi rhoi ei llaw dros ei cheg, a'i bod yn penlinio'n ddi-hid ar y ddaear wlyb ac yn rhythu ar Maria â llygaid anferth. Am Eris, roedd y wên wedi diflannu oddi ar wep honno fel petai Maria wedi rhoi slasan iawn iddi. Yn ei lle roedd awgrym pendant o ansicrwydd – doedd hi ddim wedi disgwyl i Maria droi arni fel hyn.

'Wyt ti'n fy ngalw i'n *ast*?'

'O, ydw,' atebodd Maria. 'A dyma i ti ragor o newyddion, Eris. Nid fi ydi'r unig un i wneud hynny, chwaith – o bell ffordd.'

'Be?' crawciodd.

'Rwyt ti'n brysur yn gneud tipyn o enw i chdi dy hun, Eris, mond i ti gael dallt. Ac fel ti newydd glywed, dydi o ddim yn enw neis iawn. Mi faswn i'n meddwl yn o ddwys ar ôl mynd adra heno 'ma, taswn i'n chdi.'

Trodd a mynd yn ôl at ei phwced, gan adael Eris yn gegrwth. Fel roedd hi'n plygu am ei lantarn, teimlodd groen ei phen yn llosgi i'r fath raddau fel y tybiodd am eiliad fod rhywfaint o'r olew poeth wedi cynnau yn ei gwallt. Dim ond wrth iddi'i theimlo'i hun yn cael ei llusgo tuag yn ôl y sylweddolodd mai Eris oedd yn ei thynnu, gerfydd ei gwallt a wysg ei chefn. Ceisiodd Maria'i harbed ei hun trwy wthio'i sodlau i mewn i'r ddaear, ond roedd y glaswellt byr yn rhy lithrig. Gallai glywed Gaia'n sgrechian 'Eris!' ond roedd gormod o ddagrau poeth yn ei llygaid iddi fedru gweld fawr ddim.

Llwyddodd i godi un llaw a chydio yng ngarddwrn Eris a phlannu'i hewinedd i mewn i'r cnawd. Clywodd floedd, a llaciodd Eris ei gafael ddigon i Maria fedru gwingo'n rhydd a sgrialu ar ei thraed. Sychodd y dagrau o'i llygaid efo'i llawes a chliriodd y niwl ddigon iddi weld Eris yn dod amdani eto, fel cath gynddeiriog a'i hewinedd allan yn fygythiol. Symudodd Maria o'r ffordd yn frysiog, a thro Eris oedd hi i lithro ar y glaswellt. Cafodd ei bradychu gan ei dwy droed yr un pryd, ac aeth i lawr ar ei hyd, ar ei hwyneb i mewn i bwced malwod Maria. Eisteddodd i fyny â'r malwod yn glynu yn ei gwallt a'i hwyneb. Erbyn hyn roedd sgrechian Gaia wedi denu tyrfa go fawr o bentrefwyr, ac edrychodd Eris o'i chwmpas yn hurt a gweld cylch o wynebau'n chwerthin i lawr arni. Yn ddiarwybod iddi, roedd gwaelodion ei ffrog wedi crwydro i fyny'i chluniau, ac eisteddai yno'n un cocyn a'i choesau noethion fwy neu lai ar led.

Edrychodd nifer o ddynion y pentref i ffwrdd yn ddigon parchus ond roedd eraill yn amlwg yn mwynhau'r olygfa yma'n fawr, gan gynnwys criw o hogia ifanc – plant i bob pwrpas – oedd â'u llygaid fel llygaid penwaig wrth iddyn nhw rythu arni. Yn eu plith, sylwodd Maria, roedd Nikos, a chamodd Maria ymlaen efo'r bwriad o blycio'r ffrog yn ei hôl i lawr, ond cyn iddi fedru gwneud hynny, taranodd llais awdurdodol gan roi taw ar bob sŵn arall:

'Cuddia'r coesa 'na, 'nei di!'

Anghofiodd Eris bopeth am y malwod yn ei gwallt wrth iddi dynnu gwaelodion ei ffrog i lawr dros ei choesau, a chodi'n ffwndrus. Safai Eleni Vandoulakis fel teyrn rhyngddi a Maria, ei llygaid duon yn fflachio'n ffyrnig yng ngoleuni'r holl lampau wrth iddyn nhw neidio 'nôl a blaen rhwng y ddwy ferch.

'Wel?' meddai. 'Oes arnoch chi ddim tamaid o gwilydd, dwch?'

Syllodd Maria ac Eris ar y glaswellt llaith wrth eu traed – dwy ddynes ifanc wedi'u hyrddio'n ôl i'w plentyndod gan un wraig fechan mewn gwth o oedran, ei chefn fel cryman a'i hwyneb mor grychlyd â rhisgl hen olewydden. Oedd, roedd arnyn nhw gywilydd – Maria am adael iddi'i hun gael ei llusgo fel sachaid o datws gerfydd ei gwallt ac ar ei phen-ôl ar hyd y ddaear, ac Eris am iddi wneud sioe bowld ohoni'i hun gerbron hanner y pentref. Gwyddai y byddai'n cochi yn ei gwely heno wrth gofio'r holl wynebau'n crechwenu arni.

Ond doedd Eleni Vandoulakis yn hidio 'run iot am eu hurddas. 'Dydach chi ddim yn meddwl bod 'na lawer iawn gormod o ymladd yn digwydd ar yr ynys 'ma'n barod heb i chi'ch dwy droi ar eich gilydd fel dwy hen gath?'

Edrychodd Maria i fyny. Mae hynna braidd yn annheg, meddyliodd – wedi'r cwbwl, Eris ddaru ymosod arna i. Ond roedd Eris yn sugno'i garddwrn fel tasa hi mewn poen difrifol. Cydiodd Eleni Vandoulakis yn ei llaw a chraffu arni. Yng ngolau'r lantarn, roedd olion ewinedd Maria i'w gweld yn glir yng nghnawd garddwrn Eris.

'Maria Alevizakis,' cuchiodd Kyría Eleni arni. 'Dwi'n synnu atat ti.'

'Fi?'

Disgwyliai Maria glywed o leiaf un llais yn codi i'w hamddiffyn. Siawns bod *rhywun* wedi gweld y llall yn aros iddi droi'i chefn cyn rhuthro amdani, a cheisio rhwygo'i gwallt o'i phen. Roedd cnawd ei chorun yn dal i losgi. 'Gaia . . .?' meddai. Ond edrych draw yn llwfr i gyd wnaeth honno.

'Ma'n well i chi fynd adra os na fedrwch chi ymddwyn yn waraidd,' meddai Eleni Vandoulakis, ac er bod y geiriau wedi'u hanelu at y ddwy ohonyn nhw, ar Maria roedd llygaid y ddynes fach gadarn wedi'u hoelio. I wneud pethau'n waeth, clywodd Maria gryn dipyn o borthi'n dod o gyfeiriad y gynulleidfa, a gallai weld sawl pen yn nodio'n feirniadol.

Plygodd i godi'i phwced. Roedd ei gwefus isa'n bygwth crynu, a chefnodd ar y dyrfa rhag ofn iddyn nhw weld y dagrau poethion a ruthrai i'w llygaid. Trodd a chychwyn i lawr y mynydd, ei lantarn yn ei llaw dde a'i phwced – oedd yn hanner gwag erbyn hyn – yn ei llaw chwith. Wrth iddi droi cafodd gip ar wyneb Eris. Roedd yr hen wên sbeitlyd honno'n ei hôl, a chysur bach iawn i Maria oedd y ffaith fod o leiaf dair malwoden yn dal ynghlwm yn ei gwallt.

*

Wrth gwrs, roedd yr hogia wedi cael modd i fyw. Doeddan nhw ddim wedi disgwyl y ffasiwn ddifyrrwch, y fath sioe, oherwydd dyna beth oedd hi, yn sicr – coblyn o sioe. Yr orau un gan Eris Stagakis, o bawb, yr eneth harddaf ym mhentref Anogia: roeddan nhw i gyd yn cytuno ar hynny. Welson nhw mo'r ffrwgwd, dim ond clywed sgrech Gaia a bloedd boenus Eris yn dod o rywle'n is i lawr y llethr, ond fe gyrhaeddon nhw mewn pryd i weld Eris yn eistedd a'i ffrog am ei chanol. Rhaid cofnodi yma na wnaeth yr un ohonyn nhw unrhyw ymdrech i beidio ag edrych: roedd eu greddfau fel hogia ifanc yn rhy gryf.

Bu cryn drafod a dadlau yn ystod y munudau nesaf beth yn union a welwyd a chan bwy – a chryn dipyn o or-ddweud, hefyd. Y gwir amdani yw nad oedd yr un ohonyn nhw wedi gweld rhyw lawer. Roedd yr holl beth wedi digwydd mor sydyn – fu Eris ddim ar ei phen-ôl yn hwy na thua pum eiliad i gyd – ac roedd gormod o bobol eraill ar y ffordd. Coesau, cluniau, fflach sydyn o ddillad isaf gwlân, efallai – dim byd mwy na hynny. Ond o wrando ar Paulos, Petraka a Stavro, fel y gwnâi'r athro ysgol Grigori Daskalakis heb iddyn nhw sylweddoli ei fod o yno, mi fasa rhywun yn tybio bod Eris wedi gorwedd yno'n noethlymun din groen.

Yr unig un na chymerodd ran yn y drafodaeth, sylwodd Grigori, oedd yr hogyn bach Nikos 'na, er ei fod yntau hefyd wedi gwneud ei siâr o rythu. Na, nid rhythu, fe'i cywirodd ei hun; buasai rhythu yn weithred rhy onest i Nikos, rywsut. Yn hytrach, sbecian roedd o, ei ben fel petai'n pwyntio oddi wrth y ferch, ond ei lygaid wedi'u hoelio rhwng ei chluniau. Erbyn hyn, safai Nikos ychydig ar wahân – yn gwrando ar y tri hogyn arall ond heb gyfrannu 'run gair at y sgwrs. Dyma fo eto, meddyliodd Grigori, yn sefyll ar yr ymylon yn gwylio ac yn gwrando. Cofiai fel roedd Maria wedi'i gyhuddo o gymryd yn erbyn yr hogyn, a'i fod yn gwneud hynny am ddim rheswm. Ond roedd Grigori wedi treulio hen ddigon o amser yng nghwmni plant i fedru nabod plentyn slei pan welai un. Ddywedodd o mo hynny wrth Maria, wrth reswm, a hithau mor amddiffynnol o'r hogyn. Roedd hi fel chwaer fawr iddo fo.

Gwyddai Grigori fod Nikos wedi cymryd yn ei erbyn yntau hefyd. Oedd o, hwyrach, wedi synhwyro drwgdeimlad Grigori tuag ato, ac yn ymateb i hynny? Na, roedd mwy iddo na hynny, teimlai Grigori. A mwy na dim ond drwgdeimlad hefyd. Meddyliai fod yr hyn a deimlai Nikos tuag ato'n debycach i atgasedd, yn ffinio ar fod yn gasineb, hyd yn oed. Pam? Roedd o wedi gwneud ei orau efo'r hogyn yn ystod y cyfnod byr y bu yn yr ysgol; doedd o ddim wedi'i wthio'n rhy galed i gymryd rhan yn y gwersi, ac wastad wedi gofalu peidio â gwneud môr a mynydd o'i gefndir drwy ddangos unrhyw ffafriaeth tuag ato. Roedd o wedi'i drin yn union fel pawb arall. Ar y pryd, credai fod Nikos yn gwerthfawrogi hyn, a'i fod wedi dechrau ymateb yn bositif. Ond yna, roedd wedi gadael yr ysgol a mynd i fugeilio efo Yanni'r Chwibanwr a thad a brodyr Maria ar lethrau Psiloritis. Ychydig iawn a welodd Grigori arno wedyn, ond bob tro y gwnâi, roedd yr un atgasedd yno o hyd.

Roedd i'w weld yn glir y diwrnod dychrynllyd hwnnw ar y mynydd: pan welodd Nikos fod Grigori yno'n stelcian y tu ôl i Thera a Hanna, roedd wedi gwgu, a buasai ei wg wedi bod yn ddigon i beri i Mediwsa ei hun droi ei ben draw.

Fo, wrth gwrs, oedd y cyntaf o'r pedwar hogyn i sylweddoli bod Grigori rŵan yn clustfeinio ar eu sgwrs. Bellach yn ddeuddeg oed, roedd ddwy flynedd yn hŷn na'r hynaf o'r tri arall, ond doedd o ddim yn ymddangos felly. Yn ogystal â'r corff tenau, eiddil, llwyddai'r clustiau od yna i wneud iddo edrych yn ieuengach fyth. Hyd y gwyddai Grigori, doedd yr un o blant y pentref erioed wedi gwneud hwyl am ei ben o'u herwydd; roedd ei hanes a'i amgylchiadau fel petaent yn gwarafun unrhyw dynnu coes.

Roedd Grigori wedi sylwi arno'n syllu ar ôl Maria, oedd bellach wedi diflannu i lawr y llwybr. Be yn y byd oedd wedi digwydd gynnau? Fel yr hogia, gweiddi'r merched oedd wedi denu Grigori yntau, jest mewn pryd i weld Eris yn sgrialu ar ei thraed ac i glywed Kyría Eleni yn ei dweud hi. Roedd y ffordd roedd Maria wedi edrych o'i chwmpas wedi torri'i galon – ei llygaid yn chwilio am unrhyw un oedd ddim yn ei chondemnio.

Oedd hi, efallai, yn chwilio amdano *fo*? Roedd y cwestiwn hurt hwnnw wedi neidio i'w feddwl, ddim ond i dderbyn cic-dan-din gan yr ateb amlwg a sleifio i ffwrdd a'i gynffon rhwng ei goesau. Nag oedd, siŵr Dduw, doedd hi ddim yn chwilio amdano fo! Pam byddai hi'n gwneud y ffasiwn beth? Roedd wedi'i gwylio'n plygu i godi ei lantarn a'i phwced, cyn troi ei chefn ar bawb a chychwyn am y llwybr, a'i chywilydd wedi'i lapio amdani fel côt law.

Daethai Grigori Daskalakis o fewn dim i ruthro ar ei hôl, ond fyddai wiw iddo, wrth gwrs. Aros lle roedd o wnaeth o, felly, yn llywaeth yn y glaw, a'i gwylio'n mynd ar ei phen ei hun. Pan drodd yn ei ôl roedd y gynulleidfa'n gwasgaru, y sioe drosodd, a Gaia'n plycio malwod o wallt Eris Stagakis, a'r hogia nid nepell oddi wrtho'n pwnio'i gilydd a chrechwenu. Gweilch direidus os bu rhai erioed, meddyliodd Grigori dan hanner gwenu, nes iddo glywed Petraka'n honni ei fod wedi gweld reit i fyny at y blew.

Reit, meddyliodd. Na, mae hynna'n ormod. Camodd tuag atyn nhw.

'Ai dyna sut dach chi wedi cael eich magu, i amharchu merched yn y fath fodd?' gofynnodd gan fynd ati i'w dwrdio. 'Aros i mi weld dy fam, Petraka.' Nid bod unrhyw fwriad ganddo o achwyn, wrth gwrs, ond rhaid oedd dweud y drefn. Doedd wybod pwy arall oedd wedi'u clywed – roedd Petraka wedi siarad yn ddigon uchel.

A thrwy'r cyfan dyna lle roedd Nikos ar yr ymylon, yn ôl ei arfer, yn gwrando ac yn gwylio ac yn dweud yr un gair o'i ben.

'I ffwrdd â chi,' gorffennodd.

Ac mi aethon nhw, gan adael Grigori'n meddwl, dwi ddim yn hoffi'r hen olwg bwdlyd yna ar eu hwynebau nhw. Peth cymharol ddiweddar ydi hynna. Yn wir, roedd Paulos, yn enwedig, wedi edrych gynnau fel petai'n ymladd yn erbyn yr ysfa i'w ateb yn ôl. Ac nid y tri bachgen yma oedd yr unig rai i fod fel hyn efo fo, Grigori; roedd nifer o blant hŷn y pentref wedi dechrau ymddwyn yr un fath tuag ato – eu hwynebau'n troi'n surbwch wrth edrych arno, yn cefnu arno bob gafael ac, yn yr ysgol, ddim ond yn ufuddhau â chyndynrwydd amlwg.

Wedi iddyn nhw fynd sylweddolodd nad oedd yna neb o'i gwmpas, a'i fod yn sefyll yno'n wlyb at ei groen, a dim ond rhyw hanner dwsin o falwod yn ei bwced.

9

Hen frân, a chathod ifainc

Roedd hi wedi blino, wedi blino'n lân, a hanner ffordd i lawr y llwybr bron awr yn ddiweddarach, arhosodd Eleni Vandoulakis i gael ei gwynt ati.

Ddyliwn i ddim bod wedi aros cyhyd ar y mynydd, meddyliodd. Na, Eleni, bydd yn onest efo chdi dy hun, ddyliet ti ddim bod wedi mentro i fyny'r mynydd yn y lle cynta. Roedd y ddwy gloman – felly y meddyliai Eleni am y ddwy fôr-forwyn, y chwiorydd Saviolakis – wedi'i siarsio i beidio â meddwl mynd allan yn y glaw, ac roedd Eleni wedi'u hateb yn ddigon piwis.

'O? A phan ddo' i'n ôl efo llond pwced o falwod a chynnig rhai i chi, eu gwrthod nhw wnewch chi, mwn? Wel, peidiwch chi â disgwyl cnoc ar eich drws heno, dyna'r cwbwl ddeuda i, os ydach chi'n rhy ddiog i fynd allan i hel eich malwod eich hunain.'

Edrychodd y ddwy ar ei gilydd.

'Nid diogi ydi o, Eleni . . .' dechreuodd Rodianthe.

'Wn i ddim be arall i'w alw fo,' atebodd Eleni.

'Bobol, rwyt ti'n beth benderfynol!' Ysgydwodd Iríni ei phen. 'O'r gora, o'r gora – mi ddown ni efo chdi.'

Penderfynol? meddyliodd Eleni ar y pryd. Mi gân' nhw weld be ydi styfnigrwydd.

'Na wnewch, wir.'

'Be?'

'Ma hi'n amlwg nad ydach chi isio dŵad mwy nag ydach chi isio cic yn eich penola – rhywbath fasa'n gneud byd o les i chi, os ca' i ddeud, y ddwy ohonoch chi. A phetawn i'n derbyn eich cynnig-dros-'ych-sgwydda, ma'n siŵr na fasach chi'n gneud dim

156

byd ond edliw am wythnosa wedyn. Felly na, dim diolch – mi fydda i'n hen ddigon bodlon ar fy nghwmni fy hun.'

A rŵan dyma hi, yn ei fflamio'i hun am fod mor wirion, ac yn dyheu am gwmni – ia, hyd yn oed cwmni'r ddwy gloman hurt yna o waelodion y môr. Ond fel hyn roedd ei bywyd hi bellach – pob diwrnod yn fwrlwm o hunanedliw.

Yn dilyn y ffrwgwd rhwng y ddwy ferch 'na, roedd y blinder mwyaf ofnadwy wedi bygwth ei llethu, teimlad oedd wedi dod yn fwyfwy cyfarwydd iddi yn ystod y blynyddoedd diwethaf. Ers iddi droi ei phedwar ugain.

Eistedd, meddyliodd. Mi ddyliwn i eistedd. Ond doedd ganddi mo'r nerth i godi'i lamp i chwilio am garreg wastad ar bwys y llwybr, carreg oedd ddim yn rhy uchel nac yn rhy isel. Gallai deimlo'i chalon yn dyrnu y tu mewn i'w bron. Safodd yn stond gan bwyso ar ei ffon a dal ei hwyneb i fyny i'r awyr, ond roedd y glaw wedi arafu erbyn hyn a dim ond rhyw boeri tila a wnâi hi rŵan. Serch hynny, fe wnaeth ryw fymryn o les: teimlodd Eleni Vandoulakis ei chalon yn dechrau arafu o'r diwedd a'i hysgyfaint yn ymlacio ddigon iddi fedru anadlu'n brafiach. Yn araf, daeth y nerth yn ôl i'w breichiau, a phan lwyddodd i godi'r lantarn gwelodd fod carreg gyfleus nid nepell oddi wrthi, wedi'r cwbl. Suddodd i lawr arni'n ddiolchgar.

Be oedd ar ei phen hi, dynes o'i hoed hi'n dringo llwybrau llithrig y mynydd? Ond pan gychwynnodd o'r tŷ roedd y pleser prin o gael edrych ymlaen at *wneud* rhywbeth wedi'i llenwi â rhyw sioncrwydd twyllodrus a lwyddodd i'w darbwyllo bod ganddi ddeugain mlynedd o oes eto i ddod. Ac am y chwiorydd Saviolakis – well, twll iddyn nhw, meddyliodd. Efallai eu bod nhw'u dwy yn barod i roi'r ffidil yn y to, ond doedd *hi* ddim, er ei bod flynyddoedd yn hŷn na nhw.

Pan oedd y cymylau'n dechrau hel yn gynharach roedd Eleni, fel y lleill, wedi edrych ymlaen go iawn. Roedd gweithred syml fel casglu malwod yn gyfle i bobol gymryd arnyn nhw am ychydig bach fod pethau'n dal i fod fel roeddan nhw wedi bod ers blynyddoedd . . . degawdau . . . canrifoedd, yn wir. Cymryd arnyn nhw nad oedd dieithriaid treisgar wedi meddiannu eu hynys; smalio, wrth blygu i hel malwod, fod eu meibion a'u gwŷr a'u cariadon a'u tadau, eu brodyr a'u hwyrion a'u cefndryd a'u neiaint, yn dal i fyw adra. Cyfle i'w twyllo'u hunain nad oedd eu cymuned – eu teuluoedd, hyd yn oed – yn crebachu'n feunyddiol, bron.

Oedd y ddwy ferch wirion yna, Eris a Maria, wedi llwyddo i chwalu'r lledrithiau bach gogoneddus hynny? Na, go brin, ond ar y pryd buasai Eleni wedi gallu sgrytian y ddwy nes byddai eu dannedd yn clecian fel castanéts. Doedd ganddi ddim amynedd efo'u hen lol gwirion nhw, a dim diddordeb yn achos y ffrae. Cawsai ei hysgwyd gan ôl ewinedd Maria Alevizakis yng ngarddwrn y ferch arall, ac wedi ymateb i hynny yr oedd hi – gorymateb, fwy na thebyg – wrth anfon Maria adra fel tasa hi'n anfon hogan fach ddrwg allan o ddosbarth ysgol, a hynny yng ngŵydd pawb. Pwy gythral wyt ti'n meddwl wyt ti, Eleni Vandoulakis?

Roedd hi wedi cael cip sydyn ar y wên fach faleisus oedd wedi gwibio dros wyneb tlws merch hynaf Georgios Stagakis. Wyneb oedd yn *rhy* dlws, os oedd y fath beth yn bosib. Oedd, roedd Eris yn eneth hardd ond roedd hi'n gwybod hynny hefyd, ac wedi tyfu'n rhy lawn ohoni'i hun o beth wmbredd, cymaint felly nes ei bod yn ddall i'r haen o falais o dan y tlysni.

Ochneidiodd. Dwi'n siŵr fod fy ngwynab i'n sgleinio, meddyliodd, wrth ei sychu â gwaelod ei siôl. Os sychu hefyd; roedd y siôl cyn wlyped â'r garreg a deimlai Eleni oddi tani. Teimlai haen o chwys ar ei hwyneb a hwnnw'n oer ac yn hynod annifyr. Oedd, roedd hi wedi'i dychryn, doedd dim pwynt iddi geisio gwadu hynny. Cofiai iddi feddwl droeon pan oedd hi'n iau, a hithau'n gorwedd ar un o lethrau'r mynydd yn rhythu i fyny ar yr awyr las – weithiau'n gwylio hebog neu eryr yn creu cylchoedd diog uwch ei phen – mai yma ar y mynydd yr hoffai hi farw, ar ddiwrnod o haf a'r haul ar ei chroen ac arogl y blodau a'r saets gwyllt yn llenwi'i ffroenau. Ond heno, pan deimlodd hi am ennyd ei bod *am* farw yma ar y mynydd – do, mi deimlist ti hynny, Eleni Vandoulakis, meddai wrthi'i hun, paid ti â meiddio dweud fel arall – sylweddolodd ei bod yn bell o fod yn barod i fynd, gan fod bywyd yn werthfawr o hyd.

Un haf arall, gweddïodd – *Christé mou*, un haf arall. Bellach, roedd Mehefin bron â dirwyn i ben, ond yfory, penderfynodd, bydd yn ddiwrnod braf. Ac mi fydda innau o gwmpas i'w groesawu – o, byddaf! Cododd ar ei thraed yn ofalus, ond mynnodd ei blinder ei bod yn cymryd pum munud bach arall o seibiant.

Nid hi oedd yr olaf, o bell ffordd, i flino cyn pryd ar hel malwod, ac roedd nifer wedi'i chyfarch a dweud '*Kaliníchta*' a '*Yásou*' wrth iddyn nhw ei phasio ar eu ffordd i lawr o'r mynydd. Roedd sawl un wedi cynnig aros efo hi nes roedd hi'n barod i godi, a cherdded efo hi'n ôl tua'r pentref, ond na, meddai wrthyn nhw i gyd, dwi'n tshiampion, diolch, mond cael fy ngwynt ataf, dyna i gyd . . . Diolch ichi 'run fath, *kaliníchta*. Ond rŵan, wrth gwrs, roedd hi'n difaru. Yr hen falchder felltith yna eto.

Crynodd. Roedd hi'n dechrau oeri. Edrychai ymlaen at wydraid o *tsikoudiá*, naill ai yn ei thŷ ei hun neu ar aelwyd rhywun arall. Braf fuasai meddwl nad oedd y ffrae rhwng y merched ifainc wedi tarfu gormod ar hwyliau pobol Anogia, ac y bydden nhw'n ymgasglu i rostio neu ffrio'r malwod ac i rannu'r gwinoedd. A chyn bo hir, efallai, mi gâi'r hen ganeuon eu canu mewn lleisiau crynedig, a'r hen alawon traddodiadol a'r *mantinádes* yn cynhesu ac yn cryfhau'r galon, a'r ddiod yn cael yr un effaith ar y corff. Ac efallai, meddyliodd, yr a' i ag ychydig o falwod draw i dŷ'r ddwy gloman 'na, wedi'r cwbwl.

Ac oeddan nhw, bobol Anogia, ddim i fod ar y mynydd 'ma o gwbl? Nag oeddan, yn ôl yr Almaenwyr. Gwyddai Eleni am sawl bugail a laddwyd ganddyn nhw yn ystod y tair blynedd diwethaf – eu saethu gan amlaf, ond o leiaf ddau wedi'u lluchio dros ochr dibyn fel sachau o sbwriel. Dynion mewn oed, hefyd – dynion roedd hi wedi eu hadnabod ar hyd ei hoes. Poerodd Eleni. Pwy gythral oeddan Nhw i wahardd pobol fel hi rhag troedio llwybrau eu mynyddoedd eu hunain?

Ar nosau fel heno, hawdd iawn oedd credu nad oedd rhyfel

yn unman, a rhoddai Eleni Vandoulakis y byd am gael aros yma i fwynhau'r teimlad twyllodrus hwnnw. Ond roedd hi'n oer erbyn hyn, yn crynu trwyddi a, blinder neu beidio, rhaid oedd codi rywsut ac ymlwybro'n ôl tuag adref, ar ei phen ei hun ar wahân i'w balchder. Ei balchder melltigedig.

Yna gwelodd lygedyn bychan o olau'n hercian i lawr o'r mynydd, ac yn dod yn nes ac yn nes . . .

*

Am eiliad – un eiliad ysgytwol ond hurt bost – cafodd y syniad yn ei ben mai Maria oedd yn eistedd yno wrth y llwybr, a'i bod wedi aros yno ar y garreg oer ac yn y glaw nes iddo fo ddod i lawr o'r mynydd. Roedd ei henw ar flaen ei dafod wrth iddo godi'i lantarn yn uwch er mwyn cael ei gweld hi'n iawn.

'O. Ma'n ddrwg gen i, Kyría Eleni.'

'Ma'n ddrwg iawn gen inna hefyd, Grigori, dy siomi di,' atebodd, a daeth Grigori o fewn dim i faglu'n ei ôl mewn syndod. Gwyddai fod hon yn un graff – ond yr argian fawr, oedd o mor amlwg â hynny?!

Llwyddodd i ddweud yn ddigon llipa, 'Dydach chi byth yn siom i mi,' a meddyliodd Eleni, mi ga' i chydig o hwyl efo hwn rŵan, cosb fach ddiniwed am iddo fethu dweud brawddeg fel yna hefo mwy o argyhoeddiad.

'Be?' meddai wrtho. 'Ddim hyd yn oed rŵan, a thitha wedi gobeithio am fis Mehefin, a chael rhyw hen Ragfyr diflas yn ei le?' Mygodd wên wrth wylio ceg yr athro ifanc yn agor a chau fel pysgodyn. Mi wn i'n iawn be sy'n gwibio trwy feddwl y creadur – does bosib bod *hon* yn fflyrtian hefo mi? Yr hen frân hesb yma yn ei du arferol o'i chorun i'w sawdl?

Pa un o ferched ifainc Anogia, tybed, roedd Grigori wedi gobeithio'i gweld yma? Eris Stagakis, efallai? Ond na, erbyn meddwl, mae 'na fwy i hwn na hynny, penderfynodd, mae angen mwy na dim ond wyneb hardd i hudo rhywun fel hwn. Fe'i gwyliodd yn craffu i gyfeiriad y pentref, gan na wyddai'n union ble i'w roi ei hun – dyn tal, main, a hynny o wallt oedd ganddo'n gorwedd yn llipa wlyb ar ei gorun. Hogyn swil a thawedog, gwyddai Eleni, yn byw ar ei ben ei hun ers i'w fam farw ddeunaw mis ynghynt, a hogyn darllengar, clyfar. Cwrtais hefyd, meddyliodd, wrth iddo droi ati dan wenu ei wên fach sydyn a swil, a chynnig ei fraich iddi hefo'r geiriau, 'Ga' i gydgerdded efo chi, Kyría Eleni?'

Cododd hithau, ar fin gwrthod ei fraich, ond dechreuodd y lle droi a theimlodd Eleni'r hen chwys oer anghynnes yna'n cropian i lawr ei chefn, rhwng ei dillad isaf a'i chroen. Y nefoedd fawr! meddyliodd. Alla i ddim hyd yn oed godi heb deimlo'n wantan?

'Kyría Eleni . . . ydach chi'n iawn?'

Ebychodd hithau'n ddiamynedd a throi i chwilio am ei charreg, ond mae'n rhaid ei bod wedi baglu dros rywbeth oherwydd roedd llaw Grigori yn cydio'n dynn yn ei braich. Llaw annisgwyl o gadarn, hefyd. Ceisiodd ei hysgwyd i ffwrdd ond yr eiliad nesaf fe deimlodd Eleni ei chrafanc fregus hithau'n cau ohoni'i hun am ei fraich o. Dim ond nes bydd y byd wedi rhoi'r gorau i droi, meddai wrthi'i hun, dim ond nes bydd y mynydd wedi llonyddu.

'Kyría Eleni?'

'Un funud,' meddai wrtho. 'Un funud . . .'

'Wrth gwrs.'

Roedd o'n craffu arni'n bryderus ond meddai Eleni'n biwis, 'Oes raid i chdi sgleinio'r gola felltith 'na reit yn fy llygaid i?'

Diffoddwyd y golau'n syth bìn. 'Ddrwg gen i.'

Sylweddolodd fod cledrau'i dwylo'n chwysu hefyd, a'r ffon yn llithro dan ei bysedd. Sychodd ei dwy law fesul un o dan ei cheseiliau wrth i'w chalon arafu a'r chwiban uchel, fain honno ddiflannu o'i phen.

'Iawn,' meddai. 'Mi gychwynnwn ni rŵan.'

Roedd hi'n ddiolchgar am gadernid y fraich ifanc, doedd dim dwywaith am hynny. Pan godod ei lantarn yn sigledig, gwelodd mai dim ond rhyw lond dwrn o falwod oedd ganddo fo yng ngwaelod ei bwced.

Daliodd Grigori hi'n sbecian. 'Ia . . . wel, ma'n rhaid i mi gyfadda, fûm i rioed yn fawr o un am falwod,' meddai'n wan. 'Croeso i chi arnyn nhw, Kyría Eleni – hynny sydd 'ma, yndê?'

'Wel, pam gebyst est ti allan i wlychu ar y mynydd yn y lle cynta, ta?' gofynnodd. Roedd y geiriau diamynedd wedi neidio o'i cheg cyn iddi fedru eu rhwystro, a theimlodd yr athro'n tynhau drwyddo wrth ei hochr. Yr hen dafod miniog, diflewyn yna unwaith eto! Faint o weithiau roedd hwn, dros y blynyddoedd, wedi rhuthro i feirniadu ac i dynnu rhywun yn dipiau? Ydi, mae o wedi meirioli rhyw gymaint wrth i mi heneiddio, meddyliodd, ond mae o'n dal yn gallu torri o bryd i'w gilydd, fel hen gyllell fara yng nghefn y drôr.

Edrychodd Grigori ar y ddaear a mwmian rhywbeth.

'Be oedd hynna?' gofynnodd Eleni'n ddiamynedd, gan ddisgwyl na fyddai Grigori'n gwneud mwy na chodi'i lais ryw fymryn, ond cafodd ail. Codi'i ben, yn hytrach, wnaeth o, gan syllu reit i fyw ei llygaid.

'Mae gen i lawn cystal hawl â neb i fod ar y mynydd, Kyría Vandoulakis,' meddai, ac roedd yr oerni a glywai yn ei lais ei hun, ynghyd â'r ffaith ei fod wedi meiddio siarad yn y fath fodd efo hon, o bawb, yn ei frawychu, ac yna'n ei gywilyddio, oherwydd gwelodd rywbeth tebyg i fraw yn llenwi llygaid yr hen wraig. Er hynny, methai'n lân â thynnu'i lygaid oddi arni, oddi ar yr wyneb melfaréd llwydaidd a'r llygaid duon a rhythai arno fel petaen nhw'n ei weld o am y tro cyntaf, ac fel petai o'n ddyn oedd yn hollol ddiarth iddi.

Ag ebychiad, llwyddodd Grigori o'r diwedd i edrych i ffwrdd. 'Os ydi'n well gynnoch chi,' meddai'n chwerw, 'mi arhosa i yma nes byddwch chi wedi mynd, a'ch dilyn chi dow-dow.'

Roedd ei llaw yn dal i gydio yn ei fraich, a phan na chafodd ateb, cychwynnodd Grigori'n araf i lawr y llwybr.

A meddyliodd Eleni: dwi'n dal i fod yn falch o gryfder ei fraich o, go damia fi. Roedd o wedi'i chamddeall, wedi camddehongli ei chwestiwn, oherwydd nid gofyn pa hawl oedd ganddo i fod ar y mynydd roedd hi – dim o gwbwl. Y fo oedd yn groendenau, oherwydd gwyddai Eleni i'r dim fod canran uchel iawn o bobol y pentref wedi lled-awgrymu'r un peth wrtho. Nad oedd ganddo hawl i fod yn eu plith.

Ond nid y fi! meddyliodd. *Grigori* ydi o – Grigori Daskalakis. Dwi wedi'i wylio fo'n tyfu ac ro'n i yno, wrth ei ochor, ddeunaw mis yn ôl pan gafodd Dorothea, ei fam, ei rhyddhau o'r diwedd o boen ei salwch anfad, yr un sglyfath creulon ag a grafodd y bywyd allan o Nikolai, fy ngŵr a'm ffrind gorau un erioed. Ro'n i yno i anwesu pen ei fab wrth iddo dorri'i galon, er ei fod yn gwybod bod ei hymadawiad yn anochel; er ei fod o, fel y fi, wedi gweddïo am ryddhad iddi ers nosweithiau lawer.

Roedd holl Anogia'n teimlo drosto ar y pryd. A dim ond deunaw mis sydd 'na ers hynny. Ond heno ar y mynydd thorrodd neb air â fo na hyd yn oed ei gyfarch â nòd fach swta, heb sôn am wên. Hyd yn oed y plant yn dweud yr un gair wrtho, dim ond cuchio'n bwdlyd arno a hwythau'n arfer bod â chymaint o feddwl ohono – tipyn o gamp, hefyd, o adnabod nifer o'r cythreuliaid bach anhydrin. Roedd o'n athro ardderchog, a'r ddawn ganddo i wneud i'w ddisgyblion anghofio'n llwyr am y bwlch oedd rhyngddyn nhw a fo o ran oed. Roedd o'n un ohonyn nhw, i bob pwrpas – yn blentyn arall, hŷn – yn ffrind mawr oedd yn rhannu cyfrinachau rhyfeddol am y byd. Cofiai Eleni am ei frwdfrydedd tanllyd bob tro y soniai wrthi am ei waith; roedd yn amlwg nad dim ond ffordd gyfleus o gael cyflog rheolaidd – er mor bitw oedd hwnnw – oedd y dysgu iddo, ond galwedigaeth oedd cyn gryfed bob tamaid â galwad unrhyw offeiriad.

Dechreuodd pethau newid yn fuan ar ôl i Grigori golli'i fam, a gofynnwyd cryn dipyn o gwestiynau yn ei gylch dros y flwyddyn ddiwethaf. Ar y dechrau eu sibrwd gaen nhw, ond bellach fe'u gofynnid yn blwmp ac yn blaen, a hynny'n aml. Ac roedd y plant wedi dechrau eu hadleisio. Cwestiynau fel, 'Pam mae hwn yn dal yma?' ac 'Ydi o ddim yn ddigon tebol i fod yn ymladd yn erbyn y diawliaid sy wedi cipio'n hynys, un ai yn y fyddin neu hefo'r *andártes*? Pam nad ydi o efo'r dynion ifainc eraill? Does gynno fo ddim esgus bellach a'i fam wedi marw. Ac mae 'na ddigon o ferched yma i edrych ar ôl y plant – a ph'run bynnag, mae 'na dri offeiriad yn dysgu yn yr ysgol yna; does dim rhaid iddo fo fod yno o gwbwl. Oni ddylid cau'r ysgol, hyd yn oed, nes bydd pethau wedi'u setlo un ffordd neu'r llall? Mae'n amhosib i'r plant 'ma ganolbwyntio ar eu gwersi, p'run bynnag, efo'r holl erchyllterau sy'n digwydd o'u cwmpas yn wythnosol.'

A'r cwestiwn mwyaf damnïol ohonyn nhw i gyd: '*Ofn* sgynno fo?'

Efallai nad oedd neb wedi ymosod ar Grigori eto – hyd y gwyddai Eleni – ond roedd nifer o'r dynion wedi poeri ar y ddaear wrth iddo gerdded heibio.

Roeddan nhw bellach ar gyrion y pentref, a 'run o'r ddau wedi dweud gair wrth y llall ers iddyn nhw gychwyn i lawr o'r mynydd. Roedd y glaw wedi peidio'n gyfan gwbl a'r cymylau wedi gwasgaru ddigon i'r lleuad oleuo'r ffordd o'u blaen, a chreu cysgodion rhwng y tai ac ar gorneli strydoedd. Sylwodd Eleni fel roedd Grigori bellach yn anelu mwy at ganol y ffordd wrth gerdded, a'i lygaid yn neidio i'r cysgodion.

Daeth hithau'n ymwybodol fod rhyw lonyddwch annaturiol yn perthyn i'r pentref, a chafodd y teimlad annifyr – oherwydd ei phwl drwg ar y llethrau'n gynharach, efallai – ei bod yn cerdded ar hyd glyn cysgod angau, a bod rhywbeth ofnadwy wedi digwydd i'r holl bobol tra oedd hi'n llusgo'i hun i lawr o'r mynydd. Beth petaen nhw i gyd wedi'u corlannu yn y sgwâr, a bod eu bugeiliaid â'u hiaith estron, yddfol wedi bod yn disgwyl amdani hi a Grigori cyn dechrau saethu?

Ond roedd y sgwâr yn hollol dawel a llonydd yng ngolau'r lleuad. Teimlodd Eleni ei choesau'n bygwth rhoi oddi tani, a gwasgodd fraich y dyn ifanc heb sylweddoli ei bod yn gwneud hynny. Tywysodd Grigori hi at fainc bren a'i rhoi i eistedd arni, mor ofalus â phetai hi'n wy bregus.

'Dwi'n iawn,' meddai wrtho. 'Dwi'n iawn.'

Ond teimlai ei hun mai crawc oedd ei llais, crawc a swniai'n uchel yn nhawelwch y sgwâr, a gwelai'r pryder yn wyneb Grigori Daskalakis. Ceisiodd wenu arno.

'Ddylwn i ddim bod wedi mentro ar y mynydd yna,' meddai.

164

'Rhyw hen ystyfnigrwydd gwirion.' Roedd o'n dal i syllu arni. 'Dwi'n iawn,' meddai hi eto. 'Wir.'

Teimlai'n flin rŵan, yn flin ac yn biwis, oherwydd roedd dagrau wedi cronni yn ei llygaid a doedd Eleni Vandoulakis byth – *byth*! – yn dangos unrhyw wendid fel hyn yn gyhoeddus. Roedd y llwdwn ifanc hwn – y *llwfrgi* hwn, meddai wrthi'i hun, er mwyn medru gwgu arno'n ffyrnicach – yn barod wedi gweld llawer mwy nag y dylai fod wedi'i weld, mwy nag a welsai neb arall o'r pentref erioed, hyd yn oed pan fu farw Nikolai.

'Cer!' meddai wrtho. 'Cer adra, wir Dduw!'

Meddyliodd am eiliad ei fod am brotestio, ond yna fe nodiodd a throi. '*Kaliníchta*, Kyría Eleni,' meddai, a phrysuro o'r sgwâr. Trodd hithau ei phen a syllu i fyny tua'r awyr, fel na allai neb ond dyn y lleuad weld y dagrau ar ei gruddiau a'r ofn a lanwai ei llygaid.

Oherwydd hynny, welodd hi mo'r pedwar ffigwr bychan yn sleifio heibio ochr yr eglwys ac allan o'r sgwâr ar ôl Grigori Daskalakis.

*

Gwagiodd Grigori hynny o falwod oedd yn ei bwced dros ochr clawdd un o'r tai, ac wrth iddo wneud hynny daeth geiriau Eleni Vandoulakis yn ôl iddo. 'Pam gebyst est ti allan i wlychu ar y mynydd yn y lle cynta?' Nid cwestiwn ymosodol, creulon mohono, ond ymateb naturiol rhywun hŷn o glywed am weithred hurt gan rywun iau.

Ond roedd o wedi . . . wel, *be* wnaeth o? Dewis camddehongli, a throi ar ddynes mewn gwth o oedran a'i dychryn – o oedd, mi oedd o wedi gweld yr ofn yn blaen yn ei llygaid. Hen wreigan weddw mewn gwendid, ac yntau – y dyn mawr ei hun – wedi sgwario'i ysgwyddau a rhythu i fyw ei llygaid wrth ddweud, 'Mae gen i gystal hawl â neb i fod ar y mynydd.'

Ond be *oedd* o'n da yno? Fo a'i bwced a'i gasgliad malwod truenus. Doedd ganddo ddim bwriad eu bwyta: byddai paratoi *kohli bourbouristí* iddo'i hun yn drech nag o. Fyddai hwnnw ddim yn blasu hanner cystal – chwarter cystal – â phetai ei fam wedi'i goginio, felly doedd dim pwynt hyd yn oed meddwl am y peth, nagoedd?

Ond allan yr aeth o pan ddechreuodd hi fwrw, fel roedd o wedi'i wneud er pan oedd yn ddim o beth, yn union fel petai ei fam wedi sodro'r bwced a'r lantarn yn ei ddwylo a'i hel allan o'r tŷ – 'a phaid ti â meiddio dŵad adra yn d'ôl nes bod y bwcad 'na'n hanner llawn, o leia'. Edrychodd i mewn iddi rŵan a gweld un falwoden yn dal i lynu ar yr ochr. Cydiodd ynddi rhwng bys a bawd a'i gollwng dros y clawdd, a phan drodd, daeth y garreg gyntaf o'r tywyllwch a'i daro yn ei ben.

Baglodd yn ei ôl a theimlo pen y clawdd isel yn ei bwnio'n giaidd yng ngwaelod ei gefn, wedi'i ddychryn yn fwy na'i frifo gan y garreg, ac yn meddwl am eiliad fod rhywun wedi'i saethu er na chlywodd o 'run ergyd, dim ond clec y garreg yn erbyn ochr ei ben. Cododd ei fysedd a theimlo'r gwlybaniaeth poeth ar eu blaenau, ac yna o'r tywyllwch daeth carreg arall. Trawodd hon yn filain yn erbyn cefn ei law gan frifo fel pigiad cacynen, a'r tro hwn gwaeddodd Grigori efo'r boen sydyn a gollwng ei lantarn.

Efallai fod sŵn ei lais wedi gweithio fel sbardun o ryw fath, oherwydd cawod o gerrig ddaeth nesaf, rhai ohonyn nhw'n fawr ac yn finiog ac yn ei frifo go iawn, yn enwedig y rhai ddaeth o hyd i'w wyneb. Teimlodd ei wefus isa'n ffrwydro ar agor, a lapiodd ei freichiau dros ei ben a'i wyneb pan laniodd un arall yn beryglus o agos i'w lygad chwith. Baglodd i'r llawr, ac wrth sbecian rhwng ei freichiau gwelai dri yn dod o'r cysgodion a'u pwcedi a'u powlenni'n llawn cerrig yn ogystal â malwod – tri hogyn roedd o'n eu nabod yn dda, hogia roedd o wedi'u dysgu am flynyddoedd yn yr ysgol ac wedi'u gwylio'n tyfu, ond erioed wedi breuddwydio eu bod nhw'n prysur droi'n angenfilod o dan ei drwyn . . .

Hogia roedd o newydd eu dwrdio ar lethrau Psiloritis.

Ceisiodd weiddi arnyn nhw, ond erbyn hyn roedd o'n rhowlio ar y llawr a'i freichiau dros ei ben, a'r cerrig mân, mân oddi ar wyneb y ffordd yn glynu fel pinnau yn ei wefus waedlyd.

'Be dach chi'n 'i neud? Pam dach chi'n gneud hyn?'

*

Efallai, meddyliodd Grigori wedyn, pe baen nhw heb glywed rhai o'r oedolion yn mwmian dan eu gwynt (a'r rheiny heb ystyried, na malio, fod y pedwarawd o gathod yn clywed pob dim) y buasen nhw wedi derbyn yn dawel ddwrdio'u hathro. Doedd cael pryd o dafod ddim yn beth newydd i'r rhain, wedi'r cwbwl, a gwyddent eu bod ar fai ac yn haeddu cael row iawn am rythu'n hy i fyny sgert Eris Stagakis.

Ond mae'n debyg eu bod wedi clywed brawddegau cas yn cael eu dweud mewn lleisiau isel: 'Ma hwn yn cachu llond ei drowsus wrth feddwl am gwffio neu am fynd at yr *andártes*, ac yn cuddio'r tu mewn i'w ysgol a thu ôl i'r offeiriaid pan fydd unrhyw sôn fod yr Almaenwyr o gwmpas . . . mond digon dewr i gega ar blant.' Dyna fydden nhw wedi'i glywed, penderfynodd, ac nid am y tro cyntaf chwaith. Ond wedyn doedd o, Grigori Daskalakis, ddim wedi helpu rhyw lawer arno'i hun yn ddiweddar, oedd o?

Felly i lawr ar ei ôl o yr aethon nhw, i lawr y mynydd tuag Anogia, y pedwarawd o gathod yn stelcian yng nghysgodion y tai. Yr un tawel ar y blaen a'r tri arall yn dilyn ar flaenau eu traed, gan blygu bob hyn a hyn i godi cerrig a'u gosod yn ofalus yng nghanol y malwod y tu mewn i'w pwcedi a'u powlenni. Roeddan nhw yno'r tu ôl iddo pan arafodd ei gamau i gerdded efo'r hen frân honno mewn du, gan guddio yn nhywyllwch y mynydd ac wedyn yng nghysgodion y sgwâr. A rŵan dyma nhw, wedi dysgu bod popeth yn dod yn hynod o hawdd unwaith y bydd y garreg gyntaf wedi cael ei thaflu.

Erbyn hyn roedd o wedi rhoi'r gorau i wingo – wedi rhoi'r gorau i symud o gwbl, nes roedd taflu'r cerrig ato bellach fel pledu bwndel o hen sachau, yn ddim hwyl o gwbl. Doedd Nikos, wrth gwrs, ddim wedi taflu 'run garreg. Ddim eto. Ddim wedi gwneud dim byd ond camu'n ei ôl ryw fymryn a gwylio'r tri arall, a'i ben ar un ochr. Edrychodd yr hogia eraill arno, ddim yn sicr iawn beth i'w wneud nesaf. Cicio, efallai? Cododd un o'r hogia ei droed yn fygythiol ond ysgydwodd Nikos ei ben. Trodd a gweld bod pentwr bychan o rwbel y tu allan i un o'r tai. Yno, roedd sawl carreg drom.

Cychwynnodd tuag atyn nhw.

'Nikos . . .' Un o'r lleill yn sibrwd dan ei wynt, yr adrenalin wedi diflannu'n sydyn. Y tri'n dechrau sylweddoli mai eu hathro oedd hwn a orweddai'n belen ar y llawr o'u blaen – Kýrios Daskalakis, y dyn roeddan nhw i gyd yn arfer meddwl y byd ohono tan yn ddiweddar. Dduw Mawr, be oeddan nhw wedi'i wneud?

'Nikos!' sibrydodd yr un hogyn eto. Un peth oedd rhoi cic slei i rywun a orweddai'n swp ar y ddaear wrth eu traed, ond roedd yr hyn oedd gan Nikos yn amlwg mewn golwg yn fater arall, llawer iawn mwy difrifol. Meddyliodd yr hogyn am eiliad fod Nikos am ei anwybyddu, ond yna arhosodd Nikos a throi a syllu ar y tri arall – Paulos, Petraka a Stavro. Gwyddai Nikos, petai'n cefnu arnyn nhw eto a chodi un o'r cerrig mawrion, na fyddai'r un ohonyn nhw'n gwneud unrhyw beth i'w rwystro ond yn hytrach yn rhedeg i ffwrdd nerth eu traed am eu cartrefi, cyn iddo fo fedru gwneud unrhyw beth â'r garreg. Oedd 'na unrhyw bwynt, felly?

Nagoedd, ddim bellach. Serch hynny, cymerodd arno betruso am ychydig, ei lygaid yn crwydro'n ddiog o un wyneb nerfus i'r llall cyn setlo ar y bwndel crynedig a orweddai ger y clawdd. Gallai deimlo'u hofn, a gwyddai petai'n cau ei lygaid y byddai'n ôl mewn llwyn o goed olewydd, yn gorwedd ar ei fol ar ddaear sych, yn teimlo yr un ofn yn cropian tuag ato'n ara deg, a thawelwch llethol y sicadau ar y brigau uwch ei ben yn merwino'i glustiau.

Trodd a cherdded oddi yno heb ddweud yr un gair. Diflannodd i'r cysgodion gan adael y tri arall yn rhythu ar ei gilydd, cyn iddynt hwythau hefyd droi a llithro i'r tywyllwch.

10

Mendelssohn ar y to

Ar y 1af o Fawrth 1944 yr apwyntiwyd y Cadfridog Heinrich Kreipe yn Gadlywydd y 22nd Air Landing Infantry Division yng Nghreta, i gymryd lle'r 'Cigydd', y Cadfridog Friedrich-Wilhelm Müller. Yn wahanol i'w ragflaenydd, roedd Kreipe yn ddyn darllengar a diwylliedig, ac ar ôl cyfnod hir o ymladd yn Rwsia edrychai ymlaen at ddod i ynys oedd yn enwog am ei hanes, ei mytholeg ac, yn anad dim, am ei heulwen gynnes.

Un o'r pethau cyntaf wnaeth Kreipe ar ôl setlo yn y Villa Ariadne, felly, oedd mynegi ei fwriad i ymweld ag adfeilion hynafol Knossos, oedd fwy neu lai ar garreg drws y fila. Dyma ddinas y brenin Minos: lleoliad y labyrinth lle gynt y rhuai'r hanner dyn, hanner tarw erchyll, y Minotor – canlyniad y garwriaeth ddall rhwng Pasiphaë, gwraig Minos, a'r tarw gwyn, hardd a gawsai'r brenin yn anrheg gan Poseidon, duw'r môr.

Roedd Kreipe, oedd yn gwybod ei Ovid a'i Horas, wedi'i blesio'n fawr fod y fila wedi'i enwi ar ôl merch hynaf Minos, Ariadne, yr eneth a helpodd Theseus i ladd y Minotor. Ond doedd yr hen chwedlau hyn yn golygu affliw o ddim i'w gorporal o yrrwr swyddogol, y *Gefreiter* Hans Frunze, a dueddai i boeni llawer mwy – llawer gormod, yn nhyb Kreipe – am ei ddiogelwch o. Yn sicr, ac yntau wedi edrych ymlaen cymaint at weld y lle, doedd ar Kreipe ddim eisiau treulio'i amser yn Knossos hefo Frunze yn ffysian o'i gwmpas fel rhyw hen iâr.

Na, roedd ganddo rywun arall mewn golwg ar gyfer yr ymweliad arbennig yma, sef yr is-gapten tal, main a chloff hwnnw y bu iddo'i gyfarfod yn Iráklion rai wythnosau ynghynt. Jung, meddyliodd â gwên – Tobias Jung. Yn ôl yr uwch-gapten yn Iráklion, 'Creadur go ryfedd ydi Jung, Herr General. Un sych, dihiwmor, wastad â'i drwyn mewn llyfr ac yn diflannu i Knossos byth a beunydd.'

'O?' Roedd y disgrifiad yma, i ddyn fel Kreipe, yn fwy o gymeradwyaeth nag o gondemniad, a chadarnhawyd hyn pan ychwanegodd yr uwch-gapten nad oedd gan y Cadfridog Müller fawr i'w ddweud wrth Tobias Jung.

'Mae ganddo hen ffordd annifyr o roi'r argraff ei fod yn ei ystyried ei hun yn well na'r rhelyw, Herr General,' aeth yr uwch-gapten yn ei flaen, yn amlwg yn methu dioddef Jung druan, ac yn falch o gael y cyfle i'w bardduo.

Be mae'r creadur Jung 'ma wedi'i wneud i hwn? meddyliodd Kreipe, gan deimlo'i hun yn cynhesu fwyfwy at Tobias Jung. Nid llwfrgi mohono, roedd hynny'n amlwg. Roedd y manylion amdano yn y ffeil – ei wrhydri yn yr Iseldiroedd ac yng Ngwlad Pwyl cyn cyrraedd Creta – yn profi hynny. Am ryw reswm, doedd dim byd yn y ffeil am yr hyn oedd wedi digwydd ar ddiwrnod cynta Jung yng Nghreta, sylwodd Kreipe. Ond wrth reswm, roedd wedi clywed yr hanesion am Jung a Golo Wolf yn achub bywydau'i gilydd.

Roedd pethau eraill yn y ffeil am Tobias Jung oedd wedi sbarduno chwilfrydedd Kreipe, a'r chwilfrydedd wedi'i brocio ymhellach gan y sgwrs a gawsai amdano gyda'r uwch-gapten. Mynnodd, felly, gael cwrdd ag o pan ymwelodd â'r orsaf filwrol, a'r rheswm pam roedd Kreipe yn gwenu rŵan wrth feddwl amdano oedd fod Jung, yn ystod eu sgwrs gyntaf erioed, wedi dod yn agos uffernol at roi ei droed ynddi.

*

Craffai'r uwch-gapten arno wrth siarad. 'Mae ar y Cadfridog Kreipe eisiau dy weld di'r peth cynta fore Gwener,' meddai.

Oedd 'na wên fechan, fodlon wedi hedfan dan gnawd tyn ei wyneb wrth i'r gwaed lifo o ruddiau Tobias Jung? Oedd, penderfynodd Jung wedyn, a'i gof yn chwyddo'r holl beth nes troi'r rhith o wên yn grechwen filain, a bloedd o chwerthin sbeitlyd yn byrlymu'n fud y tu ôl iddi.

170

Llwyddodd i grawcio'r '*Jawohl*, Herr Major' gwasaidd a ddisgwylid ganddo, ac i ychwanegu'n llipa, 'Yn fama, dwi'n cymryd, Herr Major?'

Yn hytrach na'i ateb, meddai'r uwch-gapten: 'Mae'n ymddangos dy fod wedi gneud cryn argraff ar y cadfridog.'

Mae'r bastad yn mwynhau hyn, meddyliodd Jung. Ceisiodd lyncu, ond roedd y tu mewn i'w geg yn sych grimp. Sut argraff?

Ar ôl syllu arno am rai eiliadau, edrychodd yr uwch-gapten i lawr ar ddarn o bapur ar ei ddesg. 'Mae o am i ti alw amdano fo yn y Villa Ariadne,' meddai.

'Yn . . . yn y Villa Ariadne, Herr Major?' meddai Jung, yn meddwl efallai fod carlamu uchel ei galon ynghyd â'r chwiban yn ei ben wedi peri iddo fethu clywed rhyw frawddeg flaenorol, bwysig.

'Mae o am i ti fynd â fo i Knossos,' meddai'r uwch-gapten ychydig yn ddiamynedd, wedi dechrau alaru ar y gêm.

Arafodd calon Jung a dychwelodd y poer i'w geg.

'Pam fi?' gofynnodd. Cwestiwn digon teg, tybiai; doedd is-gapteiniaid ddim fel arfer yn gweithredu fel gyrwyr i'w huwch-swyddogion. Roedd gan y cadfridog ei yrrwr personol ei hun, beth bynnag. Syllodd yr uwch-gapten ar Jung dros ei ddesg fel petai yntau hefyd yn ei chael hi'n anodd deall pam ar wyneb y ddaear y buasai unrhyw ddyn yn gwneud cais am gwmni creadur fel hwn.

'Dwi newydd ddweud, Jung. Mi wnest ti argraff arno fo.'

'Do?'

'Er gwaetha'r hyn ddywedist ti wrtho fo'r diwrnod hwnnw.' Meddyliodd yr uwch-gapten am ennyd, cyn ychwanegu, bron o dan ei wynt: 'Neu efallai *oherwydd* hynny. Ben bore Gwener, felly, Herr Oberleutnant, am saith o'r gloch. Bydd y Cadfridog yn aros amdanat ti, felly paid â bod yn hwyr.'

Roedd yr uwch-gapten wedi ysgwyd ei ben fel petai'r holl fusnes ymhell y tu hwnt iddo, ond roedd Tobias Jung wedi mynd o'r swyddfa a gwên fechan yn hofran ar ei wefusau.

Roedd Jung wedi treulio'r wythnosau ers iddo gwrdd â'r cadfridog yn poeni nes ei fod yn swp sâl. Fi a ngheg fawr!

meddyliai. Be gythral ddaeth drosta i? Fi, yr un oedd ag enw am fod yn berson diflas a dihiwmor, yr un olaf un i leddfu'i sgyrsiau â jôcs, yn enwedig rhai allai gael eu dehongli fel sylwadau amharchus a pheryglus.

Wrthi'n ceisio cael rhyw fath o drefn ar recordiau'r gramoffon yn ystafell fwyta'r swyddogion roedd Jung y diwrnod hwnnw – tasg Sisyffaidd os bu un erioed, gan fod y taclau'n mynnu rhoi'r recordiau anghywir y tu mewn i'r cloriau anghywir os oeddan nhw'n trafferthu i'w cadw o gwbl – pan deimlodd fod rhywun yn ei wylio. Trodd a gweld y cadfridog yn sefyll yn y drws, ynghyd â'r uwch-gapten a dau ringyll.

Ymsythodd Jung fel petai rhywun wedi gwthio procer poeth i fyny'i ben ôl, a chynnig y salíwt.

'Herr General!'

'Oberleutnant Jung, dwi'n cymryd?' Dychwelodd y cadfridog y salíwt mewn ffordd ddigon ffwrdd-â-hi wrth symud tuag at y pentwr recordiau.

'*Ja*, Herr General.'

Heb edrych arno a chan ddechrau byseddu trwy'r recordiau, meddai Kreipe: 'Sut mae'r ysgwydd a'r goes erbyn hyn?'

'Ardderchog, diolch, Herr General.' Roedd hwn, meddyliodd Jung, yn amlwg wedi gwneud ei waith cartref.

'Ydyn nhw, wir?' Rhythai'r cadfridog arno. Doedd o ddim yn ddyn tal, sylwodd Jung, ond roedd ei lygaid gwyrddion yn llawn o awdurdod tawel. 'Maes awyr Maleme, ydw i'n iawn?'

'Ydych, Herr General.'

Nodiodd Kreipe yn araf a chafodd Jung y teimlad ei fod am ddweud rhywbeth arall ynglŷn â'r frwydr honno, ond yna newidiodd y cadfridog ei feddwl. 'Un o Regensburg wyt ti.' Datganiad, nid cwestiwn.

'Ia, Herr General.'

'Ac yn gryn gerddor.'

'Wel, mi fasa "tipyn" yn nes ati, mae arna i ofn, Herr General.'

Daeth gwg bychan i wyneb Kreipe: doedd ganddo ddim amynedd ag unrhyw wyleidd-dra.

'Fasa "tipyn o gerddor" ddim yn cael cyfeilio i gôr cadeirlan

172

Regensburg – y Domspatzen ei hun – ar organ Sant Pedr, Herr Oberleutnant. Yn enwedig ac yntau ddim ond yn ei arddegau.'

Wrth gwrs, roedd hyn i gyd yn ei ffeil, ac roedd Jung wedi hen roi'r gorau i ryfeddu at drylwyredd y *Wehrmacht*. Y Domspatzen – yn llythrennol, 'adar to'r gadeirlan', y côr enwog o Regensburg a arbenigai mewn cerddoriaeth litwrgaidd – a phan oedd Tobias Jung yn ddwy ar bymtheg oed, fo oedd eu . . . wel, doedd arno ddim eisiau meddwl am y dyddiau hynny, felly meddai:

'Roedd hynny flynyddoedd yn ôl, Herr General. Mewn oes arall . . . mewn byd gwahanol.'

Edrychodd Kreipe arno'n feddylgar. Beth oedd yn gwibio drwy'r meddwl craff hwnnw, tybed? ceisiodd Tobias Jung ddyfalu wedyn. Bod y cadfridog yn amlwg wedi sathru ar gorn poenus drwy ei holi ynglŷn â'i orffennol? Os felly, beth yn union oedd natur y corn hwnnw? Neu tybed a oedd anghydnawsedd rhywun fel Jung wedi'i daro, gan achosi cryn benbleth iddo? Roedd Jung, wedi'r cwbl, yn aelod o'r *Fallschirmjäger* – y parasiwtwyr, o bawb – un o'r catrodau caletaf, a'r hyfforddiant ar ei chyfer yn drech na llawer. Fyddai rhywun ddim yn disgwyl dod ar draws cerddor sensitif ymhlith ei rhengoedd.

Neu efallai mai cnoi cil roedd Kreipe dros frawddeg olaf Jung: 'oes arall', 'byd gwahanol'. Tybed oedd o'n amau Jung o awgrymu bod yr oes honno'n fwy gwaraidd, yn well byd o beth myrdd na'r llanast roedd o heddiw? Y llanast roeddan *nhw*'n gyfrifol am ei greu?

Yn y diwedd, yr unig beth a wnaeth Kreipe oedd rhoi nòd fechan, yn amlwg wedi penderfynu gadael llonydd i eiriau Jung am y tro. Ond ddim ond am y tro, teimlai Jung; daeth i'w feddwl gi yn claddu asgwrn yn ofalus gyda'r bwriad o ddychwelyd ato yn y dyfodol agos, a chan edrych ymlaen at ei gnoi.

'Wrth gwrs,' meddai'r cadfridog, 'dydi Regensburg ddim yn wirion o bell o'm cynefin i.'

Roedd Jung hefyd wedi gwneud rhywfaint o waith cartref, cyn gynted ag y deallodd fod Heinrich Kreipe am ddod yma yn lle'r erchyll Müller. Gwibiodd nifer o ffeithiau bywgraffyddol trwy'i feddwl: Karl Heinrich Georg Ferdinand Kreipe – arwr y Rhyfel Mawr; cadlywydd milwrol yn ystod cyrch yr *Unternehmen Barbarossa* yn yr Undeb Sofietaidd; enillydd yr aruchel Groes y Marchog, y *Ritterkreuz des Eisernen Kreuzes*, am wasanaeth nodedig . . . Ond faint wyddai o am darddiad y dyn? Roedd llygaid Kreipe yn llonydd ac yn ddisgwylgar – llygaid gwyrddion . . . gwyrdd . . .

Cofiodd Jung. Talaith Thuringia, wrth gwrs. 'Nac ydi, Herr General. Rydan ni bron iawn yn gymdogion. *Das grüne Herz Deutschlands* – 'Calon Werdd yr Almaen' – ia?' A chan nad oedd arno eisiau edrych fel gormod o grafwr tin yng ngŵydd yr uwch-gapten a'r ddau ringyll, oedd yn gwrando ar bob gair, ychwanegodd: 'O Erfurt?' – er y gwyddai'n iawn nad un o brifddinas Thuringia oedd Kreipe.

Ysgydwodd y cadfridog ei ben. 'Großenehrich.' Trodd yn ôl at y recordiau a mynd trwyddyn nhw ychydig yn ddiamynedd. 'O ran diddordeb, Herr Oberleutnant, pwy ydi dy hoff gyfansoddwr di?'

Doedd dim rhaid meddwl y tro hwn. 'Schütz, Herr General. Heinrich Schütz.'

Cododd Kreipe ei aeliau. 'O? Nid Bach? A thithau'n organydd?'

'Mae Bach yn wych, wrth gwrs. Ond fy hoff waith yw'r *Musikalische Exequien*. I mi, dyna'r gwaith corawl harddaf a mwyaf ysgytwol, mwyaf emosiynol, erioed.'

Nodiodd Kreipe eto. ' "Cerddoriaeth i dywys y meirwon o'r byd hwn",' meddai. 'Herr Oberleutnant, dwi'n agos iawn at gytuno efo chdi. Ond i mi, mae'r *Missa Solemnis* yn rhagori – o drwch blewyn, falla, ond yn rhagori.'

Mentrodd Jung wên fechan. 'Pawb â'i chwaeth, Herr General.'

'Yn hollol. Byd go dlawd fyddai hwn petaen ni i gyd yn mwynhau'r un peth.' Dychwelodd at y pentwr recordiau. 'Mozart, Wagner, Beethoven, Bach, Haydn, Brahms . . .'

Ochneidiodd – ac oedd yr ochenaid yna, tybed, meddyliodd Jung, yn dweud 'yr un hen bethau'?

Dyna pryd y llithrodd y 'jôc' o'i geg. Hwyrach oherwydd iddo gael ei gynhyrfu, braidd, gan y sgwrs – y sgwrs gyntaf o'i bath ers . . . wel, ers blynyddoedd – ac wrth iddo glywed ei lais ei hun yn llefaru'r geiriau, cafodd Tobias Jung y teimlad rhyfedd ei fod yn hofran fel ysbryd i fyny fry wrth y nenfwd, ac yn syllu i lawr arno fo'i hun yn siarad.

'Ac mae Mendelssohn gynnon ni hefyd,' meddai, 'ond ei fod o ar y to.'

Rhewodd Kreipe a chlywodd Jung ebychiad yn dod o gyfeiriad y ddau ringyll. Edrychodd Kreipe i fyny'n araf.

'Ydi o?' meddai. 'Ydi o, wir?'

*

Yn 1933 cawsai Gweinidog Propaganda'r Almaen, Joseph Goebbels, y weledigaeth o sefydlu Institiwt Gerddorol y Wladwriaeth – y Reichsmusikkammer – gyda'r bwriad o hybu'r hyn a oedd, yn nhyb y Natsïaid, yn 'gerddoriaeth Almaenig dda'.

Roedd cyfansoddwyr fel Beethoven, Brahms, Mozart, Wagner a'u tebyg, wrth gwrs, yn gadwedig – ond doedd dim lle i gerddoriaeth *jazz* na chanu gwlad, nac i weithiau gan gyfansoddwyr o dras Iddewig megis Mendelssohn, Mahler a Schoenberg, na hyd yn oed Debussy, gan ei fod wedi priodi Iddewes.

Yn ôl y sôn, yn syth ar ôl i'r Almaenwyr feddiannu Tsiecoslofacia, roedd Reinhard Heydrich, un o'r prif Natsïaid a phrif gynllunydd yr ymgyrchoedd erchyll yn erbyn yr Iddewon, y 'Final Solution', wedi ymweld â dinas Prâg. Gan fod diddordeb mawr gan Heydrich mewn cerddoriaeth, a'i fod yn dipyn o giamstar ei hun ar y feiolin, mynnodd ymweld â'r neuadd gyngerdd fawr yng nghanol y ddinas. Sylweddolodd fod sawl cerflun o gyfansoddwyr enwog ar do'r neuadd – ac mai un ohonyn nhw oedd Mendelssohn. Cyn dychwelyd i

Berlin, gorchmynnodd i'r cerflun hwn gael ei dynnu i lawr a'i ddinistrio.

Yn anffodus, doedd dim enw ar yr un o'r cerfluniau. Felly, pan aed ati i chwilio am y cerflun o Mendelssohn, doedd gan filwyr yr SS ddim syniad o gwbl p'run oedd o, nes i'r swyddog gael fflach o ysbrydoliaeth. Os mai Iddew oedd Mendelssohn, ymresymai, yna'i gerflun o fyddai'r un â'r trwyn mwyaf. Daethpwyd o hyd i un oedd â hymdingar o drwyn, ac roedd y milwyr ar fin ei ollwng oddi ar y to pan ddaeth bloedd o'r stryd islaw: roedd rhywun ychydig mwy deallus wedi adnabod y gwrthrych. Nid Mendelssohn oedd o, ond yn hytrach – o bawb! – Richard Wagner, hoff gyfansoddwr y Führer. Ar ben hynny, doedd gan Wagner, yn ôl y sôn, fawr o gariad at Iddewon!

Oedd y stori hon yn wir? Roedd cryn amheuaeth am hynny, ond roedd hi wedi lledu fel tân gwyllt. Peth peryglus, fodd bynnag, oedd ei hadrodd yn gyhoeddus gan ei bod hi yn y bôn yn portreadu milwyr yr SS fel criw o labystiaid anniwylliedig – yr union elfen a'i gwnâi'n stori boblogaidd ymhlith y milwyr cyffredin. Roedd hi'n adlewyrchu'n wael hefyd ar Heydrich ei hun, er ei fod yn ôl yn Berlin erbyn i'r milwyr fynd ati i ddymchwel y cerflun.

Gwir neu beidio, tybiai Tobias Jung ei bod hi'n stori a ddylai fod yn wir. Ond roedd o wedi mentro'n arw yn ei chrybwyll fel yna wrth y cadfridog, er bod bron i ddwy flynedd wedi mynd heibio ers i Heydrich gael ei ladd (yn Prâg, fel y digwyddodd hi, dan law dau Tsieciad ifanc). Teimlai Jung yn swp sâl wrth feddwl am yr holl bethau allasai fod wedi digwydd iddo petai wedi meiddio dweud y jôc yng ngŵydd Müller.

Rhywbeth tebyg oedd ar feddwl Kreipe wrth iddo gael ei yrru'n ôl i'r Villa Ariadne. I ddechrau, teimlai'n flin hefo Tobias Jung. Nid yn gymaint oherwydd cynnwys y jôc – os jôc hefyd! – ond yn hytrach oherwydd i Jung gymryd mantais o'r ffaith ei fod o a Kreipe newydd fod yn sgwrsio'n glên, bron fel dau enaid hoff, cytûn. Fel petai wedi llwyr anghofio, am eiliad, mai â chadfridog roedd o'n siarad, ac yntau'n ddim ond is-gapten.

Ysgydwodd Kreipe ei ben. Yna cofiodd sut roedd wyneb Jung

wedi gwelwi, ei lygaid wedi troi'n llygaid penwaig, a'i wefusau wedi symud yn fud fel pe bai'n gwneud ei orau i sugno'r geiriau'n ôl.

Gwenodd, a throdd y wên yn gyfarthiad sydyn o chwerthin; neidiodd llygaid ei yrrwr i'r drych ond chymerodd Kreipe ddim sylw ohono. Tipyn o enigma oedd Tobias Jung, a dweud y lleiaf, yn amlwg yn gyndyn iawn i drafod ei orffennol. Ond rhaid ei fod o'n gerddor eithriadol; mi fuasai sawl organydd yn fodlon rhoi pum mlynedd o'i fywyd am y cyfle i gael cyfeilio i'r Domspatzen.

Ac roedd o'n dal i fod yma, yng Nghreta! Pam, yn enw'r tad? Yn ôl y ffeil, cawsai ei anafu'n ddrwg, a gallasai fod wedi treulio gweddill y rhyfel gartref yn Regensburg – ac fel arwr, hefyd, oherwydd cawsai ei ddyrchafu'n *Oberleutnant* am achub bywyd un o'i gyd-filwyr. Ond roedd Jung, er mawr syndod i bawb ar y pryd, wedi gwrthod mynd adref. Mwy na hynny, roedd o wedi gwneud cais am gael mynd yn ei ôl i Greta. Er gwaethaf ei anafiadau, roedd wedi mynnu bod digonedd o bethau gweinyddol y gallai eu gwneud nes byddai wedi gwella'n ddigon da i fynd yn ôl i ymladd.

O ddarllen rhwng y llinellau, yr argraff a gâi Kreipe oedd fod Tobias Jung wedi crefu, bron, am beidio â chael ei anfon adref i Regensburg.

Enigma, a dweud y lleiaf. Mae Mendelssohn gynnon ni ar y to, wir!

*

Ymhen rhai wythnosau wedyn y cafodd Kreipe y cyfle i ymweld â Knossos.

Er cymaint roedd Kreipe wedi edrych ymlaen at gael dod i Greta, buasai'n well o lawer ganddo pe na bai wedi gorfod etifeddu swydd Müller. Roedd wedi penderfynu, fwy neu lai ar ôl y tro cyntaf iddo'i gyfarfod, mai mochyn o ddyn oedd hwnnw.

Roedd yn rhaid iddo gyfaddef bod Müller (oedd ddwy flynedd yn iau na fo) yn filwr galluog a dewr – wedi ennill, fel yntau, fedal Croes y Marchog â Dail y Dderwen a Chleddyfau

177

am ymladd yn Rwsia. Ond cawsai'r gogoniant milwrol hwn ei staenio gan ei weithredoedd creulon a didostur yn erbyn y bobl gyffredin yng Nghreta. Er mai dim ond cofnodion moel mewn ffeil oedd gan Kreipe, teimlai fod arogl y gwaed yn crwydro fel mwg i fyny ei ffroenau; bron na allai glywed yr wylofain, y sgrechian a'r crefu ofer am drugaredd. 'Cigydd Creta', yn wir – a be ar wyneb y ddaear oedd ar ben y Cadfridog Bräuer, cyn-lywodraethwr Almaenig Creta, yn caniatáu i Müller wneud joban mor wych o haeddu'r llysenw hwnnw? Roedd y rhestr o enwau'r gwahanol bentrefi gawsai eu llosgi dan orchymyn Müller yn un faith, a Duw'n unig a wyddai faint o drigolion y cymunedau bychain hynny gawsai eu harteithio a'u lladd.

Caeodd Kreipe y ffeil a'i gwthio oddi wrtho gan deimlo'r iselder ysbryd mwyaf ofnadwy yn bygwth ei lorio. Cododd a chroesi at y ffenest. Deuai'r pyliau hyn drosto'n llawer amlach yn ddiweddar; roedd o wedi blino, dyna be oedd. Blinder corff ac ysbryd. Roedd Rwsia wedi bod yn uffern ar y ddaear – ac i be, yn y diwedd? Pechasai'r Almaen yn erbyn y byd, a rŵan roedd y byd yn brathu'n ôl.

Ei Almaen o.

Ymysgydwodd. Na! Nid ei Almaen o, byth. Doedd ei Almaen o ddim yn genedl o farbariaid, o dystion byddar a dall i'r fath erchyllterau. Na chwaith yn genedl o ddioddefwyr; fyddai dinasoedd fel Munich, Nürnberg a Berchtesgaden ddim wedi cael eu difetha i'r fath raddau . . . a fyddai ei wlad o ddim wedi troi cannoedd o gyfranwyr dawnus i'w diwylliant a'i hanes yn ffoaduriaid ofnus. Meddyliodd am bobol fel Brecht a Thomas Mann, a theimlai – fel y gwnâi bob tro y byddai'r cwmwl du hwn yn setlo drosto – y dagrau'n cronni yng nghorneli ei lygaid. Roedd angenfilod fel Müller ym mhob man, wedi cenhedlu'n gannoedd a channoedd fel feirws ffiaidd: drain a chwyn oedd yn prysur dagu'i Almaen o.

Trodd yn ei ôl at y ddesg lle roedd y ffeiliau cardbord, hyll yn aros amdano. Ochneidiodd ac edrych o gwmpas yr ystafell. Buasai'r fila hwn, ar un adeg, yn llawn trysorau archaeolegol a gawsai eu darganfod yn Knossos, ond yn sgil Brwydr Creta daethai'r Cadfridog Julius Ringel i aros yma, a diflannodd y rhan fwyaf o'r trysorau hyn i Awstria, gan gynnwys nifer helaeth o drysorau amgueddfa Knossos. Beth oeddan nhw i gyd, tybed? Er nad oedd o wedi taro llygad ar yr un ohonynt, roedd Kreipe yn gweld eu colli.

Hwyrach fod Tobias Jung yn gwybod rhywbeth amdanyn nhw? A dyna fo wedi meddwl am y creadur od hwnnw eto fyth.

Dydd Gwener, meddai wrtho'i hun – mi ga' i gyfle i fynd ddydd Gwener nesa. Ysgrifennodd nodyn brysiog i'r perwyl. Ond fydda i fymryn nes at ddeall Jung? Go brin, mae'n debyg. Ond *roedd* 'na rywbeth yn ei orffennol, gallai Kreipe deimlo hynny ym mêr ei esgyrn. Dynes, efallai? Rhyw fersiwn unigryw o'r *Ewig-Weibliche*, y tragwyddol-fenywaidd, chwedl Goethe? Adroddodd linell Goethe'n uchel wrth gloi drôr ei ddesg â'i ffeiliau cardbord di-liw a'u cynnwys ofnadwy: '*Das Ewig-Weibliche zieht uns hinan.*' Y tragwyddol-fenywaidd a'n dyrchafa . . .

Efallai. Ond na, meddyliodd wrth ddiffodd y golau, buasai hynny'n eglurhad rhy syml, a doedd Kreipe ddim yn credu bod yna unrhyw beth syml ynglŷn ag Oberleutnant Tobias Jung.

*

Troai stumog Jung fel buddai wrth iddo ddangos ei ddogfennau (am saith o'r gloch yn brydlon) i'r milwyr oedd yn gwarchod giatiau'r Villa Ariadne y bore Gwener hwnnw. Yn ogystal â'r gwarchodwyr, roedd tair rhesiad o wifrau pigog trydan ar ben y waliau o gwmpas y fila.

Camodd y cadfridog allan drwy'r drysau wrth i Jung yrru i fyny atynt, a dringo'n syth i'r jîp wrth ei ochr gan gynnig y salíwt, eto mewn ffordd ddigon ffwrdd-â-hi, meddyliodd Jung.

'*Guten Morgen,* Herr Oberleutnant.'

'Herr General! *Guten Morgen.*'

Roedd yn amlwg mai yn y jîp roeddan nhw am deithio – gyda gosgorddlu o chwe milwr, ar dri beic modur â seidcar yn sownd wrth bob un. Safai car y cadfridog yn segur o flaen y fila, ac wrth i Kreipe wgu'n biwis ar y milwyr wrth iddyn nhw danio'u beiciau, gwelodd fod 'na gorporal ifanc yn sefyll wrth y car ac yn gwgu arno yntau.

'Gefreiter Frunze,' eglurodd Kreipe, yn bloeddio dros ruo'r beiciau modur. 'Dydi o ddim yn hapus iawn ynglŷn â hyn.'

Cawsant salíwt ddigon digalon gan Frunze wrth iddyn nhw yrru trwy giatiau'r fila. Roedd yn amhosib cynnal sgwrs o unrhyw fath, diolch i'r beiciau modur. Rhegodd Kreipe nhw dan ei wynt, gan benderfynu y byddai'n cael gwared ar y taclau swnllyd cyn gynted â phosib.

Roeddan nhw yn Knossos cyn pen dim – bron na allai Kreipe fod wedi cerdded yno o'r fila. Daliodd ei wyneb i'r haul wrth i'r milwyr ddiffodd injans eu beiciau modur fesul un, ac ochneidiodd yn uchel. 'Diolch i Dduw am hynna.' Yna trodd at Jung.

'Dwi'n dallt dy fod ti wedi dod yn dipyn o arbenigwr ar y lle 'ma?'

'Wel . . .'

Yr hyn a wibiai drwy feddwl Jung oedd nad oedd dyn fel hwn ddim yn debygol o fynd i unman heb wybod rhywfaint amdano ymlaen llaw, ond siaradodd Kreipe cyn iddo fedru'i ateb yn llawnach.

'Y peth gorau fyddai i ti gymryd yn ganiataol mod i'n gwybod y nesa peth i ddim am y lle – iawn, Herr Oberleutnant?'

'Wrth gwrs, Herr General.'

Er iddo drio peidio, fedrai Jung ddim ymatal rhag rhoi cip i gyfeiriad y bin sbwriel wrth y fynedfa. Oeddan nhw – pwy bynnag oedd y 'nhw' – yn dal i gadw llygad arno? Mi fyddan nhw'n sicr o fod wrthi heddiw, meddyliodd, diolch i'r beiciau modur a'r jîp. Wrth gwrs, doedd o ddim wedi cael achos i ddefnyddio'r bin ers wythnosau, a gobeithiai i'r nefoedd ei fod o wedi gwneud hynny am y tro olaf.

Cyfarthodd Kreipe orchymyn ar y milwyr i aros lle roeddan nhw yng nghysgod y coed a dyfai wrth y fynedfa, cyn troi'n ddisgwylgar at Jung. Fel y disgwyliai Jung, roedd cwestiynau'r cadfridog wrth iddyn nhw gerdded o gwmpas Knossos yn rhai deallus a chraff; gwyddai, er enghraifft, fod Homer wedi ysgrifennu am Greta, gan ei disgrifio fel ynys boblog ar y naw ac iddi naw deg o ddinasoedd, yn cynnwys Knossos, Phaestos, Gortys, Lyttos, Kydonia a Rhytion.

Torrwyd ar draws y daith gan negesydd yn cludo nifer o ddogfennau'n gofyn am lofnod y cadfridog, ac eisteddodd y ddau – yr athro a'r disgybl! – yng nghysgod y coed wrth geg y Ffordd Frenhinol hir, tra oedd Kreipe yn astudio'r dogfennau'n ofalus cyn eu llofnodi. Roedd Jung yn falch o gael hoe, a symudodd ychydig oddi wrth y cadfridog er mwyn i'r dyn gael canolbwyntio ar ei bapurau. Roedd hi'n ganol y bore a'r haul eisoes yn dechrau taro'n boeth, ac fel y digwyddai bob tro y deuai yma, daeth dau ddyn i'w feddwl, un Almaenwr ac un Sais.

Gwenai wrth feddwl am y cyntaf, ac ochneidiai wrth feddwl am yr ail.

Brenin oedd yr Almaenwr – brenin talaith Bafaria lle roedd cartref Tobias. Yn unol â ffasiwn ei gyfnod, roedd Ludwig y Cyntaf yn Roeg-garwr heb ei ail (cymaint felly nes iddo sodro'i fab, Otto, ar orsedd gwlad Groeg cyn gynted ag y gallai ar ôl ymadawiad cyntaf y Twrciaid ym 1832). Gan fod gan Ludwig y modd i fynd dros ben llestri ag unrhyw beth a gipiai ei ffansi, adeiladodd gopi o'r Parthenon – Walhalla – ar fryn uwchlaw afon Donau ger tref Donaustauf. Bu farw Ludwig ym 1868, ddeng mlynedd cyn i adfeilion cyntaf Knossos gael eu darganfod, a deuddeng mlynedd ar hugain cyn i Syr Arthur Evans fynd ati i dyllu go iawn yno gan ddadorchuddio'r holl adeiladau godidog yr eisteddai Jung a Kreipe yn eu canol rŵan. Mi fyddai'r hen Ludwig wedi mopio'i ben yn lân hefo Knossos, a meddyliai Jung yn aml fod gan Donaustauf le i ddiolch na chafodd Ludwig mo'r cyfle i ymweld â'r adfeilion, neu Duw a ŵyr beth arall a fyddai wedi ymddangos ar lethrau'r bryniau uwchlaw afon Donau!

Dyn o'r enw John Pendlebury oedd y Sais – dyn tal ag un llygad gwydr, a'r rheswm pam yr ochneidiai Jung wrth feddwl amdano oedd y buasai wedi rhoi'r byd am gael cwrdd ag o. Am tua naw mlynedd cyn y rhyfel, ac yn ystod blynyddoedd cynta'r rhyfel, fo oedd curadur Knossos, ac yn wir yr arbenigwr ar y lle. Yn anffodus roedd Pendlebury hefyd yn gweithio i wasanaeth cudd Prydain ac yn trefnu'r gwahanol grwpiau o *andártes* lleol. Ar ôl cael ei anafu yn ystod Brwydr Creta, cawsai ei sodro yn erbyn wal gan griw o barasiwtwyr a'i ladd.

Syrthiodd cysgod dros wyneb Jung ac edrychodd i fyny i weld Kreipe yn sefyll wrth ei ochr. 'Y meddwl ymhell yn rhywle, Herr Oberleutnant?'

Sgrialodd Jung ar ei draed. 'Mae'n ddrwg gen i . . .' dechreuodd, ond siglodd Kreipe ei ben: hidia befo. Yna daliodd y cadfridog ei wyneb i fyny at wres yr haul, ei lygaid ynghau a gwên fach fodlon ar ei wefusau, ac meddai, heb agor ei lygaid, 'Coeden tamarisg ydi hon, yntê?'

'Ia, Herr General.'

'Y goeden a blannodd Abraham yn Beerseba, ydw i'n iawn?'

'Mae gen i ofn na fedra i ddim deud . . .'

'Dwyt ti ddim yn gwbod dy Feibl?'

Cofiodd Jung fod Kreipe yn fab i offeiriad.

'*Und Abraham pflanze eine Tamariske zu Beerseba und rief daselbst den Namen Jehovas, des ewigen Gottes,*' dyfynnodd Kreipe. 'Genesis, Herr Oberleutnant. Fersiwn Elberfelder, beth bynnag. Twt twt . . .' Saib fechan, yna ychwanegodd: 'A sôn am dwt-twtio – Mendelssohn?'

Teimlodd Jung ei stumog yn troi. Dyma ni, meddyliodd – rŵan amdani.

'A-aa, ia. Mae'n ddrwg gen i am hynna, Herr General.'

Ysgydwodd Kreipe ei ben eto. 'Wyt ti'n gyfarwydd â'r hyn ddywedodd Nietzsche amdano fo?'

'Nac ydw, mae'n ddrwg gen i.'

'Ei fod yn egwyl fach fwyn yn hanes cerddoriaeth yr Almaen – rhwng Beethoven a Wagner.' Agorodd Kreipe ei lygaid a throi at Jung. 'Egwyl fwyn neu beidio, Oberleutnant, ddylet ti fod yn fwy gofalus. Dwi'n cymryd na ddywedaist ti ddim byd tebyg wrth fy rhagflaenydd?' Yna fe'i hatebodd ei hun. 'Naddo, wrth gwrs, neu go brin y basat ti yma heddiw. Yn Rwsia y basat ti, yn yr eira – ysgwydd boenus a choes gloff neu beidio. O'r hyn dwi wedi'i weld o General Müller, ac wedi'i glywed amdano, alla i ddim dychmygu y basa fo wedi gwerthfawrogi'r hiwmor.'

Tasa fo wedi'i ddallt o yn y lle cynta, meddyliodd Jung. Ond wrth gwrs, ddywedodd o mo hynny'n uchel. 'Mae'n ddrwg gen i,' meddai eto.

Syllodd Kreipe arno am ychydig, cyn troi i ffwrdd gan ysgwyd ei ddogfennau i'w tacluso. 'Mae'n rhaid i mi fynd yn ôl, gwaetha'r modd. Ro'n i wedi gobeithio . . .' Petrusodd, yna ysgydwodd ei ben eto. 'Ta waeth. Mi gawn ni gyfle eto, Herr Oberleutnant.'

Ar eu ffordd yn ôl i'r fila, sylwodd Jung ar ffigwr od, rywsut, yn sefyll wrth ochr y ffordd. Cretiad, a'i dyrban a'i fwstás a'r botasau pen-glin. Rhythodd ar y jîp wrth iddyn nhw yrru heibio, ac ar y cadfridog yn enwedig. Pan drodd Kreipe tuag ato, cododd y Cretiad ei law fel pe bai'n ei gyfarch. Wedi'i synnu braidd gan hyn, cododd Kreipe ei law yn ôl, bron heb sylweddoli ei fod yn gwneud hynny.

Anghofiodd Jung amdano am y tro, ond daeth y ffigwr hwn yn ôl i aflonyddu arno rai dyddiau'n ddiweddarach yn sgil herwgipio Heinrich Kreipe. Cofiodd â phigyn yn ei stumog fel bu iddo feddwl amdano fel ffigwr od, a dim ond wrth iddo feddwl go iawn am y digwyddiad y sylweddolodd pam. Roedd y Cretiad wedi'i wisgo fel un o drigolion pentrefi'r ucheldiroedd â'i dyrban a'i fotasau, ac eithriad oedd gweld un ohonyn nhw o gwmpas yr ardal yma, mor agos at yr arfordir.

Ond erbyn hynny roedd Kreipe – ynghyd â'r Gefreiter Hans Frunze – wedi hen ddiflannu.

11

Ílios me dóntia

Ílios me dóntia – haul a dannedd iddo. Dyna ddisgrifiad y Cretiaid o dywydd o'r fath: pnawn heulog a chlir ond y gwynt yn fain, yn arbennig felly yn y mynyddoedd.

'Fasa'r dannedd ddim hanner mor finiog tasan ni ddim ond yn cael symud rhywfaint,' oedd cwyn Nikolaos yn gynharach, ond roedd presenoldeb patrolau o filwyr Almaenig wedi caethiwo'r *andártes* yng nghanol y creigiau ers deuddydd. Doedd wiw iddyn nhw feddwl am fynd yn agos at yr un o bentrefi'r mynyddoedd: roedd y rhedwr a ddaethai â rhywfaint o win a bara iddyn nhw neithiwr wedi pwysleisio bod yr ardal gyfan yn berwi o Almaenwyr.

Erbyn hyn roedd dynion Anogia ar bigau, ac un peth ar ôl y llall fel petai'n cynllwynio i'w rhwystro rhag mynd adra. Dyna griw'r Kapetán Petrakoyeorgis i ddechrau, ddyddiau'n hwyr yn dod i'w cyfarfod a chymryd rhai o'r arfau oddi arnyn nhw. Pam? O, rhyw esgus ddigon llipa – wedi cael y dyddiad anghywir, medden nhw, gan feio'r rhedwyr oedd yn rhy ddwl i wrando'n iawn ar y neges yn y lle cyntaf. Doedd dim bai arnyn *nhw*, siŵr, o nag oedd, ddim ar *andártes* mor brofiadol â chriw Georgios Petrakoyeorgis . . . ac yn y blaen ac yn y blaen.

Hefyd, roedd y newyddion ysgytwol am farwolaeth Elias y Rhedwr wedi llorio criw Anogia. Elias? Roedd y rhedwr direidus o Asi Gonia wedi herio'r diafol ei hun gymaint o weithiau fel bod pawb wedi dod i gredu ei fod o'n anorchfygol. Ac i gael ei ladd gan awyren ar lethrau'r mynydd, o bopeth, a fynta'n fwy o giamstar na neb ar guddio rhagddyn nhw. Be gythgam oedd o'n ei wneud ar y mynydd yn ystod oriau'r dydd, beth bynnag?

A rŵan y Germani ym mhobman fel chwain, ac yn ei gwneud bron yn amhosib symud o le i le.

'Pam gythral na wnân nhw wynebu'r gwirionedd?'

Nikolaos eto, meddyliodd Manoli, â'r un hen dôn gron.

'Maen nhw'n prysur golli'r rhyfel – mae'r holl fyd yn credu hynny.'

'Ond dydyn *nhw* ddim,' meddai Manoli.

'Os felly, maen nhw'n ddall,' grwgnachodd Nikolaos, cyn ychwanegu: 'Mi ddeudis i, yndô?'

'Deud be?'

Camgymeriad, sylweddolodd Manoli'n rhy hwyr, ond roedd y geiriau wedi llithro o'i geg cyn iddo fedru eu rhwystro; dylai hefyd fod wedi sylwi bod mwstás Nikolaos yn hongian yn llacach nag erioed. Ochneidiodd iddo'i hun. Dywedwyd cryn dipyn o bethau gan Nikolaos ddoe, nes roedd Manoli wedi teimlo fel neidio oddi ar y dibyn agosaf.

'Deud mai fel hyn y basa petha,' meddai Nikolaos.

'Dwi ddim yn dy ddallt di.'

'Wel, ar ôl Kreipe, yndê.'

'O'r arglwydd, Nikolaos, rho'r gora iddi, 'nei di? Blydi Kreipe . . .'

'Yn hollol. Blydi Kreipe. Cipio Müller – iawn, tshiampion, mi fasa hynny wedi bod yn wych. Ond fasa'n well o beth myrdd tasan nhw wedi gadael llonydd i Kreipe. Wnaethon nhw ddim byd ond gwylltio'r Almaenwyr, a phwy sy'n diodda? Nid y nhw, yn sicr.'

'Pwy ydyn *nhw*?' gofynnodd Manoli, ar goll braidd.

'Y Prydeinwyr, yndê? Michali a Moss. Maen nhw wedi'i g'leuo hi o 'ma, yn tydyn? Efo Kreipe. Ac roedd y rhedwr hwnnw'n deud neithiwr fod Siphi'r Canwr wedi mynd hefyd.'

'Ydi. Ond falla fod hynny'n arwydd da, Nikolaos.'

'Sut felly?'

'Bod petha'n gwirioneddol ddirwyn i ben.'

Ymateb Nikolaos oedd ysgwyd ei ben yn drist a phoeri ar y ddaear.

*

A heddiw, bugeiliaid. Tri ohonyn nhw – un hogyn ifanc a dau ddyn, yn ôl Levtheri. Tri bugail yn dod i lawr y mynydd i'w cyfeiriad hefo'u praidd . . . ac oddeutu ugain o filwyr Almaenig.

'Skatá!'

Un ymwybodol iawn o'i ddelwedd oedd y Kapetán Mikhali Xylouris. Pur anaml y byddai'n rhegi yng ngŵydd rhywun. Roedd y ffaith iddo ebychu'n aflednais fel hyn yn tystio iddo gael ei ysgwyd yn o hegar gan y newyddion. Yn ŵr tal a golygus, a chanddo lond pen o wallt gwyn, fo bellach oedd arweinydd y criw yma o *andártes* ardal Anogia, a hynny ers tua deunaw mis – ers i Dramountanis-Stefanogiannis gael ei saethu yn y pentref yng ngŵydd ei deulu.

'Ydyn nhw'n weddol agos?' gofynnodd.

Nodiodd y gwyliwr. 'Un sigarét,' meddai. 'Falla ddwy. Ond dim mwy na hynny. Ma nhw ar dipyn o frys, gellwch fentro,' ychwanegodd gan rowlio'i lygaid.

Tro Xylouris oedd hi i nodio rŵan: os oedd yr *andártes* yn teimlo'n anghyfforddus yn yr iseldiroedd, yna roedd yr Almaenwyr yn teimlo'n fwy anghyfforddus o beth myrdd i fyny yn y mynyddoedd. Ers iddyn nhw ymosod ar yr ynys, roedd ofn yr ucheldiroedd ar y rhan fwyaf ohonyn nhw, yn enwedig felly'r troedfilwyr cyffredin. Byddent yn tueddu i saethu at bob llwyn rhag ofn bod yna *andárte* yn cuddio ynddo.

Gallai Xylouris ddychmygu bod yr ugain milwr yma fel ugain gafr ar d'rana – er eu bod, hwyrach, yn teimlo'n fymryn gwell o fod ar eu ffordd i lawr y mynydd. Roedd hi'n tynnu at ddiwedd y pnawn ac felly roeddan nhw ar frys i gyrraedd diogelwch cymharol y dyffrynnoedd cyn iddi ddechrau nosi. Gyda lwc, byddai eu brys yn eu gwneud ychydig yn llai gwyliadwrus, cysurodd yr *andártes* eu hunain. Y drafferth oedd mai criw o ddim ond wyth oeddan nhw'r *andártes*.

Rhegodd Xylouris eto, ond iddo'i hun y tro hwn: oedd raid i hyn ddigwydd heddiw? Teimlai'n afresymol o flin tuag at y tri bugail, fel petai'r creaduriaid wedi gwneud ati i gael eu dal gan y milwyr. Chwaraeodd â'r syniad o gadw pawb lle roeddan nhw, yn gorffwyso nes byddai hi'n tywyllu, o'r golwg yng nghysgod y creigiau ac yn ddigon pell o'r prif lwybrau. Mae'n debygol y byddai'r milwyr yn cerdded heibio iddyn nhw heb fod fymryn callach eu bod nhw yno'n eu gwylio.

Ond y bugeiliaid, y blydi bugeiliaid . . .

Gwyddai Xylouris na fyddai o byth yn medru maddau iddo'i hun petai'n gadael i'r tri yma fynd i'w tranc tra oedd o a'i *andártes* yn cuddio fel llygod yn y creigiau. Oherwydd wynebu eu tranc yr oeddan nhw, gan gynnwys y llencyn ifanc, ac roeddan nhw'n gwybod hynny, fwy na thebyg. Yr unig reswm roeddan nhw wedi cael byw cyhyd oedd bod eu hangen ar yr Almaenwyr i heidio'r defaid i lawr y mynydd; unwaith y cyrhaedden nhw'r iseldiroedd, câi'r tri eu gosod yn erbyn y clawdd agosaf a'u saethu. Roedd gadael i'ch praidd bori mewn 'ardal waharddedig' yn drosedd a haeddai'r gosb eithaf, yn ôl y Natsïaid.

Go brin y byddai'r hogia eraill yn maddau i mi, beth bynnag, meddyliodd Xylouris wrth sylwi ar yr holl wynebau a syllai arno'n ddisgwylgar. Wedi'r cwbl, bugeiliaid oedd y rhan fwyaf ohonyn nhwythau, pob un yn aros iddo fo wneud y penderfyniad cywir – a phob un i raddau gwahanol yn siŵr o fod yn ei gymharu hefo'u cyn-arweinydd. Oedd rhai ohonyn nhw, tybed, wedi dechrau meddwl ei fod o'n ystyried ymguddio nes roedd y defaid a'r geifr, y bugeiliaid a'r milwyr, wedi mynd heibio?

Edrychodd ar y gwyliwr ddaethai â'r newyddion iddo, ond roedd hwnnw'n rhy brysur yn craffu trwy ei sbenglas ar y llethrau uwch ei ben, a'r crydd mawr o Lokhria'n wên o glust i glust ac yn anwesu ei reiffl fel petai'n bidlan anferth.

Gwnaeth Mikhali Xylouris arwydd y groes dros ei fron cyn troi'n ôl at yr *andártes*, yna rhoes orchymyn i Marko symud y mulod yn ddigon pell yn ôl – byddai un fwled wyllt yn ddigon i'w chwythu nhw i gyd i ebargofiant – cyn gwasgaru ei ddynion dros y creigiau.

'A dwi ddim am i'r un ohonoch chi danio nes dwi'n deud – ydach chi'n dallt?' meddai, gan edrych yn benodol ar y crydd. Trafferth mawr yr *andártes* oedd gorhyder; roeddan nhw i gyd yn saethwyr ardderchog, wedi'u meithrin mewn diwylliant oedd yn parchu cywirdeb anelu yn fwy na dim (yn wir, Xylouris ei hun oedd un o'r goreuon; doedd neb gwell na fo am saethu petris). Droeon dros y blynyddoedd bu i sawl cudd-ymosodiad gael ei ddifetha oherwydd i ryw goc oen diamynedd saethu'n rhy fuan.

Ac os bu penboethyn erioed, yna'r crydd cawraidd o Lokhria oedd hwnnw.

*

'Pan gei di gyfla, Andrea, rhed i ganol y creigiau. Am dy fywyd,' meddai ei dad wrth y bugail ifanc, dan wenu.

I'r milwr, roedd tôn daeogaidd llais y bugail – ynghyd â'i wên sebonllyd – yn awgrymu'n gryf mai pledio am ryddid yr un ifanc yr oedd o. Pledio am ei ryddid ac am ei fywyd. Felly, plannodd yr Almaenwr garn ei reiffl ym mol y bugail ifanc, a chamu'n ôl yn frysiog wrth i hwnnw ddisgyn ar ei bedwar dan gyfogi fel hen gi. Ond roedd Andrea wedi deall. Roedd ei dad wedi dweud wrtho am ffoi, am ei adael o a'i ewyrth. Rhedeg i ffwrdd . . . *am dy fywyd*.

Dyna pryd y teimlodd yr ofn yn rhuthro tuag ato ac yn cydiad ynddo go iawn. Tan hynny, roedd Andrea wedi llwyddo i'w gadw hyd braich; meddyliai amdano fel cwmwl o ddrewdod, a chanolbwyntiai ar anadlu drwy'i geg fel na fyddai'n gallu ei ogleuo, er bod y cwmwl wedi hofran uwch eu pennau byth ers i'r Almaenwyr ymddangos. Y nhw ddaethai â'r cwmwl efo nhw; roedd nerfusrwydd yr Almaenwyr yn amlwg o'r ffordd y neidiai eu llygaid o lethr i lethr, a sut roeddan nhw'n closio'n nes at ei gilydd yng nghysgod y creigiau. Roedd o yno yn eu lleisiau wrth iddyn nhw sgrechian gorchmynion, yn y chwys oer a sgleiniai ar eu hwynebau – a hynny'n eu gwneud yn fwy diamynedd, yn fwy brysiog a chreulon. Yn fwy parod â'u botasau a'u dyrnau a charnau eu drylliau.

Codai'r un drewdod rŵan oddi ar ei dad a'i ewyrth, fel yr arferai arogl y mynydd stemio oddi ar eu dillad gwlybion wrth iddyn nhw eistedd o gwmpas y tân. Syllai ei ewyrth yn syth o'i flaen wrth iddo gerdded, fel petai wedi anghofio'n llwyr am y defaid a'r geifr, am ei frawd ac am ei nai. Roedd ei wyneb yn wyn, a symudai ei wefusau'n gyflym wrth iddo weddïo'n fud. Fedrai Andrea ddim gweld ei dad: roedd o rywle'r tu ôl iddyn nhw.

Teimlai fel troi a gweiddi ar ei dad a'i ewyrth – sgrechian arnyn nhw, eu rhegi a'u damio i'r cymylau, sgrechian ar ei dad am ddweud wrtho am gipio'r cyfle cyntaf gâi o i redeg i ffwrdd, ac ar ei ewythr am weddïo fel yna, mor ddall i bawb a phopeth. Rhyngddyn nhw, roeddan nhw wedi llwyddo i ladd y llygedyn bach gwan hwnnw o obaith roedd Andrea wedi'i deimlo'n gynharach, ei ddiffodd fel tân cannwyll rhwng bys a bawd. Doedd o'n fawr o dân i gyd, mae'n wir, ond roedd o'n ddigon i gadw'r ofn ar yr ymylon. Rŵan, diolch i'w dad a'i ewyrth, byddai'r ofn yn neidio am ei gyfle.

Yn ddirybudd, rhoes ei goesau oddi tano a syrthiodd Andrea ar ei hyd. Yr eiliad nesaf, teimlodd flaen troed yn ffrwydro yn erbyn ei asennau, a thrwy niwl o ddagrau gwelodd wyneb yr Almaenwr fu'n ei boenydio ers iddyn nhw gychwyn i lawr y mynydd. Doedd o fawr mwy na hogyn ei hun: llinyn trôns hefo wyneb miniog a milain, llosg haul ar ei drwyn a chlystyrau o blorod ar ei dalcen a'i ên a blewiach golau, anaeddfed ar ei wefus uchaf, fel gwlân oen bach wedi'i ddal ar weiren bigog. Pan nad oedd o'n gweiddi ar Andrea, roedd yn ei bwnio'n giaidd yn ei gefn â blaen ei reiffl, fel petai'n herio'r bugail ifanc i golli'i dymer a throi arno. Bwli buarth ysgol, ond nid y prif fwli: hwn fyddai'r un i stelcian y tu ôl i'r prif un, yr un a arhosai nes roedd hwnnw wedi gorffen hefo rhyw greadur truan oedd yn rhowlio mewn poen ar lawr y buarth, cyn i hwn ei gicio'n slei neu sathru ar ei wyneb.

Clywodd Andrea weiddi'n dod o'r cefn: ei dad yn protestio ac yna'n cael ei gosbi am feiddio gwneud hynny. Ymwthiodd Andrea ar ei draed â'i asennau ar dân, a theimlo blaen y reiffl yn plannu eto i waelod ei gefn. Gwelodd nad oedd ei ewyrth ddim hyd yn oed wedi troi i edrych i'w gyfeiriad. Roedd fel petai ei nai wedi peidio â bod iddo eisoes. A rŵan, diolch i'r gic galed 'na, meddyliodd Andrea, does gen i mo'r nerth i redeg i nunlle, er ein bod ni erbyn hyn reit yng nghanol y creigiau. Unwaith eto, gallai deimlo nerfusrwydd y milwyr wrth i'w llygaid chwilio'r clogwyni a'r holltau, a brefu byddarol y praidd yn cyfrannu at eu hanniddigrwydd.

Yna cafodd llygaid profiadol Andrea gip ar rywbeth yn symud yn uchel yn y creigiau uwch eu pennau . . .

*

Yn ddiweddarach, meddyliodd Xylouris: 'Fy mai i oedd y cwbl.'

Gwylio'r penboethyn anghywir, dyna beth wnaeth o. Ond ers iddo ymuno â'r *andártes*, roedd y crydd o Lokhria wedi bod yn brolio faint o Almaenwyr roedd o eisoes wedi'u lladd, a faint roedd o *am* eu lladd cyn iddyn nhw ymadael â'r ynys. A phan ddôi'r diwrnod hwnnw, meddai hyd syrffed, mi fyddai o yno i roi cic dan din iddyn nhw, a'u helpu nhw ar eu ffordd.

Dim rhyfedd, felly, mai ei wylio fo roedd Xylouris, yn hytrach na mab ieuengaf Manoli Alevizakis. Ac o edrych yn ôl, sylweddolodd y *kapetán* y dylai fod wedi sbio'n fwy gofalus ar wyneb yr *andárte* ifanc pan roddodd orchymyn iddo aros hefo'r mulod, ond roedd o'n rhy brysur yn dweud wrth bawb arall ble i fynd a beth i'w wneud. Beth bynnag, ers i'r crydd ddod o fewn dim i'w dagu, roedd Marko Alevizakis wedi bod yn ddigon tawedog, gan roi'r gorau iddi, diolch i'r drefn, i frolio ynglŷn â'r hyn fyddai o wedi'i wneud i'r Cadfridog Kreipe tasa fo ddim ond wedi cael y cyfle.

Ond diawl, onid Xylouris oedd y *kapetán*? Onid oedd ganddo'r hawl i gymryd yn ganiataol y byddai pawb yn ufuddhau iddo – yn enwedig mewn sefyllfa fel hon, a mwy na dwbwl eu nifer nhw o Almaenwyr yn dod yn syth amdanyn nhw?

Oedd, debyg iawn. Ond eto . . .

Yr eironi oedd fod y crydd o Lokhria wedi ymddwyn mor ufudd ag oen llywaeth. Nes i bethau fynd yn flêr, wrth gwrs, ond erbyn hynny roedd pawb ar draws ei gilydd, yn saethu fel cythreuliaid ac yn gwastraffu bwledi.

Roedd pethau wedi dechrau'n addawol. Oherwydd eu

nerfusrwydd, roedd yr Almaenwyr wedi gwneud pethau'n haws i'r *andártes* trwy glosio at ei gilydd, gan greu targedau llawer mwy hwylus. Gyda lwc, meddyliodd Manoli wrth anelu at filwr oedd yn pwnio'r bugail ifanc yn ei gefn bob hyn a hyn, mi fedrwn ni saethu o leiaf hanner dwsin ohonyn nhw cyn i'r lleill ddechrau sylweddoli beth sy'n digwydd. A chyda mwy o lwc, hwyrach y bydd y gweddill yn ei ffaglu hi oddi yma nerth eu traed. Dydyn nhw, wrth gwrs, ddim yn gwybod mai dim ond wyth sy 'na ohonan ni.

Teimlai ei fysedd yn llithrig gan chwys, a mentrodd eu sychu ar ei drowsus.

Oedd y defaid a'r geifr, efallai, wedi synhwyro rhywbeth? Oeddan, yn sicr, meddyliodd Levtheri yn ei guddfan yntau. Gallai'r ddafad gyffredin fod yn greadures ddigon dwl ar brydiau, ond roedd hi'n gallach na sawl anifail arall pan fyddai rhyw berygl neu'i gilydd yn agos. Clywodd y rhai oddi tano'n brefu rhybuddion ar ei gilydd, wedi teimlo tensiwn y dynion a ymguddiai ymysg y creigiau efallai, fel rhyw setiau radio'n plycio neges o'r aer. Y cwestiwn oedd, a fyddai'r Almaenwyr yn sylweddoli hyn ac yn dehongli eu braw? Gweddïai Levtheri nad oedd yr un o'r milwyr yn hogyn fferm.

Teimlodd ddafn o chwys yn cropian i lawr at ei lygad yntau, a rhwbiodd ei dalcen yn erbyn ei ysgwydd.

*

I goroni'r cyfan, roedd o'n methu gweld yn iawn.

Roedd Marko i lawr mewn ceunant wrth geg yr ogof, a'r mulod – y ffycin mulod – yn yr ogof fechan y tu ôl iddo. Fedrai o wneud dim mwy na syllu i fyny at y creigiau lle roedd yr *andártes* eraill yn cuddio. Yn ei ddwylo roedd ei reiffl wedi'i lanhau a'i lenwi, a'r fwled gyntaf yn barod i gael ei thanio, yn *ysu* am gael ei thanio – bron y gallai Marko ei theimlo'n crynu'n ddiamynedd yn y siambr saethu – a'i gyllell wedi'i hogi a'i hogi nes ei bod mor finiog fel y gallai rhywun yn hawdd ei dorri'i hun ddim ond wrth edrych arni. Go brin fod llafn miniocach ar unrhyw *mavrománika* trwy Greta gyfan.

Dychmygai ei hun yn ei thynnu ar draws gwddf y *kapetán*; edrychodd i lawr a gweld bod ei fysedd wedi ffurfio crafanc fel petaen nhw ar fin cydio ym mwng gwyn Xylouris a thynnu'i ben yn ôl er mwyn i'r gyllell gael gwneud ei gwaith. Bron na allai Marko deimlo'r gwaed yn ffrwydro'n boeth dros ei arddwrn.

Roedd y *kapetán* fel petai'n gwneud ati i'w fychanu, teimlai: un sarhad ar ôl y llall. A phetai Manoli a Levtheri yn hanner dynion, mi fasan nhw wedi troi ar Xylouris a mynnu ei fod yn dangos mwy o barch tuag at aelod o'r teulu Alevizakis – teulu oedd yn ddigon dewr i fod yn *andártes* tra oedd o'n eistedd ar ei din adra yn Anogia.

A sôn am dinau – ac enghraifft wych o'r ffordd mae'r peth lleiaf weithiau'n ddigon i droi'r drol – dyna'r peth cyntaf a welai Marko bob tro yr edrychai i fyny i'r creigiau. Tin. A'r halen ar y briw oedd mai tin tas wair y crydd o Lokhria oedd o, yn ymwthio'n bowld i gyfeiriad Marko fel petai'n ei wawdio. Hwnnw, o bawb. Doedd o ddim hyd yn oed yn un ohonyn nhw, ddim go iawn, ddim yn un o hogia Anogia. Be oedd o'n da yma hefo nhw, doedd wybod; enghraifft arall o arweinyddiaeth anobeithiol rhyw hen rech bach hunanbwysig fel Xylouris. Petai *o* yn arweinydd, mi fasa wedi dweud wrth y llabwst chwyslyd am hel ei bac yn ôl i Lokhria.

Ond dacw fo rŵan, yn ei gwman y tu ôl i graig a'i reiffl wedi'i anelu at y gelyn, tra oedd o, Marko, yn gorfod aros o'r golwg fel tasa fo'n blentyn bach nerfus. Ac mewn ogof hefo mulod – ffycin mulod. Trodd ac edrych arnyn nhw. Syllodd y mulod yn ôl arno, a dychmygai Marko fod eu llygaid hwythau'n pefrio â dirmyg a gwawd.

'I'r diawl â hyn,' meddai, a'i chychwyn hi i fyny'r creigiau at y dynion eraill.

*

Y drafferth oedd, wrth gwrs, na wyddai Marko yn iawn ble i fynd. Roedd yn rhaid iddo gydnabod bod llygad arbennig o dda gan yr 'hen rech' Xylouris i ddarganfod cuddfannau ar gyfer ymosodiadau cudd o'r math yma. Gwyddai'n union ble i osod ei ddynion fel y gallen nhw weld eu targedau'n glir, heb ar yr un pryd ddangos gormod ohonyn nhw'u hunain a chreu targedau hawdd i'r gelyn. Ugain Almaenwr a dim ond wyth *andárte* – roedd pob ergyd unigol, felly, yn hollbwysig, yn enwedig yr ergydion cyntaf cyn i'r milwyr gael cyfle i ddod dros eu sioc.

Felly, rhesymodd Marko, os oedd pob ergyd unigol yn hollbwysig, gorau po fwyaf o reifflau oedd yna – er nad oedd Xylouris wedi'i ystyried o'n deilwng i fod yn un o'r dynion. Wel, roedd hwnnw'n mynd i gael agoriad llygad heddiw. Dringodd yn benderfynol a'i reiffl dros ei ysgwydd, gyda'r bwriad o gyrraedd pen craig ychydig i'r chwith lle'r ymwthiai pen-ôl hy'r crydd o Lokhria, ond rhaid bod y tin hwnnw'n gartref i bâr arall o lygaid, oherwydd trodd y crydd yn sydyn a gweld Marko'n dringo'n llafurus.

Rhythodd arno, cyn gwgu'n ffyrnig a gwneud ystumiau arno i ddychwelyd at y mulod.

'*Ai gamísou!*' rhegodd Marko'n dawel, ac ychwanegu: '*Maláka!*' Ond fe ddylai fod wedi troi ei ben: roedd yn amlwg fod y crydd wedi gallu darllen ei wefusau, oherwydd trodd ei ystumiau'n llawer iawn mwy ffyrnig a bygythiol. Ei alw *fo* yn 'wancar'? Gyda'r teimlad annifyr y byddai'n talu am ei eiriau yn hwyr neu'n hwyrach, trodd Marko'i ben a chanolbwyntio ar y dringo.

Roedd y graig yn fwy serth ac yn anos i'w dringo nag yr ymddangosai o'r gwaelod, ond doedd Marko ddim am droi'n ei ôl rŵan, nid â'r bwystfil blewog yna'n ciledrych arno drwy'r adeg: byddai'n fêl ar ei fysedd petai Marko'n gorfod rhoi'r gorau iddi. Tyd, wir Dduw, meddai wrtho'i hun, ti wedi dringo creigiau llawer anos na hon yn dy ddydd.

Ei draed oedd yn ei boeni fwyaf. Ar ôl yr holl gerdded roeddan nhw wedi'i wneud dros yr wythnosau diwethaf roedd ei fotasau wedi'u handwyo, ac yn eu tro wedi chwarae'r diawl â'i draed. Pan gyrhaeddon nhw'r ogof ychydig ddyddiau'n ôl, y peth cyntaf wnaeth Marko oedd tynnu'i fotasau. Doedd hynny ddim yn beth hawdd: roedd ei draed wedi chwyddo nes roedd y botasau'n teimlo fel tasan nhw wedi suddo i mewn i'w gnawd. Roedd y lledr wedi bod yn rhwbio'n ddidrugaredd yn erbyn ei groen, a'r gwaed wedi sychu a chaledu. Bu'n amhosib rhoi'r botasau'n eu holau am bron ddeuddydd, a bu raid iddo wneud hollt neu ddwy ynddyn nhw cyn iddo lwyddo o'r diwedd.

'Be ydi'r pwynt o gael crydd yma efo ni os na fedrith o neud rhywbath ynglŷn â'n botasau ni?' roedd o wedi cwyno wrth Manoli a Levtheri.

Unwaith eto, chafodd o nemor ddim cydymdeimlad gan ei dad na'i frawd. 'Chdi wnaeth beth hurt yn eu tynnu nhw,' oedd sylw Manoli. 'A thitha'n gwbod yn iawn fod cryn dipyn o gerdded gen ti i'w neud eto.' 'Ro'n i'n meddwl ein bod ni wedi dy ddysgu di'n well na hynna,' oedd sylw sychlyd Levtheri. 'Dim ond dyn dwl uffernol fasa'n tynnu'i fotasau cyn cyrraedd pen ei daith.'

Rŵan, a Marko'n gorfod rhoi ei holl bwysau arnyn nhw wrth ddringo, roedd ei draed yn sgrechian arno i roi'r gorau iddi. Ceisiodd anwybyddu'r boen wrth grwbanu i fyny fesul tipyn, ac wyneb y graig yn arw yn erbyn ei foch. Gan ei fod yn ceisio arbed rhywfaint ar ei draed, fu hi ddim yn hir cyn i'w freichiau a blaenau ei fysedd ddechrau protestio. Ond roedd o *yn* dringo, *yn* symud yn uwch ac yn uwch, er mor araf oedd hynny. Gwyddai, petai'n colli'i afael ac yn syrthio, y byddai'r codwm yn un angheuol.

Eris, meddyliodd, tasa Eris Stagakis ddim ond yn fy ngweld i rŵan. Dychmygai Marko hi'n sefyll wrth droed y graig, yn craffu i fyny arno'n falch, ei gwallt yn sgleinio'n ddu las fel plu cigfran yn yr haul, a chanolbwyntiodd yn galed ar y ddelwedd hyfryd hon nes iddo, o'r diwedd, gyrraedd pen y graig, a dim ond digon o nerth ar ôl yn ei freichiau i'w halio ei hun i'r copa.

Gorweddodd ar ei fol am eiliad neu ddau i gael ei wynt ato cyn mentro sbecian i lawr dros yr ochr. Roedd brefu'r defaid a'r geifr i'w glywed yn glir rŵan, ynghyd ag ambell reg ac ebychiad gan y milwyr. Yna, oddi tano, gwelodd un milwr yn rhoi bonclust i fugail ifanc . . . Hwn, meddyliodd Marko, *hwn* dwi am ei gael. Y bastad yna.

Plygodd yn ei ôl a thynnu'r reiffl oddi ar ei ysgwydd.

*

Hwn oedd y symudiad a welsai'r bugail ifanc. Nid symudiad naturiol – gafr neu aderyn – mohono chwaith, gwyddai, a theimlodd Andrea wefr a gobaith newydd yn gwibio drwy'i wythiennau.

Edrychodd draw oddi wrth y creigiau'n sydyn, rhag ofn bod y milwr milain y tu ôl iddo wedi sylwi iddo weld rhyw symudiad ar y llethrau. Fel roedd hi'n digwydd, *doedd* hwnnw ddim wedi sylwi, ond mi sylwodd fod y bugail ifanc wedi troi ei ben yn rhyfeddol o gyflym oddi wrth y creigiau, a phan fentrodd Andrea daflu golwg frysiog yn ôl arno dros ei ysgwydd, deallodd yr Almaenwr fod rhywbeth ar droed. A hynny i fyny yn y creigiau – ble arall?

Wrth aros am arwydd Xylouris, gwyliodd Manoli'r milwr – ei filwr o – yn aros yn stond ac yn troi ei ben i graffu i'w gyfeiriaid; roedd Manoli'n canolbwyntio gormod ar yr Almaenwr, ar y ffigwr bach teganaidd ym mhen pellaf baril ei reiffl, i sylweddoli mai ymateb i edrychiad euog Andrea roedd o.

Tyd, Xylouris, meddyliodd Manoli, dwi'n siŵr fod y diawl yma'n amau rhywbeth. Tyd! Roedd ei fys yn goglais cliced ei reiffl . . .

. . . ac agorodd ei lygaid yn llydan pan welodd y milwr yn gollwng ei wn ac yn codi'i ddwylo i'w wyneb. Ymhen llai nag eiliad, clywodd Manoli'r ergyd yn dod o rywle ymhell i'w chwith.

'Pwy ddiawl . . .?' ebychodd. Nid Xylouris, yn sicr, oherwydd gallai weld y *kapetán* ychydig i'r dde yn edrych o'i gwmpas a'i wyneb yn ddu gan gynddaredd. I lawr ar y llwybr roedd y milwr Almaenig wedi syrthio i'w bengliniau; tynnodd ei ddwylo i lawr oddi wrth ei wyneb wrth iddo syrthio ar ei ochr, ei wyneb yn waed drosto fel tasa fo'n gwisgo mwgwd coch.

Rhedodd Andrea tuag at y clwstwr agosaf o greigiau isel. Unrhyw eiliad, disgwyliai deimlo'r ergyd drom yn ei gefn fyddai'n ei hyrddio i lawr i'r tywyllwch. Dechreuodd y gweiddi ddod o'r tu ôl iddo a rhagor o saethu o'r creigiau uchel, ond doedd neb yn saethu tuag ato fo, sylweddolodd: doedd yr un o'r Almaenwyr wedi sylwi arno'n cymryd y goes. Roeddan nhw i gyd yn rhy brysur yn gwasgaru ac yn chwilio am eu cuddfannau eu hunain rhag y bwledi a oedd, sylwodd Andrea pan gyrhaeddodd gysgod craig a mentro sbecian, eisoes wedi lladd neu anafu chwe milwr.

Rhegodd ei hun am beidio â meddwl cipio gwn y bwli plorog fu'n ei boenydio – yn enwedig pan welodd un o'r swyddogion Almaenig yn defnyddio'i dad fel tarian, gan ei lusgo wysg ei gefn tuag at gysgod y creigiau, un fraich wedi'i lapio am wddw'r bugail a'r llaw arall yn dal blaen y pistol Luger yn erbyn ochr ei ben.

Yna, gwnaeth ei dad rywbeth aruthrol o ddewr. Gadawodd i'w gorff fynd yn llipa nes roedd ei sodlau'n llusgo dros y ddaear. Parodd y pwysau ychwanegol ac annisgwyl yma i'r milwr blygu ymlaen, a ffrwydrodd darn o'r graig ychydig fodfeddi i ffwrdd wrth i un o'r saethwyr fanteisio ar y sefyllfa. Baglodd y milwr yn ei ôl gan lacio'i afael yng ngwddw'r bugail. Yn ei dymer, gwthiodd y Cretiad oddi wrtho cyn pwyntio'i bistol at ei wyneb a saethu. Rhoes Andrea floedd uchel o boen wrth weld pen ei dad yn diflannu o'i olwg mewn cwmwl coch, ac ni leddfwyd dim ar y boen pan syrthiodd y milwr am yn ôl yr eiliad nesaf, a rhosyn mawr coch yn blodeuo ar flaen ei diwnig.

Trwy gydol hyn i gyd roedd y defaid a'r geifr mewn panig llwyr – a hwyrach mai eu brefu ofnus nhw oedd yn rhannol gyfrifol am yr hyn a ddigwyddodd nesaf. Hynny, a'r synau saethu, y sgrechfeydd o boen, a drewdod gwaed a chachu'n cael ei gludo gan y gwynt. Ond dim ond yn *rhannol* gyfrifol: cytunai pawb wedyn mai ar Marko Alevizakis yr oedd y rhan fwyaf o'r bai.

Yn syml, doedd o ddim wedi aros hefo'r mulod. Doedd o ddim lle roedd o i fod.

*

Gan mai fo oedd yr agosaf at Marko, y crydd oedd y cyntaf i sylwi ar y mulod. Erbyn hynny roedd Marko'n saethu fel peth gwyllt, gan fethu'i darged yn amlach na pheidio, a sawl un o'i fwledi'n cnoi drwy ddafad neu afr. Roedd y crydd wedi troi i'w felltithio pan welodd yr asynnod yn byrlymu allan o'r ogof ac yn anelu at y llwybr cul a arweiniai rhwng y creigiau. Gwaeddodd ar Marko ond roedd hwnnw'n cael gormod o hwyl i'w glywed, heb sôn am wrando arno (neu'n benderfynol o beidio â gwneud yr un o'r ddau beth), ac am eiliad chwaraeodd y crydd â'r syniad o saethu tuag ato er mwyn denu ei sylw.

Yna, meddyliodd am saethu i gyfeiriad y creigiau o flaen y mulod, yn y gobaith y byddai hynny'n gwneud i'r creaduriaid droi yn eu holau, cyn cofio bod mwy nag un ohonyn nhw â ffrwydron ar eu cefnau. Petrusodd, ac wrth wneud hynny a heb feddwl, cododd fymryn yn uwch na phen y graig. Roedd hynny'n ddigon o gyfle i un o'r Almaenwyr, oedd wedi dod atynt eu hunain ddigon erbyn hyn i fedru cuddio a saethu'n ôl at yr *andártes*. Gwelodd y milwr hwnnw gefn crwn yn symud ar gopa'r graig, yna ben cyrliog. Anelodd ei reiffl a thanio.

Teimlodd y crydd waldan galed yn ei gefn. Syllodd yn hurt ar ei reiffl yn bowndian i lawr dros ymyl y graig, yna rhoes ei goesau oddi tano. Wrth iddo lithro tuag at yr ochr teimlodd y gwaed poeth yn rhuthro i'w geg ac allan ohoni dros ei farf, a dim ond dechrau sylweddoli beth oedd wedi digwydd iddo yr oedd o pan ddaeth y düwch o nunlle a'i sgubo i ffwrdd, wrth i'w gorff ddisgyn yn llipa i lawr ochr y graig.

Welodd Manoli mo hyn. Roedd ei sylw o ar y mulod oedd bellach yn carlamu'n sigledig a blêr, a'r bocsys a'r bwndeli o arfau a ffrwydron ar eu cefnau'n bowndian i fyny ac i lawr, a hwythau'n dod yn agosach at y fan lle roedd o'n swatio: ei guddfan o oedd yr un agosaf at y llwybr bach cul.

Lle gythral ma'r hogyn dwl 'na? meddyliodd.

Yna, rhoes y gorau i feddwl wrth i'w gorff ymateb yn reddfol. Sgrialodd i lawr ochrau'r creigiau gyda'r bwriad o . . . be? Duw a ŵyr, meddyliodd wedyn: ymdrechu i droi'r anifeiliaid rywsut, mae'n siŵr, neu o leiaf eu rhwystro rhag rhedeg ymhellach ar hyd y llwybr. Ond doedd o ddim wedi sylweddoli pa mor gryf oedd y braw a ruthrai fel trydan drwy gyrff a meddyliau'r asynnod. Doedd ganddo ddim gobaith eu hatal, ond wrth neidio i'r ochr o'u ffordd, llwyddodd i gydio yn un o'r rhaffau a glymai'r llwyth i gefn un o'r anifeiliaid. Neu, yn hytrach, cipiodd y rhaff ynddo fo, oherwydd llithrodd ei law rhwng y rhaff ac ystlys y mul.

Torrwyd ei fraich yn syth bìn, â chlec a swniai i Manoli fel ergyd o wn. Yr un pryd, cafodd ei lusgo'n drwsgl gan y creadur at geg y llwybr, ac wrth i'r anifail garlamu ar ei hyd o, chwipiodd coes Manoli yn erbyn y creigiau a chael ei thorri mewn sawl man. Ac allan â'r mulod rhwng y creigiau i ganol y defaid, y geifr a'r Almaenwyr.

*

Clywed Nikolaos yn sgrechian enw Manoli wnaeth i Levtheri droi. Roedd o wedi clywed y mulod yn brefu, ond gan ei fod ar ei bengliniau'n craffu i lawr ar yr Almaenwyr drwy fwlch cul rhwng dwy graig, sylweddolodd Levtheri ddim fod y mulod yn dianc nes iddo glywed enw'i dad yn cael ei weiddi. Daeth allan o'i guddfan, wysg ei gefn ac ar ei liniau, a gweld Manoli'n cydio yn y rhaff ac yn cael ei lusgo dros y llwybr caregog fel sachaid o wair.

Yr eiliad nesaf roedd yntau'n hanner sgrialu, hanner llithro i lawr y creigiau, ac yna'n rhuthro ar hyd y llwybr ar ôl y mulod. Daeth allan drwy ben pella'r llwybr a rhythu'n wyllt dros gyrff y meirwon, yn ddynion ac yn anifeiliaid – a gwelodd gorun cyfarwydd, moel ei dad yn sgleinio yn yr haul.

Roedd braich ddiffrwyth Manoli wedi'i hysgwyd yn rhydd o'r rhaff wrth i'w gorff fowndian dros y ddaear rhwng carnau'r mul. Erbyn hynny, wrth gwrs, roedd o'n anymwybodol, yn sgil y boen a saethai drwyddo o'i ysgwydd a'i goes, heb sôn am yr holl giciau roedd o wedi'u derbyn i'w ben gan draed yr asynnod. Roedd y rhan fwyaf o'r rheiny wedi rhuthro i lawr y llethrau, a gorweddai Manoli yn un sypyn rhwng creigiau'r *andártes* a rhai'r Almaenwyr. Ond yn nes at greigiau'r Almaenwyr.

Rhuthrodd Levtheri Alevizakis at ei dad, yn ddall i'r ffaith ei fod yn rhedeg i gyfeiriad yr Almaenwyr, ac yn fyddar i'r holl leisiau a floeddiai arno i aros, yn enw Crist, a throi'n ei ôl; yn fyddar hefyd i'r cyfarthiadau stacato a ddôi o ynnau peiriant MP40 yr Almaenwyr wrth iddyn nhw ridyllu'r creigiau â'u bwledi, ac ni allai'r *andártes* wneud dim ond gweddïo wrth swatio rhag y gawod hon o genllysg chwilboeth.

Ei dad oedd yn gorwedd yno.

Canolbwyntiodd Levtheri ar y corun moel ar y ddaear o'i flaen, ac am ryw reswm gwallgof daeth atgof cryf iddo o'i chwaer fach, Maria, yn tynnu ar Manoli drwy blannu clamp o sws glec reit yng nghanol y cylch bach moel ar ei ben bob tro y cerddai y tu ôl i'w gadair. Teimlodd Levtheri y corun hwnnw'n gynnes yn erbyn cledr ei law wrth iddo benlinio wrth ochr ei dad, a mwytho'i ben.

'Tada . . .?' meddai, cyn llyncu a chlirio'i wddf. Er ei fod wedi gweld mwy na'i siâr o anafiadau dros y blynyddoedd daeth yn agos at gyfogi pan welodd yr esgyrn yn ymwthio allan o goes a braich ei dad. 'O, *Babá*!'

A thrwy wyrth, agorodd Manoli'i lygaid. Syllodd ar Levtheri.

'Be ti'n da yma'r blydi ffŵl?' crawciodd.

'Pwy, *Babá*? Chi 'ta fi?' meddai Levtheri.

Dechreuodd Levtheri wenu ond disgynnodd cysgod dros wyneb Manoli. Edrychodd Levtheri i fyny a gweld carn reiffl yn rhuthro amdano, ac yna trodd y dydd yn nos dywyll.

12
Chwiorydd trugaredd

Bedair blynedd ynghynt, a thua blwyddyn cyn dyfodiad yr Almaenwyr, daethai Grigori Daskalakis â chwerthin i Anogia.

Oedd pawb wedi anghofio hynny? Wedi anghofio fel roedd o a'i ffrind coleg, Ianos, wedi stryffaglu yma'n chwys diferol nes teimlo'n sâl dan bwysau'r taflunydd a'r generadur, heb sôn am y ffilmiau eu hunain, yr holl ffordd o Iráklion?

'Dwi mond yn gobeithio y bydd hi'n gwerthfawrogi hyn i gyd,' grwgnachai Ianos yn ystod y daith.

'Pwy?'

'Pa bynnag ferch ti'n gobeithio gwneud argraff dda arni.'

'Does 'na 'run,' meddai Grigori.

A doedd 'na 'run, chwaith – o leiaf, neb yn arbennig – er y byddai'n barod i wirioni'i ben dros unrhyw eneth a ddigwyddai wenu'n swil arno wrth ei basio yn un o sgwariau'r pentref – rhywbeth oedd eto i ddigwydd iddo.

Ond hwyrach, ar ôl heno, y byddai un neu ddwy yn edrych arno â diddordeb, neu o leia'n *edrych* arno. Gobeithio'r nefoedd.

'Plis, Grigori, paid â deud ein bod ni'n lladd 'yn hunain ddim ond er mwyn diddanu llond stafall o fugeiliaid drewllyd,' sibrydodd Ianos wrth iddyn nhw osod cynfas wely wen ar fur y tŷ coffi dan lygaid drwgdybus Esaias, y perchennog, a chynulleidfa watwarus o hen begors y pentref. Amryw ohonyn nhw, sylwodd Ianos â pheth nerfusrwydd, â chyllyll anferth yn hongian oddi ar eu gwregysau (ac un arall y tu mewn i'w botasau, meddai Grigori wrtho wedyn).

Dywedodd Grigori wrtho am aros nes iddo weld genod Anogia. Ond mi welodd y genod Ianos, hefyd: y rhan fwyaf ohonyn nhw'n methu'n glir â thynnu eu llygaid oddi arno cyn i'r canhwyllau gael eu diffodd er mwyn i Charlie Chaplin, Ben Turpin, Harold Lloyd a Buster Keaton gael llamu a baglu ar draws y gynfas wen.

Roedd tŷ coffi Esaias yn orlawn, a hyd yn oed y surbwchyn hwnnw'n wên o glust i glust. Ianos a gyflwynai'r noson. Yng nghefn yr ystafell yr oedd Grigori, yn chwysu i newid ffilmiau, gweithio'r taflunydd, newid y bylbiau chwilboeth a rhoi ambell gic angenrheidiol i'r generadur. Ianos â'i wallt cyrliog, du a'i wên lydan; Ianos â'i eiriau hud yn llifo ohono; Ianos – clywodd Grigori nifer o'r merched yn dweud wrth ei gilydd – a ddylai fod yn serennu mewn ffilmiau. Douglas Fairbanks ynys Creta.

'Run ohonyn nhw'n cymryd y sylw lleiaf ohono fo, Grigori, wrth gwrs – ar wahân i weiddi'n ddiamynedd arno i frysio, wir Dduw, wrth iddo newid y ffilmiau gan losgi'i fysedd ar y taflunydd poeth a brifo'i droed wrth gicio'r generadur. Bron fel tasa fo ddim yno o gwbl.

Do, fe chwarddodd Anogia'r noson honno. Ei fam, Dorothea – doedd neb yn gwybod yr adeg honno fod y salwch arni – yn eistedd hefo'i ffrind Eleni Vandoulakis, y fydwraig oedrannus, a'r ddwy efeilles Iríni a Rodianthe, a'r pedair yn rowlio chwerthin yn y rhes flaen. Bloeddio chwerthin yn dod hefyd o eisteddfa'r gwatwarwyr a chan yr offeiriaid, Kosta Yrakis ac Ioannis Skoulas, yno hefo'u gwragedd; a'r plant ar y lloriau, dan draed ym mhobman, yn gweiddi a chymeradwyo pob codwm a chic dan din a ddigwyddai ar y gynfas wen.

Ar y diwedd, aeth genod Anogia at Ianos i ddiolch iddo – heidio ato'n un fflyd o walltiau a llygaid duon a dannedd yn fflachio'n wyn – a'r rhan fwyaf o'r merched hŷn hefyd, yn famau a neiniau, gan gynnwys Dorothea, Eleni a'r ddwy fôr-forwyn, y pedair ohonyn nhw'n feddw ar firi a than yr argraff eu bod nhw beth bynnag hanner can mlynedd yn iau nag oeddan nhw.

Pawb yn anwybyddu Grigori'n llwyr wrth iddo gadw'r ffilmiau a thynnu'r taflunydd oddi wrth ei gilydd, heblaw am gamu drosto'n ddiamynedd wedi i'r sioe ddod i ben, a gweiddi arno i frysio er mwyn i'r bwydydd a'r gwinoedd a'r *tsikoudiés* gael eu rhannu a'u bwyta a'u hyfed. Y Dyn Anweledig. Claude Raines ynys Creta.

Ond fo oedd wedi trefnu'r noson! Fo fu'n swnian yn ddi-baid ar Ianos i ddod â'i daflunydd a'i ffilmiau i fyny i Anogia; fo dreuliodd wythnosau'n seboni hefo'r bwch Esaias 'na nes i hwnnw gytuno yn y diwedd i adael iddyn nhw ddefnyddio'i dŷ coffi, a fo fuodd o gwmpas Anogia yn dosbarthu taflenni'n hysbysebu'r noson. Oni bai amdano fo, fasa Anogia ddim wedi chwerthin y noson honno, bedair blynedd yn ôl.

Dim ond pedair. Oeddan nhw i gyd wedi anghofio'n barod?

Wedi dewis anghofio, meddyliodd Grigori'n chwerw. O, roedd amryw wedi'i holi yn ystod yr wythnosau dilynol a fyddai 'na noson arall debyg, ond gan ofyn ar yr un gwynt, 'Pryd mae dy ffrind yn dŵad yma eto, Grigori?' Ar ôl ychydig, mi roeson nhw'r gorau i ofyn hynny, hyd yn oed.

Bu'n ei holi ei hun droeon pam yr aeth o i'r holl drafferth. Rhyw syniad hurt oedd o, un o'r rheiny sy'n dod o nunlle ac yna'n troi'n dipyn o chwilen. Fel myfyriwr, mynychai gryn dipyn ar sinema'r Minoa yn Iráklion lle dangosid nifer o ffilmiau Americanaidd, yn enwedig y comedïau di-sain, a sylwodd fod 'na ddyn ifanc arall o'r coleg yno bob tro. Ianos, wrth gwrs. Deallodd mai tad Ianos oedd rheolwr y sinema, a bod Ianos ei hun weithiau'n gweithio'r taflunydd. Ar y nosweithiau hynny câi Grigori ei wahodd i mewn i'r ystafell fach glawstroffobig, a dyna lle daeth o a Ianos o hyd i'r hen daflunydd. Oddi yno y daeth y syniad o fynd o gwmpas y pentrefi lleol i ddangos ffilmiau, gan wneud ychydig bach o arian poced yr un pryd.

Ond Anogia? Brenin trugaredd, na! Rhy bell o lawer, ym marn Ianos. Dyna ddywedodd o wrth Grigori, ond: Eith yr un o nhraed i ar gyfyl y ffycin lle, aeth drwy ei feddwl go iawn. Dydyn nhw ddim yn gall yno; synnwn i ddim na fasan nhw'n 'y mwyta fi'n fyw. Fasa'n ddim gynnyn nhw dynnu cyllall ar draws 'y ngwddw i am y peth lleia – fatha gwenu ar ryw fodan oedd wedi cael ei haddo i'w chefndar.

'Does 'na ddim lôn gall yn arwain i'r lle, hyd yn oed,' meddai wrth Grigori. 'Fasa raid cael bws o Iráklion i ryw dre neu bentre, a cherdded weddill y ffordd' – a banditiaid lloerig yn stelcian y tu ôl i bob craig a choeden, fwy na thebyg, meddyliodd yn ddistaw bach – 'a hynny dan bwysau'r holl offer yma, sy ddim yn ysgafn, fel gwyddost ti dy hun o brofiad chwyslyd a chwerw. Felly anghofia fo, washi.'

Doedd Ianos ddim wedi bargeinio am ystyfnigrwydd Grigori Daskalakis. Does neb yn gwneud gwell swnyn na dyn pengaled, yn enwedig un â chwilen go fawr y tu mewn i'r pen caled hwnnw. Petai Ianos ddim ond wedi dweud rhywbeth fel, 'Iawn, Grigori, mi awn ni ryw ddiwrnod', yna hwyrach y byddai'r llall wedi bodloni ar hynny ac y byddai'r chwilen heb ei deor.

Ar y pryd doedd Grigori ddim wedi'i holi ei hun yn rhy fanwl pam roedd o mor awyddus i roi noson o adloniant i bobol Anogia. Tybiai mai rhoi syrpréis fach neis i'w fam oedd ei fwriad. Roedd o wedi bod yn mwydro digon ar Dorothea druan am yr holl ffilmiau y bu'n eu gwylio yn y Minoa, a hithau'n nodio'n amyneddgar wrth glywed enwau fel Douglas Fairbanks, Mary Pickford, Gloria Swanson, Greta Garbo a'r holl glowns di-sain, felly doedd hi ddim ond yn deg iddi gael y cyfle i weld rhai ohonyn nhw drosti'i hun.

Newydd ddechrau sylweddoli roedd o mai ymdrech i dynnu sylw ato'i hun oedd y cyfan, yn y gobaith y byddai'r Dyn Anweledig yn troi'n berson o gig a gwaed, yn rhywun y byddai genod Anogia yn sylwi arno. Y gwir amdani oedd ei fod o'n unig, yn ddirdynnol o unig, ac wedi bod felly erioed. Er iddo gael ei eni a'i fagu yma yn Anogia a'i fod yn meddwl y byd o'r lle, doedd y lle ddim wedi gallu cymryd ato fo. Pam, doedd ganddo ddim clem. Dduw mawr, roedd o wedi trio'i orau! Ond dyma fo rŵan, yn byw ar ei ben ei hun a phawb yn Anogia, fwy neu lai, yn ei anwybyddu neu'n troi eu cefnau arno. Neu'r ddau.

Hyd yn oed y plant . . .

'Rwyt ti'n athro da, Grigori,' roedd y Tad Kosta Yrakis wedi'i ddweud wrtho yn yr ysgol un diwrnod. 'Yn athro ardderchog, a dweud y gwir.'

'Ond?' (Ia, dyna'r peth, roedd yr 'ond' melltigedig 'na wastad yno.) 'Ond *be*?' mynnodd gael gwybod.

Be bynnag ydi o, plis deudwch wrtha i, neno'r tad, i mi fedru mynd ati i gael gwared ohono fo unwaith ac am byth. Roedd yr offeiriad wedi syllu arno am sbelan reit dda wrth feddwl am y ffordd orau o'i ateb. 'Dwyt ti ddim yn dy helpu dy hun, Grigori,' meddai Kosta Yrakis o'r diwedd.

Wrth gwrs, cyfeirio roedd o at y rhyfel; tarddai popeth o'r rhyfel. Ar ôl i Grigori orffen yn y coleg a dod yn ei ôl i Anogia fel athro, teimlai fod pethau wedi gwella – ei fod o'r diwedd yn rhan o'r pentref, ac yn ffigwr o bwys o fewn y gymuned. Ond yna daeth y rhyfel. Am sbel ar ôl i hwnnw gyrraedd Anogia, bu pethau'n o lew i Grigori nes i'r clefyd gydio yn ei fam go iawn, ac iddi hithau golli'r frwydr. Yn fuan wedyn y dechreuodd y sibrydion, yr edrychiadau cam a dilornus. Os byddai rhywun yn digwydd siarad hefo fo'r dyddiau yma, yna'n swta a diamynedd y gwnaent hynny.

Nid yr amser gorau i syrthio mewn cariad, ond dyna wnaeth Grigori Daskalakis. Dros ei ben a'i glustiau, a hynny ag unig ferch un o'r teuluoedd mwyaf blaengar yn y gwrthsafiad yn erbyn yr Almaenwyr.

*

'Llithro wnes i wrth ddod i lawr o'r mynydd yn y twllwch.'

Roedd golwg y diawl ar ei wep hyd yn oed ddyddiau wedyn. Gwaeth, os rhywbeth, erbyn hynny – digon i godi ofn ar Satan ei hun. Dylai fod wedi mynd i weld y meddyg yn syth, ond ar y pryd roedd o'n crynu gormod ac, yn ddiweddarach, yn crio gormod. Mi fyddai'r mymryn lleiaf o gydymdeimlad gan y meddyg neu ei wraig wedi denu'r dagrau'n llif diddiwedd.

Yn y drych gyda'r nos gwelodd mor lwcus fuodd o i beidio colli ei lygad chwith: trwch amrant, dyna i gyd. Yn waed i gyd, roedd hi eisoes wedi dechrau cau a chwyddo, a chyn lleied o beth â golau gwan ei lantarn yn ei brifo. Eisteddodd ar un o gadeiriau anghyfforddus ei gegin, heb olau, yn igian crio a'i freichiau wedi'u lapio'n dynn amdano'i hun, fel dyn gwallgof wedi'i rwymo mewn caethwasgod.

Am faint o amser fuodd o felly? Oriau, siŵr o fod, yn

melltithio'r pedwar ohonyn nhw ar y dechrau, yn eu galw'n bob enw dan haul, a blas gwaed ffres yn llenwi'i geg efo pob cytsain, nes o'r diwedd iddo dewi a rhoi'r cyfle i'w wefus stopio gwaedu a chael chwyddo mewn heddwch. Wedyn, dechreuodd neidio hefo pob un smic a ddôi o'r tu allan. Er ei fod yn crynu drwyddo, doedd o ddim yn mynd i gynnau tân rhag ofn eu bod *nhw*'n stelcian o gwmpas y tŷ, yn chwilio am arwydd ei fod o yno.

Plant, meddyliodd wedyn, plant yn taflu cerrig atat ti, dim byd mwy na hynny. Sut siâp fasa arnat ti tasa 'na Almaenwyr wedi saethu atat?

Ar doriad gwawr aeth i'w wely.

*

Drennydd, diwrnod ysgol.

Pan wawriodd, gwyddai y gallai fod wedi gwneud hefo mis arall o lechu yn ei gartref. Teimlai'n swp sâl wrth gamu allan i'r haul cryf, a'i lygad dde, iach yn neidio i bob cyfeiriad fel llygad dryw bach ofnus. Yn yr ysgol rhythai'r plant arno â braw; doedd 'run ohonyn nhw i'w weld fel petai wedi disgwyl yr olwg oedd ar yr athro – gan gynnwys chwaer fach Paulos a brawd bach Stavro. Oedd hynny'n golygu na fu eu brodyr mawr yn brolio?

Codai ei wyneb ofn ar rai o'r plant iau, a bu'n rhaid iddo'u cysuro: 'Mi fydda i'n iawn eto ymhen rhyw wythnos, gewch chi weld. Wedi blino ar fod yn dlws o'n i, ac yn ffansïo treulio chydig o ddyddia fel dyn hyll, dyna'r cwbwl.'

Wedyn trodd y peth yn gomedi, yn ffars, wrth iddo beintio darlun ohono'i hun yn drybowndian dros gerrig a chreigiau cyn sglefrio ar ei wyneb i lawr y llethrau. 'Buster Keaton, dyna pwy o'n i,' meddai, 'neu Charlie Chaplin' – gan bwyntio at y lluniau o'i arwyr oedd ar fur y dosbarth. Gadawodd iddyn nhw chwerthin am ychydig cyn eu sobri. 'Ond dydi bywyd go iawn ddim fel ffilmiau Hollywood, cofiwch. Mae cerrig a chreigiau bywyd go iawn yn cleisio ac yn brifo, yn malu ac yn rhwygo . . .'

Tynnodd garreg o'i boced a'i hanfon o gwmpas y dosbarth, gan fynnu eu bod i gyd yn rhedeg eu bysedd o gwmpas ei

205

hochrau iddyn nhw gael sylweddoli pa mor beryglus y gall carreg gyffredin fod. Soniodd mor dendar ydi'r cnawd – dim ond fel croen ar bwdin – ac mor hawdd oedd gwneud difrod arswydus i'r llygad. Yna soniodd am Dafydd, y bugail ifanc, yn llwyddo i ladd y cawr Goliath ag un garreg fechan.

'Un debyg iawn i hon,' meddai, gan ollwng y garreg drwy'r ffenest.

Roedd hi'n hen stori iddyn nhw, wrth gwrs; roeddan nhw wedi'i chlywed hi droeon. Ond mae 'na ffordd o ddod â stori'n fyw, ac roedd y ddawn honno gan Grigori. Gadawodd iddyn nhw dynnu lluniau wedyn, er bod papur (fel popeth arall) yn beth prin. Gwelodd fod sawl un wedi tynnu llun ohono fo'n hercian i lawr ochr y mynydd fel melin wynt wedi torri, ac eraill wedi darlunio'r ornest rhwng Dafydd a Goliath. Ym mhob un o'r rheiny, roedd gan Dafydd fwstás du, trwchus fel eu tadau, tra oedd Goliath yn gwisgo lifrai'r Almaenwyr.

Droeon, wrth wylio'r pennau bychain yn plygu dros eu darnau o bapur, bu'n rhaid iddo droi i ffwrdd i guddio'r dagrau a ruthrai'n ddirybudd i'w lygaid. Ar ei nerfau roedd y bai: roedd ei emosiynau'n rhy agos i'r wyneb, a'r hyn a wnaethai'r hogia iddo wedi'i frifo'n fwy o lawer na'r cerrig.

A ddaw y dydd y bydd y rhain hefyd, meddyliodd – y rhai bach ifanc 'ma o nghwmpas i rŵan, a blaenau eu tafodau'n sbecian allan o gorneli eu cegau wrth iddyn nhw ganolbwyntio ar eu darlunio – yn troi yn f'erbyn i? Gwyddai'n union pa rai oedd wedi colli tad neu frawd neu ewythr, a sawl un o'r rheiny wedi cael y dasg beryglus o gludo neges i'r *andártes*: neges gyfrin wedi'i hysgrifennu mewn llawysgrifen blentynnaidd, fel petai'r neges yn gapsiwn i'r llun pensil neu'r dŵdl lliwgar uwch ei phen er mwyn twyllo unrhyw filwyr busneslyd.

Cristos, meddyliodd Grigori, pa obaith sydd 'na i mi os ydi *plant* y lle 'ma'n troi yn f'erbyn?

'Adra oedd dy le di,' meddai'r Tad Kosta Yrakis wrtho ar ddiwedd y bore, 'a chditha wedi cael y fath . . . godwm.'

Roedd yn amlwg nad oedd yr offeiriad wedi llyncu ei stori.

Ac ai troi oddi wrtho oherwydd yr olwg oedd ar ei wyneb wnaeth o, neu oherwydd rhyw ddirmyg greddfol tuag ato?

'Falla dyliat ti fynd yno rŵan,' ychwanegodd Kosta. 'Dwyt ti ddim mewn unrhyw stad i fod yn fama. Ma dy wynab di'n ddigon i godi ofn ar y plant.'

Unwaith eto, bygythiai'r dagrau ychwanegu at ei gywilydd, felly nodiodd Grigori'n ufudd. Gwyliodd Kosta Yrakis o'n brysio oddi yno a'i ben i lawr.

Nagoedd, doedd o ddim wedi credu stori Grigori. Llithro, wir. Nid crafiadau oedd ar ei wyneb ond cleisiau a briwiau. Ac os mai'r mynydd oedd yn gyfrifol am eu hachosi, yna mae'n rhaid fod Grigori wedi sefyll yn llonydd a gadael i'r mynydd boeri arno. A beth sydd gan fynydd i'w boeri heblaw cerrig?

*

Fedrai Grigori ddim peidio â gwenu'n gam wrth werthfawrogi'r eironi: yr un nad oedd arni'r gronyn lleiaf o eisiau bod yn ei dŷ oedd yr union un y buodd o'n dyheu am gael agor y drws iddi.

Ond nid heddiw. Y peth olaf roedd arno'i eisiau heddiw oedd i Maria ei weld o fel hyn. Roedd o wedi neidio mewn braw pan ddaeth y curo ar ei ddrws, ac yna clywed lais Thera Alevizakis yn galw'i enw. Doedd neb yn curo ar ddrws yn Anogia'r dyddiau hyn heb gyhoeddi pwy oeddan nhw.

'Awn ni ddim o 'ma, Grigori Daskalakis, felly waeth i ti heb â chymryd arnat dy fod ti allan.'

Ni? Aeth at y drws ar flaenau'i draed a sbecian allan rhwng y craciau yn y pren, ac oedd, roedd Maria yno, yn edrych yn ôl i fyny'r ffordd fel bai hi'n gobeithio clywed rhywun yn ei galw oddi yno.

'Grigori!' meddai Thera, yn siarp y tro hwn ac yn amlwg wedi gweld ei gysgod trwy'r un craciau.

'Be dach chi isio yma?' gofynnodd.

'Jest agor y drws 'na, 'nei di,' clywodd rywun arall yn dweud yn ddigon diamynedd, ac adnabu lais Hanna Kallergis. Roedd rhywun wedi dweud wrthyn nhw am ei gyflwr, felly, ac mae'n siŵr fod gan y 'rhywun' hwnnw locsyn trwchus, du.

207

Ildiodd Grigori ac agor y drws, gan sefyll yn rhannol o'r golwg y tu ôl iddo. Serch hynny, ebychodd Thera pan gafodd y cipolwg cyntaf ar ei wyneb. Y tu ôl iddi craffai Hanna arno fel petai hi ddim yn siŵr pwy'n union oedd o, dim ond ei fod yn ei hatgoffa o rywun yr arferai ei nabod erstalwm.

Gwgu arno wnâi Maria Alevizakis; gwgu fel pe bai'n ei amau o wneud hyn iddo'i hun ddim ond er mwyn ei denu hi yma, a hithau â chant a mil o bethau gwell i'w gwneud na thendiad ar ffŵl fel fo.

Ac i mewn â nhw: Thera a basged wellt ar ei braich, Hanna y tu ôl iddi, a Maria, sylwodd Grigori, o fewn dim i droi ar ei sawdl a cherdded i ffwrdd. Ond i mewn y daeth hithau hefyd, a'i llygaid wedi'u hoelio ar y llawr pridd.

'Agor y drws cefn am funud, wnei di, Maria, i ni gael gweld be ydan ni'n ei neud yn yr ogof 'ma,' gorchmynnodd Thera. 'Stedda,' meddai wrth Grigori.

'Ylwch, Kyría Thera, wir i chi, dwi ddim angan . . .'

'Stedda!'

Eisteddodd Grigori ar stôl fel yr agorai Maria'r drws cefn, a'r heulwen yn llifo i mewn i'r ystafell. Clywodd Thera'n ochneidio'n uchel, yn ei glust, bron.

'Dydan ni ddim wedi dŵad yma i dorri dy wallt di. Cod dy ben i fyny, i mi gael golwg iawn ar y wep 'na.'

Ufuddhaodd Grigori, ond bobol, doedd hynny ddim yn hawdd. Dim ond ychydig oriau'n gynharach roedd o wedi sefyll o flaen dosbarth o blant â'u llygaid fel soseri, a dyma fo rŵan yn cael trafferth dangos yr un wyneb i dair oedd wedi dod yma i'w wella.

Chwiorydd Trugaredd, meddyliodd, a'r enw wedi neidio o rywle yn nyfnderoedd ei gof – brith gof o ddyddiau coleg, mae'n siŵr. Ai lleianod oeddan nhw, y chwiorydd addfwyn hynny? Ta waeth, roedd Thera'n plygu drosto rŵan ac eli o ryw fath ar flaenau ei bysedd, ei hwyneb fodfeddi oddi wrth ei wyneb truan o, yn ddigon agos iddo fedru cyfri'r strimynnau arian yn nüwch ei gwallt. Doedd o erioed wedi bod mor agos ati o'r blaen, erioed wedi edrych arni'n iawn. Roedd hi'n ddynes hardd, sylweddolodd.

'Pwy ddaru hyn i ti, Grigori?'

Llais tyner yn dod o rywle. Agorodd ei lygaid, a rhyfeddu – doedd ganddo ddim cof iddo'u cau nhw.

'Neb,' meddai. 'Llithro wnes i ar y mynydd, wrth hel malwod yn y glaw.'

Edrychai ar Maria wrth siarad, wedi meddwl mai hi oedd yr holwraig. Ond na, Hanna oedd wedi gofyn . . . ia? Neu Thera? Neu a oedd o'n iawn y tro cyntaf – ai Maria oedd wedi'i holi? Yna dechreuodd feddwl mai llais ei fam a glywsai, ond byddai hynny, wrth gwrs, yn amhosib. Teimlodd yr hiraeth yn llifo drosto a chaeodd ei lygaid rhag i'r dagrau godi cywilydd arno eto. Ond fedrodd o ddim mygu'r ochenaid drom a ddihangodd ohono.

Pan agorodd ei lygaid gwelodd fod un o'r merched wedi cau'r drws cefn ac wedi cynnau cannwyll, ac un arall wedi dod o hyd i wydryn a'i lenwi â dŵr. Gwyliodd Maria'n estyn rhywbeth o fasged ei mam a'i ddangos iddi, a rhoes Thera nòd fechan. Dechreuodd blaenau bysedd Thera ddawnsio dros ei wyneb yn ysgafn, ysgafn. Fel adenydd gloÿnnod byw, meddyliodd Grigori, a sylweddolodd fod Maria'n dweud rhywbeth drosodd a throsodd mewn ffordd gerddorol, rywfodd – yn ei ganu, bron – ond ni fedrai ddeall yn union be: roedd y geiriau'n ddieithr ond eto'n swnio'n gyfarwydd.

'*Vaskaníes* . . .' meddai Thera. 'Swynion.' A nodiodd yntau'n hapus braf, yn ddigon bodlon derbyn hyn wrth wylio Maria'n gollwng diferion o olew yn ofalus i mewn i'r dŵr, weithiau'n aros i wneud arwydd y groes, a'i gwefusau'n symud yn gyson wrth iddi ddweud y geiriau hud.

Roedd yr eli'n drewi ond gallai Grigori ddioddef hynny oherwydd teimlai fysedd Thera'n ogoneddus ar ei wyneb: doedd yr un ddynes wedi'i gyffwrdd fel hyn ers cyn i'w fam gael ei tharo'n wael. 'Rho ei sbectol o'n rwla diogel, Hanna,' clywodd Grigori hi'n dweud, cyn teimlo blaenau bysedd Hanna yn brwsio'n ysgafn yn erbyn ei glustiau. Mwy o sgrialu yn y fasged, yna eli gwahanol ar yr archoll uwchben ei lygad. Llosgai hwn y croen i ddechrau, ond yna llifai drwy ei gnawd fel dŵr un o ffynhonnau'r mynydd ar ddiwrnod o haf.

Wna i byth anghofio hyn, meddyliodd. Yr eli'n esmwytho'r cnawd dolurus; llais Maria'n hanner canu, hanner sibrwd yr hen, hen eiriau swyn; yr olew'n diferu i'r dŵr, a'r tair mor hardd yng ngolau'r gannwyll, a'u cysgodion yn dawnsio dros yr eiconau ar y muriau – ac yntau'n gallu eu gweld yn hollol glir er bod ei sbectol wedi mynd, er bod ei ddau lygad ar gau.

'Pwy nath hyn i ti, Grigori?' clywodd lais yn gofyn eilwaith, a sylweddolodd mor wirion fuodd o i feddwl cymryd arno mai'r mynydd oedd wedi'i faglu a'i waldio yn ei wyneb. Doedd arno ddim eisiau dweud celwydd – ddim wrth y rhain, y Chwiorydd Trugaredd – felly meddai, 'Y plant,' a gadael i'r dagrau lifo i lawr ei wyneb.

Cododd y gloÿnnod byw oddi ar ei wyneb.

'*Plant*?'

Roedd o'n crio gormod i allu siarad, felly nodiodd, ond doedd hynny ddim yn ddigon, wrth gwrs.

'Plant nath hyn i ti? Pa blant?'

Doedd yr anghredinedd a glywai ddim yn ei synnu o gwbwl. Onid oedd o ei hun wedi cael trafferth dygymod â'r hyn oedd wedi digwydd iddo? Ac o, y cywilydd. Ia, Thera Alevizakis, plant a wnaeth hyn i mi – bodau bychain hanner fy maint i, ac o heddiw ymlaen, peidiwch chi â chredu neb sy'n dweud bod athro'n ffigwr o barch.

Gwthiodd Maria heibio i'w mam a mynd ar ei gliniau o'i flaen; cydiodd yn ei ddwylo a syllu i fyw ei lygaid.

'Pa blant, Grigori? Pwy oeddan nhw?'

Ceisiodd Grigori beidio edrych i'r llygaid duon, ond fedrai o ddim: roeddan nhw'n rhy gryf iddo.

'Grigori! *Pwy*?'

Oedd hi'n gwybod – yn gwybod yn barod? Laciodd hi mo'i gafael wrth iddo restru enwau'r tri: Paulos, Petraka a Stavro, a dangosai ei llygaid yn glir ei bod yn gweddïo y byddai o'n dweud, 'A dyna nhw', ond yn amlwg yn disgwyl un enw arall.

'. . . a Nikos.'

Ceisiodd Maria ollwng ei ddwylo ond cydiai yntau'n dynn yn ei dwylo hi wrth i'r cwbwl ddod allan. Dywedodd wrthyn nhw mai Nikos oedd y drwg yn y caws; disgrifiodd bob ergyd, pob carreg oedd wedi gwibio tuag ato o'r tywyllwch. Dywedodd hefyd na fuasai'r un o'r lleill wedi meddwl am droi arno oni bai am Nikos, ac fel y daeth pethau o fewn dim i fod yn llawer iawn gwaeth oni bai i un o'r tri arall ddod ato'i hun yn ddigon buan i rwystro Nikos rhag gollwng clamp o garreg ar ei ben. Disgwyliai i Maria ei waldio o gwmpas ei ben gan sgrechian arno i gau ei geg, a'i gyhuddo o fod wedi cymryd yn erbyn Nikos o'r dechrau cyntaf.

Ond roedd Maria'n dal yno pan dawodd Grigori o'r diwedd.

'O'r gora, Grigori,' meddai. 'O'r gora.'

Roedd ei llygaid, meddyliodd yntau, yn dduach nag erioed.

Cododd Maria ac edrych ar ei mam, yna trodd am y drws cefn a'i agor. Daeth yr heulwen i mewn yn ei hôl. Heb dynnu'i llygaid oddi ar ei merch, meddai Thera: 'Cer efo hi, Hanna, wnei di?'

Aeth y ddwy allan heb ddweud gair. Llanwyd y tŷ â sŵn byddarol y sicadau ym mrigau'r coed, a phan drodd Thera a diffodd y gannwyll, meddyliodd Grigori iddo gael cip ar ddwy frân sgraglyd yn hedfan yn araf heibio i ddrws agored ei gegin.

EGWYL

CRETA AC ATHEN

13

Galgenlieder

Bruno

Bruno Nagel oedd wedi dweud wrtho am yr 'apwyntiad yn Samarra'.

Fel sy'n gallu digwydd yn reit aml mewn rhyfeloedd, mae'r un wynebau'n taro ar ei gilydd dro ar ôl tro mewn gwahanol leoliadau. Felly bu hi yn hanes Tobias Jung a Bruno Nagel. Gwlad Belg i ddechrau, yna'r Iseldiroedd, ac wedyn – Creta.

Kriegsberichter, sef gohebydd rhyfel swyddogol a ffotograffydd i'r *Wehrmacht*, oedd Nagel. Daethai'r ddau ar draws ei gilydd gyntaf ym Mai 1940 yn sgil y frwydr am gaer Eben-Emael ar y ffin rhwng Gwlad Belg a'r Iseldiroedd, lle cawsai dros ddeugain o'r *Fallschirmjäger* eu lladd, a bron i gant arall eu hanafu.

Un o'r rhai lwcus oedd Tobias Jung. Eistedd yr oedd o, â chyrff a darnau o gyrff yn gorwedd o'i gwmpas, breichiau a choesau'n ymwthio o domennydd rwbel gan ymddangos, i'w feddwl lluddedig, fel selsig wedi'u plannu mewn talpiau o datws stwnsh. Roedd o wedi llwyr ymlâdd a chanddo'r cur pen mwyaf uffernol, o ganlyniad i'r holl saethu a ffrwydro. Yr unig beth roedd arno ei eisiau oedd cael gorffwys am ychydig funudau, a mwynhau cusan yr haul ar ei wyneb.

Aeth i'w sach ar ôl ychydig a thynnu llyfr ohono – cyfrol y buasai'n troi ati ers dyddiau ei blentyndod – casgliad o 'gerddi nonsens' swrealaidd y bardd poblogaidd Christian Morgenstern. Erbyn hyn, ddôi hynodrwydd byd y cerddi ddim yn agos at wallgofrwydd y byd go iawn. Edrychodd Tobias Jung i fyny'n sydyn wrth glywed llais uwch ei ben yn dyfynnu, '*Weil, so*

schließt er messerscharf/Nicht sein kann, was nicht sein darf –
'Oherwydd, ymresyma'n eglur,/Yr hyn na ddylai fod, ni all fod'.

Gwenai gŵr ifanc tua'r un oed â fo i lawr arno, a chamera'n hongian am ei wddf. Roedd ei iwnifform, sylwodd Jung, mewn gwaeth cyflwr hyd yn oed na'i un o, ond wedi iddo ddod i adnabod y dyn arall yn well, daeth i ddeall bod Bruno Nagel yn trin ei lifrai fel y bydd peintiwr tai yn trin ei ofyrôls.

'Dwi newydd dynnu dy lun di, gyfaill,' meddai Nagel wrtho. 'Gobeithio nad oes ots gen ti. Allwn i ddim gofyn caniatâd gan y basa hynny wedi difetha'r llun. Ond mi fydd y llun, a thitha, yn fyd-enwog ryw ddiwrnod, gei di weld.'

Eisteddodd wrth ochr Jung ag ochenaid uchel, flinedig. Amneidiodd i gyfeiriad y llyfr. 'Fy ffefryn i ydi honno am y ddau hogyn bach yn rhewi yn yr eira.'

Gwenodd Jung ar waetha'i flinder. 'A'u coesa nhw'n rhewi, fesul tipyn. Un hogyn yn Fahrenheit a'r llall yn Celsius.' Estynnodd ei law. 'Tobias Jung.'

'Bruno Nagel – wel, *Franz*-Bruno, a bod yn hollol fanwl, ond mi wnaiff Bruno'r tro yn tshiampion.' Enw oedd yn gweddu'n iawn i greadur blêr ac arthaidd fel fo, meddyliodd Tobias.

Daethant yn ffrindiau o ryw fath, cymaint o ffrindiau ag oedd yn bosib o dan y fath amgylchiadau, a phan gafodd Jung ei anfon i'r Iseldiroedd, trawodd y ddau ar ei gilydd eto.

Ond doedd Jung ddim wedi disgwyl ei weld yng Nghreta. Felly, pan welodd y ffigwr cyfarwydd yn igam-ogamu tuag ato rhwng gwelyau'r ysbyty, yn wên o glust i glust, meddyliodd ei fod yn dal dan ddylanwad y morffin ac yn gweld pethau.

'Bruno . . .?' meddai, yn hanner disgwyl gweld Nagel yn diflannu o flaen ei lygaid. Ond na, roedd o'n hollol solet, fel y tystiai'r gwely simsan wrth iddo eistedd ar ei erchwyn.

'Dyn lwcus,' oedd sylw Nagel.

'Lwcus?!'

Roedd Jung wedi'i rwymo mewn cadachau. Cawsai ei symud yno ar ôl tridiau o orwedd yn un o bebyll yr ysbyty maes; trwy drugaredd, roedd yn anymwybodol am y rhan fwyaf o'r amser y bu yno. Duw a ŵyr sut le oedd yn fanno: credai fod yr ysbyty *hwn* fel cornel o Uffern ei hun.

Ar wahân i'r poenau echrydus yn ei goes a'i ysgwydd, câi hi'n anodd iawn penderfynu pa un oedd waethaf – y sŵn tragwyddol, y drewdod, ynteu'r gwres llethol. Dôi'r sŵn o'r tu allan ac o'r tu mewn. O'r tu allan, ffrwydro a saethu a sŵn chwibanu uchel a sinistr y sieliau nes bod yr adeilad yn crynu trwyddo, a rhai o'r ffrwydradau'n ddigon agos i wneud craciau ym muriau'r ysbyty – waldio a cholbio a dyrnu di-ben-draw nes bod y tu mewn i benglog Tobias Jung yn un cur anferth.

Ond roedd y synau a ddôi o'r tu mewn i'r ysbyty'n waeth fyth – synau dynion ifainc mewn poen ddifrifol, y rhan fwyaf ohonyn nhw wedi mynd yn ôl i fod yn hogia bach unwaith eto, yn crefu am gofleidiad a chusan dyner eu mamau. Sgrechiadau dirdynnol a gweddïau truenus, dagreuol. Petai ganddo'r nerth, buasai Jung ei hun wedi codi a sgrechian arnyn nhw i gyd i gau eu ffycin cega, yn enw Duw, cyn iddo fynta ddrysu'n lân. Dyn a ŵyr, roedd o wedi gweld mwy na'i siâr o ddioddef: dynion yn ffrwydro'n gymylau cochion lathenni oddi wrtho, eraill yn cael eu rhwygo i bob cyfeiriad, eraill wedyn yn cael eu torri'n ddau hanner gan dafelli o shrapnel chwilboeth. Rhai'n rhythu'n hurt ar eu hymysgaroedd yn stemio yn eu dwylo neu ar eu gliniau, rhai'n dawnsio'n wyllt fel pypedau gwallgof wrth i'r bwledi eu dyrnu, a rhai'n bwnglera dros y lle fel ieir di-ben a'u cyrff ar dân.

Yma yn yr ysbyty doedd dim modd symud oddi wrthyn nhw, dim modd edrych i gyfeiriad arall, dim dianc. A hyd yn oed petai ei Dduw wedi gwrando ar ei weddi ac wedi'i daro'n fyddar, byddai drewdod eu marwolaethau wedi dod i hawlio'i sylw yn lle'r synau. Roedd drewdod cachu a gwaed, chwd a phiso yn ymdreiddio drwy'r adeilad, yn llenwi'r ffroenau a throi pob stumog yn fuddai slwjlyd. Doedd ambell chwa o alcohol neu ddiheintydd ddim yn helpu rhyw lawer.

Anghofiai o byth y drycsawr fu'n hofran fel cwmwl uwchben y gwelyau ar ôl i fachgen oedd eto i gyrraedd ei ugain oed gael ei gludo i mewn â madredd (*gangrene*) nwyog, y madredd a ddaw o bridd, ac a oedd yn bwyta'i goes fel anifail barus. Roedd y bachgen mewn sioc, a'r sioc a'i lladdodd funudau cyn i'r meddygon fynd ati i dorri ei goes i ffwrdd. Arhosodd y drewdod hwnnw yno am ddyddiau – arogl cyfoglyd fel hen, hen gig wedi pydru. Fel pob arogl ffiaidd arall, ffynnai yn y gwres.

Pan gawsai ei olwg gyntaf ar Ynys Creta – y diwrnod y glaniodd yma hefo'i barasiwt – roedd Jung wedi meddwl iddo gael cip ar fynyddoedd yn y pellter a'u copaon yn wyn dan eira. Sut ar y ddaear y gallai ynys gymharol fechan, a chopaon ei mynyddoedd yn wyn, fod mor uffernol o boeth?

*

'Ti'n dal yn fyw, yn dwyt?' oedd ymateb sarrug y Nagel holliach.
'Ydw . . .'

'Wel, dyn *lwcus* felly, yntê?'

Meddyliodd Jung am yr hogyn ifanc, y plentyn hwnnw â'r madredd nwyog yn llowcio'i goes, ac am yr holl sgrechfeydd.

'Fyddi di ddim yn cael dy symud i Athen?' holodd Nagel, gan gyfeirio at ysbyty'r Luftwaffe.

Nodiodd Jung i gyfeiriad pen arall y ward, lle roedd 'na nyrs dal, fain â thrwyn hir a sbectol yn tendiad ar un o'r milwyr. 'Mae Magda'n sôn mai yno y bydda i unwaith y bydd petha wedi setlo. Ond, tyd – be ma hogyn neis fel Bruno Nagel yn da mewn lle fel hyn?'

'Yr un hen stori – dilyn wrth dinau'r *Fallschirmjäger*.' Gwnaeth Nagel ystum tynnu llun cyn mynd at y ffenest agored a syllu allan drwyddi. 'Sut ar wynab y ddaear wyt ti'n gallu diodda'r gwres uffernol 'ma, Tobias?'

Tyfai coeden *tamarisk* y tu allan i'r ffenest, a syllai Jung arni'n aml gan ddyheu am weld cryndod bychan yn ei dail a'i blodau pinc a gwyn. 'Maen nhw'n deud bod Gorffennaf ac Awst yn waeth o beth myrdd.'

'Duw a'n helpo ni i gyd.' Trodd Nagel oddi wrth y ffenest a syllu i ben pella'r ward. 'Magda, aiê?' meddai â gwên fach slei.

'Be? Bihafia, wnei di!'

'Braidd yn rhy fain gen i; mae'n well gen i ferchaid â thipyn

218

mwy o gig arnyn nhw. A thits fel dau hogyn bach yn cwffio dan blancad.'

Dechreuodd Jung chwerthin, ond trodd y chwerthin yn besychu.

'. . . a phan wyt ti'n datod eu brasiyr nhw, mae o fel agor cwpwrdd yn llawn o beli pêl-droed.'

'Digon!' crefodd Jung, a chwarddodd Nagel yn uchel, cyn ffug-sobri a dweud 'Sori' i gyfeiriad y nyrs, oedd yn gwgu arnyn nhw fel petai hi wedi clywed pob gair. 'Mae'n dda dy weld ti'n dal hefo ni, 'rhen ddyn,' meddai wrth Jung.

'Mi fydda i'n teimlo weithia fel taswn i wedi marw, ac yn diodda poena uffarn,' cwynodd Jung. 'Fel tasa 'na ddiafoliaid bach milain yn gwthio'u picffyrch i mewn i mi.'

'Mi ddoi di,' gwenodd Nagel. Taniodd ddwy sigarét a rhoi un rhwng gwefusau diolchgar Jung. 'Doeddat ti ddim i fod i gadw'r oed hwnnw yn Samarra, mae'n amlwg.'

'Lle?'

Dyna pryd yr adroddodd Nagel y stori am ŵr cyfoethog o Baghdad oedd wedi anfon ei was i'r farchnad un diwrnod. Teimlodd y gwas rywun yn ei gyffwrdd, a phan drodd, gwelodd ddynes yn sefyll yn ei ymyl ac yn rhythu arno – a gwelodd mai Angau ei hun oedd hi. I wneud pethau'n waeth, gwnaeth Angau ystum bygythiol arno, felly trodd y gwas ar ei sodlau a'i sgidadlio hi'n ôl am adref nerth ei draed. Pan ddywedodd yr hanes wrth ei feistr, meddai hwnnw: 'Y peth gorau i ti neud ydi cymryd fy ngheffyl cyflyma i, a mynd rŵan hyn i dŷ fy mrawd yn Samarra. Mi fyddi di'n saff yn fanno.' Wedi i'r gwas adael, aeth ei feistr i'r farchnad. Meddai wrth Angau, 'Pam gwnest ti fygwth fy ngwas i'r fath raddau fore heddiw?' Ac meddai Angau, 'Nid ei fygwth o wnes i; wedi synnu ro'n i, dyna'r cwbwl.' 'Pam felly?' holodd y meistr. 'Synnu'i weld o yma yn Baghdad,' meddai Angau, 'oherwydd mae gen i apwyntiad efo fo heno 'ma yn Samarra.'

Rhythodd Jung ar y storïwr. 'Ac mae'r stori yna i fod i neud i mi deimlo'n well?'

Chwarddodd Nagel yn uchel eto, a chael gwg arall gan y nyrs. Ar ôl ychydig, cododd i fynd.

'Mi ddo' i eto'n reit fuan,' meddai. 'Pan ga' i gyfla.'

'Os bydda i'n dal yma,' meddai Jung. 'Pob lwc efo'r *Fallschirmjäger*. Cofia fi atyn nhw.'

'Mi wna i. Gei di'r hanas i gyd.'

*

Chymerodd Jung fawr o sylw o'r stori ar y pryd. Deallodd wedyn mai hen chwedl Arabaidd oedd hi. Roedd Bruno Nagel yn llawn o ryw bethau fel hyn, diolch i'r holl deithio roedd o wedi'i wneud hefo'i gamera dros y blynyddoedd. Ond dôi'r stori yn ôl iddo'n amlach ac yn amlach wedi iddo ddychwelyd i Greta, pan ddechreuodd ddod yn ymwybodol o'r cysgod hwnnw a'i dilynai i bobman, ac a dyfai'n fwy solet dros y blynyddoedd.

Efallai mai digon naturiol, felly, oedd iddo ddechrau meddwl ymhen sbel – er ei fod wastad wedi wfftio at unrhyw fath o ofergoeledd – mai yn y fan hyn roedd o i fod i farw. Onid oedd o eisoes wedi dod o fewn trwch blewyn i wneud hynny? Dim ond cael a chael wnaethon nhw i'w achub yn yr ysbyty maes, deallodd wedyn: roedd o wedi colli cymaint o waed ac mewn cymaint o sioc fel yr edrychai'n debygol ar un adeg mai ofer fuasai holl gymorth cyntaf Golo Wolf.

Mae Angau, meddyliodd, wedi fy marcio. Oedd o'n gwamalu? Oedd, meddai droeon wrtho'i hun, yn enwedig pan âi wythnosau heibio heb i'r cysgod ymddangos iddo. Yn ystod y cyfnodau hynny perswadai ei hun nad oedd yn ddim byd mwy nag ôl-effaith ei anafiadau, ond yna dôi'r cysgod yn ei ôl. Bellach, roedd ganddo ffurf bendant, sef y ffigwr anhysbys hwnnw a welai'n rhedeg yn benderfynol i'w gyfeiriad. Yn dod yn agosach bob tro . . .

. . . a chyn bo hir, meddyliodd Tobias Jung, mi fydd yn fy nghyrraedd a'm llusgo innau i ffwrdd i gadw'r oed yn Samarra.

*

Magda

Aeth wythnosau heibio cyn iddo weld Bruno Nagel unwaith eto. Erbyn hynny roedd Jung wedi cael ei symud i ysbyty'r Luftwaffe yn Athen, a rywbryd yn ystod ei ail wythnos yno, agorodd ei lygaid o'i bendwmpian a gweld merch wrth droed ei wely.

'Magda . . .?'

Doedd o ddim wedi disgwyl yr ysgytiad o bleser a deimlodd o'i gweld hi'n sefyll yno, a doedd hithau chwaith ddim wedi disgwyl y wên lydan a neidiodd i'w wyneb. Teimlodd Magdalena Katharina Dürr ei hun yn cochi; cymerodd arni astudio'r ffeil feddygol oedd ar ben y pentwr yn ei breichiau, er nad oedd gan y papurau affliw o ddim i'w wneud â Jung.

'Ia, ond gwna di'n fawr ohona i, Tobias Jung,' meddai. 'Maen *Nhw* wedi cael y syniad hurt yn eu penna mod i'n cael fy ngwastraffu fel nyrs.'

'O?' Ychydig o bryder, rŵan, ond llwyddodd Jung i ddal y wên rhag llithro'n gyfan gwbl oddi ar ei wep. 'Wel, dwi wastad wedi deud hynna fy hun, Magda, a thitha'n amlwg wedi dy greu i fod yn angel.'

Caeodd ei lygaid. *O'r Arglwydd mawr!* Fo oedd yn cochi rŵan, nes teimlo fel tynnu'r gobennydd dros ei wyneb hurt. Pan fentrodd ailagor ei lygaid roedd Magda'n dal i astudio cynnwys amherthnasol y ffeil fel petai'n darllen y nofel ddifyrraf erioed, ond â gwên fechan yn dawnsio dros ei gwefusau. Sylwodd Jung ar y pantiau bychain yn ei bochau – doedd o ddim wedi sylwi arnyn nhw o'r blaen. Ond hwyrach nad oedd o wedi'i gweld hi'n gwenu cyn heddiw.

Cliriodd ei wddw. 'Be sy'n digwydd i ti, felly?' gofynnodd. 'Lle maen Nhw am dy hel di?'

'Does wbod. Maen nhw'n meddwl bod fy Saesneg i'n ddigon da i wrando ar negeseuon radio drwy'r dydd.'

'Ac ydi o?'

Cododd ei hysgwyddau, 'Gawn ni weld. Ond, yn amlwg, mae hynny'n bwysicach na helpu i achub bywydau.' Ac i fyny â'r ysgwyddau eto.

Roedd Jung i ddod yn gyfarwydd iawn â'r ystum fechan hon,

un oedd wedi dilyn Magda Dürr ers dyddiau cynnar ei phlentyndod, er gwaethaf holl ymdrechion ei mam i'w dileu. Go damia'r ystum! meddyliodd Magda, wrth deimlo'i hysgwyddau'n hercian i fyny fel tasa rhyw bypedwr yn eu plycio. Gwnâi'r ystum iddi deimlo'n lletchwith a thrwsgl, yn ddi-lun a di-siâp, fel petai hi'n ôl ar drothwy ei harddegau ac eisoes yn dalach na'r bachgen talaf yn ei dosbarth. Bron na allai deimlo dwylo'i mam yn gwasgu'i hysgwyddau i lawr, a chlywed ei llais yn ei chlust: 'Dydi hynna ddim yn gweddu i ferch ifanc, Magdalena!'

Drannoeth, pan ofynnodd Tobias Jung iddi pryd fyddai hi'n cael ei symud, llwyddodd i reoli'i hysgwyddau, ond fe'i clywodd ei hun yn dweud y 'Does wbod' swta a llipa unwaith eto, felly ychwanegodd yn frysiog: 'Mae'n siŵr mai fi fydd y person dwytha i gael gwbod.'

'Dwyt ti ddim yn swnio fel tasat ti'n edrych ymlaen ryw lawer,' meddai Jung.

Gwenodd ei gwên fach dynn. Paid â fy holi ddim pellach oedd neges y wên – oherwydd dwi mor ansicr sut rydw i'n teimlo mewn gwirionedd. Yr unig beth rydw i yn ei wbod ydi y dylwn fod yn edrych ymlaen lawer iawn mwy nag yr ydw i.

Roedd hi'n methu'n glir â dallt pam. Doedd o ddim fel tasa hi wedi gwirioni ar fod yn nyrs. A be oedd Tobias wedi'i galw hi ddoe? Angel? Ia, dyna i ni un dda! meddyliodd. Cawsai unrhyw freuddwyd ramantus a fu ganddi o fod yn un o'r angylion – a do, bu ganddi freuddwyd felly ar un adeg – ei sathru i ebargofiant y tro cyntaf iddi ufuddhau i'r gorchymyn i ganolbwyntio ar dendio ar 'ein cleifion ni' ac anwybyddu sgrechfeydd a chrefu cleifion y gelyn.

Dylai fod yn edrych ymlaen at gael diosg y wisg wirion yma. Onid oedd wedi'i melltithio ddigon? Yn enwedig y goler anferth, startshlyd a grafai ei gwddw fel cardbord miniog, a'r cwimpl o benwisg hurt a wnâi iddyn nhw i gyd edrych yn debycach i leianod nag i nyrsys. Ac *am* y flows! Y flows lwyd, hyll yma â'r cylchoedd tywyll, ych-a-fi a fynnai ymddangos yn y ceseiliau eiliadau ar ôl i'r dilledyn gael ei olchi a'i sgwrio.

Roedd Magda'n ymwybodol iawn o'r ceseiliau tywyll, a thueddai i gerdded o gwmpas y lle â'i breichiau wedi'u gwasgu'n dynn yn erbyn ei hystlysau, yn teimlo'n sicr ei bod yn edrych fel colomen ag adenydd clwyfus.

Roedd Tobias Jung yn syllu arni'n feddylgar. Beth sy'n mynd trwy'i feddwl o, tybed? *Mae hon yn un od,* fwy na thebyg, tybiodd Magda, a gredai bellach mai dyna beth a wibiai drwy feddwl pawb y dôi ar eu traws. Ond roedd o wedi edrych mor falch o'i gweld hi ddoe: roedd ei wyneb wedi goleuo, ac wedi tywyllu rhywfaint wedyn pan ddywedodd hi wrtho na fyddai hi yma'n hir iawn eto.

Ond waeth i ti heb â hel meddyliau fel yna, meddai wrthi'i hun, felly fe ddywedodd wrth Jung:

'Dydi o ddim o dy fusnas di, beth bynnag, nac'di? Mi gei di fynd yn d'ôl adra unwaith y byddi di'n ddigon da i deithio. Lle bynnag *mae* dy adra di,' ychwanegodd, er ei bod yn gwybod yr ateb yn iawn. Yr hen gnonyn bach sbeitlyd, chwithig hwnnw o'r tu mewn iddi'n mynnu ei bod yn dangos yn glir iddo mai dim ond un claf arall oedd o mewn gwirionedd, dim byd mwy na hynny – un o'r miloedd y bu hi'n tendiad arnyn nhw dros yr wythnosau gwallgof diwethaf 'ma. Felly sut ddiawl wyt ti'n disgwyl i mi gofio o ble rwyt ti'n hanu, Tobias Jung?

Regensburg, Regensburg . . .

'O Regensburg,' atebodd Jung, ond yn swta.

Doedd o ddim yn edrych arni, sylwodd Magda; roedd ei diffyg diddordeb ymddangosiadol hi ynddo wedi'i bigo, ac edrychai'n bwdlyd, mor laslancaidd o bwdlyd nes iddi deimlo fel rhoi slasan iawn iddo. Yn hytrach, fe'i clywodd ei hun yn bwnglera mlaen.

'O ia, o Regensburg, wrth gwrs. Dwi'n dy gofio di'n deud, erbyn meddwl. Dwi rioed wedi bod yno, ond mi wn i amdani. Mae hi'n ddinas hardd, yn tydi?'

Nòd, dyna'r cwbl. Serch hynny, dyfalbarhaodd Magda.

'Falla, ryw ddiwrnod . . . pan fydd hyn i gyd drosodd . . .'

Edrychodd yn siarp arni, a'i thro hi rŵan oedd edrych i ffwrdd, gan hanner ofni y byddai'n ei glywed yn dweud mewn llais oeraidd: 'Be – *hyn i gyd* drosodd, Fräulein Dürr? Mae eich tôn yn awgrymu nad ydych chi'n credu fod "hyn i gyd" o unrhyw werth, ac mai ffars yw "hyn i gyd".'

Ond yr hyn *a* ddywedodd oedd:

'Wyt ti wedi cael cyfla i fynd i weld yr Acropolis eto?'

*

Yr Acropolis – a'r swastica'n hongian oddi ar bolyn tenau ar ben y Parthenon. Hongian oedd y gair, hefyd, a hynny'n llipa, oherwydd doedd dim awel o gwbl y noson boeth hon ar ddiwedd Mehefin. Buasai unrhyw faner arall yn edrych yn ymddiheurol, meddyliodd Magda, ond nid hon; does 'na affliw o ddim byd yn ymddiheurol ynglŷn â'r faner bowld hon. Ac ydw, rydw i'n teimlo'n hapus nad ydi hi'n chwifio'n falch ac yn hy uwchben y murddunnod.

Tybed fyddai Tobias Jung yn cytuno efo hi? Roedd ganddi'r teimlad . . . Na, cywirodd ei hun, mi hoffai feddwl y byddai'n cytuno: paid â gadael i dy deimladau gwirion reoli dy synnwyr cyffredin, Magdalena. Roedd o wedi mwydro'i phen hi efo hanes rhyw ffŵl oedd wedi adeiladu copi o'r Parthenon ar fryncyn y tu allan i Regensburg, ac wedi dechrau arni wedyn efo darlith am hanes yr Acropolis. Ond rhoes Magda daw arno: nid fo oedd yr unig glaf dan ei gofal, fe'i hatgoffodd – ond heb y min yn ei llais y tro hwn.

Ac roedd o wedi ymddiheuro iddi. Roedd gorfod gorwedd yma mor rwystredig, meddai, ac yntau wedi breuddwydio cyhyd am gael ymweld â'r wlad 'ma ryw ddydd. Un o'i hoff lyfrau pan oedd yn fachgen oedd casgliad o chwedlau Groeg.

'Wel,' meddai hi, 'wyddost ti byth . . .'

Roedd o wedi edrych arni â gwên fach ddireidus.

'Pan fydd "hyn i gyd" drosodd, ia?'

A dyna fo'n ei ffwndro'n lân drwy ddefnyddio'r union ymadrodd ag a barodd iddi hi frathu'i thafod funudau ynghynt – a dweud y geiriau dan wenu. Ffiw! Brenin mawr, meddyliodd, mae angen bod mor ofalus! Gallai brawddeg fach ddiniwed fel 'pan fydd hyn i gyd drosodd' gael ei chamddehongli fel geiriau

224

rhywun oedd â'i bryd ar 'danseilio'r lluoedd arfog' – hyd yn oed yma, gannoedd a channoedd o filltiroedd o'r Almaen.

Wrth gwrs, roedd pethau'n waeth byth adra. Doedd wiw i neb hyd yn oed ddweud y jôc fwyaf ddiniwed am y Führer nac am unrhyw un o 'fawrion' y Natsïaid, heb sôn am feirniadu eu polisïau mewn unrhyw ffordd – ac roedd hynny, wrth gwrs, yn cynnwys dweud unrhyw beth negyddol am y rhyfel. Roedd celloedd y carchardai'n llawn dop o bobol oedd wedi mentro agor eu cegau yng nghlyw'r bobol anghywir, ac roedd cynifer o'r bobol anghywir hynny o gwmpas y lle ers dechrau'r rhyfel – pobol oedd ddim ond yn rhy barod i achwyn am bobol eraill. Am gymdogion, am ffrindiau, a hyd yn oed berthnasau.

Yn ddiweddar, carchar oedd y lleiaf o bob bwgan. Cyn iddi ymadael â Munich, roedd hi wedi clywed am amryw a gawsai eu dienyddio. Er 1939 roedd cael eich dal yn trafod yr hyn a glywsoch ar ddarllediadau radio tramor yn ddigon i sicrhau eich dienyddiad, â rhaff neu â'r gilotîn, a chofiai Magda weld sawl poster ar furiau cyhoeddus yn enwi'r rhai diweddaraf i gael eu cosbi am deyrnfradwriaeth.

Diolch byth, doedd Tobias Jung ddim fel petai'n un o'r Natsïaid rhonc hynny a fyddai'n neidio ar frawddegau difeddwl, diniwed a dwl. Ond fedrai neb fforddio bod yn orhyderus. Roedd ganddyn 'Nhw' glustiau ymhobman, hyd yn oed yma yng ngwlad Groeg – fel y sylweddolodd Magda pan gafodd ei symud yma'n hollol ddirybudd o Greta, a'i galw i mewn i brif swyddfa'r ysbyty yn Athen.

Yno'n aros amdani roedd swyddog o'r *Abwehr*, a deallodd Magda fod 'Rhywun' wedi'i chlywed yn siarad hefo carcharorion o Brydain a Seland Newydd mewn Saesneg rhugl. Ac roedd y 'Rhywun' hwnnw (neu honno) wedi sôn amdani wrth 'Rywun' arall, a hwnnw'n ei dro wedi sôn wrth hwn, y dyn bach clên yma a edrychai ar goll yn ei lifrai, fel clerc mewn banc wedi colli'i ffordd rhwng ei gartref a lle bynnag roedd y parti gwisg ffansi. Paid, da chdi, Magda, â'i gymryd o'n ysgafn, rhybuddiodd ei hun: gan amlaf, dynion fel hwn ydi'r rhai

225

peryclaf. Doedd dim ond eisiau edrych ar rai o'r prif Natsïaid i sylweddoli hynny.

Roedd y swyddog wedi'i chyfarch mewn Almaeneg, cyn cynnal gweddill y sgwrs yn Saesneg. Roedd yn hynod gyfeillgar, ac anffurfiol iawn oedd y sgwrs – wedi'i chynllunio felly, gwyddai Magda, er mwyn iddo fedru pwyso a mesur pa mor rugl oedd ei Saesneg. Trodd y sgwrs yn fwy a mwy idiomatig wrth fynd yn ei blaen, nes bod y dyn bach clên bron iawn yn siarad mewn slang erbyn ei diwedd.

'Well,' meddai, 'you've been hiding your light under a bushel, haven't you?'

'Not intentionally, Herr Major.'

Roedd y swyddog wedi cyfeirio droeon at ffeil denau oedd o'i flaen, a thrawodd hi rŵan â blaenau'i fysedd.

'No, indeed.' Gwenodd. 'There are so many files . . .' Syllodd arni'n feddyglar am ychydig, yna meddai: 'You have a beautiful accent, *Fräulein* – when you speak English, that is. Very . . . Teutonic, shall we say?'

Gwenodd Magda, ychydig yn ansicr.

'It's also very pronounced,' meddai'r swyddog wedyn. 'Funnily enough, you sound more Bavarian when you speak English than when conversing in German! Then, you employ the *Hochdeutsch* – the general German accent, not the common Bavarian one. That's not unusual: it's almost the norm in some parts of Munich.' Gwenodd arni eto. 'This is not a criticism, *Fräulein*, you understand. Your English vocabulary and general grammar are excellent, and I suppose we have your young penfriend to thank for that.'

Yn ystod ei dyddiau ysgol, roedd Magda wedi bod yn cyfnewid llythyrau â merch o St Albans yn Lloegr. Ac roedd hi wastad wedi serennu mewn gwersi iaith, a doedd hi erioed wedi cael llawer o drafferth efo Saesneg, na Ffrangeg ychwaith. Ei bwriad ar un adeg oedd mynd i Lundain i weithio, ac yna i Baris . . .

Cyn hyn i gyd.

'Oh, Elaine? Yes, partly. But . . . we haven't been able to

correspond for some time now, Herr Major.' Er 1939 roedd hi wedi bod yn meddwl cryn dipyn am Elaine – oedd hi, tybed, yn gwneud gwaith tebyg i'r hyn a wnâi Magda rŵan?

'I myself am something of an Anglophile,' clywodd o'n dweud. 'I studied literature at Cambridge.' Gostyngodd ei lais. 'It was a sad day for me when our two nations became enemies. The Lakeland poets . . . are you familiar with their work?'

Ysgydwodd Magda'i phen, er bod ganddi frith gof am ryw gerdd am gennin Pedr.

'Not really, Herr Major.'

'A pity. Wordsworth's "Prelude", for instance. It really is quite sublime.' Ochneidiodd. 'Anyway, as good as your English is, you would, of course, never pass for a native speaker. I shall not, therefore, be recommending that you be dropped by parachute to spy for the Fatherland.' Gwenodd. 'However . . .'

Dychwelodd i'r Almaeneg, gan ddweud wrthi y byddai'n gallu gwasanaethu'i gwlad yn well drwy wrando ar negeseuon radio, eu cofnodi a'u cyfieithu.

Oedd ganddi unrhyw ddewis?

Nag oedd, wrth gwrs. Roeddan *Nhw* wedi penderfynu.

*

Wrth ymdrechu i fwynhau smôc ola'r dydd y tu allan i hostel y nyrsys, roedd y dicllonedd a deimlai tuag atyn Nhw yn corddi'r tu mewn iddi. Roedd yn gas ganddi'r ffordd roedd eraill wedi rheoli ei bywyd ers pan oedd hi'n blentyn, heb unwaith feddwl gofyn iddi beth oedd arni hi ei eisiau.

Y rhai cyntaf i wneud hynny oedd ei rhieni. Yn enwedig ei thad – gweithiwr ffatri cyffredin a gâi drafferth i gael dau ben llinyn ynghyd nes iddo ymuno â'r Blaid Natsïaidd. Ymhen llai na mis roedd yn oruchwyliwr yn y ffatri, yn ennill dwbwl ei gyflog a mwy, ac yn argyhoeddedig fod yr haul yn tywynnu o dwll tin y Führer, ac yn barod iawn i achwyn am unrhyw un arall a feiddiai gredu'n wahanol.

Yn raddol, sylweddolodd Magda fod aelodaeth o'r Blaid wedi deffro rhywbeth anghynnes iawn y tu mewn i'w thad. Fu

Helmut Dürr erioed yn ddyn hoffus, roedd Magda wedi hen dderbyn hynny – rhyw dad pell oedd o, a byddai'n amhosib ei ddychmygu'n ei chario ar ei ysgwyddau wrth grwydro trwy'r Englischer Garten neu sw Hellabrunn. Un o hoff ddywediadau ei thad oedd, 'Does 'na mo'r mymryn lleiaf o fenyn ar fy mhen i!' – yn adleisio'r hen ddihareb Almaenig, 'Ddylai'r sawl sydd â menyn ar ei ben ddim mynd allan i wres yr haul'. Ond roedd o'n giamstar ar weld menyn ar gorunau pobol eraill, gan gynnwys pobol a fu ar un adeg yn gymdogion, os nad yn ffrindiau, iddo fo a'i deulu bach. Wrth glywed ei thad yn brolio ar ôl iddo fod yn achwyn am rywun neu'i gilydd, sylweddolodd nad oedd hi bellach yn hoffi'i thad ryw lawer.

Go brin fod hyn yn beth normal, cofiai iddi feddwl yn euog ar y pryd: onid ydi pob merch i fod i hoffi ei rhieni? Eu caru nhw, ddim ots be? 'Anrhydedda dy dad a'th fam,' meddai'r Beibl, yntê? Ond doedd hynny ddim yn beth hawdd, a Helmut ac Ingrid Dürr yn rhoi'r argraff iddi bob gafael fod Magda'n fwy o siom iddyn nhw na dim arall.

Yn 1933 trodd yr anhoffter hwn yn atgasedd pan fynnodd ei thad (a doedd ei mam ddim yn ddi-fai yn hyn o beth, chwaith) fod Magda'n ymuno â'r BDM – y *Bund Deutscher Mädel*, cangen fenywaidd yr *Hitlerjugend* (Urdd Ieuenctid Hitler). Dim ond pedair ar ddeg oed oedd hi, a doedd arni mo'r mymryn lleiaf o awydd gwneud hyn. Fu hi erioed yn un dda am gymysgu – yn unig blentyn ac yn blentyn unig, gan nad oedd ei rhieni erioed wedi pwyso arni i ddod â ffrindiau ysgol adra efo hi. Roedd y rhan fwyaf o weithgareddau'r BDM yn artaith iddi: y gwersylla, y mabolgampau diddiwedd, ac yn arbennig yr holl ddarlithoedd am hanes gogoneddus yr Almaen a'r holl bregethu am y Blaid newydd, wych hon oedd yn prysur godi'r wlad yn ôl ar ei thraed, diolch i weledigaeth ddwyfol un dyn bach diolwg a chanddo fwstás fel un Charlie Chaplin.

Hyd yn oed pan safodd o flaen ei rhieni am y tro cyntaf yn ei hiwnifform newydd sbon – y sgert wlân las tywyll, y crys gwyn, y sgarff du â'r cwlwm lledr, y beret bach du a'r sanau gwynion, ac, i goroni'r cyfan, y *Kletterjacke* (y siaced swêd frown a'r swastica ar fathodyn siâp diamwnt wedi'i wnïo ar y llawes chwith), roedd ei thad yn feirniadol ohoni. Nid o'r wisg, ond ohoni *hi*. Doedd hi ddim yn ddigon da ganddo, roedd hynny'n amlwg; o'r ffordd y neidiai ei lygaid 'nôl a blaen rhwng ei ferch a'r poster BDM oedd ganddo ar y bwrdd o'i flaen – yr un a ddangosai ferch ifanc, hardd a'i gwallt yn blethi hirion euraid, a'i llygaid gleision yn pefrio wrth iddi sefyll yn gwenu o dan y swastica. Doedd yr eneth dal, denau, bwdlyd a safai o'i flaen hefo'i gwallt brown, llipa ddim yn edrych yn debyg o gwbwl i'r dduwies Aryaidd yn y poster.

'Dwi ddim yn dy ddallt di, wir,' dwrdiodd ei mam hi wedyn. 'Mae'r rhan fwyaf o bobol ifainc yn dotio at gael bod yn aelodau o'r *Hitlerjugend*. Be sy'n *bod* arnat ti, Magdalena? Pam na fedri di fod fel y genod eraill?'

Codi'i hysgwyddau wnaeth Magda.

Doedd hi erioed wedi cael ei hannog i fod fel genod eraill, dyna'r gwir amdani, a meddyliodd fod coblyn o wyneb gan ei rhieni yn disgwyl iddi ymddwyn fel pawb arall. Ond roedd ei mam yn gywir mewn un peth: roedd cyd-ddisgyblion ysgol Magda i gyd wedi mopio hefo'r Natsïaid, ac yn meddwl bod Urdd Ieuenctid Hitler yn wych o beth.

Cafodd Magda dynnu'i llun yn ei hiwnifform, a sylw'i mam am y llun hwnnw oedd fod Magda'n edrych fel petai'r ffotograffydd yn pwyntio gwn tuag ati yn hytrach na lens camera.

Ond o leiaf roedd y BDM wedi rhoi digon o gyfle iddi ganolbwyntio ar ei nofio, yn ogystal â rhoi'r cyfle iddi hyfforddi hefo'r Groes Goch Almaenig i fod yn nyrs. Er, rhyw grwydro i mewn i hynny wnes i hefyd, meddyliodd. Do'n i erioed wedi ysu am gael bod yn nyrs, dim ond dilyn yr holl gyrsiau am fod 'Rhywun' wedi awgrymu mai dyna beth ddylwn i ei neud. Mynd yn llywaeth fu fy hanes i erioed.

A dyma fi unwaith eto, yn ufuddhau'n llywaeth a gadael iddyn *Nhw* fy anfon i neud rhywbeth nad oes gen i mo'r awydd lleiaf i'w neud. Ufuddhau'n llywaeth fydd fy hanes am weddill fy mywyd, mwn.

Ochneidiodd a diffodd y sigarét dan ei sawdl. Noson boeth arall, a dim ond diwedd Mehefin oedd hi. Roedd hyd yn oed clebran diddiwedd y sicadau yn swnio'n ddiysbryd. Ar ei gwely, meddyliodd am y milwr ifanc, rhyfedd hwnnw, Tobias Jung, a gwenodd wrth gofio'r wên ar ei wyneb yntau pan welodd hi wrth droed ei wely.

Wel, fydd dim raid iddo fo ddioddef y gwres yma'n hir iawn eto, meddyliodd. Gyda lwc, bydd yn ei ôl adra yn Regensburg erbyn yr hydref, a chyn y gaeaf bydd yn breuddwydio am gael teimlo'r haul poeth ar ei groen unwaith eto.

Anghofia amdano fo, Magdalena, meddai wrthi'i hun. Dwyt ti ddim yn debyg o weld llawer ar Tobias Jung eto.

*

Tobias

Erbyn diwedd Mehefin roedd Tobias wedi gwella digon i fedru hercian yn boenus ac yn domen o chwys, o'i wely i'r tŷ bach ac yn ôl.

Roedd hyn, medden nhw wrtho, yn gwneud byd o les iddo. 'Mi ddaw hi,' meddai un meddyg am ei goes. 'Ddim cystal â'th ysgwydd, mae gen i ofn, ond mi ddaw hi.'

Gwyddai erbyn hynny y byddai'n gloff am weddill ei oes: roedd bwled y milwr o Seland Newydd wedi gwneud gormod o ddifrod. Nid bod rhyw lawer o gydymdeimlad gan y meddyg: dyn bychan, crwn efo nyth brân o wallt wedi britho, a sbectol hanner ffordd i lawr ei drwyn. 'Paid ti â chwyno, rwyt ti'n lwcus ar y diawl ei bod hi'n dal i fod gen ti,' oedd ei eiriau droeon.

'Dwi ddim yn deud yn wahanol.'

'Ti'n lwcus dy fod ti yma o gwbwl, tasa hi'n dod i hynny. Ac mi gei di fynd adra, tra ma'r gweddill ohonan ni'n gorfod aros yma! Yn ôl adra i . . . lle roedd o, eto?'

'Regensburg.'

'A-aa . . . wrth gwrs, Regensburg!' Pwniodd y meddyg Jung yn bowld, a wincian fel coblyn arno yr un pryd, fel petai ganddo atgofion ysglyfaethus tu hwnt am Regensburg. 'Yr Obermünster! Y Steinerne Brücke!'

'Ia . . .'

'A'r Schottenkirche!'

'Ia, ia . . .'

'Ond, yn anad dim, y tywydd! Y gwyntoedd oer, bendigedig. Y glaw mân! Yr afon a'r coedwigoedd; holl wyrddni'r wlad.' Ochneidiodd ac edrych allan ar yr awyr las a'r heulwen ddidrugaredd cyn troi a gwgu'n ffyrnig ar Jung. 'Dwi ddim isio clywed un gair o gwyno'n dod o'r geg yna eto. Iawn? *Heil Hitler!*'

'*Heil Hitler!*' atebodd Jung yn llipa.

Wel, beth arall allai o ei ddweud? Petai wedi dweud wrth y meddyg nad oedd arno eisiau hyd yn oed meddwl am Regensburg, heb sôn am gael ei golbio ag atgofion am atyniadau twristaidd y ddinas, buasai hynny wedi rhoi esgus i'r dyn ei holi'n dwll: pam, Oberleutnant, a'r ysbyty 'ma'n llawn pobl sy'n breuddwydio am gael mynd adref, rydach chi'n ymateb fel taswn i wedi awgrymu eich bod chi fel rhyw Ddaniel cloff yn hercian i ffau'r llewod?

Allai Jung ddim gwadu nad oedd geiriau'r meddyg wedi deffro ychydig o hiraeth y tu mewn iddo. Diawl, meddai wrtho'i hun, mae'n ddigon naturiol i mi ddyheu am deimlo awyr iach Bafaria, a finnau'n boenau i gyd ac yn chwys domen yn Athen, a misoedd poetha'r haf eto o mlaen. Ond petawn i'n mynd yn ôl i Regensburg, be gythral wnawn i yno? Go brin y gallwn ganu'r organ yn dda iawn efo'r goes a'r ysgwydd yma. A phwy a ŵyr faint o Regensburg fydd ar ôl erbyn i mi gyrraedd yno? A dydi o ddim fel tasa gen i rywrai i fynd atyn nhw yno, chwaith.

Mewn gwendid ydw i, dyna be sy, meddyliodd wedyn, wrth deimlo'r dagrau'n crafu'r tu mewn i'w lygaid fel pinnau poethion. Mewn gwendid ydw i . . .

*

Roedd mam Tobias wedi marw pan oedd o'n ifanc iawn – wedi disgyn yn farw yn gwbl ddirybudd, canlyniad gwaedlif ar yr ymennydd. Doedd o byth yn siŵr p'run ai cof go iawn oedd ganddo o'r ddynes brydferth, wallt golau'n ei godi a'i ddal ar ei glin, ynteu atgof ffug wedi'i sbarduno gan y llun ohoni a gadwai ei dad ar ben y cwpwrdd bach wrth ochr ei wely. Os mai ei ddychymyg oedd yn gyfrifol, yna roedd yn un digon cryf i lenwi'i ffroenau â chymysgedd o lafant a rhosod bob tro y meddyliai amdani.

Cyfreithiwr oedd Christoph Jung; roedd o hefyd yn ŵr diwylliedig a llengar ac yn dipyn o gerddor ei hun, yn arweinydd côr yr eglwys. Arferai fynd â'i fab efo fo i'r ymarferion, ac ymhlith atgofion cynharaf Tobias roedd un byw iawn o ben moel ei dad yn sgleinio yng ngoleuadau cryf yr eglwys wrth i drai a llanw'r lleisiau forio o'i gwmpas. Pan oedd yn hŷn cafodd wybod bod ei dad wedi rhoi'r gorau i arwain y côr am bron i dair blynedd ar ôl marwolaeth ei wraig. Arferai hi fod yn aelod o'r côr – dyna sut y bu i'w rieni gyfarfod gyntaf – a fedrai Christoph ddim gwrando ar y côr heb glywed ei llais alto hi.

Ond mynd yn ôl at y côr wnaeth o ymhen hir a hwyr. Roedd cerddoriaeth yn ei waed, meddai wrth ei fab. Roedd o wrth ei fodd pan welodd fod cerddoriaeth yng ngwaed Tobias hefyd – hyd yn oed yn fwy felly nag yn ei waed ei hun. 'Alla i ddim aros nes i ti gael plentyn, Tobias!' dywedai'n aml. '*Dwi*'n well cerddor nag oedd dy daid; rwyt *ti*'n well cerddor na fi, felly bydd dy blentyn di'n Mozart bach arall – yn Bach neu'n Beethoven bach arall, hyd yn oed!' Chwarddai wrth rwbio'i ddwylo. 'Felly brysia, da thi! Cer i ffeindio rhyw *Fräulein* fach ddel, a llenwa dy dŷ â cherddorion!'

Tipyn o fêts, felly, Christoph a Thobias Jung? Oeddan, nes i'r Natsïaid ddechrau dod i rym. Doedd Christoph ddim yn anifail gwleidyddol o gwbl: celf, llên a cherddoriaeth oedd popeth iddo. Yn sicr, doedd ganddo ddim byd o gwbl i'w ddweud wrth Hitler a'i griw – os rhywbeth, casâi bopeth roeddan nhw'n ei gynrychioli. 'Bwystfilod ydyn nhw,' meddai wrth ei fab. Diwrnod gwaetha'i fywyd, meddai – ar wahân i'r diwrnod pan fu farw Thilde – oedd yr un pan gafodd Hitler ei benodi'n Ganghellor yr Almaen gan yr Arlywydd Hindenburg.

'Mi fydd y wlad 'ma'n mynd â'i phen iddi,' meddai, 'gei di weld, Tobias.'

Ymhen dyddiau dechreuodd darluniau o Hitler ymddangos ar furiau pob ysgol. Diflannodd nifer o brif weithiau llenyddol y byd oddi ar silffoedd llyfrgelloedd Regensburg, ac yn eu lle gwelid llyfrau'n clodfori Hitler a'r Natsïaid. Yn yr ysgol, bu raid i Tobias a'i ffrindiau ysgrifennu traethodau am 'Hitler yr Arweinydd', a darllen gwerslyfrau hanes oedd wedi cael eu hailysgrifennu i gyd-fynd â syniadau'r Sosialwyr Cenedlaethol.

'Mae pobol mor ddwl!' taranai Christoph. 'Oni bai am sefyllfa economaidd ddifrifol y wlad 'ma, fasa rhyw sneipan fel Hitler byth bythoedd wedi dod yn agos at gael ei neud yn Ganghellor. Mae pawb yn rhy barod i wrando ar unrhyw addewid, dim ots pwy sy'n ei roi! Ydyn nhw i gyd wedi cael eu taro'n ddall ac yn fyddar? Ydyn nhw ddim yn gweld be sy'n digwydd i'r Iddewon?'

Dechreuodd gyfrif gan ddefnyddio'i fysedd, a phob bys yn ebychnod. 'Does 'na'r un Iddew yn cael trio am swyddi proffesiynol rŵan. Maen nhw'n gorfod talu mwy o drethi. Dim ond efo Iddewon eraill y cân nhw gymysgu a chymdeithasu – a Duw a'u helpo tasan nhw isio *priodi* rhywun sydd ddim yn Iddew! Maen nhw'n cael eu harestio a'u carcharu heb unrhyw esgus gwerth ei halen, eu colbio am ddim rheswm, hyd yn oed os ydyn nhw mewn gwth o oedran, a'u heiddo'n cael ei ddwyn oddi arnyn nhw. Ac ydi pobol y wlad yma – y wlad waraidd, ddiwylliedig, falch yma – yn gneud unrhyw beth i rwystro hyn? Ydyn nhw, o ddiawl! Mae'r bobol waraidd, ddiwylliedig i gyd yn dewis troi'u pennau, a chymryd arnynt fod y wlad 'ma'n rhyw fath o wlad tylwyth teg, ac yn gwrthod gweld mai canibaliaid ac ellyllon sy'n rheoli'r cyfan!'

Yn enwedig y bobol ifainc, meddyliodd Christoph . . . Gan gynnwys, sylweddolodd â braw, ei fab ei hun! Ond wedyn, doedd dim cymaint â hynny o fai ar yr ieuenctid. Toeddan nhw'n cael eu pledu o bob cyfeiriad gan bropaganda diddiwedd? Doedd y Natsïaid ddim yn ddwl, oherwydd roeddan nhw wedi mynd ati i ddargedu'r bobol ifainc. Wedi'r cwbwl, dim ond tair a deugain oedd Hitler pan gafodd ei wneud yn Ganghellor, a'r rhan fwyaf o'r prif Natsïaid heb gyrraedd eu deugain yn 1933. A dim ond pump ar hugain oedd Baldur von Schirach, arweinydd yr *Hitlerjugend* . . .

'Fedri di ddim gweld, Tobias?' meddai. 'Paratoi'r Almaen ar gyfer rhyfel arall maen nhw. *Plis* tria wrando arna i.'

Ond roedd Tobias yn bymtheg oed yn 1933, ac yn benderfynol o beidio â gwrando ar ei dad. Onid oedd ei ffrindiau ysgol i gyd yn heidio i ymuno â'r *Hitlerjugend* a'r BDM? Teimlai weithiau fel cydio yn y Christoph sych, henffasiwn a'i ysgwyd nes bod ei ddannedd yn clecian. Oedd o ddim yn gallu gweld sut roedd Hitler wedi llusgo'r wlad allan o'r gwter, wedi creu swyddi ym mhobman, wedi llenwi'r Almaenwyr â balchder newydd – balchder yn eu gwlad, eu hanes a'u diwylliant, ynddyn nhw'u hunain – ar ôl blynyddoedd o'r felan yn sgil rhyfel 1914–1918?

Yna, un noson, aeth Tobias Jung i'r sinema. Enw'r ffilm a welodd yno oedd *Hitlerjunge Quex* – un o ffilmiau propaganda mwyaf poblogaidd y Natsïaid, ffilm oedd yn adrodd hanes bachgen ifanc â'i fryd ar ymuno â'r *Hitlerjugend*, yn groes i ddymuniadau ei rieni. Ac mi drawodd geiriau ola'r ffilm Jung fel gordd: 'Mae'r faner yn golygu mwy na marwolaeth.'

Doedd dim dal arno wedyn. Ymunodd â'r *Hitlerjugend* gan droi clust fyddar i grefu ei dad, a gwisgo'i iwnifform newydd – y crys brown hefo'r rhwymyn braich a'r swastica arno, y siorts duon a'r sanau pen-glin llwydion – â chryn falchder. Yn wir, hefo'i wallt melyn a'i lygaid gleision, edrychai fel hysbyseb i'r mudiad.

Nefoedd fawr, rhyfeddodd, wrth iddo fwynhau'r holl fabolgampau a'r nosweithiau o ganu o gwmpas coelcerthi pan wersyllent allan yn y wlad, wna i byth faddau i Nhad am geisio fy rhwystro rhag cymryd rhan yn hyn i gyd. Atyniad arall oedd presenoldeb genod y BDM mewn gwersylloedd nid nepell oddi wrth y bechgyn, a manteisiodd yn fawr ar ei boblogrwydd hefo'r merched hyn.

O ganlyniad, lledodd y bwlch rhwng Tobias a Christoph, yn

enwedig gan fod Christoph yn mynnu na wnâi o fyth ymuno â'r Blaid Natsïaidd.

'Hen ddyn styfnig, gwirion ydach chi!' gwaeddodd Tobias arno un noson. 'Taswn i'n achwyn am hannar y petha rydach chi wedi bod yn eu deud am y Führer –eu chwartar nhw! – mi fasach chi yn y carchar.'

Trodd Christoph oddi wrtho fel tasa Tobias yn codi'r pwys mwyaf ofnadwy arno.

'Gwranda di arnat ti dy hun, Tobias,' meddai. 'Rwyt ti hyd yn oed wedi dechrau sgrechian fel *Fo* . . .' – doedd Christoph erbyn hynny ddim yn gallu dweud enw Hitler heb brofi blas drwg yn ei geg – 'a dyma chdi rŵan yn bygwth dy dad dy hun!'

'Be . . .? O, chwara teg!'

'Chwara *teg*?' Trodd wyneb Christoph yn wyn, a gwyddai Tobias fod ei dad wedi dod o fewn dim i'w daro. 'Paid ti â defnyddio'r ymadrodd yna, wyt ti'n clywad? Dwyt ti a dy debyg ddim yn gwbod ystyr y geiriau! Cer! Cer at dy Gestapo! Cer i achwyn! Wyt ti'n meddwl bod unrhyw ots gen i bellach?'

Ar y pryd roedd Tobias wedi gwylltio gormod efo'i dad i sylwi rhyw lawer ar ei eiriau. Erbyn hynny roedd o'n arweinydd ar bobl ifanc y sgwad *Jungvolk* lleol, ac yn uchel ei barch ymhlith rhengoedd yr *Hitlerjugend*. Roedd o hefyd, daeth i sylweddoli'n nes ymlaen ond yn rhy hwyr, yn rhy lawn ohono'i hun i weld beth oedd yn digwydd yn raddol i Christoph. Hyd yn oed pan roes Christoph y gorau i ddod i wrando ar ei fab yn cyfeilio i'r *Domspatzen* yng nghadeirlan Sant Pedr, yr unig beth wnaeth Tobias oedd teimlo'n flin tuag ato am fod mor bwdlyd, ac mor blentynnaidd o styfnig.

Ond roedd styfnigrwydd Christoph wedi dechrau costio'n ddrud iawn iddo. Yn ddiarwybod i Tobias, roedd cleientiaid ei dad wedi bod yn cefnu arno ers rhai blynyddoedd, gan droi at gyfreithwyr oedd yn aelodau o'r Blaid Natsïaidd. Yr argraff a gâi Christoph oedd bod yn gas gan amryw ohonyn nhw orfod gwneud hyn – onid oedd Herr Jung wedi bod yn edrych ar eu holau nhw a'u teuluoedd ers blynyddoedd lawer? Ond, wel, y gwir amdani oedd . . .

Nodio wnâi Christoph bob tro. 'Gair i gall, ia?' meddai. 'Rhywun wedi awgrymu, hwyrach, na fyddai'n beth doeth i chi ymddiried mewn cyfreithiwr sy'n gwrthod ymaelodi â'r Blaid?'

'Gobeithio'ch bod chi'n dallt, Herr Jung . . .'

'O ydw, dallt i'r dim' – a dyna pryd y byddai Christoph yn codi ac yn agor y drws i'w gleientiaid am y tro olaf, gan ddweud wrthyn nhw am roi gwybod i Frau Wiechert, y dderbynwraig, at bwy y dylai Christoph anfon eu ffeiliau.

Yn anochel, daeth y diwrnod pan fu'n rhaid iddo nodi'r manylion hynny ei hun, gan fod Frau Wiechert, hefyd, wedi'i adael. Ond doedd fawr o ots ganddo erbyn hynny, oherwydd dim ond llond dwrn o ffeiliau oedd ganddo ar ôl.

Am wythnosau hirion, arferai Christoph Jung godi'r un amser bob bore ag roedd o wedi arfer ei wneud ers blynyddoedd. Yna, siafio ac ymolchi a gwisgo un o'i ddwy siwt – yr un lwyd un wythnos, yr un las tywyll yr wythnos nesaf – a gadael y tŷ yn brydlon am wyth o'r gloch i gychwyn cerdded y chwarter milltir i'w swyddfa.

Yn yr hen ddyddiau – hynny yw, cyn 1933 – arferai aros tua hanner ffordd i brynu papur newydd, ond doedd o ddim wedi gwneud hynny ers blynyddoedd bellach. Doedd dim pwynt, a phob papur dan reolaeth Goebbels, a dim ond yn cael cynnwys yr hyn roedd Goebbels yn gadael iddyn nhw ei gyhoeddi. Yn lle'r hen bapurau ceid pethau fel y *Völkischer Beobachter* neu *Der Angriff*, a doedd Christoph ddim am lygru ei feddwl na'i fin sbwriel hefo'r fath sothach.

Yn ei swyddfa, treuliai ei ddyddiau yn ailddarllen ei hoff glasuron llenyddol – Theodor Storm, von Eichendorff, Alfred Döblin ac Erich Maria Remarque – neu'n mynd dros y gerddoriaeth roedd o angen ei hymarfer hefo'r côr. Am bump bob pnawn, codai o'i gadair, cloi drws y swyddfa a cherdded am adra. Sylwodd o ddim fod ei gamau tuag adra wedi mynd yn arafach ac yn arafach, ac yn fwy cyndyn.

Tybed fasa Tobias wedi sylwi cymaint roedd ei dad wedi torri tasa fo wedi bod yno'n ei ddilyn a'i wylio? Dyma gwestiwn a ofynnodd iddo'i hun droeon yn ystod y blynyddoedd dilynol, a chael y teimlad annifyr yn amlach na pheidio mai 'Na' fyddai'r ateb. Pur anaml roedd Tobias gartref erbyn hynny, a phan fyddai yno, roedd yr awyrgylch yn y tŷ'n ddigon i'w anfon allan ac *aros* allan nes byddai hi'n berfeddion nos, a'i dad wedi hen fynd i'w wely. Nid oherwydd bod Christoph ac yntau'n ffraeo, ond byddai hynny'n well na'r tawelwch llawn siom a dreiddiai drwy bob ystafell.

Ia – y tawelwch. Dylai hwnnw ynddo'i hun fod wedi dweud rhywbeth wrtho. Tŷ a arferai fod yn llawn cerddoriaeth gorawl. Y peth cyntaf a wnâi ei dad, gynt, ar ôl dod i mewn drwy'r drws, fyddai rhoi'r gramoffon ymlaen – ac ymlaen y byddai hi ganddo wedyn tan amser gwely.

Sylwaist ti ddim ar y tawelwch, hogyn?

Do, ond mi fethais â'i ddehongli.

Lwyddodd o ddim chwaith i ddehongli diffyg ymateb ei dad pan ddywedodd wrtho ei fod am ymuno â'r lluoedd arfog, yn hytrach na mynd yn ei flaen i astudio cerddoriaeth. Roedd rhai o uwch-swyddogion yr *Hitlerjugend* wedi rhoi'i enw ymlaen i gael ei hyfforddi ar gyfer y Luftwaffe, ac efallai, hyd yn oed, ar gyfer y *Fallschirmjäger*, yr adran newydd o barasiwtwyr dan reolaeth y Cadfridog Kurt Student.

Roeddan nhw newydd orffen bwyta'u swper y noson y gwnaeth Tobias ei gyhoeddiad. Safai Christoph wrth y sinc yn golchi'r llestri, felly cyfarch ei gefn a wnaeth Tobias, gan ddisgwyl i'w dad chwyrlïo'n lloerig tuag ato a dechrau cega arno, os nad lluchio plât neu ddysgl ato. Ond ddywedodd Christoph yr un gair, dim ond rinsio plât a dechrau golchi'r nesaf.

'Wel?' meddai Tobias.

Roedd wedi bod yn ymbaratoi ers dyddiau ar gyfer gwneud ei ddatganiad mawr, ac wedi dod yn agos at ollwng y gath o'r cwd sawl gwaith cyn hyn. Roedd o felly'n nerfau i gyd, a distawrwydd a llonyddwch Christoph yn ei wneud yn fwy nerfus fyth.

'Wel be?' meddai Christoph, heb droi.

'Y *Fallschirmjäger*, Nhad! Yr elît.'

'Ia?' Rinsiodd Christoph yr ail blât a'i osod ar ben yr un cyntaf, yna dechrau golchi'r ddwy ddysgl.

Ochneidiodd Tobias. 'Rydach chi *yn* sylweddoli pwy ydi'r *Fallschirmjäger,* yn tydach? Parasiwtwyr. Nid pawb sy'n cael hyfforddi ar eu cyfer. Ylwch, dydi o ddim fel taswn i wedi ymuno hefo'r SS, nac'di? Mi faswn i wedi gallu, 'chi; mae 'na sawl un wedi bod yn trio ngwthio fi i'r cyfeiriad hwnnw.'

Dim ymateb.

Rinsiodd Christoph y gyntaf o'r ddwy ddysgl a'i gosod â'i phen i lawr wrth ochr y platiau. Teimlai Tobias fel rhegi dros y tŷ. Doedd o ddim wedi bwriadu sôn am y *Schutzstaffel*; doedd ganddo ddim byd i'w ddweud wrth y rheiny ers iddo weld y ffordd roedd eu darpar aelodau, y Crysau Brown, wedi ymddwyn y tro cyntaf iddo gymryd rhan yn un o'r ralïau yn Nuremberg. Roedd o wedi teimlo'n swp sâl, a deud y gwir, ac wedi dychryn pan ddeallodd fod y blaid newydd, wych hon y buodd yn amddiffyn cymaint arni gartref, yn awr yn rhoi rhwydd hynt i foch fel y rhain ymddwyn fwy neu lai fel roeddan nhw'n teimlo.

Pan gafodd y cyfle, felly, i ymuno â'r Luftwaffe a hyfforddi ar gyfer y parasiwtwyr, neidiodd amdano. Os oedd 'na ryfel am fod – ac erbyn 1938 felly roedd hi'n ymddangos – yna'n hwyr neu'n hwyrach fyddai ganddo ddim llawer o ddewis, ac roedd yn well o lawer ganddo ymladd mewn 'byddin go iawn' fel rhan o'r *Wehrmacht*, na bod yn aelod o gatrawd o fwlis, troseddwyr a seicopaths yn ei sgwario hi o gwmpas y lle, gan beri ofn ac arswyd i Almaenwyr eraill.

Ceisiodd Tobias ddweud hyn i gyd wrth ei dad, a safai drwy gydol yr amser a'i gefn tuag ato, yn golchi a rinsio'r cyllyll a'r ffyrc a'r llwyau – fesul un, yn drwyadl. Pan dawodd Tobias o'r diwedd, disgwyliai ryw fath o ymateb gan ei dad.

Dim.

Gwylltiodd Tobias. 'Wel, deudwch rywbath, ddyn!' gwaeddodd.

Trodd Christoph o'r diwedd gan ysgwyd y dŵr a'r sebon oddi ar ei ddwylo cyn cydio mewn lliain llestri.

'Be sy 'na i'w ddeud, Tobias?' meddai. 'Ti wedi deud y cwbwl.'

Trodd ei gefn unwaith eto ar ei fab, a dechrau sychu'r llestri. Trodd Tobias ar ei sawdl a mynd o'r tŷ gan roi clep uchel i'r drws wrth fynd. Gweithred blentynnaidd ar y naw, gwyddai'n iawn, ac un na weddai o gwbl i ŵr ifanc oedd ar ei ffordd i hyfforddi ar gyfer bod yn un o'r elît.

*

Pan ddaeth y diwrnod iddo ymadael, sylweddolodd Tobias fod ei dad wedi hen godi o'i flaen, wedi ymolchi, siafio a gwisgo yn ôl ei arfer, ac wedi gadael am y swyddfa heb ddweud yr un gair. Roedd yntau wedi sefyll yng nghanol y gegin fel adyn ar gyfeiliorn, bron yn methu credu fod ei dad wedi mynd heb ddymuno lwc dda iddo – heb ddweud ffarwél, hyd yn oed. Doedd bosib ei fod o wedi anghofio . . .

Na, roedd o'n gwybod yn iawn mai heddiw roedd Tobias yn ymadael. Mae'n rhaid ei fod wedi sleifio o gwmpas y lle yn nhraed ei sanau rhag ei ddeffro, achos roedd y llestri brecwast wedi'u golchi a'u sychu a'u cadw, a'r bwrdd wedi'i glirio'n llwyr – ar wahân i un llyfr oedd wedi cael ei adael, yn hollol amlwg, reit ar ei ganol. Un o hoff lyfrau Tobias er pan oedd yn blentyn, y *Galgenlieder* – 'Caneuon y Crocbren' – casgliad o gerddi gan Christian Morgenstern.

Cydiodd Tobias ynddo a'i godi at ei ffroenau. Persawr amser ydi arogl hen lyfrau, meddyliodd, a sylweddoli mai dyma'r arogl y byddai'n ei gysylltu â'i dad am weddill ei fywyd. Wrth fyseddu trwy'r llyfr, clywodd unwaith eto lais ei dad yn darllen yn uchel ohono – mewn lleisiau gwahanol a gwirion – nes bod y ddau ohonyn nhw'n rowlio chwerthin.

Clywodd sŵn isel ac edrychodd i fyny i weld pry bach yn hedfan i fyny ac i lawr y ffenest. Gwenodd.

'In einem nur scheinen die Fliegen/dem Menschen vorauszustehn,' sibrydodd. *'Man bäckt uns nicht in Semmeln/noch trinkt uns aus Versehn.'*

('Wna'r pryfetach mo'r camgymeriad/A wnawn ni ddynion

o hyd ac o hyd:/Wnân *nhw* ddim ein pobi mewn rholen/Neu'n hyfed trwy ddamwain i gyd.')

Croesodd at y ffenest a llwyddo i ddal y pry yn ei ddwrn. Safodd am funud yn mwynhau'r cosi ffyrnig yn erbyn croen ei law, cyn agor y ffenest a gadael i'r pry fynd yn rhydd. Gwyliodd o'n hedfan i ffwrdd, yn smotyn du yn erbyn awyr wen y bore.

Yna caeodd y ffenest a'i chloi. Ychydig dros awr yn ddiweddarach, wrth iddo gau drws y tŷ ar ei ôl a'r llyfr yn gorwedd yn ddiogel yng ngwaelod ei fag, fedrai Tobias Jung ddim anwybyddu'r teimlad ei fod yn gwneud hyn am y tro olaf.

*

Derbyniodd y llythyr yn ystod mis Ionawr 1940 – llythyr oedd wedi cael ei anfon bedwar mis ynghynt.

Annwyl Tobias,

Rwy'n ysgrifennu'r llythyr hwn â chalon drom, ac nid oes unrhyw ffordd hawdd o ddweud y geiriau canlynol. Bu farw eich tad, Christoph Jung, gartref yn ei dŷ ddiwedd mis Medi eleni.

Gan nad oedd yn bosib cael ar ddeall ymhle yn union yr oeddech chi ar y pryd – dim ond eich bod i ffwrdd yn ymladd dros y Reich – penderfynodd yr eglwys mai'r peth lleiaf y gallai ei wneud, yng ngolau'r holl waith gogoneddus a wnaeth eich tad gyda'r côr yn ystod ei oes, fyddai gofalu ei fod yn cael angladd teilwng o ddyn oedd mor uchel ei barch, a chladdwyd Christoph Otto Jung ym mynwent yr eglwys ar y dydd olaf o fis Medi. Cysur bychan, mae'n siŵr, fydd yr wybodaeth fod yr eglwys dan ei sang y diwrnod du hwnnw.

Mae'r holl ddogfennau perthnasol parthed eich cartref etc. yn ddiogel gennyf i, a bydd yr eglwys yn gofalu am y tŷ a'i gynnwys nes i chwi ddychwelyd i Regensburg.

Bydd y golled yn un enfawr inni oll.

Bendith Duw a fo arnoch.
Gyda phob dwys gydymdeimlad,
Walter Schultze
(Ysgrifennydd)

Plygodd Tobias y llythyr a'i roi, ynghyd â'r amlen, rhwng tudalennau ei gopi o'r *Galgenlieder*. Y tu allan i Leipzig yr oedd o ar y pryd, yn cael ei hyfforddi, a gwyddai na châi ganiatâd i ddychwelyd i Regensburg bedwar mis ar ôl i'w dad gael ei gladdu. Gallai ddychmygu ymateb ei gapten petai'n gofyn iddo. 'Paid â meddwl nad ydw i'n cydymdeimlo, Jung, ond a bod yn hollol onest, beth fyddai'r pwynt? Wedi'r cwbwl, *pedwar mis* . . . Hwyrach, pe bai dy dad mewn ysbyty ac ar fin marw . . .'

Tynnodd y llythyr allan a'i ddarllen eto. 'Bu farw . . . gartref yn ei dŷ.' Be uffarn oedd hynny'n ei feddwl? Oedd ei dad wedi marw o ryw salwch, o ryw afiechyd? Efallai, meddyliodd, mai dyma ffordd gyfrin Walter Schultze o ddweud na fu Christoph, er gwaethaf ei ddaliadau, yn ddigon ffôl i wneud unrhyw beth fyddai wedi peri iddo gael ei arestio a'i lusgo gerbron Llys y Bobol, a fyddai wedi golygu cael ei ddedfrydu i farwolaeth.

Darllenodd y llythyr droeon dros y dyddiau nesaf ond, am ryw reswm, gwrthodai'r dagrau â dod, er i homar o hen lwmp cas chwyddo yn ei wddw bob tro. Gwnaeth ati i feddwl am y pethau mae'r rhan fwyaf ohonom yn ymdrechu i *beidio* â meddwl amdanyn nhw pan fyddwn mewn galar: y ffordd yr arferai pen ei dad sgleinio yng ngoleuadau'r eglwys, fel y byddai ei lygaid yn pefrio wrth i'r côr ganu'n arbennig o dda, y pethau bach gwirion a gadwai mewn drôr wrth ei wely – stybiau tocynnau o gyngherddau y bu o a Thilde ynddynt gyda'i gilydd, marblis o ddyddiau ei fachgendod, hen gyllell boced wedi rhydu, crib a gawsai ei ddefnyddio am y tro olaf pan oedd Tobias yn blentyn bach . . .

Doedd dim yn tycio nes iddo, fisoedd yn ddiweddarach, dynnu'r gyfrol o gerddi Morgenstern o'i fag ac arogli'r hen arogl cyfarwydd yn codi o'r tudalennau.

Dyna pryd y sylweddolodd, yn llawn ac o'r diwedd, ei fod

bellach ar ei ben ei hun – ei dad wedi mynd, a neb bellach ar ôl. Neb o gwbl. Ac wrth i'r unigrwydd olchi drosto, treuliodd Tobias Jung y noson honno'n wylo dagrau hallt wrth i blu eira syrthio o'i gwmpas yn y gwyll.

*

Ond roedd 'na un person a feddyliai gryn dipyn amdano, gan weddïo na fyddai mab Christoph Jung byth yn dod yn ei ôl i Regensburg.

Y person hwnnw oedd y rheolwr banc, Walter Schultze. Gwyddai i'r dim, petai Tobias Jung yn galw i'w weld – *pan* fyddai Tobias Jung yn galw i'w weld – na fedrai gelu'r gwirionedd oddi wrtho'n hir iawn, ac y byddai'n rhaid iddo ddweud wrth y dyn ifanc am y noson honno 'nôl ym mis Medi pan alwodd i weld Christoph Jung.

Roedd Walter wedi ceisio dweud wrtho'i hun fod y dyn hwn yn gwybod yn iawn, ei fod wedi *disgwyl* yr ymweliad hwn ers misoedd lawer. Ond doedd dim arwydd o hynny ar wyneb Christoph pan atebodd y drws.

'Walter!' meddai. 'Tyd i mewn.'

Camodd Walter i'r tŷ gan deimlo fel pe bai'n camu i gell y condemniedig. Eisteddodd y ddau gyferbyn â'i gilydd o flaen tanllwyth o dân, gyda gwydraid o *Schnaps* yr un yn eu dwylo.

'*Prost*! Iechyd da!'

'Ia . . . *Prost*,' atebodd Walter yn llipa wrth godi'i wydryn. Sylwodd nad oedd 'na gerddoriaeth yn chwarae yn y cefndir, a bod clecian y coed yn y fflamau'n swnio fel ergydion o wn. Roedd llyfr ar agor, a'i ben i lawr, ar fraich cadair Christoph: nofel Joseph Freiherr von Eichendorff, gwelodd Walter. *Aus dem Leben eines Taugenichts* – 'Bywyd rhywun da-i-ddim'.

Dyna'n union sut rydw i'n teimlo rŵan, meddyliodd Walter. Yn dda i ddim byd.

'Christoph . . .' dechreuodd, a gorfod clirio'i wddw. Edrychai'r dyn arall arno'n ddisgwylgar. 'Christoph . . .'

'Ia?'

'Y côr . . .'

'Ia?'

Damia'r dyn, meddyliodd Walter Schultze, mae o fel tasa fo'n benderfynol o beidio â gwneud hyn yn hawdd i mi! Symudodd ei goesau oddi wrth wres y tân gan ddifaru ei fod wedi gwrthod gwahoddiad Christoph Jung i dynnu'i gôt pan gyrhaeddodd y tŷ. Oedd, roedd y tywydd wedi dechrau oeri, ond ddim cymaint â hynny – pam roedd y dyn wedi cynnau'r fath dân? Yna sylwodd fod bocs cardbord a chaead arno ar y llawr wrth gadair Christoph. Gorweddai'r caead ychydig yn gam, a gallai Walter weld corneli papurau'n sbecian allan o'r bocs.

'Walter?'

Rhoes Schultze naid fechan.

'Roeddat ti'n dechrau deud – y côr?'

'Ia, o'n . . .' Rŵan amdani, meddyliodd Walter Schultze. 'Mae'r eglwys yn teimlo falla'i bod hi'n bryd i ti . . . i ti gamu'n ôl ychydig, Christoph.'

'Camu'n ôl?'

'Oddi wrth y côr.' Edrychodd ar y dyn arall gan frwydro i edrych i fyw ei lygaid. 'Falla dy fod ti eisoes wedi synhwyro . . .?'

Ond roedd Christoph yn ysgwyd ei ben ac yn edrych ar goll yn lân. 'Synhwyro? Synhwyro be? Ma'n ddrwg gen i, Walter, ond dwi ddim yn dallt. Be'n union wyt ti'n ei feddwl – camu'n ôl oddi wrth y côr?'

O Dduw mawr, meddyliodd Schultze, mae hyn yn anos nag ro'n i wedi'i ofni, hyd yn oed.

'Wel, rhoi cyfle i rywun arall gymryd yr awenau, fel petai. Dim ond am ryw ychydig.'

'Rhywun arall? Pwy?'

Roedd Christoph wedi eistedd i fyny yn ei gadair ac yn plygu ymlaen, a chledrau ei ddwylo ar ei bengliniau fel petai'n ymbaratoi i'w lansio'i hun o'i gadair am wddw Walter.

'Mae 'na sawl enw dan ystyriaeth.'

'*Pwy*?'

'Alla i ddim dweud ar hyn o bryd, siŵr; fedri di ddim disgwyl i mi enwi neb.'

'Ond *fi* ydi arweinydd y côr!'

Am rai eiliadau doedd dim byd i'w glywed ond clecian y tân. Yna ysgydwodd Walter Schultze ei ben yn araf.

'Mae'n wir ddrwg gen i, Christoph.'

Rhythodd Christoph Jung arno, yna eisteddodd yn ôl yn ei gadair gan edrych o gwmpas yr ystafell fel petai'n chwilio am rywbeth.

'Wela i,' meddai.

'Christoph,' dechreuodd Walter Schultze, 'paid â meddwl am eiliad mod i o blaid . . .'

'A phaid *ti* â deud wrtha *i* be i'w feddwl!' torrodd Christoph ar ei draws. 'Falla dy fod ti a gweddill yr eglwys yn fodlon caniatáu i hyn ddigwydd i chi, ond tydw *i* ddim.'

Nodiodd Walter. Yna cododd a rhoi'r gwydryn *Schnaps* ar y bwrdd. Wrth ddrws yr ystafell, arhosodd a throi.

'Mi wnes i ddadla yn erbyn hyn, Christoph, yn ffyrnig hefyd. Ond roedd gweddill y pwyllgor . . . roeddan nhw am ddeud wrthat ti trwy gyfrwng llythyr swyddogol, ac mae'n siŵr y bydd un o'r rheiny yn dy gyrraedd yn fuan. Ond fy newis *i* oedd dŵad yma heno, i achub y blaen ar y llythyr 'na. Ro'n i'n teimlo, gan ein bod ni'n dau yn ffrindiau . . .' Doedd y dyn arall ddim yn edrych arno; syllai yn hytrach i mewn i'r tân. 'Ro'n i am i ti wbod hynny, o leia.'

Arhosodd am ryw fath o ymateb, a chan na ddaeth yna 'run, trodd a gadael y tŷ. Teimlai ei goesau'n wan ac yn simsan, ac ar ei ffordd adref bu'n rhaid iddo sleifio'r tu ôl i wrych i gael taflu i fyny.

*

Ar ôl i Schultze fynd, arhosodd Christoph Jung yn ei gadair am funudau hirion. Yna cododd ac ailgydio yn y bocs cardbord roedd Schultze wedi sylwi arno'n gynharach. Tynnodd ei gaead a mynd ati unwaith eto i fwydo'i gynnwys, fesul un, i mewn i'r tân.

Llythyrau oeddan nhw – llythyrau caru. Roedd Thilde wedi cadw pob un o'r rhai roedd hi wedi'u derbyn ganddo, a Christoph wedi cadw pob un roedd yntau wedi'i dderbyn ganddi hi. Doedd dim raid iddo edrych ar yr un ohonyn nhw:

gwyddai'n union beth oedd cynnwys pob llythyr, a gwenai o bryd i'w gilydd wrth ollwng un dudalen ar ôl y llall i mewn i'r fflamau. Ar ôl llosgi'r un olaf, rhwygodd y bocs cardbord yn ddarnau a gwylio hwnnw, hefyd, yn llosgi.

Wrth olchi'r gwydrau *Schnaps* yn sinc y gegin, meddyliodd am Walter Schultze. Doedd dim *raid* iddo fod wedi dod yma heno, ac roedd o'n amlwg wedi casáu pob eiliad – yn gwingo yn ei gadair fel petai clustog y sedd wedi'i stwffio â nodwyddau. Doedd Christoph ddim yn ddwl o bell ffordd: onid oedd llai a llai o aelodau'r côr wedi bod yn dod i'r ymarferion dros y misoedd diwethaf? Oni fu nifer o bobol yr eglwys yn cilio oddi wrtho fel petai ganddo ryw afiechyd heintus a fyddai, efallai, yn ddigon amdanyn nhw i gyd? Felly oedd, mi roedd o wedi bod yn disgwyl ymweliad Walter, a theimlai bigyn bach o euogrwydd am wneud i'r dyn druan chwysu a gwingo.

Sychodd y gwydrau a'u rhoi'n ôl yn y cwpwrdd, cyn datgloi'r drws ffrynt. Yn yr ystafell fyw, gofalodd y byddai'r tân yn marw'n ddiogel ohono'i hun cyn estyn y bocs ffeil a gynhwysai ei ddogfennau cyfreithiol a'i osod ar ganol y bwrdd. Cododd glasur von Eichendorff oddi ar fraich ei gadair, a'i ddychwelyd yn dwt i'w gartref ar y silffoedd llyfrau. O leiaf roedd Tobias wedi mynd â'r llyfr o gerddi Morgenstern hefo fo, meddyliodd, wrth ddringo'r grisiau: wn i ddim be faswn i wedi'i wneud taswn i wedi cyrraedd adref y pnawn hwnnw a gweld ei fod o wedi gadael y llyfr ar ôl.

Yn ei ystafell wely, syllodd yn hir ar lun Thilde cyn ei gadw o'r golwg yn y drôr ger ei wely, ac wrth iddo adael iddo'i hun ddisgyn oddi ar y gris uchaf a'r rhaff am ei wddf, meddyliodd tybed fyddai Thilde yn rhywle yn aros amdano.

Ond teimlai, rywsut, mai cael ei siomi a wnâi o ynglŷn â hynny, hefyd.

14
Tawelwch y sicadau

Athen

Yn yr awyren, roeddan nhw i gyd yn canu. Hyd yn oed os oedd eu cegau'n sych grimp, llwyddodd pob un ohonyn nhw i ddod o hyd i ddigon o boer:

> Rot scheint die Sonne, fertig gemacht,
> Wer weiß ob die morgen für uns auch noch lacht?

Cân fartsio'r *Fallschirmjäger* – cân i ymbaratoi . . .

> Werft an die Motoren, schiebt Vollgas hinein,
> Startet los, flieget an, heute geht es zum Feind!

> In die Maschinen, in die Maschinen!
> Kamerad, da gibt es kein zurück . . .

[Coch yw'r haul, yn barod amdanom,/Pwy a ŵyr a fydd yn tywynnu arnom yfory?/Taniwch y peiriant, pwyswch y throtl,/Hedfanwn heddiw yn erbyn y gelyn!/I mewn i'r awyren, i mewn i'r awyren!/Gymrawd, does dim troi'n ôl . . .]

Yna daeth y gorchymyn i sefyll. Ymunodd Tobias Jung â rhes, a phan ganodd y *klaxon*, cydiodd yn y canllawiau haearn y naill ochr i'r drws, cyn plymio allan o'r awyren a'i freichiau a'i goesau ar led . . . ond gwyddai wrth iddo neidio na fyddai ei barasiwt yn agor y tro hwn. Byrlymodd i lawr drwy'r awyr ac wrth i'r ddaear ruthro i fyny i'w groesawu ceisiodd gau'i lygaid, ond roeddan nhw'n gwrthod cau, ac agorodd ei geg i sgrechian . . .

Deffrodd â naid. Roedd mewn cadair yn yr ysbyty yn Athen, a rhywun yn sefyll nid nepell oddi wrtho, yn byseddu'i lyfr barddoniaeth.

'Hei!'

Trodd Bruno Nagel â'r llyfr yn ei law. 'Paid â deud mai'r un un copi ydi hwn? Hwnnw oedd gen ti yn Eben-Emael?'

'Ia. Effeithlonrwydd enwog y *Wehrmacht* eto!'

Oriau cyn iddo gael ei symud yma o Greta, roedd un o'r nyrsys wedi dod â'i fag iddo, wedi'i bacio'n dwt. Y peth cyntaf wnaeth Jung oedd sgrialu trwyddo nes i'w fysedd gau'n ddiolchgar am y llyfr.

Caeodd Nagel y llyfr a'i roi i lawr yn ei ôl.

'Wel, Tobias, rwyt ti'n edrach fymryn bach gwell na'r tro dwytha i mi dy weld.'

'Ydw i?' Roedd Jung yn rhythu arno, bron yn gegrwth. 'Rwyt *ti*, Bruno, yn edrach ganmil gwaeth.'

Edrychai Nagel fel tasa fo heb gysgu ers wythnosau. Eisteddai ar erchwyn y gwely a'i ddwylo'n crynu. Doedd o ddim wedi siafio ers dyn a ŵyr pa bryd, ac roedd ei lygaid wedi chwyddo'n goch. Roedd golwg nerfus arno – ond hefyd roedd 'na rywbeth tebyg i dristwch yn codi oddi arno fel arogl.

'Bruno . . .?'

Roedd Nagel fel tasa fo'n ceisio osgoi edrych yn iawn ar Jung i ddechrau, ond yn y diwedd ochneidiodd yn ddwfn cyn codi'i ben a dweud, 'Golo Wolf.'

'Golo? Be amdano fo?'

'Ydach chi'ch dau'n ffrindiau mawr?'

Ysgydwodd Jung ei ben. 'Ddim felly.'

Ddim o'm rhan i, beth bynnag, meddyliodd. Er bod y ddau wedi hyfforddi gyda'i gilydd – wedi ymladd ochr yn ochr ac wedi achub bywydau'i gilydd – doedd Jung erioed wedi gallu closio rhyw lawer at Wolf. Ar yr olwg gyntaf, rhôi hwnnw'r argraff ei fod yn hen fôi iawn, yn goblyn o gês ac yn fêt i'r byd a'r betws, ond gwyddai Jung mai dim ond ar yr wyneb roedd hynny, a bod Golo Wolf yn gallu troi'n hynod o gas ar amrantiad. Bu Jung yn dyst i'r trawsnewid hwn ar sawl achlysur, a deallodd yn fuan fod 'na rywbeth tywyll iawn yn llechu'r tu ôl i'r wên lydan.

'Pam, Bruno?' gofynnodd. 'Pam wyt ti'n gofyn?'

Syllodd Nagel arno am rai eiliadau, cyn codi a mynd at y ffenest agored. Taniodd sigarét a chwythu'r mwg allan i'r aer llonydd, crasboeth.

'Glywist ti sôn am Kondomari?' gofynnodd.

Ysgydwodd Jung ei ben.

'Naddo. Be ydi o, beth bynnag – lle?'

'Pentref,' atebodd Nagel. 'Yng Nghreta. Roeddat ti'n agos iawn i Kondomari pan oeddat ti ym Maleme.'

Cododd Jung ei ysgwyddau heb feddwl, a gwingo wrth i'r boen ei frathu'n giaidd. 'Bruno, doedd gen i ddim clem lle ro'n i'r rhan fwya o'r amser,' meddai. 'Roeddan ni mewn *brwydr*, ddyn. Dim ond ychydig oriau oedd 'na ers i mi blymio allan o'r awyren, cofia.'

'Ro'n i yn Kondomari ddechrau'r mis yma,' meddai Nagel, gan droi i edrych ar Jung. Syllodd Jung yn ôl arno, gan feddwl fod ei gyfaill yn edrych yn waeth os rhywbeth yn y golau a lifai i mewn trwy'r ffenest.

'Be sy, Bruno?' gofynnodd eto, ond yn dyner y tro hwn. 'Be ddigwyddodd yn Kondomari?'

'Golo Wolf.' Gostyngodd Nagel ei lais. '*Dyna* iti be ddigwyddodd yn Kondomari, Tobias. Oberleutnant Golo Wolf.'

*

Kondomari

'Lle 'dan ni'n mynd?'

Pabell yng nghanol pebyll eraill mewn darn o dir agored y tu allan i Hania oedd llety Bruno Nagel, ac oni bai eu bod nhw wedi llwyr ymlâdd, yna go brin y byddai'r un o'r milwyr wedi medru cysgu rhyw lawer yn y fath wres. Ar ôl treulio'r diwrnod cynt yn dilyn platŵn o'r *Fallschirmjäger* hyd lwybrau caregog a blin yr ardal, y peth olaf roedd arno eisiau'i wneud oedd treulio diwrnod arall eto fyth dan grechwen yr haul didrugaredd hwn.

Felly, pan ofynnodd Bruno, 'Lle 'dan ni'n mynd?' i'r sarjant oedd wedi ymddangos yng ngheg ei babell, gwnaeth hynny ag ochenaid luddedig.

'Fyddi di ddim isio colli hyn, Nagel,' meddai'r sarjant.

'Na fyddaf? Colli be, yn union?'

'Mae'n rhaid deud y drefn wrth rai pobol, ma gen i ofn.'

'Pa bobol?'

'Y ffycin Groegwyr 'ma,' meddai'r sarjant.

Wrthi'n glanhau lensiau ei gamera roedd Bruno ar y pryd, a dim ond rhyw giledrych ar y sarjant wnaeth o i ddechrau, ond roedd rhyw dyndra rhyfedd yn llais y dyn a wnaeth iddo graffu arno'n fwy gofalus.

'Wyt ti o ddifri?'

'Gofala fod gen ti ddigon o ffilm.' Trodd y sarjant i fynd.

'Wo, wo, dal dy ddŵr. Be ti'n feddwl "deud y drefn" wrthyn nhw? Am be?'

'Mae 'na sawl corff wedi'i ddarganfod, yn does?' meddai'r sarjant. 'Cyrff rhai o'n dynion ni a golwg ofnadwy arnyn nhw, wedi cael eu malurio gan bobol y pentrefi 'ma.'

'Paid â siarad drwy dwll dy din!' Dechreuodd y sarjant dynhau trwyddo, ond roedd Nagel wedi codi oddi ar ei wely isel a chafodd y milwr y teimlad annifyr ei fod mewn ogof gydag arth go biwis. 'Dwi wedi gweld nifer o'r cyrff yma fy hun. Nifer go helaeth, hefyd. Byd natur sy'n gyfrifol am unrhyw falurio – llwynogod, brain, llygod mawr. 'Rarglwydd, ddoe, allan ar batrôl – ac mi oeddat ti dy hun yno, be haru ti? – mi welson ni rai o'r adar uffernol 'na, y ffycin fwlturiaid sy gynnyn nhw yn y lle 'ma, yn gwledda ar ddau gorff. Dwyt ti'm yn cofio?'

Nodiodd y sarjant ac edrych i ffwrdd.

'Ac ma'r gwres diawledig yma'n chwarae'i ran hefyd – ma cyrff yn pydru cyn pen dim.' Gollyngodd Nagel y lens ar y gwely. 'Pwy sy'n deud bod raid mynd i "ddeud y drefn" wrth y pentrefwyr, beth bynnag?'

Cododd y sarjant ei ysgwyddau. 'Oberleutnant Wolf

ddeudodd wrtha i am dy nôl di, dyna'r cwbwl dwi'n ei wbod. Felly mi faswn i'n ei siapio hi, taswn i'n chdi. Mae'r Oberleutnant yn awyddus i gychwyn cyn gyntad ag sy'n bosib.'

'Wel, mi geith yr Oberleutnant ddisgwl am ychydig tra dwi'n . . .' meddai Nagel, ond roedd y sarjant wedi diflannu.

Gwyddai Nagel yn iawn beth a olygai 'deud y drefn'. Ond mae'n rhaid bod 'na ryw gamgymeriad wedi digwydd? meddyliodd. fyddai neb yn ei iawn bwyll yn meddwl mai gwaith y *Fallschirmjäger* oedd rhywbeth fel hyn, siawns.

'Gobeithio nad wyt ti'n awgrymu nad ydi'r Reichsmarschall Göring yn ei iawn bwyll, Bruno,' meddai'r uwch-gapten wrtho pan fynnodd Nagel gael gair hefo fo cyn ymuno â Wolf a'r lleill.

'Göring?'

Nodiodd yr uwch-gapten, dyn o'r enw Stenzler a hanai, fel Nagel, o Munich. 'O'i ddesg o yn Berlin y daeth y gorchymyn.' Agorodd ffeil a darllen oddi ar ddarn o bapur: ' "Rhaid cymryd y camau mwyaf llym . . . dienyddio pob gwryw rhwng deunaw a hanner cant oed." Geiriau'r *Reichsmarschall* ei hun, Bruno.' Gwthiodd y papur tuag at Nagel. 'Darllena fo dy hun.'

Gwibiodd llygaid Nagel dros y geiriau.

Saethu . . . dirwyo . . . llosgi'r pentrefi yn llwyr . . . dienyddio gwrywod yr ardal dan sylw . . . hyn i ddigwydd cyn gynted â phosib, heb unrhyw drefniadau ffurfiol . . .

Roedd yn amlwg i Nagel nad oedd Stenzler ei hun yn hapus efo'r gorchmynion, ond ei fod yn ceisio cuddio hynny drwy ymddwyn yn fwy gor-selog nag arfer.

'Gyda phob dyledus barch i'r *Reichsmarschall*,' meddai Nagel yn ofalus, 'dydi o ddim wedi gweld y cyrff yma. Mi ydw i, Herr Major, a natur sy'n gyfrifol am unrhyw falurio sydd wedi digwydd iddyn nhw, wir i chi. Mi gawson nhw'u saethu gan y Prydeinwyr tra oeddan nhw'n dal yn yr awyr, ar eu ffordd i lawr ac ynghlwm wrth y parasiwts. Ers i mi fod yma, dwi ddim wedi dŵad ar draws unrhyw . . .'

Torrodd Stenzler ar ei draws. 'Mae 'na arbenigwyr ar eu ffordd yma heddiw o Berlin.'

Roedd Nagel yn dechrau colli ei amynedd. 'A be ŵyr yr

250

"arbenigwyr" 'ma o Berlin sut mae corff marw'n edrych ar ôl i ddau neu dri o fwlturiaid fynd i'r afael â fo? Ar ôl diwrnod neu ddau dan haul llawer iawn mwy crasboeth nag a welodd Berlin erioed?' Ochneidiodd. 'Mae cynnal rhyw ymgyrch gosbi fel hyn yn erbyn pentrefwyr cyffredin yn . . . *Llofruddiaeth* fydd o, Herr Major, dim byd llai na llofruddiaeth.'

Meddyliodd am funud fod yr uwch-gapten am gytuno efo fo: roedd ei lygaid yn neidio i bob cyfeiriad ar wahân i edrych ar wyneb y dyn mawr a safai o'i flaen. Ond yna daeth o hyd i nerth o rywle a dweud, 'Rwyt ti'n gyfarwydd â deg gorchymyn y *Fallschirmjäger*, dwi'n cymryd?'

'Be? Ydw, wrth gwrs . . .'

'Be ydi'r nawfed gorchymyn, Nagel?'

Meddyliodd Nagel. 'Ymladdwch â phob sifalri yn erbyn y gelyn agored, ond peidiwch â dangos unrhyw drugaredd tuag at herwfilwyr.'

'Yn hollol. I ffwrdd â chdi, felly, er mwyn i mi gael cyfle i drio anghofio'n bod ni wedi cael y sgwrs yma o gwbwl.'

Ac i ffwrdd yr aeth, mewn pryd i glywed cynffon araith y newydd-ddyrchafedig Oberleutnant Golo Wolf i oddeutu deg ar hugain o'r parasiwtwyr.

'Hogia ni' oedd byrdwn yr araith. Fel roedd cynifer o'n hogia ni wedi cael eu lladd (na, cywirodd ei hun, eu llofruddio) gan farbariaid yr ynys felltigedig hon . . . a'u cyrff truain wedi'u hambygio a'u malurio ganddyn nhw. Wrth gwrs, doedd yr un Almaenwr am ganiatáu i rywbeth felly ddigwydd heb gosbi'r troseddwyr, nagoedd? Nagoedd, siŵr Dduw, felly gorau po gyntaf y digwyddai hynny, meddai – ac nid fo, cofier, oedd yn deud hyn ond y Cadfridog Kurt Student ei hun, y dyn a sefydlodd y *Fallschirmjäger* yn y lle cyntaf, y dyn a greodd yr uned fwyaf elît a welsai'r *Wehrmacht* erioed. A hei, gwrandwch ar hyn, hogia: gorchymyn oddi wrth y Reichsmarschall Göring ei hun! 'Rhaid cymryd y camau mwyaf llym, a hynny'n ddiymdroi!'

Ceisiodd Nagel ddal llygad yr *Oberleutnant* arall, dyn ifanc a'i wallt wedi'i gribo'n ôl oddi ar ei dalcen, o'r enw Albrecht

Köhler. Gwrthododd Köhler edrych yn ôl arno ond roedd yntau'n amlwg yn anhapus. Yn anhapus ei fod yn gorfod sefyll yno fel delw'n gwrando ar y coc oen arall 'ma'n sgwario 'nôl a blaen gerbron y milwyr: Golo Wolf, yn ei diwnig *Fallschirmjäger* werdd, ei siorts a'i helmed haul wen, ac a oedd wedi gwneud sioe fawr o edrych ar ei wats pan welodd Nagel yn cyrraedd.

Ond i'r rhan fwyaf o'r milwyr roedd Golo Wolf yn arwr. Onid oedd wedi hen brofi hynny? Yng nghaer Eben-Emael i ddechrau ac wedyn yma, ddyddiau'n unig yn ôl, yn y frwydr am Fryn 107, pryd y llwyddwyd i gipio'r bryn oddi ar y gelyn ac y llwyddodd yntau i achub bywyd un o'i gyd-filwyr yr un pryd.

'Mi gewch chi weld yn union be dwi'n ei feddwl,' gorffennodd Wolf, cyn rhoi'r gorchymyn i ddringo i mewn i'r cerbydau. I mewn i'r jîp yr aeth o, wrth gwrs, ynghyd â Köhler, yr *Oberleutnant* arall, a dau sarjant – a'r un a fu'n siarad efo Nagel yn ei babell oedd y tu ôl i'r olwyn.

Dringodd Nagel i gefn un o'r lorïau ac eistedd wrth ochr milwr ifanc, byr. Roedd ei helmed haul ychydig yn rhy fawr iddo, a siglai'n ddoniol ar ei ben wrth i'r lori symud dros wyneb tyllog y ffordd. Ond doedd neb yn chwerthin na hyd yn oed yn gwenu, sylwodd Nagel, wrth iddo edrych o un wyneb chwyslyd i'r llall; roedd y milwyr i gyd yn cnoi cil dros yr hyn roedd Wolf newydd ei ddweud. Roedd rhai ohonyn nhw mewn siorts, eraill wedi cael caniatâd i rowlio gwaelodion eu trowsusau i fyny dros eu pengliniau. Go brin fod yr un ohonyn nhw wedi profi gwres tebyg i wres Creta.

Dôi awel fechan, braf i mewn o gefn y lori, ond chawson nhw fawr o gyfle i'w mwynhau oherwydd, ymhen ychydig funudau, arhosodd y lorïau a chyfarthodd un o'r ddau sarjant orchymyn ar i'r dynion ddringo allan.

Oeddan nhw yno yn barod? Nag oeddan, ddim eto. Roeddan nhw wedi aros yr ochr bellaf i bentref bychan – Maleme, deallodd Nagel, oherwydd gallai weld y maes awyr yn y pellter, sef y fan lle cafodd Tobias Jung ei anafu. Roedd dau filwr arall yn aros amdanyn nhw yno, yn cadw gwyliadwriaeth dros sawl corff marw – milwyr Almaenig. Safai'r ddau filwr hyn yn ddigon pell oddi wrth y cyrff. Wela i ddim bai arnyn nhw chwaith, meddyliodd Nagel wrth iddo ufuddhau i orchymyn Wolf i dynnu lluniau o'r celanedd: roedd yr aroglau a godai oddi arnyn nhw'n ddigon i droi stumog unrhyw un. Meddyliodd Nagel i ddechrau fod locsyn trwchus, du gan un ohonyn nhw, nes i gwmwl o bryfed godi wrth i gysgod Nagel ddisgyn dros hynny oedd ar ôl o wyneb y creadur.

'Brysia,' meddai Wolf wrtho, yn gwbl ddiangen oherwydd roedd Nagel *yn* brysio; ofnai na allai ei stumog ddioddef y drewdod yn llawer hwy. Gorffennodd, a chamu draw oddi yno gan nodio ar Wolf: dyna pryd y trodd hwnnw at y milwyr eraill a dechrau ar ei ail bregeth.

'Pobol yr ynys' oedd testun hon. Yn ôl Wolf, nhw oedd yn gyfrifol nid yn unig am farwolaethau'r celanedd a orweddai ar ochr y ffordd ond am eu holl anafiadau hefyd. Barbariaid oeddan nhw, yn ddim gwell nag anifeiliaid. 'Mae hyd yn oed y Beibl Sanctaidd yn eu condemnio nhw!' mynnodd, gan dynnu darn bychan o bapur o un o'i bocedi. 'Yr Apostol Paul ei hun!'

Be ddiawl mae rhyw greadur fel hwn yn ei wybod am y Beibl a'r Apostol Paul? meddyliodd Nagel. Ond aeth Wolf yn ei flaen i ddyfynnu o'r Epistol at Titus – 'Un ohonynt hwy eu hunain, un o'u proffwydi hwy eu hunain, a ddywedodd, Y Cretiaid sydd bob amser yn gelwyddog, drwg fwystfilod, boliau gorddïog'.

'*Drwg fwystfilod!*' meddai sawl gwaith, a'i lais yn codi'n uwch bob tro, nes ei fod fwy neu lai'n sgrechian yn wynebau'r milwyr, wynebau oedd erbyn hynny'n welw. Roedd y Cretiaid, meddai, yn cael pleser mawr o hambygio cyrff marw, o'u llarpio nhw a'u rhwygo nhw – hyd yn oed cyn iddyn nhw farw. Aeth i gryn hwyl wrth draethu, gan boeri i bob cyfeiriad. Dwi'n siŵr, meddyliodd Nagel, nad fi ydi'r unig un yma i gael ei atgoffa o'r sterics a ddaw o'r radio weithiau pan fydd Goebbels yn taranu am rywbeth neu'i gilydd. Bloeddiai Wolf reit yn wynebau'r milwyr fel tasa fo'n eu herio i ddadlau efo fo.

Nid bod yr un ohonyn nhw'n ddigon dwl i wneud hynny, gan gynnwys Nagel; roedd llaw chwith Wolf yn gafael yn dynn yn y dryll a gariai mewn holster, a theimlai Nagel na fyddai'n cymryd llawer iddo roi bwled ym mhen pwy bynnag a feiddiai fynd yn groes iddo. Ond yna sylweddolodd â braw, wrth edrych ar wynebau'r milwyr, fod y rhan fwyaf ohonyn nhw'n coelio Golo Wolf ac yn fwy na pharod i lyncu pob gair o'i eiddo.

Teimlai Nagel fel cerdded i fyny ac i lawr y rhes yn slasio'u hwynebau llywaeth dan weiddi arnyn nhw: *Fallschirmjäger* ydach chi, neno'r tad! Chi ydi hufen y *Wehrmacht,* ond rydach chi'n gadael i hwn eich troi chi'n frain burgyn. Os gwnewch chi hyn, yna fyddwch chi ddim tamaid gwell na'r *Einsatzgruppen*! Sgwadiau lladd paramilwrol oedd yr *Einsatzgruppen,* ac wedi bod yn gyfrifiol am ladd cannoedd o filoedd o'r boblogaeth sifil wrth i'r fyddin Almaenig sgubo trwy Ddwyrain Ewrop.

'Iawn,' meddai Wolf ar derfyn ei bregeth. 'Kondomari nesa.'

Aeth pawb yn ôl i'r cerbydau, ac i ffwrdd â nhw eto. Deallodd Nagel y gallai'r milwr byr hefo'r helmed haul fawr siarad rhywfaint o Roeg: roedd o wedi dechrau astudio'r iaith ym mhrifysgol Leipzig cyn i'r rhyfel ddechrau, ac roedd o yma heddiw fel dehonglydd.

'Ydi dy eirfa di'n ddigon eang ar gyfer hyn?' holodd Nagel.

'Be ti'n feddwl?'

Ysgydwodd Nagel ei ben a throi i edrych ar y ffordd wen, lychlyd a dyfai o ben-ôl y lori. Ti'n gwbod yn iawn be dwi'n feddwl, washi, meddyliodd, addysg brifysgol neu beidio. Mae'r ffordd lipa y gofynnaist ti'r cwestiwn, a'r ffaith nad oeddat ti'n gallu edrach i fyw fy llygaid, yn dangos hynny'n ddigon clir.

Cyrhaeddwyd Kondomari cyn pen dim – pentref bach digon del, a'r coed olewydd yn tyfu o'i gwmpas ym mhobman. Anfonodd Wolf y milwyr i nôl y bobol o'u tai a'u hebrwng i sgwâr bychan y pentref.

'Dwi isio lluniau o bob dim, wyt ti'n clywad?' meddai wrth Nagel.

'*Ja,* Herr Oberleutnant.'

Mi gei di ail, boi, meddyliodd Nagel: hyd yn oed os bydda i'n crynu fel deilen, mi ddo' i o hyd i'r nerth o rywla i gadw fy nwylo'n llonydd.

Safodd mewn lle cyfleus a'r haul tu ôl iddo wrth i'r milwyr

heidio trigolion Kondomari i'r sgwâr. Roedd nifer o'r dynion hynaf mewn gwisg draddodiadol – botasau uchel a throwsus llydan, a thyrban ar eu pennau. Trodd sawl un i edrych yn chwilfrydig ar Nagel wrth iddo dynnu'r lluniau, fel petaen nhw'n awyddus i gael gwybod pam ei fod o'n gwneud hynny. Neu *pam mae hyn yn digwydd i ni*, meddyliodd Nagel. *Be dach chi isio yma, efo ni?*

Roedd hi'n amlwg nad oedd ganddyn nhw unrhyw syniad beth oedd ar fin digwydd iddyn nhw. Cyfarthai'r rhan fwyaf o'r milwyr mewn Almaeneg, ac am y tro cyntaf yn ei fywyd, wrth weld nifer o'r gwragedd yn gwingo a sawl plentyn yn crio wrth i'r milwyr weiddi arnyn nhw – er nad oeddan nhw'n dweud unrhyw beth gwaeth na 'Dowch!' a 'Brysiwch!' – sylweddolodd Nagel iaith mor gras oedd hi i glust ddieithr. Mor yddfol, mor fygythiol.

Roedd y rhan fwyaf o'r merched yn gwisgo ffrogiau tlodaidd â phatrymau blodeuog, ond hyd yn oed os oedd lliwiau'r rheiny wedi pylu, sylwodd Nagel, roeddan nhw i gyd yn lân ac wedi'u trwsio'n dwt. Gwisgai nifer ohonynt fratiau a ffedogau dros y ffrogiau, a sawl un â sgarff am ei phen. Roedd y dynion iau yn gwisgo crys a throwsus, ac ambell un â siaced a hyd yn oed siwmper: sut goblyn oeddan nhw'n gallu dioddef dillad fel'na yn y gwres llethol yma? Y plant oedd wedi'u gwisgo gallaf, meddyliodd Nagel: roeddan nhw i gyd yn droednoeth, hyd y gwelai: y bechgyn mewn crysau ysgafn a throwsusau byrion, a'r merched mewn fersiynau llai o ffrogiau eu mamau. Pobol dlawd, pobol gyffredin.

Deallodd amryw o'r trigolion fod gan y dehonglydd ifanc ryw gymaint o Roeg, a chafodd hwnnw ei bledu â chwestiynau, cymaint felly ar un adeg nes iddo droi'n anobeithiol tuag at Golo Wolf. I Nagel, edrychai fel petai ar fin beichio crio. Ond yr unig beth a wnaeth Wolf oedd dweud wrtho am beidio â chymryd unrhyw sylw ohonyn nhw; fe gaent wybod yn ddigon buan beth oedd ar y gweill.

Er mwyn osgoi eu hwynebau ffwndrus yn fwy na dim arall, crwydrodd Nagel o'r sgwâr am ychydig, a thynnu llun neu ddau o'r milwyr yn mynd o dŷ i dŷ. Daethant allan ohonynt yn waglaw, sylwodd – heb ddim arfau nac unrhyw beth felly. Gyda lwc, meddyliodd, gyda lwc . . .

Yna clywodd floedd a throdd i weld milwr yn dod allan o un o'r tai yn chwifio dilledyn: dilledyn gwyrdd, siaced *Fallschirmjäger*. Teimlodd Bruno Nagel ei galon yn suddo. O Dduw mawr, meddyliodd.

Disgynnodd tawelwch trwm dros y sgwâr wrth i'r milwr gerdded at Wolf a Köhler a'r siaced yn ei law; doedd dim i'w glywed ond sŵn ei draed a chlebran uchel y sicadau ym mrigau'r coed olewydd. Cymerodd Wolf y siaced a'i dal i fyny: roedd y twll crwn yng nghanol ei chefn i'w weld yn glir. Cafodd Nagel gip ar gylch brown tywyll, blêr o gwmpas y twll.

Trodd Wolf at y milwr.

'Lle cest hi hyd i hon?'

'Yn y tŷ acw, Herr Oberleutnant.' Pwyntiodd at y tŷ.

Nodiodd Wolf. 'Llosgwch o.'

Rhythodd y milwr arno. 'Syr?'

'Llosgwch o!' sgrechiodd Wolf arno.

Dechreuodd rhai o'r plant grio, a sbardunodd hyn Wolf i droi ar y trigolion. 'Tŷ pwy 'di nacw? *Pwy*?'

Gwgodd ar y dehonglydd a brysiodd hwnnw i gyfieithu wrth i lygaid Wolf farcuta'r dorf. Llais uchel, bachgennaidd oedd gan y creadur, a than unrhyw amgylchiad arall buasai'r holl sefyllfa fel rhyw ffars dywyll. Ond os oedd Wolf wedi disgwyl y byddai'r trigolion yn troi fel un ac yn rhythu ar y person euog, cafodd ei siomi. Ymledodd rhywbeth pendant drwy'r dorf fechan. Beth ydi o? meddyliodd Nagel. Balchder – ia; gallai daeru bod hyd yn oed gefnau crynion yr hen deidiau a neiniau wedi ymsythu rhywfaint. Teyrngarwch, yn sicr: doedd neb am bwyntio bys i gyfeiriad gwir berchennog y tŷ bach gwyn, cam a simsan yr olwg. Dewrder, herfeiddiwch . . . roeddan nhw oll yno, i gyd wedi uno ac yn gwibio'n gyflym drwy'r dorf fel llif o drydan. Dim ond wedyn – flynyddoedd wedyn – y deallodd Bruno Nagel mai'r hyn a gawsai'r pnawn poeth hwnnw yn Kondomari oedd cipolwg ar ysbryd Creta.

Chwifiodd Wolf y siaced yn yr awyr wrth i dri o'r milwyr fynd i mewn i'r tŷ hefo tun o betrol. Yna camodd un dyn ymlaen i gyfeiliant ebychiad o brotest gan ddynes oedd yn sefyll wrth ei ochr, protest a fygwyd gan y dyn wrth iddo droi ati, nodio, gwenu a rhoi ei law dros ei hwyneb am eiliad cyn troi'n ôl at Wolf a dweud rhywbeth mewn Groeg.

'Mae o'n deud mai fo piau'r tŷ,' meddai'r dehonglydd.

Trodd Wolf ac edrych i gyfeiriad y tŷ. Daeth y tri milwr allan ohono, a gwelwyd mwg du'n dod drwy'r ffenestri.

Gan wylo'n dawel, trodd y ddynes a chuddio'i hwyneb ym mynwes gŵr ifanc – ei mab, tybiodd Nagel.

Trodd Wolf yn ôl i wynebu'r dorf wrth i ddau filwr gydio yn y dyn – stwcyn bach hefo gwallt tywyll, cwta a locsyn ysgafn, a'i roi i sefyll wrth glawdd isel.

A chyda'r dehonglydd yn hercian ei gyfieithiad yn ei lais main, dywedodd Golo Wolf wrth drigolion Kondomari y byddent yn cael eu cosbi oherwydd iddyn nhw ladd milwyr y *Wehrmacht*. Roedd pob dyn rhwng deunaw a hanner cant i gael ei ddienyddio, ac yna byddai dwyawr gan weddill y pentrefwyr i gladdu'r cyrff.

Yna, rhoes y gorchymyn i wahanu'r dynion a'r merched. Gwelodd Nagel ei gyfle a chydiodd ym mraich Albrecht Köhler, yr is-gapten arall.

'Dwyt ti rioed am adael i hyn ddigwydd?'

Heb edrych arno, rhwygodd Köhler ei fraich o'i afael a throi draw. Syllodd ar y tŷ oedd bellach yn llosgi'n braf ac mewn perygl o gynnau tanau yn y tai eraill o'i gwmpas.

'Albrecht!' meddai Nagel wedyn.

Trodd Köhler arno, ei wyneb yntau'n wyn. 'Does gen i ddim dewis, nagoes!' chwyrnodd. 'Does gan yr un ohonon ni, Nagel – dim ffycin dewis o gwbwl.'

'Be? Oes, siŵr Dduw . . .'

'Yli – gwna di dy waith, a diolcha mai dim ond yma i dynnu lluniau rwyt ti. O leia mi fyddi di'n gallu cuddio tu ôl i lens dy gamera.'

'Ond, yr Arglwydd mawr, Albrecht, rwyt titha'n *Oberleutnant* hefyd. Fedrat ti ddim . . .?'

'Be?' meddai Köhler ar ei draws. 'Mynd yn groes i orchmynion Wolf? Deud wrth y dynion am ei anwybyddu fo, a dychwelyd i'r cerbydau? A be wedyn, Bruno? Mi welist ti'r darnau papur 'na roedd Wolf yn eu chwifio dan ein trwynau ni 'nôl yn y gwersyll. Mond is-gapten ydw i!'

Trodd wrth i Wolf a'r dehonglydd ifanc ddod tuag atyn nhw. Daliodd Köhler ei law allan am y siaced werdd a rhoddodd Wolf hi iddo. Roedd ei lygaid yn dawnsio'n wyllt i bob cyfeiriad wrth iddo sefyll yno'n crafu'r locsyn bwch gafr sgraglyd a dyfai ar ei ên ac yn gylch tywyll o gwmpas ei geg.

Plygodd Köhler dros y siaced er mwyn craffu ar y twll bach crwn yn ei chefn a thynnodd Nagel lun ohono'n gwneud hynny, yn bennaf oherwydd ei fod wedi sylwi ar rywbeth. Heblaw am y cylch browngoch o gwmpas y twll, roedd y siaced yn lân – o leiaf, doedd dim rhagor o staeniau gwaed arni yn unman. Dim mwy o dyllau, chwaith, na rhwyg o unrhyw fath; go brin fod y corff oedd yn gwisgo hon wedi cael ei falurio. Cael ei saethu ar ei ffordd i lawr o'r awyren a wnaethai'r creadur hwn hefyd, fwy na thebyg, a rhywun – plentyn, hwyrach – wedi dod ar draws y corff a chymryd ffansi at y siaced.

Roedd hi'n amlwg fod yr un peth wedi taro Albrecht Köhler, oherwydd edrychodd i fyny a dal llygad Nagel am ennyd; ysgydwodd ei ben yn swta arno cyn rhoi'r siaced i'r dehonglydd ifanc. Waeth i ti heb, meddai'r ysgydwad pen: mae'r siaced hon, i bob pwrpas, yn amherthnasol; does dim angen unrhyw esgus ar hwn i ddienyddio'r dynion yma. Mae'r ddau orchymyn yna sy ganddo yn ei boced wedi rhoi rhwydd hynt iddo wneud hynny.

Roedd y dynion rŵan yn eistedd yn rhes ar boncan isel wrth ochr y ffordd, yn sgwrsio'n dawel ymysg ei gilydd; safai'r milwyr o'u blaenau a'r tu ôl iddyn nhw, hwythau bellach wedi dechrau mynd yn aflonydd ac anghyfforddus yn y gwres.

O ganol y dynion, cododd gŵr ifanc yn ei ugeiniau cynnar a chroesi at Wolf a'r dehonglydd. Roedd ganddo lond pen o wallt tywyll, dros y lle i gyd, ac roedd yn amlwg wedi sylweddoli beth oedd ar fin digwydd oherwydd llifai dagrau i lawr ei ruddiau a gwasgai hances boced, drosodd a throsodd, yn ei ddwylo. Dechreuodd siarad efo Golo Wolf, ond prin yr edrychodd Wolf yn ôl arno: roedd ganddo fwy o ddiddordeb yn y mwg du a ddringai'n ddiog o weddillion y tŷ a thua'r awyr las.

Cliriodd y dehonglydd ei wddf. 'Herr Oberleutnant, mae o'n dweud nad un o'r pentref yma ydi o. Wedi digwydd piciad yma heddiw mae o, ar ymweliad. Dyna'r cwbwl, medda fo.'

'Wel?' meddai Wolf, fel pe bai'n methu deall pam ei fod o'n cael ei fwydro â rhyw fater bach pitw fel hwn.

'Wel . . . ydach chi am i mi ofyn i'r dynion eraill ydi o'n deud y gwir, Herr Oberleutnant?'

'Be? Nac'dw, nac'dw. Dwêd wrtho fo nad ydi o wedi dewis diwrnod call iawn i ddŵad i edrych am ei fodryb, neu be bynnag mae'r brych yn dda yma.'

Trodd y gŵr ifanc at y dehonglydd, ond allai hwnnw wneud dim mwy nag ysgwyd ei ben. Dechreuodd y dyn ymbil am ei fywyd gan feichio crio, ond trodd Wolf ei gefn arno gan wneud arwydd diamynedd ar ddau filwr i fynd â'r dyn yn ei ôl at y gweddill.

Erbyn hyn roedd nifer o'r dynion fel petaen nhw wedi dechrau ymbaratoi ar gyfer yr hyn fyddai'n digwydd iddyn nhw: roedd nifer ohonyn nhw'n crynu, eraill yn gweddïo'n dawel â'u llygaid ynghau, eraill yn gwneud dim ond eistedd yno'n llonydd yn syllu'n ddall o'u blaenau.

Mae'n rhaid i mi *drio* gneud rhywbath, o leia, meddyliodd Nagel.

'Herr Oberleutnant . . .'

Edrychodd Wolf arno, a chafodd Nagel yr argraff nad oedd y dyn wedi sylwi ei fod o yno, er ei fod yn sefyll reit wrth ei ochr.

'Nagel?'

'Ga' i awgrymu, gyda phob parch . . .'

'Ia, ia – be?'

'. . . gan mai'r siaced yna ydi'r unig brawf sy gynnon ni o

unrhyw drosedd yn erbyn y Reich' – a phrawf cachu iâr ar hynny, meddyliodd, ac un na fyddai'n para pum eiliad mewn unrhyw lys barn call – 'ein bod ni'n mynd â'r dyn oedd piau'r tŷ acw yn ôl efo ni i Hania, cyn i bethau fynd dros ben llestri yma. Mae'r lleill 'ma . . . wel, mae'n amlwg eu bod nhw wedi dychryn am eu bywydau, a go brin y meiddiai'r un ohonyn nhw . . .'

Torrodd Wolf ar ei draws. 'Canolbwyntia di ar dynnu lluniau, Nagel. Dyna dy waith di – os nad wyt ti'n dyheu yn ddistaw bach am gael sefyll mewn rhes efo'r milwyr go iawn, efo reiffl yn dy law?'

Ysgydwodd Nagel ei ben. 'Mae'n ddrwg gen i, Herr Oberleutnant.'

'O'n i'n meddwl. Cer i dynnu dy luniau, Nagel.'

Trodd Nagel i ffwrdd. Ni allai edrych ar y dynion a eisteddai wrth ochr y ffordd er y gallai deimlo llygaid pob un ohonyn nhw arno fo: roeddan nhw wedi deall ei fod o wedi ceisio pledio'u hachos, a fedrai Nagel ddim meddwl edrych i'w llygaid cyhuddgar.

Wnest ti ddim trio'n galad iawn, naddo? Siawns na fedri di neud rywbath gwell na hynna?

Symudodd ychydig oddi wrthyn nhw, uwchlaw'r ffordd, er mwyn tynnu lluniau ychydig lletach. Roedd o'n weddol agos at glwstwr o goed olewydd, ac ar ôl ychydig dechreuodd gael y teimlad fod rhywun yn ei wylio. Trodd a chraffu i'r llwyni, a gweld dau lygad mawr du yn rhythu 'nôl arno. Plentyn, yn gorwedd ar ei fol wrth waelod y llwyn ac wedi dechrau ceisio cropian yn ei ôl o'r golwg. Tua saith mlwydd oed, efallai, meddyliodd Nagel. Creadur bach digon digri ei olwg, hefyd, â chlustiau mawrion yn ymwthio bob ochr i'w ben.

Ymsythodd Nagel yn gyflym, a sylwi bod un milwr yn edrych i fyny ato'n chwilfrydig. Cymerodd arno'i fod yn chwilio am rywbeth ar y ddaear, cyn plygu'n sydyn a sythu eilwaith a chap lens ei gamera yn ei law.

'Dyma fo, diolch i Dduw.'

Trodd y milwr yn ei ôl . . . ond roedd yr hogyn, damia fo, yn dal yno.

'*Geh weg!*' chwyrnodd Nagel arno trwy ochr ei geg. 'Dos!'

Doedd arno ddim eisiau i rywun mor ifanc orfod gweld y dynion yn cael eu saethu, dynion roedd o'n sicr o fod yn eu nabod yn dda – a diawl, meddyliodd Nagel, hwyrach fod ei dad yn un ohonyn nhw. Mae'n siŵr fod ei fam yn methu dallt lle roedd yr hogyn, ac yn gweddïo'i fod o'n ddigon call i fod wedi rhedeg i ffwrdd i rywle.

'*Gehen sie weg!*' chwyrnodd Nagel eto, ychydig yn uwch y tro hwn. 'G'leua hi!' – a chymryd arno ffidlan hefo'i gamera.

Chymerodd yr hogyn ddim sylw, dim ond gorwedd yno, bron iawn o'r golwg, ei lygaid wedi'u hoelio ar y dynion a'r milwyr.

Be uffarn oedd y geiriau Groeg am 'Sgidadlia hi'?! Oedd yr hogyn yn hollol ddwl, neu beth? Toedd hi'n amlwg be roedd Nagel yn ei ddweud wrtho, ddim ots pa iaith a ddefnyddiai? Daeth o fewn dim i ebychu'n uchel oherwydd roedd yr hogyn bellach yn symud ei ben o'r naill ochr i'r llall wrth geisio gweld, heibio i goesau Nagel, beth oedd yn digwydd ar y lôn. Ffycin hel, meddyliodd yr Almaenwr, mae hwn yn trin yr holl beth fel sioe! Y bastad bach diegwyddor – a mygodd y demtasiwn i roi homar o gic i ben yr hogyn, fel tasa fo'n cicio pêl-droed. Iawn, rhyngddat ti a dy betha, meddyliodd. Tynnodd ddau lun cyn camu oddi wrth y llwyn.

Yna, rhoddodd Golo Wolf y gorchymyn i'r dynion sefyll. Eiliad yn ddiweddarach, dechreuodd y merched wylo a'r hen ddynion weiddi a rhegi ac ysgwyd eu dyrnau a'u ffyn cerdded, ac roedd y corws ofnadwy hwn yn gwneud yr holl sefyllfa'n waeth o beth myrdd. Llanwyd pen Bruno Nagel â'r sŵn, ac arhosodd hwnnw yn ei ben am wythnosau wedyn gan ei gadw'n effro noson ar ôl noson. Ymhlith y dynion roedd yr un gawsai ei orfodi i wylio'i gartref yn cael ei losgi; yno hefyd roedd ei fab, y gŵr ifanc fu'n ceisio cysuro'i fam yn gynharach. Roedd hithau rŵan yn crefu'n uchel ar yr Almaenwyr; llwyddodd i'w rhwygo'i hun yn rhydd o afael ei chymdogion a dechreuodd ruthro am Golo Wolf, ei dwylo'n grafangau a'i hewinedd yn ysu am gael claddu'u hunain yn ei gnawd. Ond trodd un o'r milwyr ati a'i tharo'n galed yn ei thalcen gyda charn ei reiffl. Syrthiodd y ddynes druan ar ei hyd ar y ffordd, a gwaed yn llifo dros ei llygaid a'i hwyneb – yn ffyrnig o goch yn ymyl ei gwallt du. Cydiodd ei chymdogion ynddi a'i thynnu'n ôl i'w canol.

Roedd sawl un o'r dynion yn cael cryn drafferth i sefyll: roedd eu coesau wedi rhoi oddi tanyn nhw, ac roeddan nhw'n llythrennol yn methu codi heb gael help gan rai o'r lleill. Heidiodd Wolf nhw i lecyn bychan yng nghanol y coed olewydd. Trodd cyn-berchennog y tŷ ato i geisio rhesymu – dim ond y *fo* oedd ar fai, fo a neb arall, meddai, yn ôl fel y dehonglai Nagel ei eiriau a'i osgo – ond ei anfon yn ôl at y lleill gafodd o.

Dywedodd Golo Wolf wrth y milwyr am ffurfio hanner cylch a pharatoi eu reifflau, a chlywyd corws o glecian metelaidd fel petai'r reifflau'n clirio'u gyddfau ac yn ymbaratoi i ganu.

Cododd Golo Wolf ei fraich dde.

Brenin mawr, mae hi mor ddistaw yma! rhyfeddodd Nagel. Roedd y pentrefwyr wedi ymdawelu: llawer ohonyn nhw'n gweddïo'n dawel, eraill yn rhythu â'u hwynebau'n llawn dychryn.

Ond y distawrwydd rhyfedd, annaturiol yma . . . Sylweddolodd Bruno Nagel beth oedd yn eisiau: y sicadau. Roeddan *nhw*, hyd yn oed, wedi ymdawelu – fel petai holl fyd natur wedi'i syfrdanu gan yr ofnadwyaeth hwn.

Yna, gostyngodd Golo Wolf ei fraich.

*

Athen

'Pymtheg eiliad, Tobias,' meddai Bruno Nagel. 'Roedd y cwbwl drosodd ymhen pymtheg eiliad.'

Doedd o ddim wedi symud oddi wrth ffenest yr ysbyty, nac ychwaith wedi edrych unwaith i gyfeiriad Tobias Jung. Roedd wedi adrodd yr holl hanes fel petai'n annerch y glaswellt melynfrown a'r llwyni llipa y tu allan i'r ffenest agored.

Rŵan, taniodd Nagel sigarét arall hefo gweddillion yr hen

un, a sylweddoli bod ei law yn llonydd am y tro cyntaf ers y dydd Llun ofnadwy hwnnw. Dim ond wrth iddo droi i ollwng stwmp ei hen sigarét i'r tun baco y sylweddolodd fod Jung wedi crymanu yn ei gadair, a'i law dros ei lygaid, a theimlai Nagel fel petai wedi trosglwyddo iddo fo ran o'r afiechyd a fuasai'n bwyta'i enaid o ei hun ers wythnosau.

Ro'n i'n meddwl mod i wedi hen galedu bellach, meddyliodd. Yn gallu delio â phob erchylltra y gallai'r rhyfel uffernol hwn ei chwydu i'm cyfeiriad.

Ond do'n i ddim yn barod am Kondomari.

Doedd Albrecht Köhler *ddim* yn iawn: doedd lens ei gamera ddim wedi arbed Bruno Nagel y tro hwn.

Roedd Jung wrthi'n ceisio amgyffred yr hyn roedd o newydd ei glywed. Bron na allai glywed yr wylofain a'r gweiddi, y crefu a'r gweddïo ofer – yna'r saethu, a'r tawelwch llethol yn disgyn dros y cyfan, yn drymach na'r gwres, nes i hwnnw wedyn gael ei rwygo gan gyfarth unsill, hy pistol pwy bynnag a gamodd dros y cyrff i roi'r *coup de grâce*.

Roedd y tu mewn i wddw Tobias Jung wedi cloi, a bu raid iddo lowcio ychydig o'r dŵr cynnes oedd ganddo wrth ei gadair cyn y medrai siarad.

'Faint, Bruno?' gofynnodd. 'Faint gafodd eu lladd?'

Meddyliodd Nagel cyn ateb.

'Tua hanner cant. Dwi'n meddwl. Falla mwy.'

Ebychodd Jung yn uchel.

'Mi es i at Golo Wolf wedyn,' meddai Nagel, 'ac edrych reit i fyw ei lygaid o. Roedd o, hyd yn oed, yn reit llwyd erbyn hynny. Gofynnais oedd o'n sylweddoli beth roedd o newydd ei neud.'

'Ac oedd o?'

'Oedd, medda fo. Doedd o mond wedi gneud yr hyn oedd *angen* ei neud. Talu'r pwyth yn ôl, er cof am ei gyd-filwyr, ei ffrindiau, oedd wedi cael eu lladd yno ddyddiau ynghynt.'

'Ond nid gan bobol Kondomari, dwi'n cymryd?'

Ochneidiodd Nagel gan droi o'r ffenest eto a diffodd ei ail sigarét. 'Dwn i ddim, Tobias. Go brin, faswn i'n deud. Doedd yr un o'r dynion welis i yno'n edrych yn euog. Ar goll, oeddan;

mewn penbleth lwyr, oeddan. Ond welais i'r un awgrym lleia o unrhyw euogrwydd. A'r unig dystiolaeth oedd y siaced honno a'r twll yn ei chefn.'

Roedd Nagel, yn ddiarwybod iddo'i hun, wedi codi'i lais, a sawl pen yn y ward wedi troi tuag atynt. Gwgodd yntau arnyn nhw i gyd nes i'r pennau, fesul un, droi draw. Aeth yn ei ôl at y gwely ac eistedd unwaith yn rhagor ar yr erchwyn. Doedd o ddim wedi gorffen eto.

'Drannoeth,' meddai. 'Drannoeth, mi aeth Golo Wolf allan eto.'

'Bruno!' Gwingai Jung yn ei gadair, dan riddfan. 'Dim mwy – ddim rŵan!'

'Ia, Tobias – rŵan!' mynnodd Nagel. Gwthiodd ei law drwy'i wallt, a gwnaeth hynny iddo edrych yn fwy gwyllt nag erioed. 'Hwyrach na cha' i ddim cyfla eto.'

'Be?'

'*Mae* 'na fwy, Tobias. Pentref arall – Kandanos. Diolch i Dduw, do'n i ddim yno. Ches i ddim gwahoddiad y tro hwn – hwyrach fod Wolf wedi sylweddoli nad peth doeth, wedi'r cwbwl, oedd cael rhywun yno'n tynnu lluniau ohono fo'n mynd trwy'i bethau.' Syllodd ar Jung. 'Ond roedd 'na gryn siarad wedyn, yn y gwersylloedd.' Petrusodd am ychydig, yna meddai: 'Dros gant a hanner, Tobias. Gan gynnwys . . . gan gynnwys plant y tro yma. Ac ar ôl iddyn nhw orffen, mi losgon nhw'r pentref yn ulw. Dim ond rwbel sydd yno heddiw.'

Daliodd Jung ei law i fyny ac ysgwyd ei ben, a thawodd Nagel: doedd ganddo ddim rhagor i'w ddweud, p'run bynnag.

Eisteddodd y ddau am yn hir heb dorri'r un gair. Tebyg iawn fod y nyrsys wedi sylwi ar y ddau ffigwr llonydd ym mhen pella'r ward, un yn ei gadair a'i ben yn ei law, a'r llall ar erchwyn y gwely yn syllu ar y llawr. Ond cododd yr un mawr ei ben blêr, a gwgu pan fentrodd un o'r nyrsys tuag atynt – gwg ffyrnig a ddywedai wrthi am gadw draw.

O'r diwedd, a'r haul yn dechrau machlud, cododd Bruno Nagel ar ei draed.

'Mae'n rhaid i mi fynd, Tobias.'

Tynnodd Jung ei law o'i wyneb. Edrychai'n welwach rŵan nag y gwnâi pan welodd Nagel o yn Hania, newydd gael ei anafu. Roedd ei wyneb yn sgleinio'n wyn fel wy wedi'i ferwi ar ôl tynnu'r plisgyn, meddyliodd Nagel. Fedra i ddim deud wrtho fo rŵan fod Golo Wolf, ddyddiau ar ôl Kondomari a Kandanos, wedi cael ei wobrwyo â medal Croes y Marchog, a mod innau wedi gorfod tynnu'i lun o, yn wên o glust i glust.

Yn hytrach, gofynnodd, 'Y tro cynta i mi alw i edrach amdanat ti yn yr ysbyty yn Hania, wyt ti'n cofio be wnes i dy alw di?'

'Be?' Daeth y ffocws yn ôl yn araf i lygaid Tobias Jung. 'O, ym . . . ydw. Dyn lwcus, ia?'

'Ia. Ac mi o'n i'n iawn, yn do'n?'

Daliodd ei law allan ac ysgwyd llaw Jung cyn troi i adael.

'Wela i di eto, Bruno,' meddai Jung.

Cododd Nagel ei law ond throdd o ddim yn ôl. Agorodd y drws ym mhen pella'r ward a dallwyd Jung am ychydig gan olau'r machlud, felly welodd o mo'i ffrind yn mynd. Erbyn i'w lygaid ddod atynt eu hunain, roedd Nagel wedi diflannu.

Welodd Tobias Jung byth mohono fo wedyn.

RHAN 3

15

Y negesydd carpiog

Anogia

Cafodd Hanna gryn drafferth i'w thynnu hi oddi arno.

Ar Nikos roedd y bai. Tasa fo heb ei herio . . . Ond gallai Hanna ddeall pam y gwnaeth o hynny, a'r hogia eraill yno'n gwrando ac yn gwylio; doedd o ddim am adael i hogan oedd ddim ond ychydig flynyddoedd yn hŷn na fo ddweud y drefn wrtho yn ngŵydd ei ffrindiau. Ddim heb ei hateb yn ôl, o leiaf.

Chwarae teg i Maria, doedd hi ddim wedi dechrau ymosod arno yn y fan a'r lle, er bod Hanna wedi ofni mai dyna oedd ei bwriad wrth iddyn nhw adael tŷ Grigori. Roedd ei gwefusau'n denau fel gorwel gaeaf, a'r cnawd o amgylch ei cheg yn glaer wyn. Ei thawelwch, fodd bynnag, oedd y peth mwyaf brawychus; petai hi ddim ond wedi dweud rhywbeth fel, 'Aros di i mi gael gafal ar y cythral bach!' neu 'Mi hannar lladda i'r diawl am hyn!', yna buasai Hanna wedi teimlo ychydig yn well, ond roedd y Faria dawel, galed a phenderfynol hon yn ei dychryn, braidd.

*

Doeddan nhw ddim yn siŵr beth i'w ddisgwyl pan awgrymodd y Tad Kosta Yrakis eu bod yn mynd draw i weld Grigori – Thera a Maria, yn arbennig – ac awgrymu hwyrach y dylai Thera ystyried mynd â rhai o'i helïau hefo hi, gan fod cryn olwg ar wyneb yr athro ifanc.

Roedd Thera wedi dechrau llwytho'i basged yn syth ond digon cyndyn oedd Maria.

'O nabod Grigori, rhyw ffwdan mawr dros ddim byd fydd o.'

'Nid fo sy'n ffwdanu, naci?' meddai Thera. 'A go brin y basa

Kosta Yrakis yn gofyn i ni alw yno heb achos.' Edrychodd ar ei merch. 'A dwyt ti ddim *yn* nabod Grigori, Maria, neu fasat ti ddim yn ei gymryd o mor ysgafn. Yr un ohonoch chi,' meddai, gan edrych ar Hanna a gwneud i honno sbio i lawr ar ei thraed.

'Ydach chi am i mi aros yma efo Kyría Adonia?' gofynnodd Hanna wrth edrych ar ffigwr llonydd Adonia, a eisteddai yn ôl ei harfer ar y stôl yn wynebu'r drws cefn.

Ysgydwodd Thera'i phen, cyn anwesu boch dde Adonia'n ysgafn â blaenau ei bysedd. 'Fydd hi ddim callach, Hanna.'

Roedd sawl un wedi'u gweld nhw'n cychwyn allan, a pherchen pob pâr o lygaid yn gwybod beth oedd arwyddocâd y fasged ar fraich Thera. Ymhen munudau, byddai pawb hefyd yn gwybod ble roedd eu cyrchfan.

Gallai Hanna ddeall cyndynrwydd Maria, a chydymdeimlo â hi hefyd. Roedd Thera Alevizakis yn llygad ei lle: *roedd* Maria a Hanna yn euog o gymryd Grigori'n ysgafn, ond wir, roedd y dyn yn gofyn amdani yn amlach na pheidio. Roedd hi'n amlwg ei fod o wedi mopio'i ben yn lân efo Maria, ond yn hytrach na chwilio am ffordd o wneud argraff dda arni (er, a bod yn deg â'r dyn, tasg go Herciwleaidd fyddai hynny), roedd o fel tasa fo'n gwneud ati i ennyn ei dirmyg. Bellach, roedd yna dair blynedd a mwy ers i'r Almaenwyr ddod i'r ynys, a doedd Grigori Daskalakis ddim wedi symud o'r pentref, bron, ar wahân i lwyddo i ddiflannu'n gyfleus iawn pan ddôi'r Almaenwyr i chwilio am ddynion i lafurio.

Iawn, o'r gorau – hwyrach y gallwn i faddau iddo am hynny, meddyliodd Hanna wrth iddyn nhw nesáu at ei dŷ; wedi'r cwbl, roedd nifer o ddynion Anogia'n tueddu i'w sgidadlio hi i'r mynydd pan ddôi'r gair fod yr Almaenwyr yn chwilio am lafurwyr. Roedd llygaid gweinion Grigori wedi'i gadw fo allan o'r fyddin, hefyd. Ond, dros y blynyddoedd, roedd o wedi dangos yn ddigon plaen nad oedd ganddo fawr i'w ddweud wrth yr *andártes*, a doedd agwedd felly'n sicr ddim yn debygol o'i helpu i ennill calon Maria.

Roedd 'na eironi gogleisiol, bron, i'r holl beth, meddyliodd Hanna – rhywun fel Grigori'n gwirioni'n bot am ferch y teulu

Alevizakis, o bawb. Ond fo oedd un o'r rhai cyntaf ar y mynydd y diwrnod hwnnw pan gafodd Elias y Rhedwr ei ladd, yn amlwg yn poeni'n swp sâl fod rhywbeth wedi digwydd i Maria. Wedyn, ar ôl sicrhau ei bod hi'n iawn ac yn ddiogel, roedd o wedi mynd yn ei flaen i fyny'r mynydd hefo'r dynion eraill i hebrwng gweddillion Elias druan i lawr i'r pentref.

Nid bod hynny wedi dylanwadu 'run gronyn ar agwedd Maria tuag ato; roedd hi'n dal i rowlio'i llygaid a thynnu ystumiau bob tro y crybwyllid ei enw. Ond heddiw, roedd hi'n amlwg iddi gael cryn ysgytwad pan welodd yr olwg oedd ar ei wyneb. Roedd ei llaw wedi neidio at ei cheg a'i llygaid wedi llenwi, a hi oedd yr un a aeth ar ei gliniau o'i flaen, a mynnu ei fod yn dweud wrthi pwy oedd yn gyfrifol am ei anafu.

Doedd yr un ohonyn nhw, wrth gwrs, yn barod am yr ateb. Pwy yn ei iawn bwyll fyddai wedi dychmygu mai plant oedd wedi gwneud hyn? Ond roedd rhywbeth ynglŷn â'r tyndra a lanwai gorff Maria a wnaeth i Hanna feddwl ei bod hi'n *disgwyl* clywed un enw arbennig.

Nikos.

Be oedd wedi digwydd rhyngddo fo a Maria ar y mynydd y bore hwnnw? Rhywbeth, yn sicr. Doedd Maria ddim eisiau trafod rhyw lawer ar y peth wedyn – a phwy allai ei beio? Ond roedd Hanna wedi sylwi bod ei hagwedd tuag at Nikos, a'i agwedd yntau tuag ati hi, wedi newid yn sylweddol.

Doedd Hanna ei hun erioed wedi gallu cymryd ato. Roedd rhywbeth slei yn ei gylch, a phan soniodd Maria wrthi dro'n ôl fod Grigori wedi awgrymu'n gryf nad oedd o'n hoffi'r hogyn ryw lawer, daethai Hanna'n agos iawn at gyfaddef ei bod hi, am unwaith, yn cytuno efo fo. Oedd, roedd yr hyn a welsai Nikos ym mhentref Kondomari yn sicr o fod yn rhywbeth erchyll i unrhyw blentyn orfod ei wylio, ond beth am blant y Kapetán Giannis Dramountanis-Stefanogiannis? Roeddan nhwythau hefyd wedi gweld eu tad yn cael ei ddienyddio – ond doeddan nhw ddim yn sinachod bach slei fel Nikos.

*

Roedd y ddwy wedi dod o hyd iddo nid nepell o gartref Maria – fo a dau o'r bechgyn eraill roedd Grigori wedi'u henwi: Paulos a Stavro.

'Arhoswch chi lle rydach chi!' gorchmynnodd Maria wrth i'r ddau arall godi a dechrau troi i ffwrdd pan welson nhw'r merched yn dod amdanyn nhw. Ond doedd Nikos ddim wedi symud, dim ond eistedd yno'n syllu ar Hanna a Maria'n dod i fyny'r allt, a rhywbeth tebyg i wên fach watwarus ar ei wyneb, fel petai'n gwybod i'r dim pam roeddan nhw yno.

'Wel?' meddai Maria, ychydig yn fyr ei gwynt ar ôl llamu i fyny'r allt. 'Lle ma'r llall?'

Edrychodd Stavro a Paulos ar ei gilydd, ond dal i eistedd ar y clawdd a wnâi Nikos, ei lygaid yn rhythu'n heriol ar Maria.

'Dach chi'n gwbod yn iawn am bwy dwi'n siarad!' meddai Maria. 'Y pedwerydd – Petraka Souris. Lle mae o?'

Cododd Nikos oddi ar y clawdd, a chan roi ymyl ei law dros ei lygaid, gwnaeth sioe fawr o edrych i bob cyfeiriad fel petai'n chwilio am Petraka, cyn codi'i ysgwyddau'n ddi-hid a mynd yn ei ôl i eistedd ar ben y clawdd.

'Maria . . .' rhybuddiodd Hanna pan welodd hi'n tynhau trwyddi, a thrwy wyrth, llwyddodd Maria i reoli ei thymer. Siaradai'n dawel a phwyllog, ond roedd cryndod bychan, peryglus yn ei llais.

'Mi gymerodd bedwar ohonoch chi i ymosod ar un dyn diniwed y noson o'r blaen. Petraka Souris oedd un . . .' Edrychodd o un wyneb i'r llall wrth restru'r enwau. 'Stavro, Paulos a Nikos, mi ofynna i eto – lle mae Petraka?'

Erbyn hyn roedd Stavro a Paulos yn syllu ar flaenau'u traed.

'Dwi ddim yn gwbod, Maria,' mwmiodd Paulos.

Y gwir amdani oedd mai ychydig iawn roedd y rhain wedi'i weld ar yr hogyn arall ers y noson honno. Fel roedd o wedi dweud wrth Paulos y diwrnod canlynol, doedd o ddim eisiau treulio rhagor o amser yng nghwmni Nikos. Nid bod Paulos wedi ailadrodd hynny wrth Nikos, wrth gwrs, rhag ofn y byddai hwnnw'n chwilio am Petraka ac yn dial arno. Mi fuasai'n dda gan Paulos, hefyd, petai o a Stavro wedi bod yn ddigon dewr i droi ar Nikos. Roeddan nhw'n ffieiddio atynt eu hunain am ymddwyn fel y gwnaethon nhw, ac yn yr eglwys roeddan nhw'n ddistaw bach wedi gweddïo am faddeuant.

'Ydi'ch rhieni'n gwbod be wnaethoch chi?' gofynnodd Hanna. Ysgydwodd y ddau fachgen eu pennau. 'Nac ydyn, mwn. Sut dach chi'n meddwl y gwnân nhw ymateb pan ddeudwn ni wrthyn nhw?'

Cododd y ddau eu llygaid mewn braw.

'Plis, Hanna,' meddai Stavro.

'Plis?' meddai Maria. '*Plis*?! Ddeudodd Kýrios Daskalakis y gair yna wrthoch chi pan oeddach chi'n ei bledu fo efo cerrig? Fentra i y gwnath o! Ond chymeroch chi ddim sylw, naddo? Felly pam dylian ni gymryd unrhyw sylw ohonoch chi rŵan?'

Roedd Stavro a Paulos bron â chrio, gwelai Hanna, ond yr unig beth a wnaeth Nikos oedd gollwng ochenaid fechan ac edrych draw fel petai'n cael hyn i gyd yn brofiad hynod o syrffedus. Sylwodd Maria ddim ar hynny, wrth lwc; roedd hi'n rhy brysur yn taranu.

'Ydach chi wedi'i weld o? Ydach chi wedi gweld cyflwr ei wynab o? Mi ddaeth o fewn trwch blewyn i golli'i olwg yn un llygad. Sut basach chi wedi teimlo wedyn?'

Erbyn hyn roedd rhai pobol wedi clywed Maria'n gweiddi ac wedi dod allan o'u tai i wylio. Edrychodd y ddau hogyn o'u cwmpas mewn braw rhag ofn i'r bobol sylweddoli pam roedd Maria'n eu dwrdio i'r fath raddau.

'Pam? Dyna be dwi'm yn ei ddallt. Be wnath Grigori Daskalakis i chi erioed, heblaw gwneud ei orau i ddysgu rhywfaint arnoch chi? Chododd o 'run bys yn eich erbyn chi erioed!'

Cyn iddi hi orffen dweud hyn, roedd Nikos wedi codi unwaith eto oddi ar y clawdd gan ebychu'n uchel. Dwi wedi cael fy niflasu'n llwyr gan hyn i gyd, meddai'r ebychiad, wedi cael llond bol – ond yr hyn ddywedodd o'n uchel, a hynny wrth y ddau hogyn arall, oedd, 'Dowch.' Fel tasa Maria a Hanna ddim yno o gwbwl.

Neidiodd Maria amdano a chydio ynddo gerfydd ei

ysgwyddau â'i dwy law, ac yn ôl y floedd a roddodd Nikos, roedd ei hewinedd wedi trywanu ei gnawd. Tynnodd Nikos ei hun yn rhydd o'i gafael, gan rwygo'i grys wrth wneud hynny, a throi ati hefo'r bwriad, yn ôl yr olwg ar ei wyneb, o'i galw hi'n rhywbeth-neu'i-gilydd. Ond chafodd o mo'r cyfle, oherwydd dechreuodd Maria ei waldio, un slasan ar ôl y llall, ar draws ei wyneb a thros ei ben gan wneud iddo faglu un ffordd, yna'r ffordd arall, nes yn y diwedd y baglodd Nikos dros ei draed ei hun a disgyn yn erbyn bôn y clawdd. Yno, trodd ei hun yn belen a'i freichiau wedi'u lapio am ei ben, ond chafodd hynny ddim mymryn o effaith ar Maria oherwydd daliodd ati i'w guro ar ei freichiau a'i ysgwyddau.

Trwy gydol hyn i gyd ddywedodd hi'r un gair, ac mae'n siŵr mai'r distawrwydd hwn, mor annisgwyl ag yr oedd o annaturiol (oherwydd buasai rhywun wedi disgwyl iddi weiddi a sgrechian a'i alw'n bob enw), a ddychrynodd Hanna a'r ddau hogyn fwyaf. Oedd hi'n bwriadu'i *ladd* o? Na, doedd bosib, ond eto dyna'r syniad a ddaeth i'r tri arall wrth i freichiau Maria, fel pistonau rhyw beiriant dideimlad, esgyn a disgyn â'r un rhythm ofnadwy, di-baid . . .

Dyna pryd y rhuthrodd Hanna ati a chydio ynddi, gan lapio'i breichiau am rai Maria. Brwydrodd honno yn ei herbyn am eiliad neu ddau cyn gadael i Hanna ei thynnu'n ôl oddi ar Nikos, a arhosai lle roedd o fel draenog ym môn clawdd, a'i freichiau fel tasan nhw wedi cael eu gwnïo'n sownd i'w ben.

Ond doedd Nikos ddim wedi ei anafu'n ormodol; roedd ei freichiau wedi'i arbed rhag yr ergydion ffyrnicaf. Cododd yn ofalus ar ei draed a sneipan o waed yn dod o'i ffroen dde, a'i geg yn dechrau chwyddo. Roedd ei wyneb yn goch a'i lygaid yn wlyb a chwyddedig, a heb edrych unwaith i gyfeiriad ei ffrindiau na'r ddwy ferch, trodd ei gefn arnyn nhw i gyd a mynd i mewn i'r tŷ. Yno, newidiodd ei grys a rhoi ei fotasau am ei draed, a gwthio'r *kapóta* gwlân i mewn i'w *sakoúli*. Dŵr fyddai'r peth pwysicaf, a sicrhaodd fod ei ddwy botel yn llawn. Wedyn, helpodd ei hun i rywfaint o gig oen oer, llond dwrn o falwod, dau ddarn o gaws a thua dwsin o domatos, ac yna lapio'r cyfan mewn cadachau a'u rhoi yn y *sakoúli*. Dylai hynny bara'n o lew iddo am y diwrnod cyntaf: o hynny ymlaen byddai raid iddo ddibynnu ar ddeiliach gwyrdd yr *hórta* nes iddo ddod o hyd i Yanni'r Chwibanwr.

Gwnaeth y paratoadau hyn i gyd yn frysiog. Byddai Thera'n cyrraedd adref unrhyw funud, hi a'r *karióla* Maria honno – yr ast, y ffycin ast iddi. Edrychodd o ddim unwaith ar ei fam; roedd Adonia wedi symud hefo'i stôl o ymyl y drws cefn at y lle tân. Oedd hi wedi cymryd unrhyw sylw ohono fo wrth iddo lwytho'r *sakoúli*, ac felly'n ymwybodol ei fod o'n mynd? Roedd hi'n amhosib dweud.

Yfodd Nikos ragor o ddŵr cyn troi a sefyll reit o flaen ei fam. Roedd llygaid Adonia wedi'u hoelio ar y lludw yn y lle tân. Plygodd Nikos a chusanu'r graith hyll ar ei thalcen lle trawodd y milwr hwnnw hi â charn ei reiffl dair blynedd yn ôl yn Kondomari.

Yna, aeth allan drwy'r drws cefn a sgrialu dros y cloddiau nes iddo gyrraedd un o lwybrau'r mynydd. O'r stryd islaw dôi sŵn gweiddi ac wylofain uchel, ond prin y sylwodd Nikos arno, nac ychwaith ar grawcian gwatwarus dwy gigfran sgraglyd oedd yn gwbio 'nôl a blaen dros doeau gwynion tai Anogia. Yn hytrach, roedd ei ben yn llawn o'r sŵn diwethaf a glywodd wrth iddo orffen cau'r drws ar ei ôl – sŵn traed stôl ei fam yn crafu'r llawr wrth iddi ei symud o'r lle tân i eistedd gyferbyn â'r drws unwaith eto, i eistedd yno yn aros ac aros . . .

Tan y tro nesaf iddo fo ddod yn ôl.

*

Roedd y Tad Kosta Yrakis wedi codi'r bore hwnnw â budur gur yn ei ben, un a aeth yn waeth o lawer yn ystod y bore, yn enwedig pan drawodd lygad ar wyneb Grigori Daskalakis. Be oedd ar ben y dyn gwirion, yn dod i'r ysgol a'r ffasiwn olwg arno? Ac roedd ei stori am lithro ar lethrau'r mynydd yn amlwg yn gelwydd noeth.

Ia, wel – gellid gofyn hefyd, Kosta Yrakis, pam yr est titha i'r ysgol heb gymryd rhywbeth at y cur pen 'na cyn iddo gydio ynddat ti go iawn, meddyliodd wrth gerdded am yr eglwys. Roedd o'n eu cael o bryd i'w gilydd, a dylai wybod o brofiad bellach fod un a lechai yn nhu ôl ei benglog wrth iddo godi yn siŵr o waethygu yn ystod y dydd, nes erbyn diwedd y pnawn na fedrai feddwl am wneud dim ond gorwedd mewn ystafell dywyll a chlwtyn oer, gwlyb ar ei dalcen.

Dyna, yn rhannol, pam y bu iddo siarad mor swta efo Grigori heddiw. Roedd sŵn y plant wedi'i fyddaru, ac erbyn iddo weld wyneb hunllefus Grigori roedd ei amynedd wedi breuo cymaint nes iddo deimlo fel cicio pen-ôl yr athro ifanc am fod mor hurt â dod i'r ysgol yn y lle cynta, ac yna am feddwl y byddai dyn fel Kosta'n ddigon gwirion i gredu ei stori dila.

Roedd Grigori wedi troi oddi wrtho fel ci oedd newydd gael cic gan rywun a ddylsai fod yn cydymdeimlo efo fo a rhoi 'o bach' iddo, ac roedd y pigiad euog a deimlodd Kosta ar y pryd wedi gwneud i'w gur pen deimlo'n waeth. Yr euogrwydd hwn a'i hanfonodd i dŷ Thera Alevizakis ar ei ffordd adref o'r ysgol, ac awgrymu ei bod hi'n mynd draw i weld Grigori.

'Wnest ti ddim meddwl gofyn iddi am rywbath at hwnna?' dwrdiodd Eva fo dros ginio. Roedd hi newydd wylio'i gŵr yn llyncu dwy dabled at y cur pen. 'Ben bora heddiw oedd yr amsar i gymryd rheina – wnân nhw ddim lles i ti erbyn hyn.'

'Falla gwnân nhw,' dadleuodd yntau, er y gwyddai'n iawn fod llyncu'r tabledi'n wastraff llwyr, braidd fel rhoi plastar ar wddw rhywun oedd newydd gael torri'i ben i ffwrdd. Mi fasa *hynny*'n ei fendio fo unwaith ac am byth, meddyliodd, cyn ei geryddu ei hun am feddwl y fath beth – rhywbeth oedd yn ffinio ar fod yn gabledd o gofio i ble roedd o'n mynd rŵan.

Teimlai'r haul yn ffyrnicach nag arfer iddo heddiw, ac edrychai ymlaen at gael bod rhwng muriau'r eglwys lle roedd y golau'n llawer iawn mwy trugarog. Dail mintys poethion, meddyliodd, dyna be fyddai fy hen gyndadau'n arfer eu rhwbio ar ochrau'r pen, ac roedd Hippocrates yn gredwr cryf mewn powltis wedi'i wneud o flodau'r *iris* melyn a'i ddail fel cleddyf, yn gymysg â finag a phersawr petalau rhosod. Braidd yn eithafol oedd cynnig Aretaeus o Cappadocia, meddyliodd wedyn: roedd o'n argymell siafio'r pen a llosgi'r cnawd i lawr hyd at y cyhyrau.

Sibrydodd ei weddi bersonol wrth fynd i mewn i'r eglwys, cyn troi at yr eicon o Ioan Fedyddiwr â gweddi fach arall. Gwyddai, wrth gwrs, mai Ioan ydi'r sant sy'n cael ei gysylltu ag afiechydon yn ymwneud â'r pen – cur pen, meigren, epilepsi yn ogystal â salwch meddwl yn gyffredinol – gan mai cael ei ddienyddio drwy dorri ei ben fu ei hanes. Arhosodd Kosta o flaen yr eicon a'i lygaid ynghau am rai munudau, nes iddo ddechrau teimlo'r boen yn lleddfu rhyw gymaint. Ai tawelwch a hanner tywyllwch yr eglwys oedd yn gyfrifol am hynny, tybed, ynteu'r weddi? O, y weddi yn bendant, meddyliodd Kosta, cyn ymsythu â gwên fechan.

O'r diwedd, gallai roi ychydig o sylw i rywbeth heblaw ei ben, a'r person cyntaf a ddaeth i'w feddwl oedd Grigori Daskalakis. Pwy, tybed, oedd wedi ymosod arno fel yna? Cofiai Kosta i'r athro ddod yn agos iawn at gael coblyn o gweir pan ddaeth y newyddion i Anogia fod y cadfridog hwnnw, Kreipe, wedi cael ei gipio. Roedd awyren fechan Feiseler-Storck wedi hedfan yn isel dros y pentref gan ollwng taflenni o bapur, a'r rheiny'n cyhoeddi bod Kreipe wedi cael ei gipio – gan honni bod trigolion y mynyddoedd yn sicr o fod yn gwybod ble roedd o, ac oni fyddai'r cadfridog yn cael ei ddychwelyd yn ddiogel o fewn tridiau, yna byddai'r 'pentrefi gwrthryfelgar' yn ardal Iráklion i gyd yn cael eu llosgi'n ulw, a'r trigolion yn dioddef y dialedd llymaf posib.

Er gwaethaf brawddeg olaf fygythiol y neges, bu cryn ddathlu yn Anogia'r diwrnod hwnnw; yn wir, bu Kosta'i hun yn ei sgwario hi o gwmpas y lle yn wên o glust i glust. Ond wyneb fel ffidil oedd gan Grigori Daskalakis, cofiai Kosta. 'Fyddwch chi ddim hanner mor siriol pan ddaw'r Germani yma,' clywsai Grigori'n dweud wrth fwy nag un person, nes yn y diwedd i Kosta fynd â fo i gornel dawel a'i gynghori i gau ei geg, yn enw'r Tad, neu . . .

'Pam?' meddai Grigori. 'Pam dyliwn i?'

Roedd Kosta wedi rhythu arno. 'Nefi wen, Grigori, o ystyried dy fod yn hogyn galluog, rwyt ti'n medru bod yn ddwl ar brydiau! Wyt ti isio teimlo cyllall finiog ar draws dy wddw, neu yn dy galon?'

'Be – ydach *chitha*'n fy mygwth i hefyd?'

Teimlai Kosta fel ei ysgwyd yn galed. 'Callia, wnei di'r brych?! Os na fedri di o leia gymryd arnat dy fod ti – fel pawb arall yn Anogia, hyd y gwela i – yn teimlo'n hapus fod hyn wedi digwydd, yna dos adra, ac *aros* adra o'r golwg am ddiwrnod neu ddau nes bydd petha wedi tawelu rhywfaint. Ma pobol wrth eu bodda, a dyn a ŵyr, maen nhw'n haeddu cael mwynhau rhywfaint o newyddion da am unwaith heb i ti fynd o gwmpas y lle 'ma fel rhyw Job . . .'

'Ydach chi o ddifri'n meddwl bod hyn yn newyddion *da*?' Gwthiodd Grigori'r daflen dan drwyn Kosta. 'Ydach chi wedi darllen y neges yma'n iawn, Pater? Yr unig beth mae'r rhain wedi'i wneud ydi rhoi esgus i'r Germani fynd o gwmpas yn saethu a llosgi fel mynnan nhw. Mae'n iawn ar yr *andártes* dewr 'na – maen nhw i fyny yn y mynyddoedd, yn cuddio mewn ogofâu. Maen nhw'n fwy diogel na neb! Ond pan fyddan nhw'n mentro allan i greu helynt, pobol fel ni sy'n gorfod talu'r pris – pentrefwyr cyffredin fel chi a fi, ac fel . . . fel y ffyliaid dall 'ma sy mor llawn ohonyn nhw'u hunain heddiw.'

Yna roedd o wedi dechrau rhestru'r holl bentrefi oedd eisoes wedi profi dialedd yr Almaenwyr – rhestr go faith – a thorrodd Kosta ar ei draws.

'Dwi'n gyfarwydd iawn â'r holl enwau yna, Grigori Daskalakis,' meddai, a llwyddodd y tawelwch a'r tristwch yn ei lais i dawelu'r athro ifanc. 'Dim ond y Bod Mawr a finna sy'n gwybod faint o weithiau dwi wedi'u henwi nhw i gyd yn fy ngweddïau.'

Nodiodd Grigori, yn dechrau dod ato'i hun ychydig. 'Wrth gwrs. Mae'n ddrwg gen i, Pater. Ond dach chi ddim yn meddwl ei bod hi'n wyrth nad ydi Anogia wedi cael ei losgi cyn heddiw, hefo'r enw sy gynnon ni trwy Greta gyfan?' Edrychodd i fyny i'r awyr am ychydig, fel petai'n disgwyl gweld yr awyren yn dod yn ei hôl a haid o rai eraill mwy milain yn ei sgil. 'Y peth ydi, Pater, dwi *yn* cymryd diddordeb yn y rhyfel yma – mi fydda i'n gwrando ar y radio ac ar y sgyrsiau yn y tai coffi, ac mae petha'n edrych yn o ddu ar yr Almaenwyr ar hyn o bryd, a'r teimlad ydi na fyddan nhw yma'n hir iawn eto. Roedd 'na sôn yn ddiweddar y byddan nhw wedi gadael erbyn y Nadolig.'

Tro Kosta oedd hi i nodio wedyn: roedd yntau wedi clywed yr un peth.

'Fy mreuddwyd i,' meddai Grigori, 'ydi y bydd Anogia'n dal yma ar ôl iddyn nhw ymadael. Mae arna i ofn . . . maddeuwch i mi, Pater, ond mae arna i ofn drwy nhin i rywun wneud rhywbeth gwirion cyn iddyn nhw fynd – rhyw gastiau fydd yn troi'r drol ac yn dŵad â'r Almaenwyr yma'n un haid.' Edrychodd eto ar y daflen yn ei law cyn ei gwthio i'w boced. 'Rhywbeth fel *hyn*, Pater.'

Yna cerddodd i ffwrdd – a mynd adref, gobeithiai Kosta. A wir, welodd o mo Grigori o gwmpas y lle wedyn am rai dyddiau. Ond hwyrach, meddyliodd rŵan, fod y difrod wedi'i wneud a bod rhywun – sawl un, hyd yn oed – wedi bod yn myllio'n ddistaw bach ers y diwrnod hwnnw, ac wedi ildio o'r diwedd i'r demtasiwn o ddysgu gwers i'r athro. Os felly, roedd Grigori'n lwcus mai dim ond cweir gafodd o.

Nid Grigori oedd yr unig un a deimlai fel hyn, gwyddai Kosta. Bellach, roedd llawer gormod o bentrefi wedi cael eu llosgi, a llawer gormod o ddynion, merched a phlant wedi'u lladd gan yr Almaenwyr i ddial am ryw 'droseddau' neu'i gilydd, i holl drigolion Creta allu bod gant y cant y tu ôl i'r *andártes*.

Nid Grigori oedd yr unig un a wrandawai ar y radio, chwaith, a doedd Kosta Yrakis ddim yn ddyn dwl: roedd yntau wedi hen sylweddoli pa ffordd roedd y gwynt yn chwythu. Ers iddyn nhw lanio yn Normandi roedd lluoedd y Cynghreiriaid wedi cael un fuddugoliaeth ar ôl y llall. Roedd hi'n amlwg, hyd yn oed i'r Almaenwyr, eu bod nhw'n prysur golli'r rhyfel. Yn amlwg i bawb ond y gwallgofddyn Hitler hwnnw.

Mewn ffordd, felly, gallai ddeall rhwystredigaeth Grigori ac eraill a deimlai 'run fath ag o. Ar ôl tair blynedd o anobaith, o fyw un dydd ar y tro ac o gau eu llygaid bob nos â'r ofn na fyddai iddyn nhw yfory arall, roedd pobol wedi ailddechrau gobeithio, wedi ailddechrau meddwl fod 'na ddyfodol, wedi'r cwbwl, ac wedi dechrau ailgydio mewn normalrwydd. Ond roedd cipio'r cadfridog wedi bygwth dileu'r normalrwydd bach gwerthfawr a bregus hwnnw unwaith eto.

Aeth y tridiau a grybwyllwyd yn rhybudd yr Almaenwyr heibio heb unrhyw losgi, unrhyw ddial. Wythnos, pythefnos yn mynd heibio . . . ac yna'r newydd fod Kreipe wedi'i gludo o'r ynys. Daliodd Anogia ei hanadl.

Dim.

Dechreuodd Anogia anadlu unwaith eto.

Erbyn hyn, roedd hi'n fis Gorffennaf. Ond does wiw i ni ymlacio, meddyliodd Kosta: dydyn Nhw byth yn ymadael ag unman heb adael uffern yn eu sgil. Gwyddai ym mêr ei esgyrn fod rhagor i ddod, ac ar ôl i'r Almaenwr olaf ddiflannu oddi ar yr ynys, beth wedyn? Roedd prif grwpiau'r gwrthsafiad – EAM a'i aden filwrol, ELAS; EDES, EOK ac EKKA – eisoes yng ngyddfau'i gilydd, pob un a'i lygad ar reoli gwlad Groeg i gyd ar ôl i'r Almaenwyr fynd. Yn wir, yn ôl a ddeallai Kosta, roedd rhywbeth tebyg iawn i ryfel cartref yn digwydd ar y tir mawr o dan drwynau'r Almaenwyr, fwy neu lai, a Duw a'n helpo ni i gyd os daw hi i hynny yma yng Nghreta.

Ar y llaw arall, hwyrach y byddai'r Almaenwyr yn dal i fod yma ymhen deng mlynedd arall – does 'na ddim *sicrwydd* y byddan nhw'n colli'r rhyfel, a hwyrach y bydd y sefyllfa filwrol yn wahanol eto erbyn diwedd yr haf. Duw a'n helpo ni, pa ffordd bynnag yr aiff hi. Ac roedd Grigori yn llygad ei le ynglŷn ag un peth – roedd hi'n wyrth nad oedd yr Almaenwyr wedi ymosod ar Anogia cyn hyn.

Neidiodd Kosta wrth i ddrws yr eglwys gael ei wthio ar agor o'r tu allan. A fynta newydd fod yn hel meddyliau am yr Almaenwyr, hanner disgwyliai weld llwyth ohonyn nhw'n llifo i mewn ato hefo'u gynnau a'u '*Raus*!' a'u '*Schnell*!', ond dim ond un ffigwr a safai yn y drws: ffigwr bychan, blêr a charpiog yn pwyso yn erbyn postyn y drws yn cael ei wynt ato. Meddyliodd Kosta am eiliad ei fod yn gweld ysbryd ac mai Elias y Rhedwr oedd yno.

'Pater?'

Doedd pwy bynnag oedd o ddim wedi gweld Kosta eto; roedd yr haul y tu allan i'r eglwys mor gryf.

'Pater, ydach chi yma?'

Camodd i mewn i'r eglwys, a chamodd Kosta o gyfeiriad yr eicon.

'Dyma fi . . .'

Roedd y dyn yn edrych i gyfeiriad arall, a rhoes naid fechan wrth i Kosta siarad, cyn troi tuag ato.

'Stamati, *chdi* sy 'na?' Doedd Kosta ddim yn bell ohoni pan feddyliodd am Elias, oherwydd rhedwr oedd hwn hefyd, ond hogyn ifanc oedd heb eto weld ei ugeinfed pen-blwydd. A newyddion drwg oedd ganddo. Gwyddai Kosta hynny o'r eiliad y gwelodd ei silwét yn nrws yr eglwys.

Gwnaeth Stamati arwydd y groes yn frysiog ar ei fron cyn eistedd ar un o'r cadeiriau pren, gan riddfan yn flinedig a gwthio'i fysedd drwy'i wallt.

'Diolch byth eich bod chi yma, Pater!'

Tybed? meddyliodd Kosta. Teimlai'n hynod o flinedig mwya sydyn, cymaint felly nes iddo ofni na fyddai ganddo'r nerth i ymdopi â pha bynnag neges oedd gan Stamati iddo, ac y byddai'n well o lawer iddo fo'n bersonol petai'r hogyn heb lwyddo i ddod o hyd iddo. Ac, wrth gwrs, roedd y cur pen wedi dod yn ei ôl.

'Be sy, Stamati?' meddai. Yna aeth yn oer i gyd drwyddo wrth i rywbeth ei daro. 'Nid . . . y fynachlog?' O leiaf, meddyliodd, doedd Hanna Kallergis ddim yno; roedd hi wedi mynd draw i weld Grigori efo Thera a Maria. Ond roedd Stamati'n ysgwyd ei ben.

'Maddeuwch i mi, Pater,' meddai. Edrychodd i fyny a meddyliodd Kosta: Brenin mawr, ma hwn yn *crio*.

'Maddau i ti am be, ddyn?'

'Fedra i ddim . . .'

'Fedri di ddim be?'

'Mi welis i hi, funudau'n ôl, yn cerdded i fyny'r allt efo'i basged ar ei braich, ond fedrwn i ddim – tasa Duw wedi nharo fi'n farw yn y fan a'r lle.'

'Stamati!'

'*Fedrwn* i ddim deud wrthi, Pater! Dyna pam . . . dyna pam y dois i yma, gan feddwl falla basach chi'n gallu deud wrthi.'

'Deud wrth *bwy*, Stamati?'

'Thera Alevizakis,' meddai Stamati. Sychodd ei lygaid a gostwng ei lais nes ei fod bron iawn yn sibrwd, er mai dim ond nhw'u dau oedd yn yr eglwys. 'Ma Manoli wedi cael ei gymryd, Pater, gan y Germani. Manoli . . . a'r mab hynaf, Levtheri.'

*

'Thera Alevizakis!'

Trodd Thera a gweld Eleni Vandoulakis yn stryffaglu ar ei hôl, a'r ddwy fydwraig arall, Iríni a Rodianthe Saviolakis, ychydig y tu ôl a bob ochr iddi, nes bod y tair yn ffurfio triongl du. Rhegodd Thera dan ei gwên. Roedd hi wedi gobeithio cael cyrraedd adref heb i neb ei holi, a chyn i Maria ladd Nikos. Ond mi ddyliwn i wybod yn well na hynny, meddyliodd – yn Anogia dwi'n byw, wedi'r cwbl. Trodd ei gwên yn un fwy naturiol wrth iddi gofio'r hyn ddywedai Manoli yn aml am y tair yma: 'Ma Eleni Vandoulakis a'r ddwy arall 'na'n gallu clywed ogla dy rechan di cyn iti'i tharo hi.'

'*Yásas*,' cyfarchodd nhw.

'Ydi o'n iawn?' gofynnodd Eleni, a phan gododd Thera'i haeliau, ychwanegodd Eleni'n ddiamynedd, 'Ti'n gwbod yn iawn pwy sy gen i dan sylw, Thera – Grigori. Be 'di'r matar efo fo?'

'O, mi fydd o'n tshiampion,' meddai Thera, ond doedd hi ddim am gael dianc heb eglurhad pellach: syllai'r tair arni'n ddisgwylgar. Ochneidiodd. 'Mi gafodd godwm ar y mynydd y noson o'r blaen. Llithro a chrafu'i wyneb a ballu. Mi fydd yn iawn os defnyddith o'r elïau dwi wedi'u gadael efo fo.'

'Codwm? Pa bryd?'

'Y noson o'r blaen, y tro dwytha i ni gael rhywfaint o law, pan aeth o allan i hel malwod. Yr un noson, gyda llaw, ag y bu i chi anfon fy merch i adra fel tasach chi'n berchen y mynydd, Eleni, ac mi faswn i'n licio cael gwbod pa hawl oedd gynnoch chi . . .'

'Codwm?' meddai Eleni Vandoulakis ar ei thraws. 'Ar y mynydd?' ac ysgydwodd ei phen yn bendant wrth i Thera nodio. '*Anoisía*! Lol botas!'

'Wel, ma'n ddrwg gen i, Kyría Eleni, ond dyna be ddeudodd o . . .'

'Ac mi wyt ti'n ei goelio fo?' meddai'r hen wreigan. Craffodd ar lygaid Thera. 'Nag wyt, siŵr, dwi'n gallu gweld hynny'n blaen yn dy lygad. Wnaeth o ddim llithro na baglu na syrthio'r noson honno – ddim ar y mynydd, beth bynnag.'

'Roedd Eleni hefo fo, Thera,' meddai Rodianthe Saviolakis. 'Efo fo?'

'Mi gydgerddon ni i lawr o'r mynydd,' meddai Eleni, gan ofalu peidio â dweud pa mor falch oedd hi'r noson honno o fraich ifanc, gadarn Grigori. 'Yr holl ffordd i lawr. Doedd 'na ddim byd o gwbwl yn bod ar ei wynab o pan ganon ni'n iach i'n gilydd yn y pentra.'

Ochneidiodd Thera. Trystio'r tair yma i fod un cam o flaen pawb arall, meddyliodd. Teimlai'n hollol flinedig rŵan. Fel arfer, ar ôl tendiad ar rywun, byddai'n cael cyntun am ryw hanner awr; roedd hynny'n bwysig iddi, neu fel arall byddai fel brechdan am weddill y dydd. Symudodd fymryn yn nes at dalcen y tŷ agosaf, yn fwy i'r cysgod; roeddan nhw reit yn llygad yr haul yn fama, ac edrychai pob lliw yn fwy llachar iddi – dillad duon y merched yn dduach byth yn erbyn gwyn cryf y tai, a'r *bougainvillea* hardd a fyrlymai dros nifer o'r cloddiau a'r adeiladau yn boenus o biws.

'Be ddigwyddodd i'r creadur bach, Thera?' gofynnodd y chwaer arall, Iríni, yn dyner.

'Mi welson ni fo'n pasio heibio'r tŷ yn gynharach,' ategodd Rodianthe, 'yn gwneud ei orau glas i gadw'i wyneb o'r golwg. Ac yna mi ddoth rhai o'r plant heibio, ar eu ffordd adra o'r ysgol . . .' Gwenodd, ychydig yn ymddiheurol.

'Wela i,' meddai Thera.

Ac oedd, roedd hi'n gallu gweld, hefyd, yn glir yn ei meddwl. Roedd y ddwy chwaer yma wrth eu boddau hefo plant, a phlant hefo nhwythau. Yng nghwmni plant roeddan nhw'n gesys heb eu hail ac yn storïwyr ardderchog, ac roedd amryw o blant dros y blynyddoedd wedi taeru bod y ddwy Seirēne yma'n gallu troi 'nôl i fod yn wragedd ifanc, hardd pan fyddai 'na ddim oedolion eraill o gwmpas. Hawdd iawn, felly, oedd credu bod y plant wedi heidio atyn nhw heddiw – pob un yn byrlymu o ddisgrifiadau lliwgar o'r olwg oedd ar wyneb Grigori.

'Pwy ddaru, Thera?' gofynnodd Eleni Vandoulakis, ac roedd ei llais hithau erbyn hyn yn llawn tynerwch. 'Pwy ymosododd arno fo?'

Argol, mae gan y rhain ryw bŵer arbennig, meddyliodd Thera. Mor hawdd rŵan fasa dweud y cyfan wrthyn nhw. Ond nid ei lle hi oedd gwneud hynny. Yn hytrach, meddai, 'Grigori ei hun ydi'r unig un sydd â'r hawl i ddeud hynny wrthoch chi.'

Syllodd Eleni arni am eiliad neu ddau. Yna nodiodd. Roedd hi'n gallu deall hyn, a dywedai'r nòd nad oedd hi wedi disgwyl unrhyw beth llai oddi wrth Thera Alevizakis. Ond cyn mynd, rhoddodd ei chrafanc feddal ar fraich Thera.

'Y noson honno, ar y mynydd . . . mi o'n i ar fai.'

Rhythodd Thera arni. Ai Eleni Vandoulakis oedd hon, yn ymddiheuro?

Ond yna, meddai Eleni, 'Nid bod dy Faria ditha'n angel, chwaith, o bell ffordd.'

Gollyngodd ei gafael ym mraich Thera a chychwyn i fyny'r ffordd, i gyfeiriad tŷ Grigori. Wrth i'r ddwy arall ei dilyn, trodd Rodianthe at Thera gan daro clamp o winc chwareus arni â gwên fawr, lydan, ac am ennyd cafodd Thera gipolwg sydyn o'r hyn roedd sawl plentyn dros y blynyddoedd wedi taeru'n ddu las ei fod wedi'i weld o bryd i'w gilydd yng nghwmni'r Seirēnes rhyfedd hyn.

*

Wrth droed yr allt arhosodd Thera i gael ei gwynt ati, gan deimlo'n sicr fod yr allt yma'n mynd yn fwy a mwy serth bob haf. Clywodd sŵn traed brysiog, a gweld hogyn ifanc blêr ei olwg yn dod i lawr y grisiau carreg a arweiniai o'r stryd nesaf at i fyny. Arhosodd hwnnw'n stond pan welodd Thera'n sefyll yno, yn sbio i fyny arno, a chan roi gwên ryfedd, annaturiol, trodd a brysio'n ei ôl i fyny'r grisiau ac o'i golwg.

A be, sgwn i, sy'n bod ar y llwdwn *yna*? meddyliodd Thera. Teimlai ei bod yn nabod yr hogyn o rywle, hefyd, ond fedrai hi'n ei byw â meddwl pwy oedd o. Un o ffrindiau Marko, hwyrach. Neu rywun arall oedd wedi dechrau sniffian o gwmpas Maria – rhyw fwgan brain carpiog arall fel Grigori Daskalakis.

Gallai weld Maria rŵan – mwy a mwy ohoni hi a Hanna Kallergis yn dod i'r golwg wrth i Thera ddringo'r allt. Eisteddai'r ddwy ar y clawdd y tu allan i'r tŷ, a gwenodd Hanna arni wrth iddi ddod yn nes atyn nhw.

'Gawsoch chi hyd i Nikos?' gofynnodd Thera.

Edrychodd Maria i fyny a rhoi nòd swta. Roedd ei hwyneb braidd yn welw, sylwodd Thera, ac roedd hi'n crynu rhyw fymryn.

'Ac ydi o'n dal yn fyw?'

Nòd fach arall, ond â rhith o wên y tro hwn.

'Lle mae o rŵan, ta?'

'Mi aeth i mewn i'r tŷ,' meddai Hanna.

'Hm . . .' Edrychodd Thera ar y tŷ, yna trodd ei chefn arno ac eistedd ar y clawdd efo'r ddwy ferch. 'Ma'n well gadal llonydd i'r cythral bach am ychydig,' meddai, 'cyn i *mi* ddechra arno fo.'

'Sut hwyl sy ar Grigori bellach?' gofynnodd Hanna.

'Wel, dyna gwestiwn da,' meddai Thera. 'Roedd o'n o lew pan adewis i o, ond dwi'n ofni, yn y cyfamsar, ei fod o wedi cael mwy o ymwelwyr.'

Edrychodd Maria arni. 'Pwy?'

Gwenodd Thera. 'Eleni Vandoulakis a'r Seirēnes.'

Ebychodd Maria. 'Dydi'r creadur ddim wedi diodda digon yn barod?'

Chwarddodd Hanna'n uchel. Gwenodd Maria, gwên a drodd

yn chwerthin, a fedrai Thera ddim peidio â chwerthin efo nhw, eu tair yn bloeddio chwerthin ac yn cydio yn ei gilydd – neu fel arall mi fasa o leia un ohonyn nhw wedi syrthio oddi ar y clawdd.

Sylwon nhw ddim ar y Tad Kosta Yrakis yn dod yn araf a chyndyn i fyny'r allt tuag atyn nhw a'r Stamati ifanc, ofnus a swil, wrth ei ochr, a phan glywodd Kosta sŵn naturiol a dieithr eu chwerthin, a'u gweld nhw yno ar y clawdd a Thera am y tro ola yn ei bywyd yn edrych yn debycach i chwaer i Maria nag o fam iddi, rhoddai bopeth oedd ganddo am gael bod yn unrhyw le – unrhyw le o gwbwl yn y byd uffernol hwn – ond Anogia y pnawn gogoneddus hwnnw o Orffennaf.

16
Ogofâu

Llethrau Psiloritis

Marko

Noson olau leuad.

Gwyddai Marko y dylai wneud ymdrech i symud yn ei flaen ond dywedodd wrtho'i hun fod y darn nesaf o'r mynydd yn un twyllodrus ar y naw. Roedd yn o lew yn ystod y dydd, ond yn beryg bywyd yn y tywyllwch – a bron iawn cyn berycled ar noson fel hon. Onid oedd bugeiliaid profiadol hyd yn oed wedi camu'n ddi-hid i'w marwolaeth ar nosweithiau fel heno, ar ôl cael eu denu gan ddibyn a ymddangosai yng ngolau'r lleuad fel darn o dir solet? A chan ei fod o, Marko, wedi llwyr ymlâdd – ei draed yn ei arteithio a'i feddwl yn gwibio dros y lle i gyd – yna go brin y gallai bara mwy nag awr neu ddwy, ar y mwyaf, ar y darn nesa 'ma o'r mynydd.

Arhosodd, felly, yng ngheg ogof fechan, gul, a'r *kapóta* gwlân wedi'i lapio'n dynn amdano. Gorffennaf neu beidio, doedd hi byth yn gynnes iawn yma ar y mynydd ar ôl i'r haul ddiflannu. Crynai drwyddo o bryd i'w gilydd, ond doedd gan hynny ddim byd i'w wneud â'r oerni.

Roedd o'n fwriadol wedi dewis dod i fyny'r rhan yma, un o'r rhannau mwyaf serth, rhan a ofynnai am lawer iawn mwy o ddringo nag o gerdded, ac roedd nifer o'r llwybrau'n arwain i nunlle, gan droi'n ôl arnynt eu hunain yn hollol ddirybudd. Un funud roedd Marko'n esgyn ac yn tybio'i fod yn mynd i'r cyfeiriad cywir, ond y funud nesaf byddai'r un llwybr yn ei arwain i lawr yn ei ôl, ac yntau'n ei gael ei hun yn is i lawr y mynydd o dipyn nag oedd o pan ddechreuodd ddringo rai oriau ynghynt. Yn waeth na dim, roedd amryw o'r llwybrau'n arwain at ddim byd ond gwefus dibyn. Dim ond y rhai mwyaf dwl ac anwybodus, neu'r mwyaf mentrus, a ddôi'r ffordd yma – a rhai fel Marko nad oedd arnyn nhw unrhyw frys i gyrraedd eu cyrchfan . . .

'Cer adra, Marko!'

Cafodd Marko ei hun yn syllu i fyw llygaid Xylouris, y *kapetán*, ond doedd dim rhithyn o dosturi ynddyn nhw. Os rhywbeth, edrychai ar Marko fel petai'n rhoi'r byd am gael gwthio'i gyllell i mewn iddo yn y fan a'r lle. Yna, gwelodd Xylouris yn troi ei gefn ato, a sefyll a'i freichiau wedi'u plethu, fel plentyn yn gwneud sioe fawr o ddangos ei fod wedi llyncu mul hefo rhywun.

'Kapetán . . .' dechreuodd Marko.

Cafodd slasan galed ar draws ei ben. Yno'n sbio i lawr arno roedd Nikolaos Leladakis, ffrind ei dad. Tad Gaia. Ffrind mawr y teulu, yn gwgu arno â chasineb.

'Cer! Os byddi di'n dal yma pan fydd y *kapetán* yn troi'n ei ôl, yna fydda i'n medru gneud uffarn o ddim byd i dy helpu di. Dos, brysia.'

Ceisiodd Marko godi ond roedd ei goesau fel petaen nhw'n perthyn i ddyn chwil ulw gaib. Ag ebychiad diamynedd, cydiodd Nikolaos ynddo gerfydd ei wallt a rhoi plwc poenus iddo i'w godi ar ei draed. Prin y cafodd Marko amser i afael yn ei reiffl a'i *sakoúli* cyn i Nikolaos, â nerth annisgwyl o ddyn mor fain, ei lusgo o'i guddfan. Yr unig un a edrychodd i'w lygaid wrth iddo fynd oedd y bugail ifanc, Andrea, ond cyn gynted ag roedd Marko wedi cefnu arnyn nhw, gallai deimlo pob pâr o lygaid yn treiddio drwy'i wegil, yn llawn dicter a chasineb. Baglodd fwy nag unwaith, a phob tro teimlai fysedd hirion Nikolaos yn cau am ei wallt neu am gefn ei goler, ac yn rhoi herc iddo'n ôl ar ei draed.

Doedd Marko ddim am brotestio. Oni bai am Nikolaos, gwyddai Marko y byddai yntau'n gelain. Ac roedd o'n dal i edrych ar ei ôl o rŵan, yn ei hebrwng at geg y llwybr a arweiniai i lawr o guddfan yr *andártes*, yn bennaf er mwyn sicrhau na fyddai un neu fwy ohonyn nhw'n dweud, 'I'r diawl â hyn!' – a dod ar ei ôl â'i *mavrománika*'n barod i'w drywanu. Roedd o eisoes wedi clywed dau ohonyn nhw'n awgrymu y dylen nhw dorri'i draed i ffwrdd a gwneud iddo gerdded ar y ddau stwmp at ymyl y dibyn agosaf. Nid gor-ddweud oedd hynny, chwaith; roedd y ddau yma wedi bod mewn criw o *andártes* oedd wedi dewis yr union ddull yna o ddienyddio tri milwr Almaenig y flwyddyn cynt.

'Meddwl am dy fam druan ydw i,' meddai Nikolaos. 'Paid ti â breuddwydio am eiliad mai er dy fwyn di rydw i'n gneud hyn. Tasa'r dewis gen i, mi fasat ti yn y twll yna efo'r lleill acw. Ond mae Thera wedi colli'i gŵr a'i mab hynaf yn barod, ac er na fasa neb arall yn gweld dy golli di, mae hi'n dal yn fam i ti. Er, ma'n ddigon posib na fydd hi'n gallu diodda gweld dy wep di ar ei chyfyl hi byth eto ar ôl hyn, ond ei dewis hi fydd hynny.'

Roedd pob gair yn glustan, ond gwyddai Marko ei fod yn eu haeddu i gyd, a llawer iawn mwy hefyd, a gweddïai am y nerth i wneud amdano'i hun, gan wybod drwy'r amser wrth i'r weddi wibio drwy'i feddwl a byrlymu dros ei dafod a thrwy'i wefusau, mai gweddi wag, ac felly un ofer, oedd hi mewn gwirionedd. Gwyddai na fyddai o byth yn ddigon dewr i'w ladd ei hun, nad oedd o'n ddigon o ddyn.

Cer adra!

A sibrydodd Marko Alevizakis wrth y nos o'i gwmpas:

Alla i ddim.

*

Nikos

Noson olau leuad.

Doedd yr awel ddim cyn oered ag roedd o wedi'i ddisgwyl, ond eisteddai â'i fantell wedi'i lapio'n dynn amdano 'run fath. Roedd o wedi chwysu cryn dipyn yn gynharach, ac roedd ganddo frith gof i Yanni ddweud rhywbeth rywbryd am chwys, ond be'n union ddywedodd o, fedrai o'n ei fyw feddwl. Ai gelyn oedd chwys, ynteu ffrind? Gelyn, penderfynodd Nikos, felly roedd o wedi gwisgo'r *kapóta* er mwyn rhwystro chwys y pnawn rhag oeri ar ei gorff.

Roedd y tywyllwch wedi dod yn sydyn gythreulig ar ôl i'r haul ddiflannu, a bu'n lwcus i ddod o hyd i'r ogof cyn iddi fynd yn rhy dywyll iddo fedru'i gweld. Roedd wedi dechrau'i felltithio'i hun cyn iddo ddod ar ei thraws, a bron na allai glywed llais Yanni yn adleisio pob rheg.

Y blydi ffŵl gwirion! Dwyt ti ddim ond wedi bod yma am ychydig oriau, a dyma chdi wedi torri un o reolau pwysicaf y mynydd yn barod: mae'n rhaid – RHAID – dod o hyd i rywle diogel i dreulio'r nos cyn i'r haul fachlud.

Doedd hi ddim yn ogof fawr iawn: hollt mewn craig, i bob pwrpas, ond roedd rhywun wedi'i defnyddio hi rywdro oherwydd roedd 'na lwyni wedi'u torri nid nepell o'i cheg. Trwy osod y rhain yn ofalus dros y geg, nes eu bod yn edrych fel tasan nhw'n tyfu'n naturiol o'r ddaear, go brin y byddai unrhyw un a ddigwyddai ddod heibio yn ymwybodol fod 'ma ogof o gwbwl.

Tybed ydi hon yn un o'r ogofeydd gafodd eu defnyddio gan y bastad Siphi hwnnw? meddyliodd Nikos. Siphi'r Canwr, o Wlad y Gân. Hwnnw a wnâi ddim byd ond cwyno am y chwain. Ac *am* y stori honno amdano'n cuddio mewn atig tra oedd y Germani yn dathlu'r Nadolig oddi tano! Os oedd hi'n wir – *os* – yna doedd cuddio mewn atig fel llygoden fawr ddim yn beth dewr iawn i'w wneud, yn nhyb Nikos. Yn sicr, doedd o'n ddim byd i frolio yn ei gylch. Gwyddai Nikos, petai *o* mewn sefyllfa debyg, y byddai wedi aros nes roedd yr Almaenwyr i gyd yn feddw dwll ac yn rhochian cysgu cyn sleifio i lawr o'r atig a hollti eu gyddfau, un ar ôl y llall, nes bod lloriau'r tŷ yn sglefrio gan waed y gelyn.

Poerodd. Doedd arno ddim eisiau meddwl am Siphi oherwydd gwnâi hynny iddo ddechrau meddwl am Maria, a'r ffordd y byddai ei llygaid duon hi'n pefrio bob tro y byddai'r bastad hwnnw'n ymddangos – bob tro y byddai'n sôn amdano, hyd yn oed, nes bod Nikos yn teimlo fel ei hysgwyd a chicio'i phen-ôl am fod mor wirion.

'Mae o am fynd â fi i weld Gwlad y Gân un diwrnod!' roedd hi wedi'i ddeud yn gyffro i gyd wrth yr hogan dal, denau honno, Hanna Rhywbeth-neu'i-gilydd – honno fyddai wastad yn sbio i lawr ei hen drwyn arno fo, Nikos, fel tasa hi'n gwybod popeth amdano a ddim yn hoffi'r hyn a wyddai.

Clustfeinio arnyn nhw'n siarad roedd o ar y pryd – wedi dod yn giamstar erbyn hynny ar glustfeinio a sbecian a sleifio o gwmpas y lle, a neb fymryn callach ei fod o ar eu cyfyl.

'Maria, bydd yn ofalus,' clywsai Hanna'n ei chynghori.

'Be ti'n feddwl?'

'Mae'n amlwg dy fod ti wedi . . . wedi cymryd at Siphi,' meddai Hanna.

Saib fechan, ond gallai Nikos yn hawdd ddychmygu Maria'n nodio'n ffyrnig, ei llygaid yn dawnsio a gwên lydan ar ei hwyneb.

'Dwi'n gwbod be sy gen ti, Hanna. Falla na fydd o yma'n hir, yndê? Un ffordd neu'r llall.'

'Wel . . . ia.'

'Dwi wedi deud hynny wrthaf fy hun droeon – ganwaith. Mae'n siŵr *na* fydd o yma'n hir iawn eto, ond mi ddaw yn ei ôl, dwi'n gwbod hynny – a plis, paid â gofyn i mi sut dwi'n gwbod. Mi ydw i, a dyna ni.'

Saib fer arall, ac yna meddai Hanna, 'Gwlad y Gân.'

'Swnio'n hyfryd, yn dydi?'

Poerodd Nikos eto. Roedd y sgwrs yma wedi cadarnhau rhywbeth y bu'n gwneud ei orau i beidio â meddwl amdano, ac roedd o wedi sleifio i ffwrdd y diwrnod hwnnw â'i lygaid yn llosgi, a rhyw hen anifail bach pigog, danheddog yn troi a throsi'r tu mewn i'w fol.

'*Skíla!*' meddai rŵan wrth y nos o'i gwmpas, a cheisio ysgwyd Maria, y *skíla* iddi, o'i ben.

Yanni'r Chwibanwr . . . Mi feddylia i yn hytrach am Yanni. Gwthiodd ei fysedd i mewn i ochrau'i geg a chwythu, ond allai o ddim cynhyrchu unrhyw sŵn uwch na thebyg i ochneidiau'r gwynt a chwythai i lawr o'r mynydd. Roedd Yanni wedi ceisio dangos iddo droeon sut roedd chwibanu, ond 'Dydi dy geg di

ddim y siâp iawn, Nikos; falla, ar ôl i ti dyfu ychydig mwy . . .'
fyddai hi bob tro. Ond roedd Yanni ei hun yn gallu chwibanu
er pan oedd o'n iau o lawer nag oedd Nikos rŵan; dyna un o'r
pethau cyntaf – yn ogystal â saethu a defnyddio cyllell – a
ddysgai pob bugail. A chan na allai neb chwibanu cystal â
Yanni'r Chwibanwr, gwyddai Nikos na châi o byth well athro,
unwaith y byddai ei geg wedi tyfu ddigon.

Tybed pa mor bell oddi wrth Yanni oedd o heno? Cyn i'r tri
ohonyn nhw ei adael y bore hwnnw pan gafodd Elias y Rhedwr
ei rwygo'n ddau hanner, roedd Nikos wedi'i glywed yn sôn
rhywbeth am symud y praidd i dir uwch. Hwyrach, felly, fod
Yanni filltiroedd lawer i ffwrdd oddi wrtho. Yr ochr arall i'r
mynydd, hyd yn oed.

Ceisiodd gofio rhagor o'i gynghorion. 'Mae bugeiliaid y
mynyddoedd yn defnyddio popeth roddodd Duw iddyn nhw,
cofia di hynny. Eu llygaid, eu clustiau, eu cegau, eu trwynau,
eu dwylo a'u traed. A'u defnyddio nhw go iawn dwi'n feddwl,
dallta – nid dim ond er mwyn symud o un lle i'r llall, neu i
gymryd sbec ffwrdd-â-hi ar rywbeth. Mae'n rhaid i ti edrych, a
gweld, Nikos. Nid gwrando yn unig, ond clywed. Wyt ti'n dallt,
hogyn?'

Oedd, roedd Nikos wedi dallt. Defnyddio'i bum synnwyr,
dyna beth oedd byrdwn gwers Yanni, a'u defnyddio nhw'n
llawn – *gwrando* ar y synhwyrau, mewn geiriau eraill. Ond
doedd hynny ddim yn hawdd ar y dechrau.

'Wel, nac'di, siŵr Dduw.' Yanni eto. 'Mae'n cymryd
blynyddoedd – oes i rai ohonan ni.' Yna mae'n rhaid fod gwep
Nikos wedi syrthio, oherwydd chwarddodd Yanni ei gyfarthiad
sydyn, annisgwyl. 'Paid â sbio fel ryw hen ddafad sy newydd
golli'i chyfla efo'r faharan. Mi ddaw, ysti. Dŵad fesul tipyn neith
o, yna un diwrnod mi sylweddoli dy fod ti wedi bod yn ei neud
o ers hydoedd heb feddwl am y peth. Dyna pryd y byddi di'n
fugail go iawn.'

Roedd Nikos wedi mynd ati'n syth bìn i ddefnyddio'i
synhwyrau, i wrando'n astud arnyn nhw bob un. Ac ar ôl
ychydig, dechreuodd weld llwybrau nad oedd o wedi sylwi

arnyn nhw o'r blaen, a gweld ambell dwnshiad o wlân wedi'i
ddal gan ddraenen neu frigyn yn dangos i ba gyfeiriad yr aeth
y ddafad styfnig, wrthryfelgar honno. Dysgodd nabod cân pob
aderyn, ac ystyron y seiniau gwahanol, a dysgodd fymryn bach
hefyd o iaith y defaid a'r ŵyn a'r geifr. Dysgodd sut i arogli a
sut i ddehongli'r gwahanol arogleuon a wibiai'n ribidirês i fyny'i
drwyn pan gaeai ei lygaid, ac agor ei ffroenau iddyn nhw i gyd.

Ond y blasu a'r teimlo – y rheiny oedd anoddaf. Gallai Yanni
flasu glaw yn yr aer, hyd yn oed ar ddyddiau pan fyddai'r haul
yn taro'n boeth o awyr las a chlir, a blasu eira mewn digon o
bryd i symud y praidd yn is i le mwy cysgodol. Roedd o hefyd
wedi ceisio dysgu Nikos am yr holl fwyd a lluniaeth y gallai'r
mynydd eu cynnig iddo. 'Dim ond ffŵl sy'n marw o newyn ar
y mynydd,' meddai, ond roedd rhai pethau na allai Nikos
feddwl am eu rhoi'n agos i'w wefusau – yn enwedig creaduriaid
bychain y ddaear, trychfilod nad oedd Yanni'n malio dim am eu
cnoi, ac yna'u llyncu neu eu poeri allan. 'Mi allai'r rheina achub
dy fywyd di ryw ddiwrnod,' meddai. 'A chred ti fi, mi fyddi di'n
falch ohonyn nhw pan fyddi di ar lwgu.'

Ac *am* y teimlo – wel, roedd Nikos eto i lawn ddeall hynny.
'Mae 'na lawar iawn mwy i deimlo rhywbath na mond cyffwrdd
ynddo fo hefo dy law neu dy droed. Teimlo, Nikos – sefyll yn
llonydd a gadael i'r mynydd siarad efo chdi. Yr awyr, hefyd, a
beth bynnag sy'n cael ei gludo ar yr awel gan y gwynt. Ond
paid ti byth – *byth* – â chymryd y mynydd yn ganiataol, wyt ti'n
clywad? Mi fedrith o dy ladd di, fel'na' – a churodd Yanni ei
ddwylo ynghyd â chlec a wnaeth i Nikos neidio – 'os nad wyt
ti'n ofalus. Ma raid i ti ddysgu parchu'r mynydd, ac os gwnei di
hynny, yna, os wyt ti'n lwcus, mi wnaiff y mynydd edrach ar dy
ôl ditha.'

Wel, roedd y mynydd heno'n amlwg wedi maddau iddo'i
ddiffyg parch cynharach, pan adawodd i'r haul fachlud cyn
meddwl chwilio am rywle i gysgu. Roedd o wedi cofio cyngor
Yanni – wedi sefyll yn llonydd a gadael i'w lygaid grwydro'n
araf dros y dirwedd cyn symud yn ei flaen, yna gwneud yr un
peth eto, nes o'r diwedd iddo sylwi ar gysgod cul ar wyneb

craig, cysgod na ddylai fod yno, ac nad oedd yn gysgod wedi'r cwbl.

Dechreuodd bendwmpian.

*

Grigori

Meddai Grigori wrtho'i hun, drosodd a throsodd:

'Anogia ydi'r pentref uchaf yng Nghreta – onid dyna ystyr yr enw, "lle uchel"? Ac onid yno rydw i rŵan, gartra yn fy nhŷ fy hun ac yn gorwedd ar fy ngwely fy hun mewn pentra sy hanner ffordd i fyny mynydd?'

Pam, felly, roedd o'n gallu clywed sŵn y môr? A chlywed ei oglau, a blasu'r heli'n hyfryd o hallt ar ei wefusau a blaen ei dafod? Ei deimlo, hyd yn oed, yn poeri drosto'n ysgafn bob hyn a hyn, bob tro y byddai ton i'w chlywed yn ei lapio'i hun yn ddiog am y graig lithrig, wymonog y gallai Grigori daeru oedd ddim ond yr ochr arall i'r ffenest? Gallai daeru hefyd mai mewn ogof y gorweddai, a gwely o dywod o dan ei gefn.

Nid bod arno eisiau symud rhyw lawer: doedd yr hen wely haearn yma rioed wedi teimlo mor gyfforddus. Ac yn sicr doedd arno ddim eisiau agor ei lygaid a gweld mai adra roedd o wedi'r cyfan, felly gorweddodd yno mor llonydd ag y medrai gan anadlu'r heli yn ddwfn i'w gorff, a gwên fach hapus ar ei wyneb clwyfus, yn disgwyl am ddychweliad y merched o'r môr.

Doeddan nhw ddim yn bell: gallai glywed eu canu – ei glywed yn mynd a dod hefo'r tonnau.

'Dowch,' sibrydodd wrthyn nhw. 'Brysiwch.'

Roeddan nhw wedi'i bryfocio fo'n hen ddigon hir – Phaedra ac Ariadne. Felly y meddyliai amdanyn nhw: dwy chwaer, dwy hudoles, yn codi o'r tonnau â'u gynau gwynion yn glynu wrth eu cyrff; eu bronnau'n llawn, a'r trionglau gwylltion, duon rhwng eu cluniau i'w gweld yn glir. Gallai deimlo gwaelodion gwlyb eu gwallt yn llusgo'n ysgafn dros ei gleisiau wrth i'w gwefusau frwsio yn erbyn ei wefusau â chusanau halen. Y ddwy ohonyn nhw – weithiau fesul un, weithiau hefo'i gilydd ac ar yr un pryd, a blaenau eu bysedd yn dawnsio dros ei gorff.

Roedd yntau wedi chwyddo'n fawr, a chwyddai'n fwy gyda phob cusan a phob anwesiad, nes i fysedd un ohonyn nhw siffrwd dros fotymau ei falog a'i ryddhau a chau amdano gan ei wasgu'n dyner . . .

. . . ac mewn ystafell dywyll filltiroedd uwchben y môr, ac â bloedd uchel o hapusrwydd pur, saethodd Grigori Daskalakis ei had dros ei fol a'i gluniau, a syrthio'n syth i drwmgwsg yn argyhoeddedig fod tonnau'r môr yn golchi'n ysgafn drosto, drosodd a throsodd a throsodd wrth i'r ddwy hudoles ganu iddo o'r traeth.

*

Nikos

Roedd yn ei ôl yn Kondomari, fel y byddai'n aml wrth bendwmpian, ac ambell ddarlun yn nofio trwy'i feddwl.

Cath yn gwingo wrth iddi farw dan ei law. Cwmwl du o bryfed yn codi'n swrth a chyndyn. Colofnau o fwg a fflamau'n dawnsio. Ei fam â'i thalcen wedi chwyddo'n fawr a chartwnaidd, a dyn hefo locsyn bwch gafr yn sgrechian wrth chwifio'i bistol. Pobol roedd o wedi'u nabod erioed yn tyllu, tyllu beddau yn y ddaear wrth i'r milwyr mewn dillad gwyrdd fynd o dŷ i dŷ yn llosgi, llosgi. Hen ddyn yn sefyll uwch ei ben yn erbyn cefndir o dân, ei ffon wedi'i chodi'n barod i'w daro, a'i wallt a'i locsyn gwyn yn edrych fel petaent hwythau, hefyd, yn poeri fflamau. A'r siaced werdd – y siaced werdd honno . . .

Neidiodd wrth ddeffro, ac ysgwyd ei ben yn ffyrnig. Ymdrechodd i feddwl am Maria, fel yr edrychai yr holl droeon hynny (yn enwedig y tro cyntaf un, pan sylweddolodd Nikos ei fod yn gallu sbecian arni), a hithau'n ymolchi ar ei sefyll yn y twb mawr pren o flaen y tân, ac yn cuchio wrth ganolbwyntio ar lusgo'r sebon a'r sbwnj a'r clwt dros ei chorff. Yng ngheg ei ogof oer, ceisiodd ail-greu'r wefr a deimlai bob tro y rhythai ar ei bronnau, fel dwy ellygen berffaith, ac ar y farf drwchus, ddu, llawn dirgelwch yna rhwng ei choesau. Y sioc a deimlodd y tro cyntaf hwnnw pan sylweddolodd fod llawer mwy i Maria na'r hogan bryfoclyd honno a fynnai roi fflic chwareus i'w glustiau

295

bob hyn a hyn – sylweddoli ei bod hi'n *ddynes*, ac mai hon, y dduwies ifanc noeth, wlyb yma, oedd y Faria go iawn, ac mai dim ond gwisg neu fwgwd oedd y Faria arall ddireidus honno.

Ond fedrai o ddim meddwl amdani heno heb weld ei hwyneb wrth iddi ei waldio – ei guro allan yn y stryd o flaen ei ffrindiau – ac fel roedd o wedi lapio'i freichiau dros ei ben a chuddio'i wyneb, nid rhag ergydion ei dwylo ond i guddio'r dagrau a lifai i lawr ei ruddiau plentynnaidd.

Unwaith eto, ysgydwodd ei ben â'r un ffyrnigrwydd ofer, ac unwaith eto mynnodd ei ludded ei lusgo'n ôl adra. Adra i Kondomari. Cyn i'r Germani ei ddwyn oddi arno.

A sodro darlun arall yn ei ben ohono fo'i hun a dau o'i ffrindiau, eu tri o fewn dim i wneud llond eu trowsusau pan welson nhw'r milwr Almaenig yn sefyll yno yng nghanol y coed olewydd, ac yn sbio'n syth arnyn nhw.

*

Dyma'r diwrnod cyntaf ers dyddiau lawer i'r hogia gael crwydro rhywfaint o'u cartrefi. Cyn hynny, roeddan nhw wedi cael eu caethiwo gan sŵn yr ymladd a'r saethu a'r ffrwydro o gyfeiriad Hania, ddydd a nos, fel cerddorfa fawr o ddim byd ond chwaraewyr drymiau.

'Ond ddim yn *rhy* bell!' Dyna'r un siars a gawsai'r tri gan eu rhieni, a Georgios, tad Nikos, yn ategu ei fod yn disgwyl i Nikos 'aros o fewn sŵn ei chwiban' drwy'r adeg, a Duw a'i helpo pe byddai raid i Georgios chwibanu fwy na dwywaith.

Yn ôl Ioannis, roedd y Germani'n bwyta pobol, yn enwedig plant – a nhwythau'n dal yn fyw! Barn Nikos am hynny oedd '*Malakíes*!' – gair roedd o newydd ei ddysgu ac yn hoff o'i ddefnyddio efo'i ffrindiau, hyd yn oed os cytunai efo'r hyn a gawsai ei ddweud. 'Cachu rwtsh!'

'Dwi'n *deud* 'that ti,' meddai Ioannis.

'Sut wyt ti'n gwbod?'

'Manoussos ddeudodd wrtha i,' atebodd Ioannis, hefo nòd swta fel petai hynny'n setlo'r peth unwaith ac am byth. Nai i'r ddynes oedd yn byw'r drws nesaf i Ioannis oedd y Manoussos hwn, ac yn dipyn o arwr gan Ioannis gan ei fod wedi lladd tri Almaenwr yn ystod y frwydr fawr yn Hania, a hynny â'i ddwylo yn unig.

'*Malakíes!*' ddeudodd Vangeli hefyd – brawd mawr Nikos a'r un a ddysgodd y gair i Nikos – pan glywodd yntau'r stori. 'Pwy ddeudodd hynna wrthat ti?'

'Ioannis,' meddai Nikos.

'A phwy ddeudodd wrtho fo?'

Cododd Nikos ei ysgwyddau.

'Hy! Manoussos ei hun, mwn. Yr un Manoussos ag sy'n cachu planciau pan fydd iâr yn dŵad amdano fo,' meddai Vangeli.

Roedd Nikos wedi teimlo braidd yn flin hefo'i frawd mawr am ddifetha stori dda. Falla mai cenfigennus oedd o fod Manoussos wedi gwneud rhywbeth mor ddewr, a fynta ddim. Felly'r tro nesaf y galwodd Manoussos i weld ei fodryb, roedd Nikos wedi craffu ar ei ddwylo gan obeithio gweld dwy law fawr a chyhyrog, a'r croen yn galed fel haearn dros esgyrn grymus – offer ar gyfer lladd. Ond yr hyn a welodd, er mawr siom iddo, oedd pethau llipa, hynod o feddal, ac erbyn meddwl, rhyw greadur tenau ac eiddil ei olwg oedd y Manoussos 'na mewn gwirionedd, wastad â'i drwyn mewn llyfr.

Felly, gofynnodd Nikos rŵan i Ioannis, 'A sut ma *hwnnw*'n gwbod?'

Edrychodd Ioannis arno fel tasa Nikos wedi cablu. 'Mi welodd o nhw wrthi, yndô?'

Roedd hyn yn ormod hyd yn oed i Marios, yr hogyn arall, oedd wastad yn barod iawn i lyncu unrhyw stori, waeth pa mor hurt.

'*O, do!*' meddai'n goeglyd.

'Do!' taerodd Ioannis. 'Dyna pam lladdodd o nhw, yndê?'

'Hm . . .' meddai Nikos. Cododd frigyn oddi ar y ffordd a'i ddal wrth ei ysgwydd fel reiffl, gan ei bwyntio tua'r awyr a gwneud synau saethu, er nad oedd unrhyw barasiwt i'w weld yn nofio heddiw i lawr drwy'r ffurfafen las. '*Malakíes!*' meddai eto.

Dechreuodd Ioannis fynd i hwyl, a'i ddychymyg yn gweithio

fel coblyn. 'Gofynna iddo fo, ta, tro nesa gweli di fo, os nad wyt ti'n 'y nghoelio fi! Mi ddeudith wrthat ti – roeddan nhw'n ista mewn cylch wrth yr harbwr mawr yn Hania, ac mi oeddan nhw wedi dal dyn a hogyn, ac efo'u beionets roeddan nhw'n llifio braich yr hogyn i ffwrdd ac yn gneud twll ym mol y dyn, ac yn golchi'r fraich yn y twll, yn y gwaed, ac yna'n ei bwyta hi fel byddwn ni'n ei neud efo bara a chaws gwlyb.'

Er mor wallgof oedd y stori, roedd rhywbeth amdani'n apelio'n fawr at ddychymyg Nikos – ac at un Marios, hefyd, oherwydd roedd hwnnw'n rhythu ar Ioannis â'i geg yn llydan agored, a'i lygaid yn grwn fel soseri.

Tan hynny, ddim ond o bell roeddan nhw wedi gweld yr Almaenwyr, a hynny yn yr awyr wrth iddyn nhw ddisgyn dan gysgod eu parasiwtiau, yn fawr mwy na dotiau bychain.

Blodau dant y llew yr Alpau'n cael eu chwythu dros gynfas las.

*

Wrth iddyn nhw ddadlau ymhellach faint o wirionedd oedd 'na yn stori Manoussos – dim, fel mae'n digwydd: doedd y creadur ddim ond wedi'i hadrodd er mwyn plesio'i fodryb oedd ar y pryd yn ceisio meddwl am wahanol ffyrdd o ddychryn Ioannis a rhai o blant eraill Kondomari rhag crwydro o gwmpas y lle – roedd yr hogia, heb iddyn nhw sylweddoli, bron, wedi dilyn eu llwybr arferol i ganol y coed olewydd a dyfai'n dew o gwmpas y pentref. Gan fod Ioannis a Nikos yn dal i ddadlau, Marios oedd y cyntaf o'r tri i weld y milwr. Safodd yn stond a rhythu, gan beri i'r ddau arall, oedd rhyw lathen y tu ôl iddo, gerdded i mewn iddo ac yna'i felltithio, nes iddynt sylweddoli beth oedd wedi gwneud i'r hogyn aros mor ddirybudd.

Eu hymateb cyntaf o weld y milwr yn sefyll yno'n pwyso yn erbyn un o'r coed ac yn syllu arnyn nhw oedd troi a'i sgidadlio hi oddi yno nerth eu traed. Yn wir, roeddan nhw wedi dechrau troi cyn i Nikos sylweddoli nad oedd y milwr wedi ymateb o gwbwl iddyn nhw. Edrychodd arno eto, yn fwy manwl y tro hwn, a dyna pryd y sylweddolodd nad sefyll a'i gefn yn pwyso yn erbyn y goeden yr oedd yr Almaenwr, ond yn hytrach hongian ohoni gerfydd strapiau ei barasiwt, a blaenau ei draed yn cyffwrdd â'r ddaear.

'Wo!' gwaeddodd ar y ddau arall oedd yn prysur ddiflannu yn eu holau drwy'r coed. 'Arhoswch.'

'Be?'

'Mae o 'di marw!'

Arhosodd Ioannis a Marios ac edrych yn ôl dros eu hysgwyddau, braidd yn ansicr beth oedd waethaf: dod wyneb yn wyneb â milwr Almaenig, neu dod wyneb yn wyneb â milwr Almaenig oedd yn gelain. Ond roedd Nikos wedi cychwyn tuag ato.

'Nikos!' rhybuddiodd Ioannis.

'Ma'n ol-reit, neith o ddim byd i ni. Neith hwn ddim byd i neb bellach.'

Ac i brofi hynny, taflodd Nikos ei ffon at y milwr fel tasa fo'n taflu gwawyffon. Trawodd blaen y ffon y milwr yn ei ben. Symudodd o ddim o gwbl, dim ond hongian yno'n llonydd ac yn syllu arnyn nhw.

'Dach chi'n gweld?'

Nodiodd y ddau arall ond roeddan nhw'n dal i fod ychydig yn ansicr. Roedd helmed y milwr wedi dod yn rhydd yn ystod ei gwymp, a gorweddai ychydig i un ochr ar ei ben, gan roi iddo ryw osgo talog, rhyfedd. Roedd ei wallt i'w weld yn glir oddi tani.

'Ma gynno fo wallt du,' sibrydodd Ioannis.

'Wel?' sibrydodd Nikos yn ôl.

'Ro'n i'n meddwl mai gwallt melyn oedd gan y Germani,' meddai Ioannis. 'Gwallt melyn a llygaid glas, glas, oer.'

'Gwallt tywyll sy gen hwn,' ategodd Marios, yntau hefyd yn sibrwd. 'Fel sy gynnon ni.'

'Ia, ond Germani ydi o,' meddai Nikos.

Pwyntiodd ato. Gwisgai'r milwr diwnig werdd, ac wedi'i wnïo arni roedd bathodyn ar ffurf eryr yn hedfan, a chroes gam y swastica wedi'i dal rhwng ei grafangau. Roedd yr un math o eryr i'w weld ar ochr helmed y milwr hefyd.

Yna trodd Marios i ffwrdd yn sydyn gan ebychu'n uchel, ei law dros ei drwyn a'i geg. 'Ych, mae o'n drewi!'

Symudodd Ioannis yn ei ôl hefyd, yntau a'i law dros ei geg. Ond camodd Nikos yn nes at y milwr.

'Nikos, ti'm yn gall!' sibrydodd Marios.

'Ma'n iawn os nad wyt ti'n anadlu trwy dy drwyn,' meddai Nikos, heb droi oddi wrth y milwr. Heb sibrwd y tro hwn, chwaith, a swniai ei lais yn annaturiol o uchel i'r lleill. Gwyliodd y ddau wrth i Nikos blygu a chodi'i ffon oddi ar y ddaear. Prociodd y milwr droeon efo'i blaen, fel tasa fo'n procio tân, a theimlai'r ddau arall eu stumogau'n rhoi hwb wrth i gwmwl o bryfed godi oddi ar gorff y milwr.

Doedd hynny i'w weld yn poeni 'run iot ar Nikos. Safai yno'n syllu ar y milwr fel tasa fo'n gweld rhyw ryfeddod mawr. Roedd y corff yno ers dyddiau, roedd hi'n amlwg – doedd dim angen y drewdod a godai ohono i ddweud hynny wrtho, oherwydd roedd wyneb y milwr yn hollol wyn ac awgrym o wyrddni o dan y cnawd, a'r gwythiennau i'w gweld yn glir fel afonydd ar fap.

'Nikos, be ti'n *neud*?' meddai Ioannis.

'Dim byd. Mond sbio.'

A meddyliodd Nikos – *hwn* ydi'r gelyn? Fawr mwy na hogyn, hefo ambell bloryn yma ac acw ar ei dalcen a'i ên. Hwn ydi'r bwgan mawr, y canibal sy'n hoffi bwyta plant yn fyw? Prociodd y milwr eto efo'i ffon, yna'i waldio a'i chwipio.

Yna sylwodd ar ei arfau. Pistol mewn holster ar ei glun dde, a dagr mewn gwain ar ei glun chwith. Heb feddwl am y peth, estynnodd amdanynt, gan dynnu'r gyllell yn rhydd â'i law dde a'r pistol â'i law chwith.

Trodd a'u dangos i'r ddau arall.

'Dyro nhw'n ôl!' meddai Ioannis.

Edrychodd Nikos arno fel tasa Ioannis wedi siarad iaith estron. 'Pam?' meddai.

'Wel . . . dwyt ti ddim i fod i'w cymryd nhw.'

'Pam?' meddai Nikos wedyn, ond doedd dim ateb gan Ioannis. Rhythodd ar y ddagr a'r dryll.

'Fi sy pia nhw rŵan – iawn?' meddai Nikos.

Nodiodd y ddau arall. Doedd arnyn nhw mo'u heisiau, dyna'r gwir amdani: gwnâi'r arfau iddyn nhw deimlo'n ddigon annifyr, ac mi fuasen nhw'n rhoi'r byd am weld Nikos yn eu rhoi'n ôl.

Cliriodd Marios ei wddw. 'Lle . . . lle mae'i reiffl o?'

'Dwi'm yn gwbod,' atebodd Nikos. Doedd dim golwg ohono ar y ddaear wrth draed y milwr. 'Falla'i fod o wedi'i ollwng o yn rhywla arall.' Doedd yr hogia ddim i wybod y byddai'r Almaenwyr yn gadael eu reifflau ar ôl yn yr awyren pan fyddai gofyn iddyn nhw lanio â pharasiwt.

'Yn lle?' gofynnodd Ioannis yn ddigon rhesymol. 'Dydi o ddim wedi bod yn nunlla, nac'di? Ddim os ydi o'n sownd yn y goedan 'ma.'

'Falla fod rhywun arall wedi mynd â'r reiffl,' meddai Nikos.

'Pwy?'

'Wel, dwi'm yn gwbod, nac'dw?'

'Pam na fasan nhw wedi mynd â'r gyllall 'na hefyd? A'r gwn?'

'Dwi'm yn *gwbod* – iawn?!'

Camodd y ddau arall yn eu holau oddi wrth Nikos; doeddan nhw ddim wedi hoffi'r tywyllwch sydyn a welson nhw'n llenwi'i wyneb am eiliad, nac ychwaith y ffordd roedd o'n gafael yn y ddagr a'r pistol, bron fel tasa fo'n eu hanwesu.

Marios oedd y cyntaf i ddweud, 'Dwi'n mynd adra,' a rhoes hynny'r plwc i Ioannis hefyd ddweud, 'A finna.'

Ond bron nad oedd Nikos fel tasa fo heb eu clywed nhw. Cychwynnodd y ddau am adra, a phan droeson nhw ac edrych yn eu holau, roedd Nikos yn dal i sefyll yno'n troi'r arfau yn ei ddwylo, ei lygaid weithiau'n crwydro'n ôl at y milwr. Edrychodd Marios ac Ioannis ar ei gilydd, ill dau'n teimlo'n anghyffforddus iawn erbyn hyn.

'Nikos,' mentrodd Ioannis. 'Tyd.'

Heb godi'i ben i'w cyfeiriad, meddai Nikos, 'Doswch chi. Mi ddo' i ar 'ych hola chi rŵan.'

Trodd y ddau arall a dechrau cerdded i ffwrdd, ond ddim ond yn dow-dow. Ymhen ychydig, yng nghysgod y coed diwethaf cyn y ffordd, clywsant Nikos yn dod ar eu holau. Roedd o'n cario rhywbeth o dan ei fraich – rhywbeth gwyrdd.

Siaced y milwr. Ac ar ei wyneb, gwisgai Nikos wên fach oeraidd, hunanfodlon.

*

Yng ngheg yr ogof rhoddodd Nikos naid, a sgrialu'n wyllt i dynnu'r clogyn oddi amdano – yn argyhoeddedig, rhwng cwsg ac effro, mai'r siaced werdd honno oedd rywsut wedi'i ddilyn ac wedi lapio'i hun amdano wrth iddo gysgu. Bron na allai daeru fod drewdod y milwr Almaenig yn llenwi'i ffroenau, a bod cwmwl o bryfed tewion, swnllyd yn troi a throsi o gwmpas ei ben.

Llwyddodd i'w gadw'i hun yn effro am rai munudau drwy syllu ar y sêr, ond yna neidiodd eto gan feddwl bod cath wedi neidio ar ei lin a gadael ei gwaed dros ei ddillad.

Cododd a cherddodd allan o gysgod yr ogof. Yng ngolau'r lleuad, roedd silwét coeden ddraenen wen uwch ei ben yn ymddangos fel hen ddynes filain, flin oedd yn gwneud ei gorau i ymestyn i fyny i'r awyr er mwyn cael llusgo'i hewinedd hyd wyneb y lloer. Ceisiodd ddilyn cyngor Yanni a defnyddio'i synhwyrau yn y gobaith ei fod yn nes nag y tybiai at ble bynnag yr oedd yr hen fugail, ond allai o ddim clywed yr un fref nac arogli'r praidd ar yr awel.

Aeth yn ei ôl i mewn i'r ogof a cheisio cysgu go iawn, ond roedd y darluniau wedi setlo yn ei feddwl bellach. Y siaced werdd yn cael ei throsglwyddo o law i law a'i hastudio'n fanwl – yn enwedig felly'r twll bach crwn, taclus yn ei chefn. Doedd dim byd taclus na chrwn ynglŷn â'r twll yn nhu blaen crys y milwr, cofiai, oherwydd roedd y fwled – lle bynnag roedd honno bellach – wedi gwneud llanast mawr wrth dwnelu drwy'i gorff, a ffrwydro allan o'i fron.

Oddi yno y codai'r pryfed yn un haid – pob un yn llawn ac yn ddiog o bydredd a gwaed.

*

Roedd wedi rhegi dan ei wynt pan welodd fod yr Almaenwyr wedi dod o hyd i'r siaced. Rhaid eu bod nhw wedi tynnu pob dilledyn o'r gist fawr bren yn ystafell ei rieni – hyd yn oed yr hen gôt fawr racslyd honno na welsai olau dydd ers pan oedd ei dad yn ddyn ifanc. Ond chawson nhw ddim hyd i'r pistol a'r ddagr. Camgymeriad ar ei ran oedd cuddio'r siaced yn y tŷ – ond ei chuddio hi oddi wrth ei rieni a'i frawd yr oedd o; doedd o ddim wedi bargeinio am lond pedair lori o'r moch yma'n sgrialu trwy bob twll a chornel. Roedd y ddagr a'r pistol, fodd bynnag, yn hollol saff, roedd o'n sicr o hynny.

Toedd y gath yn eu gwarchod?

Mewn ffordd, y milwr ei hun a'i ddrewdod oedd wedi rhoi iddo'r syniad beth i'w neud hefo'r ddagr a'r pistol. Yr ochr arall i'r clawdd y tu ôl i dŷ Nikos, roedd 'na wely afon wedi hen sychu, a phob math o fieri'n ceisio'u tagu'i gilydd ar y glannau. Yno, o'r golwg yng nghanol y drain, yn prysur edmygu'r pistol ac yn brwydro'n galed yn erbyn yr ysfa anorchfygol i dynnu'r triger yr oedd Nikos pan deimlodd rywbeth cynnes a blewog yn rhwbio yn erbyn ei goesau. Neidiodd cyn sylweddoli mai un o gathod y pentref oedd yno – un o'r dwsinau nad oedd yn perthyn i neb, mewn gwirionedd – a'r hen gath wedi'i ddilyn i ganol y drain yn y gobaith y byddai ganddo rywbeth i'w fwyta yn ei bocedi.

Roedd ar fin ei hanfon oddi yno pan gafodd y syniad. 'Pws-pws-pwsss,' meddai, a phan ddaeth y gath yn ei hôl ato a rhwbio'i phen yn erbyn cledr ei law chwith, â'i law dde tynnodd ochr finiog y ddagr ar draws ei gwddw. Doedd o ddim wedi meddwl bod cymaint o waed y tu mewn i anifail mor fychan, ac er ei bod wedi marw fwy neu lai'n syth bìn, daliodd ei chorff i wingo am rai munudau cyn llonyddu. Yna, lapiodd y pistol a'r ddagr yn eu holau yn y bwndel o hen glytiau ei fam roedd o wedi'u cymryd o'r tŷ y diwrnod cynt, a rhoi'r bwndel yn ei ôl yn y twll yn y ddaear. Dros y twll, wedyn, gosododd gorff y gath.

Byddai wedi dechrau drewi erbyn diwedd y dydd, a go brin y byddai neb yn mentro cyffwrdd ynddi hyd yn oed pe bai rhywun yn digwydd dod ar ei thraws, yma yng nghanol y drain.

*

Ac wedyn . . . beth?

Y lluniau, dyna beth – yn adrodd hanes, yn creu atgof. Pob un yn crynu drwy'i feddwl fesul un, a phob un yn creu teimlad gwahanol yng ngwaelodion ei stumog.

Y cywilydd pan gamodd ei dad ymlaen a dweud rhywbeth wrth y swyddog hwnnw oedd yn sgrechian arnyn nhw fel dyn o'i go – un arall pryd tywyll â locsyn bach bwch gafr a helmed haul fawr ar ei ben (a lle *ma*'r holl wallltiau melyn 'ma y clywson ni gymaint o sôn amdanyn nhw?). Rhagor o gywilydd wedyn pan wnaeth ei dad a Vangeli ddim byd ond sefyll yno fel ŵyn llywaeth, a gadael i'r milwyr losgi eu cartref.

Y mwg du yn codi'n araf, araf i'r awyr, a Nikos yn meddwl ar y pryd, ar ei fol wrth fôn un o'r coed olewydd uwchben y pentref, am y cwmwl o bryfed a gododd o'r twll mawr hyll hwnnw ym mron y milwr marw.

Manoussos wedyn yn beichio crio wrth siarad efo'r swyddogion. Ia, yn *crio*, a'i wyneb wedi crebachu fel hen afal. A-ha! Fo, Nikos, oedd yn iawn drwy'r amser; fo a Vangeli oedd wedi deud y basa Manoussos yn cachu llond ei drowsus tasa iâr yn dod amdano fo.

Manoussos, a oedd mor debyg mewn sawl ffordd i'r llipryn di-ddim hwnnw o athro, hwnnw fyddai'n gadael i'w lygaid setlo'n rhy hir ar Maria bob tro y gwelai hi, fo a'i gorun moel a'i sbectol yn sgleinio yn yr haul, fo a ymguddiai o'r golwg bob tro y dôi'r Germani i'r pentref. Roedd hyd yn oed y bastad Siphi hwnnw'n fwy o ddyn na'r tipyn athro, er mai ymguddio a wnâi hwnnw hefyd, mewn ogof neu atig . . .

Yn ei gwsg, yn ei ogof fechan, gwingodd Nikos a gwên fach ar ei wyneb, oherwydd waeth faint o rythu a wnâi'r ddau arall ar Maria, roedd *o* wedi gweld pob modfedd ohoni wrth iddi ymolchi. Hi a'i mam, petai'n dod i hynny – y ferch yn edrych flynyddoedd yn hŷn pan safai yn y twb mawr pren, a'r fam yn edrych flynyddoedd yn iau.

Ond yna daeth ei fam ei hun i'w feddwl, yn syrthio ar ei hyd a'i thalcen yn pistyllio gwaedu, y cochni annisgwyl yn llachar ar lwch gwyn y ffordd. Ei dad a'i frawd llwfr yn gadael i hyn ddigwydd, yn gadael i'r moch eu heidio i ganol y coed wrth i'r milwyr eraill sefyll mewn rhes a'u reifflau'n pwyntio tuag atyn nhw, a'r swyddog llawn sterics hwnnw'n codi'i law i'r awyr ac yna'n ei gostwng. Ac wedi i'r mwg glirio, ei dad a Vangeli a Manoussos a thad Ioannis a thad Marios a brodyr mawr y ddau yn gorwedd yn llonydd yng nghysgod y coed, fel tasan nhw wedi disgyn yn sypiau o'r brigau.

Dyna pryd yr aeth Nikos i gysgu go iawn, oherwydd y llun nesaf a welai fuasai'r un o bobol y pentref yn cloddio'r beddau yng ngwres yr haul a'r fflamau. Yna, ar ôl i'r Germani fynd, a Kondomari'n dal i losgi, Nikos yn mynd i gefn hynny oedd ar ôl o'r tŷ ac i ganol y drain at gorff marw'r gath. Ac oedd, mi *oedd* hi'n drewi erbyn hynny – yn drewi'n ofnadwy – ond dim ots, roedd y pistol a'r ddagr yn hollol saff . . .

. . . nes iddo edrych i fyny a gweld Emmanuel Kostifis yn sefyll yno'n rhythu i lawr arno'n ffyrnig, ei fafr wen a'i wallt trwchus yn edrych fel petaent hwythau, hefyd, yn poeri mwg a fflamau. Dechreuodd weiddi ar Nikos yn ei lais hen ddyn crynedig, a'i daro efo'i ffon nes i Nikos ollwng y pistol a'r ddagr a sgrialu'n ei ôl trwy'r drain, fel cranc allan o glwstwr o wymon, wysg ei ochr ac ar ei ben-ôl a'i sodlau a'i bengliniau, nes iddo fedru codi a rhedeg i chwilio am ei fam, a sylweddoli wedyn mai'r bore hwnnw, cyn i'r moch ddŵad i'r pentref, oedd y tro olaf i'w fam wybod pwy oedd o.

Ac mewn ogof fach gul ar lethrau Mynydd Ida, wylodd Nikos yn ei gwsg. Oherwydd ei gwsg oedd yr unig le y medrai'r hogyn bach ifanc colledig hwn wylo.

*

Marko

Alla i ddim . . .

Doedd Marko ddim yn siŵr iawn be'n union oedd yn digwydd. Roedd yn ymwybodol fod rhywun yn gweiddi rhywbeth, ond ar y pryd roedd o'n eistedd â'i ben i lawr rhwng ei gliniau ac yn crynu trwyddo er ei fod yn llygad yr haul.

Ond allai'r un haul gynhesu rhywun ac arno gysgod Charon.

Charon, hen gychwr afon Angau – neu yn hytrach, i Roegwr fel fo, Charon, *Angau ei hun.*

Gwyddai heb godi'i ben nad oedd neb arall ar ei gyfyl: roeddan nhw i gyd yr ochr arall i'r creigiau, i lawr ar y llwybr. Rŵan! meddyliodd – rŵan ydi'r amser i godi a mynd, heb ddeud gair. Dim ond mynd a mynd a mynd.

Ond *alla* i ddim.

Syllai i lawr ar y ddaear rhwng ei draed, ond yr unig beth a welai yn ei feddwl oedd Manoli a Levtheri'n cael eu llusgo i ffwrdd gan yr Almaenwyr. Dyna'r cip olaf a gafodd Marko arnyn nhw, yn hongian yn llipa ym mreichiau'r milwyr fel dau sachaid o datws, eu hwynebau'n waed i gyd ac yn amlwg yn anymwybodol.

Ei dad a'i frawd. Ym mreichiau'r Almaenwyr, yn nwylo'r Almaenwyr.

A hyd yn oed pe na bai bwledi'n sgrechian o'u cwmpas fel cenllysg chwilboeth, yna go brin y byddai'r *andártes* wedi ceisio saethu'r milwyr a lusgai'r ddau i ffwrdd, rhag ofn iddyn nhw daro Manoli neu Levtheri. Ond, o ystyried yr hyn a wynebai'r ddau yn y carchar yn Hania – yr artaith ddychrynllyd a'r dienyddio anochel – yna hwyrach y basa hi wedi bod yn well petai rhywun wedi'u saethu nhw yma.

Tasa fo ddim ond wedi gwrando ar Xylouris ac aros efo'r mulod. Tasa fo wedi anwybyddu'r demtasiwn wirion i brofi i'r lleill ei fod o cystal â nhw. Tasa fo wedi gwthio pob darlun o Eris Stagakis, y ferch harddaf yn Anogia, o'i ben; tasa fo ddim ond wedi aros adra yn y lle cynta efo'i fam a'i chwaer . . .

Aeth cryndod anferth drwyddo wrth iddo sylweddoli nad ei dad a'i frawd oedd yr unig rai iddo'u colli heddiw. Roedd o hefyd wedi colli Thera a Maria, oherwydd gwyddai na fedrai byth, byth fynd yn ôl i Anogia ar ôl hyn.

Doedd yr un o'r *andártes* eraill wedi dod ar ei gyfyl ers i Xylouris ei lusgo i'r fan yma a'i sodro i lawr ar ei din. Neb wedi cynnig unrhyw air o gysur nac o gydymdeimlad. Doedd hyd yn oed y mulod ddim yma; roeddan nhw wedi diflannu i lawr y mynydd hefo'r bocsys o arfau ar eu cefnau, hwythau hefyd yn siŵr o fod yn nwylo'r Almaenwyr erbyn hyn.

Clywodd y dynion eraill yn dod yn eu holau ond chododd o mo'i ben nes i rywun roi cic iddo yn ei glun. Hyd yn oed wedyn, mi gymerodd hi funud neu ddau o sychu'i lygaid a'i drwyn sneiplyd cyn iddo fedru gweld yn iawn.

Eisteddai dau Almaenwr ar eu dwylo yng nghysgod y graig gyferbyn, eu hwynebau'n wyn a'u llygaid yn neidio o un *andárte* i'r llall. Un ohonyn nhw oedd yr hogyn tal, main fu'n poenydio Andrea'r bugail ifanc yn gynharach, a gwnâi gwelwder ei gnawd i'r plorod anghynnes ar ei ên a'i dalcen edrych fel gwreichion tân yn mudlosgi. Roedd y milwr arall ychydig yn hŷn, ac erbyn hyn roedd ei lygaid ynghau a'i wefusau'n symud yn gyflym wrth iddo weddïo.

Sylweddolodd Marko fod Xylouris yn siarad hefo'r *andártes* eraill a'u bod nhw i gyd yn edrych tuag ato fo bob hyn a hyn. Yna rhoes Xylouris nòd fechan ar Nikolaos, a chafodd Marko gic arall gan hwnnw.

'Tyd.'

Ymchwyddodd cysgod Charon, gan anadlu'n oer drosto. Cydiodd Nikolaos ynddo gerfydd ei wallt a'i dynnu ar ei draed.

'Tyd! Ma'r *kapetán* am roi un cyfla arall i ti.'

'Be?'

Heb air pellach, llusgodd Nikolaos o at Xylouris a'r *andártes* eraill, a phob un ohonyn nhw – gan gynnwys y bugail ifanc, Andrea, oedd ac ôl dagrau ar ei ruddiau – yn gwgu arno.

Syllodd Xylouris arno am eiliadau hir cyn siarad.

'Fel gwyddost ti, fe gafodd dau ddyn dewr, dau wladgarwr, eu cipio gan y gelyn heddiw. Rydan ni newydd gladdu un arall. Gan na fasan ni wedi gorfod gneud hynny, fwy na thebyg, oni bai amdanat ti, penderfynwyd mai doethach fyddai peidio dy gael di'n bresennol yn yr angladd, yn enwedig o ystyried bod sawl un ohonan ni'n ysu am gael dy gladdu ditha hefyd.'

Ysbrydolodd hyn gryn dipyn o borthi ymhlith yr *andártes* – pawb ond Andrea'r bugail ifanc, a safai yno'n gwgu'n dawel ar Marko.

'Yr unig beth sy'n dy gadw di rhag bod yn y ddaear,' meddai Xylouris, 'ydi'r ffaith dy fod ti wedi dioddef dwy golled heddiw – er mai ti dy hun sy'n gyfrifol am hynny yn y pen draw.'

Gwnaeth Xylouris ystum ar Nikolaos ac un arall o'r *andártes*, ac aeth y tri draw at y ddau Almaenwr. Pan welodd y rheiny nhw'n dod, gwasgodd yr hynaf ei lygaid ar gau yn dynnach nag erioed, a symudai ei wefusau ychydig yn gyflymach wrth iddo weddïo'n fwy taer. Dechreuodd yr un ifanc grio. '*Bitte! Bitte!*' meddai, drosodd a throsodd, ddim ond i gael clustan gan Nikolaos. A meddyliodd Marko: Be sy wedi digwydd i hwn? Prin dwi'n nabod Nikolaos bellach. Mae hen ffrind i'r teulu wedi troi'n ddyn hollol ddiarth.

Cofiai Nikolaos yn sgwrsio'n dawel efo fo, wythnosau'n ôl bellach – fisoedd, hyd yn oed, pan oeddan nhw newydd adael Anogia, a Marko'n llawn ohono'i hun. 'Pan fydda i'n gweld un o'r Germani,' meddai wrth Marko, 'wyddost ti be fydda i'n ei weld? Hogyn ifanc – fawr hŷn na Gaia – ymhell, bell o'i gartra.' Roedd Marko wedi nodio, yna ar ôl troi ei ben draw, wedi rowlio'i lygaid yn ddilornus a meddwl, be ma'r hen ffŵl yma'n ei baldaruo? A deud y gwir, be mae o'n dda yma efo'r *andártes*? Mi fasa'n well iddo fod wedi aros adra. Achos *dwi*'n gwbod, pan wela i un o'r Germani, mai'r hyn fydda i'n ei weld fydd gelyn, a dyna fo. Rhywun sydd am dreisio'r wlad 'ma, am dreisio'n mamau a'n chwiorydd a'n cariadon, ac am ladd ein brodyr a'n tadau – ac yn sicr, pan ddo' i ar draws un, fydda i ddim yn gwastraffu amser yn cydymdeimlo efo'r bastad, ma hynny'n saff.

Dyna'n union beth oedd o'i flaen rŵan, yn gwingo ar y ddaear – hogyn ifanc, iau na fo, a dim ond rhyw flwyddyn neu ddwy yn hŷn na Gaia ac Eris Stagakis a Maria – yng ngwisg y gelyn, ymhell oddi cartref, ac yn llythrennol yn piso yn ei drowsus. Gallai Marko weld y staen tywyll yn ymledu o gwmpas y balog.

Gwyliodd fysedd Nikolaos a'r *andárte* arall, Alekos – un arall o ddynion Anogia, dyn tawedog a di-lol – yn mynd trwy siacedi'r ddau filwr nes iddyn nhw ddod o hyd i ddau lun: llun dynes ifanc â gwallt cyrliog, cwta, yn amlwg wedi'i dynnu mewn stiwdio ffotograffydd, ym mhoced yr hynaf o'r ddau filwr (a wisgai fodrwy briodas, sylwodd Marko), ac un o bâr canol oed yn sefyll yn stiff ac yn ffurfiol mewn gardd neu barc ym mhoced yr ieuengaf. Rhoddwyd y lluniau yn ôl i'r milwyr, ac wrth i'r ieuengaf, yn ffwndrus, ddechrau rhoi llun ei rieni yn ôl yn ei boced, rhoddodd Nikolaos slasan iddo ar ei law a phwyntio at ei lygaid ei hun ac yna at y llun.

Deallodd y milwyr. Deallodd Marko hefyd. Hwn oedd eu cyfle olaf i ddweud ffarwél wrth eu hanwyliaid. Cofiai glywed rhai o'r *andártes* wythnosau ynghynt yn dweud fod yr un ffafr wedi'i chaniatáu i yrrwr car y Cadfridog Kreipe cyn iddo gael ei ddienyddio.

Neidiodd wrth i Xylouris ei bwnio'n galed yn ei gefn.

'*Mavrománika,*' meddai wrth Marko.

'Be?'

'Dy gyllell, hogyn!'

Daliodd y *kapetán* ei law allan ac, yn llywaeth, estynnodd Marko'r gyllell o'i gwain a'i rhoi iddo. Cyffyrddodd Xylouris ochr ei fawd yn erbyn ei blaen cyn nodio'n swta.

'Hwda.'

Edrychodd Marko i lawr yn hurt: roedd y gyllell yn ôl yn ei law. Cydiodd Nikolaos ac Alekos yn y milwr ieuengaf a'i lusgo ymlaen ychydig. Crefai y milwr, '*Nein*! *Bitte . . . bitte!*' gan feichio crio, ond yn ofer. Llusgodd Alekos o i fyny nes ei fod ar ei liniau, a'i ddal yn llonydd wrth i Nikolaos gydio mewn llond dwrn o'i wallt a rhoi herc i'w ben tuag i fyny ac yn ôl, nes bod yr afal breuant amlwg yn ei wddw tenau'n ymwthio allan dros goler ei diwnig. Trodd Alekos ei ben gan dynnu stumiau wrth i ddrewdod ymysgaroedd rhydd y milwr godi ohono. Roedd gweddïo'r milwr arall wedi peidio, a rhythai ar y milwr ifanc â'i lygaid yn anferth yn ei ben.

'*Bitte . . .*'

Prin y gallai'r milwr ifanc ddweud y gair erbyn hyn, dim ond ei sibrwd. Teimlodd Marko bwniad arall yn ei ochr.

'Tyd!'

Sylweddolodd fod llygaid pawb arno, yn disgwyl iddo ladd y milwr. *Yn disgwyl i mi ei ddienyddio.* Edrychodd i fyny ar Xylouris.

'Roeddat ti'n ddigon uchal dy gloch yn deud be fasat ti wedi'i neud i Kreipe tasat ti wedi cael y cyfla, yn doeddat?'

Byddai Marko wedi llyncu ei boer tasa ganddo fo boer, ond roedd ei geg yn hollol sych, a gallai glywed chwiban uchel, fain yn llenwi'i ben. Teimlai'r *mavrománika* yn drwm yn ei law. Edrychodd i lawr arni. Faint o weithiau roedd o wedi'i throi hi drosodd a throsodd yn ei ddwylo, gan gymryd arno'i fod o'n ei gwthio i mewn i gorff rhywun, neu'n ei thynnu'n gelfydd dros wddw tebyg i'r gwddw noeth a oedd o'i flaen y munud 'ma? Ond teimlai'r gyllell yn hollol ddieithr iddo, fel tasa fo rioed wedi cydio yn y fath beth yn ei fywyd.

'Tyd, Marko,' meddai Nikolaos. 'Gora po gynta – yn enwedig i'r hogyn 'ma.'

Camodd Marko ymlaen a gwasgodd y milwr ifanc ei lygaid ynghau yn dynn, dynn. Cododd Marko ei gyllell a rhythu arni. Yna edrychodd ar Nikolaos, a safai yno a gwallt seimllyd y milwr yn ei ddwrn.

'*Alla* i ddim . . .' meddai – a chredu iddo, am ennyd, weld rhywbeth tebyg i dosturi'n gwibio trwy lygaid Nikolaos.

Ohonyn nhw'u hunain rywsut, a Duw a ŵyr sut, roedd ei fysedd wedi agor a'r *mavrománika* wedi disgyn i'r ddaear. Yna syrthiodd Marko ar ei ochr wrth i rywbeth daro yn ei erbyn. Clywodd ebychiadau'r dynion eraill, a throdd ei ben a gweld y bugail ifanc, Andrea, yn cipio'r gyllell fawr oddi ar y llawr a'i gwthio â'i holl nerth i mewn i wddw'r milwr ifanc; yna'i thynnu allan a'i gwthio eto i mewn i'r gwddw, oedd rŵan yn saethu colofnau coch tywyll o waed i bob cyfeiriad, dros yr *andártes*, dros Marko a thros Andrea'i hun – nid bod ots ganddo wrth iddo rwygo'r gyllell allan eto fyth a'i chladdu am y trydydd tro yng ngwddw'r milwr.

Gadawodd Alekos a Nikolaos i'r corff ddisgyn, a gwingodd ar y ddaear gan wneud y sŵn gwichian mwyaf ofnadwy wrth i'r gwaed chwistrellu o'i wddw, ac i'w groen droi'n wynnach nag erioed . . . ac yno ar y ddaear roedd pen y milwr, fodfeddi oddi wrth wyneb Marko a'i lygaid wedi'u hoelio ar ei rai o, nes – o'r diwedd, a diolch i Dduw – y gwelodd Marko'r golau'n llifo o'r llygaid. Peidiodd y gwichian a llonyddodd y corff, ar wahân i ambell naid fechan gan y nerfau bob hyn a hyn.

Bu hyn i gyd yn ormod i'r milwr arall, ac roedd wedi hen lewygu. Plygodd Xylouris drosto hefo'i gyllell ei hun, a phan safodd ar ei draed roedd y milwr yn gelain. Fedrai Marko wneud dim ond gwylio wrth i'r *andártes* lusgo'r ddau gorpws at un o'r myrdd dyllau dyfnion sy'n britho mynyddoedd Creta ac, yn ôl arfer y Cretiaid, eu gollwng i mewn i'r twll.

Funudau'n ddiweddarach roedd Nikolaos wedi tynnu Marko ar ei draed cyn ei dywys o olwg y lleill a'i anfon i ffwrdd. Ac wrth iddo grynu yn ei ogof a chau ei lygaid a cheisio cysgu, rhoddai Marko Alevizakis ei fyd di-werth am fedru dod o hyd i ryw fymryn o gysur truenus, a meddwl am wynebau ei dad a'i fam a'i frawd a'i chwaer fach – meddwl amdanyn nhw'n gwenu ac yn chwerthin – ond roedd ei ymennydd yn gwrthod gadael iddo alw arnyn nhw.

Yn hytrach, yr hyn a welai Marko wrth gau ei lygaid oedd *mavrománika* waedlyd yn gorwedd yn y glaswellt byr, a llun o ddau berson canol oed, hollol ddieithr, yn sefyll mewn gardd neu barc, a dau lygad yn treiddio i mewn i'w lygaid yntau nes i'r golau ynddyn nhw ddiffodd.

17

Y lleidr edifeiriol

Roeddan nhw wedi gwneud yn siŵr ei fod yn gallu clywed pob dim.

Nid carchar tywyll, du mo hwn – ddim o'r ffasiwn beth – na daeargell yng nghrombil yr adeilad ychwaith, lle na fyddai siw na miw i'w glywed ddydd na nos. Buasai Levtheri wedi croesawu cael ei sodro yn un o'r rheiny. Yma, fodd bynnag, lle roedd hi fel popty o boeth yn ystod oriau hirion y dydd, gallai glywed popeth a ddigwyddai i lawr ar y buarth.

Yn un pen i'r buarth roedd wal drwchus, uchel – yn ôl y dyn tew, o leiaf. Siaradai am y wal â chryn awdurod, er bod ffenest y gell yn rhy uchel i neb fedru gweld i lawr drwyddi heb ddringo ysgol.

'Ma hi'n frith o dyllau,' meddai. Roedd o yn llewys ei grys, a staeniau chwys anferth dan ei geseiliau. 'Wal wen ydi hi, ond ma hi'n fudur. Yn sglyfaethus, a deud y gwir. Yn enwedig o gwmpas ei chanol, lle ma hi'n edrach fel tasa rhywun chwil ulw gaib wedi taflu paent browngoch drosti rywsut-rywsut – clamp o hen staen mawr hyll, a phryfed wastad yn setlo arno fo. Matar bach fasa'i golchi hi, wrth gwrs, neu hyd yn oed roi côt arall o baent iddi, ond wnân nhw mo hynny, siŵr. Ma nhw'n gwrthod gneud, y bastads iddyn nhw. A ti'n gwbod pam, yn dwyt?'

Ddywedodd Levtheri ddim byd. Doedd ganddo mo'r nerth, y diwrnod cyntaf hwnnw. Roedd ei gorff yn un swp o boen, o'i gorun i'w sawdl: ei lygaid wedi chwyddo, bron â chau, a sawl dant wedi'i golli – naill ai wedi'u dyrnu'n rhydd neu wedi'u rhwygo o'i geg – a'r tu mewn i'w wddw'n llosgi ar ôl yr holl ddŵr hallt y cawsai ei orfodi i'w yfed. A doedd wybod sut olwg oedd ar wadnau ei draed.

'Mi ddeuda i wrthat ti pam,' aeth y dyn tew yn ei flaen. 'Ym mhen pella'r iard, yn union gyferbyn â'r wal, ma 'na ddrws. Allan trwy hwnnw yr ei di – yr awn *ni*. A'r wal honno, efo'r staeniau browngoch drosti i gyd, fydd y peth cynta weli di wrth iti gamu allan trwy'r drws. Mi fydd hi yno'n dy wynebu di, ac yn mynd yn fwy ac yn futrach wrth i ti gael dy brocio'n nes ac yn nes ati. Ma'n siŵr, erbyn hynny, y byddi di wedi sylwi bod y llawr wrth droed y wal yn sglyfaethus hefyd – wedi'i gremstio hefo gwaed a chachu a phiso a does wbod be arall – ac mai yng nghanol hwnnw y byddi di'n gorfod sefyll fel llo yn disgwl i'r ffycars dy saethu di. Disgwl a disgwl a disgwl . . . a phob un wan jac o dy nerfa di'n dawnsio nes byddi di o fewn y dim i ddrysu.'

Yna, trodd y swnyn tew yn angel pan deimlodd Levtheri ddŵr ffres yn diferu dros ei wefusau, yn llifo i mewn i'w geg ac i lawr ei wddw. Ac ar ei waethaf ei hun, llanwodd ei lygaid â dagrau, wedi'u sbarduno gan yr un weithred fechan hon o garedigrwydd.

'Ond falla byddi di'n lwcus,' meddai'r dyn tew wedyn. 'Falla na fydd *raid* i ti gamu allan drwy'r drws hwnnw.'

Roedd clwtyn ganddo fo rŵan, hwnnw hefyd yn wlyb, a ffatiodd o'n dyner dros wyneb Levtheri wrth iddo siarad.

'Os medri di roi rywbath bach iddyn nhw – y mymryn lleia – falla gwnân nhw fodloni ar hynny, wyddost ti ddim.'

Ychydig mwy o ddŵr rhwng ei wefusau, ac yna'r clwtyn eto ar ei wyneb dolurus.

'Bargeinio,' meddai'r dyn tew, 'dyna'r peth i'w neud efo nhw, bargeinio. Does dim rhaid i ti arllwys dy galon, siŵr iawn, mond cynnig amball friwsionyn iddyn nhw, digon i dy gadw di'n fyw. Fydd y moch 'ma ddim hefo ni am byth. Y ffordd ma petha'n mynd efo nhw rŵan . . .'

Tawodd yn sydyn, a thrwy'i amrannau clwyfus gwelodd Levtheri ei gysgod yn symud at y mur o dan y ffenest uchel. 'Shh,' meddai, fel tasa Levtheri'n parablu fel melin bupur. Dôi ambell floedd o'r buarth – cyfarthiadau Almaenig – a meddyliodd Levtheri: Dwi ddim isio clywad hyn eto, dwi ddim isio gorfod gwrando – *dwi ddim isio clywad*! Ond, wrth gwrs, doedd ganddo fo ddim dewis – roedd o'n gorfod gwrando, ac roedd yn rhaid iddo glywed. Roeddan nhw wedi'i roi o yn y gell hon er mwyn iddo fedru clywed.

Daeth y gweiddi i ben, yna dau orchymyn ac oddeutu pum eiliad rhwng y ddau. Yna . . . eiliadau hirion o ddistawrwydd a llonyddwch.

Bron y gallai Levtheri glywed y llonyddwch. Nes – o'r diwedd, *o'r diwedd* – y gorchymyn olaf a bytheirio'r reifflau. Nid un ergyd dwt ond cyfres o rai stacato – fel petai'r tensiwn yn y bysedd a anwesai'r trigerau yn ormod i'r saethwyr allu eu gwasgu nhw i gyd yr un pryd.

'Bastads,' meddai'r dyn tew. Trodd oddi wrth y ffenest ac eistedd ar y silff bren drwchus oedd yn cael ei galw'n wely. 'Wyt ti'n meddwl mai dy dad oedd hwnna, Marko?' meddai.

Marko? meddyliodd Levtheri.

*

O oedd, roedd arnyn nhw eisiau iddo fo allu clywed hyn. Roeddan nhw am iddo ddioddef trwy bob dienyddiad, gan wybod y byddai'n meddwl, ai Nhad oedd hwnna?

Doedd o ddim wedi dweud wrthyn nhw fod Manoli'n dad iddo. Roedd yr Almaenwyr, yn enwedig y Gestapo, yn feistri ar ddefnyddio perthnasau yn erbyn ei gilydd, drwy arteithio a bygwth lladd un er mwyn i'r llall ddatgelu popeth. Ond hwyrach ei fod o wedi'i fradychu'i hun, i fyny ar y mynydd, wrth ruthro at Manoli ac aros efo fo wrth i'r Almaenwyr heidio tuag atyn nhw.

Pryd oedd hynny? Allai o ddim dweud. Roedd o a Manoli wedi cael eu llusgo i lawr o'r mynydd, eu gwthio a'u rhowlio a'u cicio a'u dyrnu, ac roedd yn wyrth fod Manoli'n dal yn fyw erbyn iddyn nhw gyrraedd y gwaelod, lle roedd y cerbydau'n aros amdanyn nhw. Dyna pryd y cawson nhw eu gwahanu – Levtheri'n cael ei gicio a'i golbio i mewn i un cerbyd, a Manoli'n

cael ei gario'n ddiymadferth i mewn i'r llall. Y cipolwg olaf a
gawsai Levtheri ar ei dad oedd gweld ei gorun moel yn diflannu
i mewn i gefn y lori. Dyna pryd y dechreuodd Levtheri weddïo
y byddai enaid Manoli wedi gadael ei gorff drylliedig ymhell
cyn iddyn nhw gyrraedd pen eu taith.

A'i enaid yntau hefyd, petai hi'n dod i hynny. Meddyliodd eto
am y Kapetán Giannis Dramountanis-Stefanogiannis yn troi ei
gefn arnyn nhw yn Anogia, ac yn neidio dros y clawdd a'i
ddwylo ynghlwm y tu ôl iddo, i'w gorfodi i'w saethu yn hytrach
na mynd â fo i'r carchar i gael ei boenydio i farwolaeth. Mi wna
innau'r un peth, addunedodd, y cyfle cynta ga' i. Ond chafodd
o mo'r cyfle: bron fel tasan nhw wedi darllen ei feddwl, cafodd
waldan galed ar draws ei ben â charn reiffl, a chaeodd y
tywyllwch amdano unwaith yn rhagor.

Pan ddeffrodd, roedd o mewn cell, a'i ben yn teimlo fel tasa
rhywun wedi plannu bwyell yng nghanol ei gorun. Credai ei
fod yno ar ei ben ei hun – allai o ddim synhwyro neb arall yn y
tywyllwch llethol o'i gwmpas. Fedrai o chwaith ddim symud
heb i'w gorff cyfan brotestio'n boenus, a chwydai drosto'i hun
bob tro y ceisiai symud ei ben. Dyheai am fod yn anymwybodol
ond hofran yn bryfoclyd y tu hwnt i'w gyrraedd roedd y
drugaredd honno.

Rywbryd, o rywle, clywodd rywun yn sgrechian. Mewn poen,
ia, ond hefyd mewn anobaith. Aeth y sgrechian ymlaen am
amser hir, a phan orffennodd, sylweddolodd Levtheri ddim ei
fod *wedi* gorffen, a gorweddodd yno am hydoedd yn disgwyl y
sgrech nesaf. Dechreuodd bendwmpian, yna neidiodd wrth i
olau cryf reit uwchben ei wyneb ei ddallu, a sawl pâr o ddwylo
dideimlad yn ei godi o'r llawr a'i lusgo allan o'r gell.

Y colbio, y dyrnu, y slasio a'r cicio wedyn, a'r ffon fetel yn
ffrwydro yn erbyn gwadnau ei draed.

Yna fe ddechreuon nhw ar ei ddannedd.

Trwy'r adeg roedd rhywun yn sgrechian arno mewn
Almaeneg – cwestiynau, cwestiynau di-ri, drosodd a throsodd
a throsodd – a phob hyn a hyn, llais arall, petrusgar, eisiau cael
gwybod ei enw ac enw'i dad, ac o ble roeddan nhw'n dod. Ei

holi mewn Groeg ffurfiol, henffasiwn am setiau radio, ysbïwyr Prydeinig, celciau o arfau, cynlluniau sabotâj – a Kreipe, wrth gwrs. Ffycin Kreipe, eto fyth.

Ddywedodd Levtheri yr un gair, felly ymlaen â'r cicio a'r dyrnu, a chanodd yn iach i ddau ddant arall pan gafodd y rheiny eu rhwygo o'i geg. Llewygodd wrth iddyn nhw wthio twmffat i mewn i'w geg a thywallt dŵr hallt i lawr ei wddw.

Wedi iddo hanner dod ato'i hun, gwelodd ei fod mewn cell wahanol – cell olau, boeth, a llabwst tew, chwyslyd ac anghyffredin o flewog yn ei alw'n Marko, ac yn gwybod, rywsut, fod Manoli'n dad iddo.

Ond *sut*?

Caeodd Levtheri Alevizakis ei lygaid er mwyn meddwl am hynny.

*

Enw'r dyn tew oedd Dismas.

Pan dyfodd Dismas yn ddyn, deallodd am y tro cyntaf (gan nad oedd wedi tywyllu drws eglwys erioed) mai Dismas, yn ôl y traddodiad Cristnogol, oedd enw un o'r ddau leidr a gawsai eu croeshoelio gyda Christ. Gesmas oedd enw'r llall – yr un a heriodd Iesu; Dismas oedd y lleidr edifeiriol.

Pan glywodd hyn, chwarddodd Dismas nes ei fod bron yn sâl. Doedd ei fam, a grafai ryw fath o fywoliaeth fel putain ar strydoedd Hania, erioed wedi sôn am hynny wrtho, a Duw a ŵyr pwy oedd ei dad, felly go brin y gwyddai neb o'i deulu am y traddodiad. Roedd mam Dismas wedi marw ymhell cyn iddo glywed am y lleidr edifeiriol, felly fedrai o ddim bod wedi'i holi hi am yr enw – ond o'r hyn a gofiai am ei fam, byddai'r eironi wedi'i goglais hithau hefyd.

Ac ystyr ei enw? Machlud.

Ond hoffai feddwl amdano'i hun fel goroeswr. Ac fel actor, wrth gwrs. Actor ac un oedd yn fodlon addasu. Roedd gofyn bod yn goblyn o actor ac yn barod i addasu os oeddech chi am oroesi yng Nghreta, yn enwedig y dyddiau yma.

Eistedd wrth fwrdd y tu allan i ddrws caffi ger yr harbwr

roedd o pan gafodd ei arestio'r tro yma. A fynta'n un o hoelion wyth y farchnad ddu leol, doedd y digwyddiad hwn ddim yn un anghyffredin o gwbl. Roedd o wrthi'n mwynhau paned o goffi go iawn – coffi roedd o ei hun wedi'i werthu am grocbris i'r perchennog – pan gyrhaeddodd y tryc, yn dwrw i gyd ac yn chwydu allan filwyr a ruthrodd amdano a gweiddi arno i aros lle roedd o. Gwnaeth Dismas sioe o sgrialu ar ei draed a throi fel petai am ei sgidadlio hi i fyny'r stryd, ond yn ei 'banig' baglodd (yn fwriadol) dros goesau cadeiriau'r bwrdd agosaf. Dymchwelodd y bwrdd simsan dan ei bwysau, a chyn iddo fedru bustachu'n ôl ar ei draed, roedd hanner dwsin o ddwylo'n cydio ynddo.

Safai perchennog y tŷ coffi yn y drws, wedi dychryn am ei fywyd. Manteisiodd Dismas ar bresenoldeb y llo hwn i berfformio ychydig o *ad lib*. 'Chdi!' rhuodd ar y dyn druan. 'Ffycin ceg fawr!'

Ysgydwodd y perchennog ei ben yn ffyrnig, ei wyneb yn wyn fel y galchen. 'Ddeudis i 'run gair, ar fy marw!'

'Ba!' rhuodd Dismas, gan boeri, ac am eiliad (meddai pawb oedd yn dyst i'r digwyddiad), edrychai fel petai am ysgwyd y milwyr oddi arno fel arth fawr wyllt yn sgubo daeargwn o'i llwybr, a rhuthro am wddw'r dyn bach eiddil a grynai yn nrws ei gaffi, yna rhwygo'i ben oddi ar ei ysgwyddau. Ond camodd un o'r swyddogion Almaenig i fyny ato a phlannu carn ei reiffl yn ei fol anferth, a chan riddfan mewn poen, dadchwyddodd Dismas fel balŵn fawr yn colli ei gwynt.

Fe gymerodd hi chwe milwr i'w lusgo i gefn y tryc.

Eiliadau ar ôl i'r tryc yrru o'r caffi, roedd Dismas yn eistedd i fyny yn wên o glust i glust. Doedd o ddim wedi'i frifo o gwbl oherwydd roedd y swyddog wedi tynnu'n ôl ar yr eiliad olaf cyn i garn y reiffl ddiflannu i gnawd byrlymus y bol. Roedd gan Dismas rywfaint o Almaeneg – roedd o wedi gofalu dysgu hynny a fedrai o'r iaith pan ymosododd yr Almaenwyr ar yr ynys – ond doedd o ddim am gymryd arno wrth y rhain ei fod yn gallu dilyn y rhan fwyaf o'u sgwrs anwaraidd. Yn hytrach, gwenodd yn glên arnyn nhw gan nodio a chwerthin, cyn tynnu paced o sigaréts Lucky Strike o boced ei siwt garpiog a'u dosbarthu ymhlith y milwyr, a mynnu wedyn fod y swyddog yn cadw gweddill y paced.

Dismas, hen foi iawn. Creadur blewog – llond pen o wallt du, cyrliog a locsyn trwchus a hwnnw'n cyrraedd yn uchel ar ei fochau, a roddai'r argraff ei fod yn benderfynol o uno â'i aeliau (a'r rheiny fel dwy siani flewog ddu), petai Dismas yn gadael llonydd iddo. Ei flewogrwydd oedd testun sgwrs y milwyr hynny nad oedd wedi dod ar ei draws cyn heddiw, yn enwedig un hogyn ifanc, pryd golau, oedd yn edrych fel tasa fo heb orffen cachu'n felyn eto heb sôn am ddechrau siafio, ac a fethai'n glir â thynnu'i lygaid oddi ar y Groegwr.

'Mae o fel brws simdda anfarth!' rhyfeddodd y milwr ifanc.

'Mi fasa angan simdda go lydan i gymryd y bastad yna!' ategodd un arall.

Er ei fod wedi deall pob gair, edrychodd Dismas o un wyneb i'r llall fel tasa fo mewn penbleth lwyr, cyn bloeddio chwerthin a nodio yr un pryd, rhywbeth a achosodd fwy fyth o chwerthin.

Dismas, y cês – yn fêts mawr efo pob un wan jac o'r milwyr erbyn iddo ddringo'n chwyslyd o gefn y tryc pan gyrhaeddon nhw'r carchar. Aed â fo i swyddfa lle disgwyliai swyddog diweddaraf y Gestapo amdano, dyn canol oed a edrychai fel petai'n bwyta gwellt ei wely, ac a wnaeth i Dismas feddwl am grwban yn gwthio'i ben allan o'i gragen i gael rhoi ei ddannedd mewn deilen letys.

Efo'r swyddog, fel arfer, roedd 'na gyfieithydd. Dyn ifanc oedd hwn, â gwallt coch – dyn oedd yn amlwg yn cynnal brwydr gyson yn erbyn haul didrugaredd Creta, a'r haul yn enillydd di-ffael, yn ôl yr olwg druenus oedd ar ei drwyn a'i dalcen. Duw a helpo hwn tasa fo'n ddigon hurt i dynnu'i grys, meddyliodd Dismas. Doedd Groeg y cyfieithydd ddim yn wych, o bell ffordd, a tasa fo mond yn gwybod, roedd Almaeneg bratiog Dismas yn well o gryn dipyn. Doedd Groeg hwn ddim ond yn ddigon da i gynnal sgyrsiau sylfaenol, syml – braidd yn ffurfiol, hefyd – ac roedd y creadur felly yn lliwio'i frawddegau â rhith o barchusrwydd a chwrteisi nad oedd ar eu cyfyl go iawn.

Tywalltodd y cyfieithydd goffi i'r tri ohonyn nhw, a derbyniodd Dismas sigâr gan y swyddog. Doedd o ddim yn or-hoff o'r pethau ei hun, ac roedd gorfod ysmygu un yma wastad yn ei gorddi pan feddyliai faint a gâi am focsiad o'r rhain allan ar y stryd.

'*Danke*,' meddai â gwên lydan, fel petai'n falch ohono'i hun am fedru siarad un gair o Almaeneg.

'Gwnewch yn fawr ohoni, Dismas,' meddai'r swyddog (drwy gyfrwng y cyfieithydd wynepgoch). 'Rydan ni am eich cloi chi mewn cell cyn gynted ag y byddwn ni wedi gorffen yma.'

Byddai clywed brawddeg fel'na wedi bod yn ddigon i wneud i unrhyw un arall welwi, ond yr unig beth a wnaeth Dismas oedd ochneidio. 'Eto byth!' meddai. 'Hefo pwy, felly?'

Ysgydwodd y swyddog ei ben: doeddan nhw ddim yn gwybod. Cyfeiriodd at y frwydr ar lethrau'r mynydd, a'r *andártes*.

'*Andártes*? Ffycars calad,' meddai Dismas wrth y dehonglydd, a gliriodd ei wddw a dewis cyfieithu sylw Dismas fel 'taclau caled'.

'Ydi hwn wedi deud unrhyw beth o gwbwl?' gofynnodd Dismas wedyn.

'Dim yw dim.'

'Nac'di, mwn.'

'Roedd 'na ddyn hŷn efo fo. Rydan ni'n meddwl mai ei dad o ydi o – dydyn nhw ddim yn annhebyg. Ond does 'na fawr o siâp ar y tad. Mae o wedi bod allan ohoni, fwy neu lai, ers iddo fo gyrraedd yma. A phan fydd o'n effro, dydi o'n gneud dim ond ffwndro. Mae o wedi galw'r doctor yn "Marko" fwy nag unwaith, yn meddwl mai'r doctor ydi'r mab, ma siŵr gen i.'

'Marko, reit.' Nodiodd Dismas, yna gwelodd *sakoúli* ar y llawr yng nghornel yr ystafell. 'Ga' i olwg ar y *sakoúli* 'na?' gofynnodd.

'Be?' Edrychodd y dehonglydd arno'n hurt.

'*Sakoúli* – sach. Nacw!' meddai Dismas gan bwyntio. Dehonglydd cachu iâr, meddyliodd.

319

Estynnodd y swyddog y sach iddo. 'Waeth ichi heb, Dismas – doedd 'na ddim byd o unrhyw werth ynddo fo. Ychydig o fwyd na fasa neb gwaraidd yn ei roi yn agos i'w geg.'

Doedd dim ond eisiau i Dismas edrych un waith ar y brodwaith. 'Mi fedra i ddeud wrthach chi'n syth o lle ma hwn yn dŵad,' meddai. 'O Anogia. Ro'n i'n iawn pan alwais i o'n ffycar calad yn gynharach.'

'Ia, wel – mi ydan *ni*'n daclau caletach, Dismas,' meddai'r swyddog ar ôl derbyn cyfieithiad gofalus y dyn pengoch. 'Ac mi fyddwn ni wedi meddalu cryn dipyn ar hwn erbyn i chi ei gyfarfod o.'

*

Gwyddai Dismas ei fod yn chwarae gêm beryglus iawn. Pan gafodd ei arestio gyntaf – ei arestio go iawn, hynny ydi – am ddelio ar y farchnad ddu 'nôl yn 1942, roedd o wedi llwyddo i berswadio un o swyddogion y Gestapo y byddai cael rhywun fel fo o gwmpas y lle o fantais fawr iddyn nhw. Bellach, dros ddwy flynedd yn ddiweddarach, credai Dismas ei fod wedi profi hynny droeon ond, wrth gwrs, doeddan nhw byth yn fodlon – roeddan nhw wastad eisiau mwy ganddo. Er ei fod, gan amlaf, yn rhydd i gerdded strydoedd y ddinas ac i ddal ati hefo'i 'fusnas', roedd o hefyd yn gaeth iddyn nhw – bron iawn cymaint felly â'r swpyn gwaedlyd a orweddai ar lawr y gell wrth ei draed. Roeddan nhw'n dod yn ôl ato dro ar ôl tro. Fasa ddim ond eisiau iddo fo eu gwrthod nhw *un* waith, yna . . .

Yna be? Cafodd weld 'be' y tro cyntaf hwnnw iddo gael ei arestio. Ar ôl i bob dim gael ei gytuno a'i drefnu, ac yntau'n ysu am gael gadael, meddai'r swyddog oedd yno ar y pryd (drwy gyfrwng dehonglydd gwahanol): 'O ia, cyn i ti fynd, mi ddylet ti weld hyn.' Agorodd y llenni hir ym mhen pella'r swyddfa, oedd yn cael eu cadw ar gau i leddfu mymryn ar y gwres a ddôi o'r tu allan. Y tu ôl i'r llenni, gwelodd Dismas, roedd 'na ddrysau gwydr dwbl yn arwain at falconi. Agorodd y swyddog y drysau, a gwneud arwydd ar Dismas i'w ddilyn.

Trawodd yr haul o'n syth, a sylweddolodd Dismas fod y

balconi'n edrych i lawr dros fuarth y carchar. Ym mhen pella'r buarth roedd 'na wal uchel, drwchus a staeniau sinistr, tywyll arni.

Gwelwodd Dismas. 'O, o'r gora. Dwi'n dallt.'

Trodd i adael, ond cydiodd y swyddog yn ei fraich. 'Aros am funud, Dismas.'

'Na, wir – does dim raid i chi ddeud dim rhagor. Dwi'n dallt yn iawn.'

'Arhosa!'

Arhosodd Dismas, ei stumog yn troi fel buddai a'i goesau'n crynu. Dyn a ŵyr, roedd o wedi gweld mwy na digon o ladd ers i'r Almaenwyr ymosod ar yr ynys, ac roedd o ei hun wedi gwneud ei siâr yn ystod y pythefnos cyntaf 'na – wedi saethu a thrywanu sawl Almaenwr oedd wedi crwydro i un o strydoedd cefn y ddinas, cyn dwyn eu harfau a'u gwerthu nhw wedyn.

Ond roedd rhywbeth ynglŷn â'r busnes dienyddio 'ma a godai ofn arno. Holl seremoni'r peth, i ddechrau. A'r ffaith fod y condemniedig yn gwybod ymlaen llaw ei fod am ddigwydd. Un peth ydi cael eich lladd mewn sgarmes neu frwydr: gyda lwc, mae hynny wedi digwydd cyn i chi sylweddoli ei fod o *yn* digwydd. Ond gwnâi'r holl syniad o eistedd mewn cell, yn cyfri'r dyddiau a'r oriau fesul un, iddo deimlo'n swp sâl, ac ofnai y byddai o ei hun wedi marw o ofn cyn cael ei lusgo allan o'i gell i gymryd ei gamau olaf.

Daeth chwe milwr ac un swyddog allan i'r buarth ac aros mewn rhes yn wynebu'r wal. Yna, ym mhen arall y buarth, agorwyd drws pren a chamodd tri ffigwr allan trwyddo: dau filwr arall a dynes ifanc rhyngddyn nhw, wedi'i gwisgo mewn blows a sgert gyffredin. Arhosodd y tri wrth y drws am rai eiliadau – i'r ddynes gael gweld beth oedd o'i blaen, sylweddolodd Dismas.

Trodd at y swyddog. '*Dynes*?'

'O ia,' cytunodd y swyddog. 'Mam i dri o blant hefyd, fel mae'n digwydd.' Saib fechan, yna ychwanegodd y swyddog: 'Gweddw dyn a roddodd yr argraff i ni ei fod o'n ein bwydo â gwybodaeth am fudiadau'r gwrthsafiad, ond a oedd, mewn gwirionedd, yn eu bwydo *nhw* â gwybodaeth amdanon ni.'

Doedd y gair 'gweddw' ddim wedi syrthio ar dir diffrwyth. Na'r neges a lechai yng ngweddill y frawddeg, chwaith, felly doedd dim raid i'r swyddog fod wedi ychwanegu, 'Mi wyt titha'n ddyn priod, hefyd, yn dwyt, Dismas? Ac yn dad i dri o blant, os dwi'n iawn? Dyna beth od, yntê?'

Methodd Dismas â'i ateb. Yn hytrach, gwyliodd wrth i'r milwyr gydio yn y ddynes, un ym mhob braich, a dechrau ei hebrwng ar draws y buarth. Sylwodd ar goes chwith y ddynes yn rhoi oddi tani, ond yna – Duw a ŵyr sut – llwyddodd i ddod o hyd i ryw nerth anhygoel o rywle, a cherddodd yn ddidrafferth ac urddasol heibio i'r sgwad saethu heb hyd yn oed edrych arnyn nhw, â'i phen yn uchel.

Gosodwyd hi yn erbyn y wal a safodd yno'n llonydd. Be uffarn sy'n mynd drwy feddwl y greadures? meddyliodd Dismas. Ydi hi'n meddwl am ei phlant, yn ffarwelio â nhw fesul un, ac yn ei dychmygu ei hun yn eu cusanu am y tro ola? Ydi hi'n cofio 'nôl i ddiwrnod ei phriodas? Neu a ydi hi'n canolbwyntio ar ryw gyfnod hapus o'i phlentyndod pan oedd hi'n hogan fach nad oedd erioed wedi clywed am yr Almaen?

Doedd hi ddim yn ddynes anghyffredin o dlos, a go brin y byddai Dismas wedi edrych arni ddwywaith petaen nhw wedi digwydd pasio'i gilydd ar y stryd. Ond sylweddolodd fod rhyw harddwch arbennig yn perthyn iddi wrth iddi sefyll yno a'i chefn at y wal uffernol 'na, yn syllu ar y chwe milwr oedd ar fin rhwygo'i henaid o'i chorff. Dyheai Dismas am y nerth a'r gwrhydri i ddagu'r bastad yma wrth ei ochr – i neidio i lawr oddi ar y balconi a chwistrellu bwledi ar hyd y rhesiad o lwfrgwn oedd wedi codi'u reifflau at eu hysgwyddau, anelu ac yna tanio. Codwyd y ddynes oddi ar y ddaear a'i bwrw fel doli glwt yn erbyn y wal cyn iddi fowndian yn ôl oddi arni a syrthio ar ei hwyneb i'r ddaear.

'Mae'n anhygoel, yn tydi?' meddai'r swyddog, bron fel tasa fo'n trafod rhyw hynodrwydd ynglŷn â'r tywydd. Edrychodd Dismas arno gan ddisgwyl iddo ddweud rhywbeth am ddewrder y ddynes, ond yn hytrach meddai hwnnw, 'Dynes fel'na, yn fam i dri o blant. Mae'n rhaid ei bod hi'n gwybod yn iawn am gastiau ei gŵr, ond wyt ti'n meddwl bod ganddi'r synnwyr cyffredin naill ai i'w rwystro neu i achwyn amdano? Ddim o'r ffasiwn beth. Roedd yn well gan y gloman wirion adael ei phlant yn amddifad. A, wel.' Ysgydwodd ei ben fel un mewn gwir benbleth, cyn troi at Dismas. 'Ond a mynd yn ôl at yr hyn ddeudist ti gynna, Dismas. Dwi *mor* falch ein bod ni'n dallt ein gilydd.'

Adra'r noson honno ac yn ei wely, aeth y cryndod mwyaf dirdynnol drwy gorff mawr Dismas a methai'n glir â stopio crio, crio fel tasa fo'n torri'i galon. Gwasgodd Efthalia, ei wraig, yn dynn, dynn yn ei erbyn. Bob tro y caeai ei lygaid, hi a welai'n sefyll a'i chefn at y wal sglyfaethus honno, yn y sgert a'r flows a wisgai o gwmpas y tŷ, oedd mor debyg i'r rhai a wisgai'r fam ddewr yna wrth ddisgwyl am ei thranc.

'Groegwr drwg ydw i,' meddai gan igian crio. 'Dyna be ydi dy ŵr di rŵan, Efthalia. Groegwr drwg.'

Tynnodd Efthalia ei hun o'i afael. Doedd hi ddim am ei glywed yn ei alw'i hun yn fradwr, achos dyna roedd o'n ei feddwl efo'i 'Roegwr drwg'. Aeth ar ei phengliniau yn y gwely a rhythu arno am eiliad neu ddau, yna rhoes andros o swadan iddo ar draws ei wyneb.

'Efthalia!'

Slasan arall. 'Paid ti *byth* â deud hynna eto! Sut fath o Roegwr fasat ti petait ti wedi deud wrthyn nhw lle i fynd?'

Yn ei feddwl, gwelai'r wal honno eto. Gwelodd yr holl gyrff a gofiai'n hongian yn llipa oddi ar bolion lampau ar y strydoedd ac oddi ar ganghennau coed yn sgwariau'r ddinas – y gyddfau grotésg, y tafodau bloesg, y llygaid penwaig gweigion, dall.

'Fyddan nhw ddim yma am byth,' meddai Efthalia wrtho. 'Yn y cyfamser, dy le di, Dismas, ydi bod yn ŵr ac yn dad, ac mae'n ddyletswydd arnat ti roi hynny o flaen unrhyw beth arall.' Cododd ei llaw eto a gwingodd Dismas gan ddisgwyl waldan arall, ond yn lle hynny, rhoddodd Efthalia ei llaw yn dyner ar ei foch. 'Mae'r ddaear dan ein traed yn llawn o Roegwyr da, ond i be maen nhw'n dda i neb yn fanno?'

Felly, dysgodd Dismas sut i actio, sut i droedio llwyfannau'r ddinas â hyder ac argyhoeddiad – y strydoedd, y tai coffi, y stafelloedd cefn mewn strydoedd culion a thywyll – gan ddweud wrtho'i hun drwy'r amser: goroeswr wyt ti, Dismas. Goroeswr, cofia di hynny. Nid bradwr. Byth hynny.

Yn raddol daeth yn gyfaill i'r condemniedig, yr olaf i ddangos unrhyw dynerwch tuag atynt yn ystod eu horiau duaf – hefo'i ddŵr a'i gadach meddal, ei eiriau o gysur a'i addewidion gwag. Oherwydd, erbyn iddyn nhw gwrdd â Dismas, condemniedig oedden nhw bob un. A hwyrach, wir, eu bod nhw'n gwybod hynny ym mêr eu hesgyrn, ond bod yr ysbryd dynol wastad yn dod o hyd i'r esgus lleiaf dros lynu at ryw frwynen o obaith. Geiriau Dismas, gan amlaf, oedd y frwynen fregus honno – geiriau'n cael eu llefaru yn eu hiaith eu hunain, a'r acenion cyfarwydd a chyfforddus yn eli ychwanegol. Credai nifer, yn eu gwewyr a'u harswyd, mai llais o'r gorffennol a glywent yn eu cysuro – lleisiau o'u plentyndod, hyd yn oed, pan oedd eu byd yn llai ac yn llawer mwy sicr. Llais tad neu daid, yno i'w cysuro ac i addo y byddai popeth yn iawn unwaith eto mewn chwinciad.

'Dyna chdi, ngwas i – ia, allan â fo. Fyddi di ddim yr un un wedyn. Go damia nhw ddeuda i. Hen dacla – hen shiafflach ydyn nhw.'

Byddai'r ymson yn troi'n sgwrs yn hwyr neu'n hwyrach, yn aml iawn er eu gwaethaf. Roedd y mymryn o dynerwch a charedigrwydd ar ôl oriau a dyddiau o artaith a phoen yn sicr o ddenu dagrau, a chyda'r dagrau byddai'r brawddegau yn hercian dod, a dyna pryd y byddai Dismas yn troi'n wrandawr astud. Roedd o wedi bod yn aderyn go frith ar hyd ei oes, ond wedi dysgu'n ifanc iawn fod gwybodaeth yn aml yn fwy gwerthfawr nag aur. Gwyddai na fedrai wneud unrhyw beth i achub y trueiniaid hyn, ond hwyrach y medrai o grafu rhyw fymryn o faddeuant drwy ddefnyddio'r wybodaeth a gâi gan ambell un yn ofalus ac yn ddoeth.

Hynny yw, trwy beidio ag ailadrodd *popeth* a glywai wrth yr Almaenwyr. Hoffai feddwl fod un neu ddau o bentrefi'r ardal wedi osgoi cael eu llosgi ar ôl iddo fo anghofio sôn wrth y Gestapo am ambell gelc o arfau; fod perchen ambell dŷ yn dal i fod ar dir y byw am ei fod o, Dismas, wedi dewis peidio â dweud am y set radio honno oedd wedi'i chuddio yn y nenfwd neu mewn twll yn llawr y cwt ieir rownd y cefn. Ar y llaw arall, ofnai fod y fflewyn hwnnw o iachawdwriaeth wedi'i ddileu gan y pethau nad oedd ganddo unrhyw ddewis ond eu hailadrodd, oherwydd pe dôi allan o *bob* cell yn ysgwyd ei ben ac ochneidio, 'Uffarn o ddim byd – gwastraff amser llwyr; prin fod hwn yn gwbod ei enw,' yna buan iawn y byddai'r Gestapo'n ei ateb trwy ddweud, 'Wel, Dismas, does 'na fawr o bwynt i chditha felly chwaith, nagoes?'

Ar adegau felly, byddai Dismas – na fu erioed yn un am addoli ond a wyddai'n iawn y stori am y ddau leidr ar Galfaria – yn troi at ei Dduw ac yn dweud: 'Arglwydd, cofia fi pan ddelych i'th deyrnas.'

Ond roedd o eto i deimlo ei fod o'n clywed llais yn ei ateb, ac yn dweud, 'Yn wir, meddaf i ti, heddiw y byddi gyda mi ym mharadwys.'

*

Do, fe ddaeth y dagrau hefo hwn, hefyd, y Marko hwn o Anogia.

Ond dyna'r cwbwl. Doedd hwn ddim am siarad, hyd yn oed ar ôl deuddydd o gael ei boenydio gan yr Almaenwyr ac yna'i fwytho gan yr hen Ddismas clên. Dwy hollt chwyddedig yn ei ben oedd ei lygaid, a'r munud y peidiodd y dagrau, syllai trwyddyn nhw ar Dismas fel petai'r dagrau wedi golchi'r niwl o'i feddwl, a'i fod o'n gwybod yn iawn pa gêm roedd y dyn tew yn ei chwarae. Daeth gwên fach dawel dros ei wyneb, a dyna, yn anad dim, a daflodd Dismas oddi ar ei echel.

Ond rhaid oedd dyfalbarhau. 'Ew, chi hogia Anogia, mi wnaethoch chi joban . . .'

'Anogia?' Crawc oedd ei lais, ond o leiaf roedd o'n ymdrechu i ddweud rhywbeth. Roedd y dŵr yn amlwg wedi helpu; cyn hyn, swniai ei wynt yn ei wddw fel sŵn crib yn cael ei lusgo dros bapur llyfnu.

Rhoddodd Dismas ragor o ddŵr iddo. 'Ia, un o fanno wyt ti, yntê Marko? O Anogia. Dyna be ddeudist ti gynna.'

Ysgydwodd Levtheri ei ben, a'r wên gythryblus honno ar ei wefusau. 'Sgen i ddim co.'

'Do, wir,' taerodd Dismas.

Roedd yn rhaid iddo daeru, yn doedd? Yn y gorffennol roedd pawb wedi derbyn ei air, wedi gadael iddo'u twyllo eu bod nhw ormod allan ohoni i gofio'r hyn roeddan nhw wedi, neu ddim wedi, ei ddweud. Ond roedd hwn, yn amlwg, ormod o gwmpas ei bethau, go damia fo, ac mi fasa'n dda gan Dismas tasa fo'n rhoi'r gorau i wenu fel'na arno fo. Ffycar caled . . .

Cliriodd Dismas ei wddw. 'Ia, wel, ta waeth. Ma'r holl ynys 'ma'n canu'ch clodydd chi am y busnas hwnnw efo . . . be oedd enw'r cwdyn, hefyd? Kreipe? Ia, dyna fo – Kreipe.'

'Pwy?' meddai Levtheri.

Pwniodd Dismas o'n ofalus yn ei ysgwydd dan chwerthin. 'Tyd o 'na'r cythral! Sdim rhaid i chdi fod yn swil efo fi, sti Marko. Rydan ni'n dallt ein gilydd i'r dim, chdi a fi. Wyst ti be? Am ddyddia wedyn, dyna be oedd yr unig destun sgwrs yn holl dai coffi'r ddinas 'ma – y ffordd roedd pobol Anogia wedi rhechu yn wyneba'r ffycin Jyrmans 'na.'

Ceisiodd Levtheri ddweud rhywbeth ond roedd ei wddw yn amlwg yn ei boeni.

'Mwy o ddŵr? Wrth gwrs.' Gadawodd Dismas i sawl tropyn lithro i lawr gwddw'r dyn arall. 'Dydi o ddim yn oer, gwaetha'r modd, nac yn ffres o nabod y ffernols yma, ond o leia mae o'n wlyb. Iawn? Reit, sori, roeddat ti'n trio deud rhywbath?'

Nodiodd Levtheri. 'Kom. . .' meddai. 'Ko. . . Kom. . .' Ochneidiodd yn drwm ac ysgwyd ei ben.

'Mwy o ddŵr, Marko? Hwda, ngwas i.'

Teimlodd Levtheri'r dŵr cynnes yn llifo drwy'i gorff, a gweddïodd fod ganddo ddigon o nerth.

Rŵan amdani. 'Kom. . . Kom. . .' sibrydodd, a phan

blygodd Dismas ymlaen i osod ei glust flewog yn nes at ei wefusau, meddai Levtheri yn hollol glir:

'*Komnas!*'

Ac agorodd llygaid Dismas yn llydan mewn braw.

*

Komnas. Cythral o ddyn – un o bentref Vrysses wrth droed y Mynyddoedd Gwynion. Roedd o wedi bod yn gweithio i'r Almaenwyr ers cyn iddyn nhw ymosod ar yr ynys, hyd yn oed. Llwyddodd i dwyllo nifer o'r Cretiaid, gan gynnwys Andreas Polentas, dirpwy Andreas Papadakis, un o arweinwyr mudiad y gwrthsafiad. Diolch i Komnas, mi gafodd Polentas – yn ogystal â bardd o athro ysgol o'r enw Apostolos Evangelou – ei ddienyddio yn y carchar hwn ar ôl dioddef arteithio tebyg iawn i'r hyn roedd Levtheri newydd ei brofi.

Ond lwyddodd Komnas ddim i ddianc. Er i'r Almaenwyr ei symud er ei les ei hun i dŷ yn Hania, hefo dim byd ond biledau Almaenig o'i gwmpas, daethpwyd o hyd iddo'n farw un pnawn yn ei gegin ei hun a dwy ar bymtheg o archollion cyllell yn ei gorff.

Daethai enw Komnas yn gyfystyr â brad yng Nghreta . . .

. . . a gallai Levtheri weld hyn i gyd yn rhedeg trwy feddwl Dismas wrth iddo ddweud yr enw. Cyn i'r dyn tew fedru ymateb ymhellach, saethodd llaw Levtheri i fyny fel neidr yn ymosod, a chau am wddw Dismas. Gofalodd fod cledr ei law, wrth gyffwrdd â'r gwddw, yn taro'n galed yn erbyn yr afal breuant, a chyfrannodd y boen annisgwyl yma (yn ogystal â'r drafferth a gâi Dismas i anadlu, a'r ffaith nad oedd yn medru llyncu, a'i fod o ar y pryd yn penlinio wrth ochr Levtheri ac yn plygu drosto) at y sioc a redodd drwy ei gorff a'i feddwl, a helpu i'w rewi am rai eiliadau.

Yna, daeth ato'i hun ddigon i geisio'i dynnu'i hun yn rhydd o afael Levtheri ond roedd llaw Levtheri'n rhy gryf iddo, a'i fysedd yn tyllu drwy'r locsyn trwchus at y cnawd tyner oddi tano. Teimlodd Dismas ysgytiad arall o arswyd yn saethu drwyddo wrth iddo ddechrau sylweddoli nad ceisio'i dagu roedd yr *andárte*, ond . . .

Rhoes wich o fraw wrth geisio'i daflu'i hun yn ôl ac yn rhydd o'r grafanc oedd wedi cau am ei wddf, ond yn rhy hwyr – roedd ewinedd Levtheri eisoes wedi trywanu croen ei wddw. Gallai hwnnw deimlo'r gwaed poeth yn llifo dros ei fysedd, dros ei law ac i lawr ei arddwrn a'i fraich, a llanwyd ei ffroenau â'r arogl copr. Rhoddodd hyn fwy o nerth iddo dyrchu'n ddyfnach i mewn i wddw'r dyn tew, oedd bellach yn gwichian fel mochyn ac yn taro corff a braich Levtheri â'i holl nerth – nerth oedd yn lleihau â phob ergyd, nes o'r diwedd i Levtheri deimlo'i fawd a'i fysedd yn cwrdd.

Dim ond ychydig fodfeddi oedd rhwng llygaid y ddau ddyn. Gwyliodd Levtheri wrth i rai brown, llydan Dismas ddangos sawl emosiwn gwahanol, un ar ôl y llall, yn ystod ei eiliadau olaf ar y ddaear 'ma. Ymbil i ddechrau, yna'r ofn wrth iddo sylweddoli nad oedd unrhyw drugaredd i'w chael, ac yn olaf derbyn yr hyn oedd bellach yn anochel wrth i Levtheri droi mymryn ar ei law a rhwygo'i wddw'n llydan agored.

Disgynnodd rhaeadr o gochni poeth dros Levtheri wrth iddo dynnu'i law yn ôl, a darnau o gnawd yn hongian oddi ar ei ewinedd. Syrthiodd Dismas oddi wrtho a rhowlio ar lawr y gell, ei law ar ei wddw fel petai'n gobeithio gwasgu'r ochrau rhydd yn ôl at ei gilydd, a chau rhyfaint ar y twll ofnadwy. Ond roedd gormod o ddifrod wedi'i wneud; roedd ei gorn gwddw a nerfau eraill yn hongian yn rhydd o'r twll fel gwifrau hen beiriant yn hongian o foned agored lori rydlyd.

Y peth olaf a welodd cyn i'r tywyllwch gau amdano oedd llaw a braich goch yr *andárte* yn hongian dros ochr y gwely.

*

Rhaid fod Levtheri wedi cysgu wedyn, oherwydd y tro nesaf iddo agor ei lygaid roedd y gell yn llawn twrw – gweiddi, ebychu, cyfogi – a chorff Dismas yn cael ei lusgo allan, a chryn duchan yn rhan o'r holl gacoffoni.

Fuon nhw ddim yn hir iawn wedyn. Bataliwn gyfan ohonyn

nhw – neu felly'r ymddangosai i Levtheri, a daeth y wên fach dawel honno'n ôl i'w wyneb pan welodd y gynnau'n pwyntio tuag ato, fel tasa hynny'n gwneud unrhyw wahaniaeth erbyn hyn. Oedd arnyn nhw ofn i'w law o droi'n grafanc unwaith eto, a chau am wddw rhywun arall?

Ond roedd o wedi darfod. Doedd ganddo bellach mo'r nerth na'r awydd, felly gadawodd iddyn nhw'i lusgo oddi ar ei wely ac allan o'r gell, eu gorchmynion Almaeneg yn sgrechian ac yn clecian o'i gwmpas fel tân gwyllt. Ar hyd y coridor ac i lawr y grisiau; dwylo dieithr yn gafael yn dynn yn ei freichiau, ac ar hyd coridor arall heibio i gelloedd eraill a lleisiau'n galw *'Yásou!'* a *'Yámas!'* ohonyn nhw, ac ym mhen pella'r coridor y drws pren hwnnw roedd y dyn tew wedi sôn cymaint amdano'n cael ei agor rŵan wrth i Levtheri nesáu tuag ato, a'r haul gwyn yn llifo i mewn drwyddo.

Allan â fo, ac oedd, roedd hi yno'n ei wynebu ac yn aros amdano, y wal wen, fudur. Gwenodd Levtheri. Cychwynnodd tuag ati, ond cafodd ei rwystro. Be – oedd o wedi difetha'u hwyl nhw drwy wenu a chychwyn am y wal fel petai hi'n gwch oedd yn aros amdano i fynd â fo am dro o gwmpas y bae?

Roedd 'na rywun arall yn cael ei dynnu allan trwy'r drws y tu ôl iddo. Trodd.

'Babá . . .?'

Manoli, prin yn gallu sefyll ac yn edrych o'i gwmpas yn hurt. Cafodd ei wthio ymlaen, ond nid yn giaidd, a rhyddhawyd breichiau Levtheri er mwyn iddo fedru derbyn ei dad.

'Babá!'

Nodiodd Manoli a gwenu, ond nid fel tad yn gweld ei fab. Yn hytrach, roedd o fel tasa rhywun dieithr wedi'i gyfarch gan ddefnyddio'i enw, rhywun nad oedd o'n siŵr ohono o gwbl ond ei fod yn rhy gwrtais i ddweud hynny.

Edrychodd Levtheri ar y swyddog a rhoes hwnnw nòd swta iddo. Wrth ei ochr roedd y cyfieithydd pengoch.

'Ewch chi â'ch tad.'

Trodd Levtheri ag un fraich am ysgwyddau ei dad. 'Dowch,

Babá. Ma gynnon ni dipyn o hen heic o'n blaena – ond be 'di peth bach felly i ni, yntê?'

Cychwynnodd y ddau ar draws y buarth.

'Lle 'dan ni'n mynd?' gofynnodd Manoli. 'Yn ôl i'r mynydd, ia?'

Diflannodd y wal wen y tu ôl i niwl am eiliad wrth i'r dagrau ruthro i lygaid Levtheri.

'Ia, *Babá*. Yn ôl i'r mynydd.'

Wrth y wal, trodd i wynebu'r gynnau. Caeodd ei lygaid. Wrth ei ochr, clywodd lais ei dad yn dweud yn dawel, 'Blydi ffŵl.'

'Pwy, *Babá* – chi ta fi?'

18

Cysgodion y gwlith

Faint o geiliogod oedd ganddyn nhw ar ôl erbyn hyn, tybed?

Gwenodd Yanni'r Chwibanwr. Mwy na'u siâr, meddyliodd, o nabod pobol pentrefi'r mynydd. Crwydrai eu canu powld i fyny'r llethrau heb gymorth unrhyw awel, a swniai'r ceiliogod fel pe baen nhw'n herio'i gilydd. Craffodd Yanni, ond fedrai o ddim gweld y pentref agosaf eto, a phenderfynodd nad eu herio'i gilydd roedd yr adar wedi'r cwbl ond, yn hytrach, dweud wrth y nos ble i fynd. Ac roedd y nos yn gwrando, ac yn ufuddhau.

Daeth y llethrau o'i gwmpas i'r golwg fesul un, yna'r dyffrynnoedd islaw. Cyn bo hir gallai weld Anogia a'r pentrefi eraill – Axos, Zoniana, Gonies a Livendia. Yna daeth yr haul, ychydig yn gysglyd, efallai, ond eisoes yn gynnes. Caeodd Yanni ei lygaid a meddwl am ddynes yr arferai ei nabod, dros chwarter canrif yn ôl, i lawr yn ninas Iráklion.

'Ilithyia . . .' meddai'n dawel.

*

'Disgwyl fyddi di. Ti'n gwbod hynny, yn dwyt?'

Trodd, a'i gweld yn eistedd ychydig oddi wrtho ar ochr y ffownten, ffownten Morosini yng nghanol Iráklion – afal gwyrdd ar hanner ei fwyta yn ei llaw a gwên gyfeillgar, lydan ar ei hwyneb. Fel tasa hi wedi'n nabod i rioed, meddyliodd Yanni wedyn.

'Disgwyl am y dŵr,' meddai hi wrtho.

'O.'

Edrychodd Yanni eto ar y llewod a'u safnau sychion. 'Pam hynny?'

Cododd y ddynes ei hysgwyddau. 'Dyn a ŵyr. Pur anaml y gweli di ddŵr yn dŵad allan o'u cegau nhw. Welaist ti rywfaint erioed?'

Ysgydwodd Yanni ei ben. 'Ond dwi ddim yn byw yma, felly . . .'

'Nag wyt, ro'n i wedi hen gasglu hynny.'

Edrychodd Yanni i lawr ar ei fotasau uchel a'i drowsus llac. Teimlai'r *mantíli*, y sgarff mawr oedd wedi'i dorchi rownd ei ben, yn anghyfforddus mwyaf sydyn, a'r *sakoúli* ar ei ysgwydd yn lletchwith a thrwm. Roedd o wastad wedi ogleuo o'r mynydd, gwyddai, ond rŵan – am y tro cyntaf erioed – ofnai ei fod yn drewi ohono.

Nid bod ots gan y ddynes, sylweddolodd. Gwenodd arno wrth frathu i mewn i'w hafal, wedyn rhoddodd sgrech fechan wrth i'r pedwar llew carreg besychu, fflemio ac yna lafoeri dŵr budur cyn iddo lifo go iawn ac yn lân o'u cegau. Neidiodd ar ei thraed ond yn rhy hwyr; roedd ei chefn yn wlyb socian.

Chwarddodd Yanni a dechreuodd y ddynes wgu arno, ond roedd tinc heintus i chwerthin Yanni'r Chwibanwr, felly dechreuodd hithau chwerthin hefyd nes iddi dagu ar ei hafal. Cododd Yanni ei law a chynnig waldio'i chefn.

'Na . . . na, dwi'n ol-reit.'

Llyncodd, a'i hwyneb yn goch, cyn edrych i fyny arno ac ailddechrau chwerthin, y ddau ohonyn nhw rŵan yn chwerthin fel ffyliaid wrth i'r llewod chwydu'r dŵr i mewn i gafn y ffownten.

*

Meddyliai amdani'n aml ar ôl iddi fynd, yn fwy o lawer na phan oedd hi'n fyw, a phob tro hefo pwl o hiraeth a dyfai gyda threigl y blynyddoedd. Hefyd, â phigiad o euogrwydd – pigiadau a drodd yn frathiadau – oherwydd iddo'i chymryd mor ganiataol.

Roedd hi wastad yno iddo, a byth yn cwyno am ei ymweliadau anfynych â'r dref. Byth, chwaith, yn grwgnach pan fyddai o'n codi o'i gwely yn nhywyllwch y bore bach, ymhell cyn bod y strydoedd wedi dechrau deffro. Byddai hi'n codi hefo fo ac yn gofalu bod ganddo rywbeth yn ei fol wrth gychwyn ar ei daith.

Hiraethai Yanni am esmwythder ei bronnau, am sŵn ei llais yn hymian canu iddi'i hun wrth iddi wisgo amdani a pharatoi bwyd, ac fel y teimlai ei hwyneb ar foreau oerion yn gynnes, gynnes yn erbyn ei wyneb o wrth iddo'i chofleidio'n frysiog, ac yntau'n ysu am gael mynd o'r dref ac yn ei ôl i'r mynydd.

Y mynydd yn ei alw'n ôl eto. Y mynydd, y ffycin mynydd.

'Rwyt ti fel y mynydd 'ma,' roedd Siphi wedi'i ddweud. 'Wastad yma.'

*

'Llewod Poseidon ydyn nhw, ysti.'

'O, ia?'

Flwyddyn yn ddiweddarach? Dwy – neu fwy? Fedrai o ddim cofio. Ond pnawn o haf oedd hi, roedd o'n cofio hynny, o leiaf, oherwydd roedd ei ffenest hi ar agor a chwaraeai awel fechan dros eu cyrff noeth wrth iddyn nhw gofio am y diwrnod cyntaf hwnnw ger y ffownten.

Cododd ei phen a tharo blaen ei drwyn â'i bys. 'Dwyt ti ddim yn gwbod pwy ydi Poseidon, nagwyt?'

Cymerodd arno geisio brathu'i bys. ''Rioed wedi clywad am y dyn. Pwy ydi o pan mae o adra?'

'Y môr ydi'i adra fo. Duw'r môr ydi o.' Gallai ei gweld rŵan, yn gwenu i lawr arno a'i bys yn hofran yn bryfoclyd fodfeddi uwchben ei drwyn. 'Rhag dy gwilydd di, a chditha'n un o hogia Mynydd Ida.'

'Be gythral sy gan dduw'r môr i'w neud efo Mynydd Ida?

'Pwy gafodd ei eni mewn ogof ar Ida? Siawns dy fod yn gwbod hynny.'

'Zews.'

'Da iawn.' I lawr â'r bys, ddim ond i gael ei gipio 'nôl yn gyflym â sgrech fechan wrth i geg Yanni ruthro amdano. Cleciodd ei ddannedd yn erbyn ei gilydd, a gwnaeth hynny iddo gofio fel y byddai ei gi yn ceisio'n ofer ddal pryfed. 'Wel, roedd

Poseidon yn frawd i Zews. Roedd 'na gerflun ohono'n arfar bod ar ben y ffownten flynyddoedd lawar yn ôl – cyn f'amsar i, beth bynnag. Does wybod lle'r aeth o.'

'Cwestiwn arall,' meddai Yanni. 'Pam llewod? Dydi llewod ddim yn byw yn y môr. Ma hyd yn oed bugail dwl o Anogia yn gwbod hynny.'

Pwniodd Ilithyia fo yn ei asennau efo blaen ei bys. 'Y Fenisiaid [pwniad] a luniodd y ffownten a'r cerflun [pwniad], ac roedd y pedwar llew yn symbolau [pwniad] o'u nerth a'u grym!'

Gwingodd Yanni dan ymosodiadau'r bys. Yna sylweddolodd ei bod yn syllu i lawr arno'n feddyglar. 'Be sy?'

Ysgydwodd ei hun. 'Dim byd.' Cododd ac eistedd a'i chefn ato ar erchwyn y gwely. 'Dyna chdi – mi gei di syfrdanu dy ddefaid a dy eifr efo dy wybodaeth rŵan,' meddai, heb edrych arno.

Ond dynes y ddinas oedd hi, a phlentyn y mynyddoedd oedd yntau. Ffolineb llwyr fyddai i'r un ohonyn nhw fod wedi gobeithio am unrhyw beth mwy na chael gweld ei gilydd fel hyn bob hyn a hyn, ryw deirgwaith y flwyddyn ar y mwyaf.

Ac yna, un diwrnod, roedd hi wedi mynd.

Ers misoedd, meddai ei chymdoges wrtho. Wedi marw yn ei chadair wrth y ffenest . . . a pham, pam roedd raid i'r ddynes felltigedig ddweud *hynny* wrtho? Byth ers hynny, fedrai Yanni ddim peidio â meddwl mai eistedd yno'n disgwyl amdano fo roedd Ilithyia pan fu hi farw – yn dyheu am ei weld yn troi'r gornel, ac yn brasgamu i lawr y stryd unwaith eto.

'Dim ond *un* waith eto. Buasai unwaith eto wedi bod yn braf.'

'Ilithyia . . .' meddai eto rŵan, gan deimlo glaswellt byr a brwnt y mynydd yn crafu yn erbyn ei wefusau.

*

Neithiwr? Echnos? Y noson cynt?

Doedd o ddim yn siŵr iawn bellach. Ond mi ddaethon nhw ar ôl iddi dywyllu. Tri ohonyn nhw.

Meddyliai Yanni i ddechrau mai Manoli, Levtheri ac Elias

oeddan nhw. Erbyn hynny roedd Elias y Rhedwr wedi bod yn ymweld â fo'n rheolaiddd. Nid er mwyn tynnu arno, fel yr arferai ei wneud, nac ychwaith i'w fwydro am ryfeddodau'r Aifft, ond yn hytrach i wneud dim ond hofran o gwmpas y lle gan syllu arno'n ddigalon a dig. Cythryblus, a dweud y lleiaf, meddyliai Yanni; fel tasa fo ddim yn teimlo'n ddigon uffernol fel roedd hi am fynnu anfon Elias i lawr y mynydd efo Maria a Nikos y diwrnod hwnnw, dyma fo rŵan yn gorfod dioddef gwg y Rhedwr bob tro yr edrychai i fyny.

A byth ers y noson honno pan alwodd Stamati'r negesydd carpiog heibio hefo'r newydd fod Manoli a Levtheri wedi cael eu dal gan y Germani, bu Yanni'n galaru drostyn nhwythau hefyd. Felly, fyddai o ddim wedi rhyfeddu petai Elias wedi dod â Manoli a Levtheri efo fo o'r ochr draw i aflonyddu ymhellach arno – oherwydd dyna lle roeddan nhw erbyn hyn, gwyddai Yanni, oedd wedi deffro'n gynnar un bore a'r sicrwydd hwnnw wedi'i fwrw'n llythrennol i'w liniau, a'i galon yn torri.

'O, Thera, Thera,' ochneidiodd, a'r dagrau'n powlio i lawr ei ruddiau. 'Maria, *matákia mou*.'

Trwy gornel ei lygad gallai weld Elias yn eistedd ar graig yn ei wylio, rhyngddo a'r haul. Bu hefyd y tu mewn i'r cwt ddwy noson cyn hynny, yn y cysgodion ac allan o gyrraedd golau fflamau'r tân wrth i Stamati, y rhedwr ifanc, fwyta *misíthra* Yanni a beichio crio ar yr un pryd. Plentyn ydi hwn, meddyliodd Yanni wrth ei wylio'n ceisio gwthio'r caws gwlyb i'w geg rhwng yr igian torcalonnus – dim ond plentyn. Be gythral mae o'n da yn gneud rhyw waith fel hyn?

Fedrai o, felly, ddim gweld unrhyw fai ar Stamati am fethu'n lân â siarad yn uniongyrchol efo Thera a Maria Alevizakis. 'Mi wnest ti'n iawn,' meddai wrtho. 'Mynd i chwilio am Kosta Yrakis oedd y peth calla i'w neud dan yr amgylchiadau.'

Prin y gallai ddychmygu'r holl emosiynau creulon fyddai wedi'u pledu at Thera druan tasa'r creadur lletchwith a dagreuol hwn wedi ceisio hercian dweud wrthi am Manoli a Levtheri – hogyn nad oedd, wedi'r cwbwl, fawr hŷn na Maria.

'Pwy ddaru dy anfon di?' gofynnodd Yanni. 'Dy anfon di i Anogia, efo'r fath negas?'

'Y Kapetán Xylouris,' oedd yr ateb. Doedd o ddim yn siŵr iawn be'n union oedd wedi digwydd i Manoli a Levtheri a'r *andártes* eraill, meddai. Doedd o ddim ar gyfyl y lle, wedi'r cwbl. Dim ond bod rhyw ysgarmes wedi digwydd rhyngddyn nhw a thua dau ddwsin o filwyr Almaenig.

'Marko?' ceisiodd Yanni holi. 'Marko Alevizakis, y mab arall? Ddeudodd Xylouris unrhyw beth amdano fo?'

Ysgydwodd Stamati ei ben cyrliog. Roeddan nhw wedi gofyn hynny iddo yn Anogia hefyd, meddai, ond doedd o ddim yn gwybod – doedd o ddim hyd yn oed yn gwybod bod 'na Alevizakis arall ymhlith yr *andártes*. Chlywsai o ddim gair o sôn amdano.

Yn y diwedd, gadawodd Yanni o'n igian crio wrth y tân. Aeth allan o'r cwt a chrwydro'n rhwystredig o gwmpas y defaid, ei lygaid yn mynnu troi tua'r dwyrain bob gafael, ac i lawr i'r cyfeiriad lle roedd Anogia'n cysgu, rywle yn y gwyll. Nid ei bod yn debygol y byddai 'na unrhyw gysgu yn nghartref Thera a Maria. Tŷ galar fyddai'r tŷ hwnnw heno, oherwydd roedd i ddau *andárte* gael eu dal gan yr Almaenwyr . . . wel, roeddan nhw eisoes yn farw, i bob pwrpas. Gwyddai Yanni y byddai Thera a Maria heno'n gweddïo am drugaredd marwolaeth fuan a chyflym i Manoli a Levtheri.

Yno y dylwn innau fod, meddyliodd Yanni – yno yn Anogia – ond Duw a'm helpo, fedra i ddim gadael fama. Trodd mewn cylchoedd, ei wyneb i fyny tua'r lleuad a'r sêr wrth iddo chwilio am rywbeth – unrhyw beth, yr arwydd lleiaf – fyddai'n dangos iddo sut gythral y gallai ddal i fyw mewn byd nad oedd bellach yn cynnwys ei ffrind Manoli Alevizakis.

Ond chafodd o ddim ateb gan y sêr na'r mynydd.

Ac yna – y noson cynt, echnos, neithiwr? – y tri yn cyrraedd gyda'r gwyll. *Andártes*, meddan nhw, a doedd gan Yanni ddim rheswm dros amau hynny, ddim ar y dechrau. Hwyrach, petai o wedi bod ychydig mwy o gwmpas ei bethau . . . ond diawch erioed, doedd pawb yn *andárte* y dyddiau hyn? A phethau'n edrych mor ddrwg ar yr Almaenwyr trwy Ewrop a Gogledd Affrica heb sôn am Rwsia, a phob argoel na fasan nhw yma yng Nghreta am hir iawn eto, roedd llawer o'r Cretiaid a fuasai am flynyddoedd yn rhy ddiniwed neu'n rhy gyndyn i fod yn rhan o'r gwrthsafiad, mwyaf sydyn yn heidio i'r bryniau a'r mynyddoedd rhag ofn iddyn nhw gael eu cyhuddo, pan adawai'r Almaenwyr, o fod yn gyd-weithredwyr. Roedd 'na hyd yn oed jôc yn mynd o gwmpas yr ynys: allan o 450,000 o Gretiaid, roedd 449,000 ohonyn nhw'n taeru eu bod yn perthyn i'r criw a gipiodd y Cadfridog Kreipe.

Roedd Tasia wedi chwyrnu'n ddwfn funudau cyn i'r tri ymddangos.

'O, gad lonydd imi,' ochneidiodd Yanni, gan feddwl mai Elias y Rhedwr oedd wedi dod i'w boenydio eto fyth: arferai Tasia chwyrnu bob tro y byddai hwnnw o gwmpas y lle. Yna, sylweddolodd fod 'na oslef wahanol i'r chwyrnu hwn; aeth Tasia i orwedd ar ei bol ar ymyl y praidd, fel roedd o wedi'i dysgu i wneud bob tro roedd deithriaid yn agosáu. Roedd o wedi blino, wedi blino'n lân, ond er hynny cododd a chilio i gysgodion y creigiau a'i reiffl yn barod, i wylio'r tri'n nesáu at y cwt.

Pedwar cysgod i ddechrau, un mul a thri dyn: un tal a main, un stwcyn tew, ac un arall byr – hwn hefyd yn denau. Daethant yn nes eto, yna aros a syllu ar y cwt. Gallai Yanni eu gweld yn ddigon hawdd: roedd hi'n noson glir, a'r lleuad fel cryman miniog.

Mi ddylen nhw fod wedi dweud rhywbeth cyn hyn, meddyliodd Yanni, ac wrth iddo feddwl hynny, gwaeddodd un ohonyn nhw:

'*Yásas?*'

'*Yásas,*' atebodd Yanni o'r cysgodion.

Neidiodd y tri fel un a chamodd Yanni i'r golwg, gan ofalu bod ei reiffl, er yn pwyntio at y ddaear, i'w weld yn glir.

'Y Forwyn Sanctaidd!' ebychodd yr un tew. 'Wyt ti'n trio'n lladd ni?'

'Ddim os nad ydach chi wedi dŵad yma i drio'n lladd i,'

meddai Yanni. Sylwodd fod reiffl gan bob un o'r tri, ond doeddan nhw ddim yn dal eu harfau mewn ffordd fygythiol.

Chwarddodd y dyn tew, cyn sobri a dweud fod llawer gormod o ladd wedi bod ar yr ynys yma'n barod.

'Ma hynna'n wir. Croeso,' meddai Yanni.

Aeth i mewn i'r cwt i baratoi bwyd, a thros glecian y tân, deallodd Yanni mai tad a dau fab oeddan nhw, o bentref Koustoyérako. Dau dawedog iawn oedd y meibion, dim bŵ na be i'w gael ohonynt heblaw am ambell '*Efcharistó*'. Ond Cretiaid ydyn nhw eu tri, penderfynodd, wrth eu gwylio'n torri arwydd y groes cyn dechrau bwyta, a'u bodiau a'u dau fys cyntaf ynghyd i anrhydeddu'r Drindod, ac yna'n eu tynnu ar draws eu cyrff o'r ysgwydd dde i'r un chwith yn y dull Uniongred. Do, fe'u gwyliodd yn ofalus, ac ymlaciodd pan welodd nad oedd yr un ohonyn nhw wedi sbio ar y lleill cyn ei groesi'i hun. Petai un ohonyn nhw'n Almaenwr, fyddai o ddim wedi gallu cyflawni'r ddefod yma mewn ffordd mor naturiol.

Tad a dau fab. Ac, wrth gwrs, fedrai Yanni ddim peidio â meddwl am Manoli, Levtheri a Marko. Ond be goblyn oedd wedi digwydd i Marko? Er na fyddai Yanni wedi breuddwydio cyfaddef hyn wrth Thera, doedd o rioed wedi gallu dod ymlaen efo Marko – roedd o'n rhy orchestlyd, yn rhy lawn ohono'i hun. Ond roedd y Manoli craff wedi synhwyro hyn, debyg iawn: roedd o a Yanni yn nabod ei gilydd yn rhy dda. Cofiai sut yr arferai Manoli daro winc fach slei arno bob tro y byddai Marko'n trio dangos ei hun mewn rhyw ffordd neu'i gilydd. 'Ia, dwi'n gwbod,' meddai'r winc, 'dw inna'n ysu am gicio'i din gwirion o hefyd.'

Neidiodd wrth deimlo rhywbeth yn pwnio'i ben-glin yn ysgafn – bysedd y tad.

'Roeddat ti'n bell yn rwla rŵan, gyfaill.'

'Oeddwn. *Sighnómi*,' ymddiheurodd. Edrychodd ar y tad. 'Roeddat ti yn llygad dy le gynna fach – mae 'na ormod o ladd wedi bod ar yr ynys yma, gormod o beth uffarn.'

Nodiodd y tad yn araf, ei lygaid ar wyneb Yanni. 'Rwyt ti wedi profi tristwch mawr yn ddiweddar, ydw i'n iawn?'

Trodd un o'r meibion eto wrth i Yanni chwilio'r cysgodion y tu ôl iddo am Elias y Rhedwr; doedd 'na ddim golwg wedi bod o'r mwnci hwnnw heno, a phetai'r hen Elias yma – yr Elias byw, hynny yw – mi fyddai wedi holi'r rhain yn dwll, a fasan nhw ddim wedi cael eiliad o lonydd nes bod Elias yn fodlon ei fod yn gwybod pob dim amdanyn nhw. Mi ddylai ei ysbryd o fod yma heno, felly, yn drwyn i gyd.

Teimlai Yanni'r cwt yn annifyr o glòs mwyaf sydyn, a chan fwmian, 'Wel, tydan ni i gyd, y dyddiau hyn?' wrth y tad, esgusododd ei hun a mynd allan i'r nos. Hoffai allu dweud wrth y tri yma am adael, ond roedd y traddodiad Cretaidd o estyn croeso i ddieithriaid yn rhy gryf iddo feddwl am wneud hynny. Roedd 'na rywbeth amdanyn nhw a wnâi iddo deimlo'n annifyr. Tawedogrwydd y ddau ifanc, mae'n debyg, a'r ffordd roedd un ohonyn nhw'n eistedd yn llonydd â'i lygaid wedi'u hoelio ar y tân, fel petai'n gweld rhyfeddodau fyrdd yn ymddatod o'r mwg. Llygaid ei frawd, wedyn, yn neidio'n nerfus i bobman, ond byth yn setlo ar wyneb Yanni. Gorgyfeillgarwch y tad, hefyd, oedd yn un o'r dynion rheiny na fedran nhw ddweud gair heb wenu. A dim ond â'i geg mae o'n gwenu, meddyliodd Yanni: does 'na'r un wên wedi cyrraedd ei lygaid.

Clustfeiniodd, a gallai glywed sgwrsio tawel yn dod o'r tu mewn i'r cwt, ond roedd y lleisiau'n rhy isel iddo fedru dallt y geiriau a chafodd y teimlad, petai o'n camu i mewn yn ddirybudd, y byddai'r sgwrs yn peidio yn syth bìn.

Symudodd oddi wrth y cwt ac at y praidd, gan fwmian canu un o'r hen ganeuon, 'Chelidonáki mou gorgó' – 'Fy ngwennol fach chwim' – wrth iddo symud o gwmpas yr anifeiliaid. Un o hoff ganeuon Maria pan oedd hi'n fechan, meddyliodd, gan gofio fel yr arferai hi swnian a swnian arno i'w chodi ac yntau'n ei dal i fyny, a'i breichiau allan fel adenydd. Cofio fel y byddai yntau'n tynnu arni trwy gymryd arno ei fod o wedi brifo'i gefn neu wedi blino gormod, ond yn ildio iddi yn y diwedd wrth gwrs, ac yn ei gyrru i 'hedfan' dros bennau pawb arall – drwy'r tomatos a'r nionod a'r garlleg a hongiai oddi ar drawstiau'r nenfwd. Y wennol fach yn gwibio drwy frigau'r goedwig, a'r ddau ohonyn nhw'n canu'r gân nes bod Thera a Manoli'n crefu arnyn nhw i roi'r gorau iddi, yn enw'r Forwyn. Roedd o a Maria mor wirion â'i gilydd.

Tagodd Yanni rŵan dros y geiriau wrth i du mewn ei wddw chwyddo. Roedd y dagrau yn eu holau, ac yn troi'r noson glir yn niwlog. Eisteddodd ar y ddaear yng nghanol ei anifeiliaid, ei reiffl ar ei lin a'i lygaid ar y cwt.

Doedd o ddim wedi symud y praidd i fyny'r mynydd wedi'r cwbl. Y rheswm ymarferol oedd fod mwy o gysgod yma, yng nghanol y creigiau fel hyn, tra oedd y porfeydd uwch yn fwy agored. Ond, yn fwy na hynny, roedd marwolaeth Elias y Rhedwr wedi ei lorio'n llwyr, cymaint felly fel mai prin y gallai feddwl am godi yn y bore a gwneud diwrnod o waith. Roedd o'n hollol ddi-nerth. Ai peth fel hyn ydi henaint? holai ei hun – cael eich gadael mor llipa â chlwtyn gwlyb ar ôl profi colled? Dyn a ŵyr, roedd o wedi colli sawl ffrind agos dros y blynyddoedd, ond ar ôl clywed am Elias, teimlai fel petai rhywun wedi gwthio'i law i mewn i'w gorff, a rhwygo darn go helaeth o'i enaid allan ohono.

Ac roedd y newyddion am Manoli a Levtheri wedi dinistrio'r hyn oedd ar ôl.

Ymhen sbel cododd a cherdded yn dawel at y cwt. Roedd y sgwrsio wedi dirwyn i ben, a gallai glywed sŵn o leiaf un o'i westeion yn chwyrnu. Brathodd ei ben i mewn yn ofalus, a gweld bod y tri ohonyn nhw'n cysgu'n sownd a'r tân yn mudlosgi. Wrth iddo'u gwylio, symudodd un o'r meibion fymryn yn ei gwsg gan ollwng clamp o rech cyn setlo'n ei ôl. Y blydi *misíthra*, meddyliodd Yanni, wrth fynd yn ei ôl allan wysg ei gefn – ma'r caws gwlyb 'na wastad yn codi gwynt ar rywun. Weithiau, pan fyddai'r cwt yn llawn o *andártes*, byddai'n annioddefol yno, a rhaid oedd baglu allan ohono am rywfaint o awyr iach, hyd yn oed ar noson erwin gefn gaeaf.

Falla, wir, mod i'n gneud cam â'r rhain, meddyliodd, wrth fynd yn ei ôl at bersawr llai ymosodol y defaid a'r geifr. Roedd eu gweld nhw'n chwyrnu cysgu fel yna fwy neu lai wedi mygu'r hen deimlad anghyffordus yna oedd ganddo amdanyn nhw'n gynharach. Unwaith eto, dyheai am weld yr Almaenwyr yn ei bygro hi o'r ynys, unwaith ac am byth; does 'na neb yn gallu sbio ar neb arall heb eu hamau o rywbeth neu'i gilydd.

Setlodd i gysgu yng nghanol y defaid a'r geifr, o olwg unrhyw un a fuasai, hwyrach, yn chwilio amdano. Aeth i gysgu yn syllu ar y sêr, a'r peth cyntaf a wnaeth pan agorodd ei lygaid hefo'r wawr oedd rhegi, oherwydd roedd tri reiffl yn pwyntio i lawr ato.

'*Kaliméra*,' gwenodd y tad. 'Reit ta – os dwi'n cofio'n iawn, roeddan ni'n dau wedi cytuno neithiwr fod 'na hen ddigon o ladd wedi bod ar yr ynys 'ma'n ddiweddar, ydw i'n iawn?'

Nodiodd Yanni'n araf.

'Ardderchog. Felly, os byddet ti mor garedig â chydiad yn dy reiffl gerfydd y baril a'i basio fo yma, mi faswn i'n ddiolchgar tu hwnt, a fydd dim angen i neb golli 'run diferyn o waed.'

Ufuddhaodd Yanni, a chamodd y tri yn ôl oddi wrtho.

'Wn i, wn i,' meddai'r tad. 'Rwyt ti'n dy alw dy hun yn bob enw, a wela i ddim bai arnat ti, a deud y gwir. Mi faswn inna'n gneud yn union yr un fath â chdi, taswn i yn dy le di.' Gwnaeth ystum ar Yanni i godi. 'Roeddat ti wedi'n hamau ni neithiwr, yn doeddat? Ro'n i'n gallu deud . . .' Gwenodd yn lletach wrth weld Yanni'n ceisio bustachu ar ei draed. 'Wir, ddylai dyn o d'oed ti ddim cysgu allan yn yr awyr agored – rwyt ti'n gricymala i gyd. Andonios,' meddai wrth un o'r lleill. 'Helpa fo i godi, 'nei di? Neu yma byddwn ni.'

Camodd yr un nerfus ymlaen, ac wrth iddo gydio ym mraich chwith Yanni a dechrau ei dynnu i fyny, plannodd Yanni ei gyllell yn ei fron â'i holl nerth. Doedd y tad a'r mab arall ddim yn siŵr iawn be oedd newydd ddigwydd – roedd y mab nerfus rhyngddyn nhw a Yanni – ac mi feddylion nhw am eiliad fod y ddau ddyn o'u blaenau'n cofleidio'i gilydd cyn dechrau perfformio ryw ddawns bisâr. Ond yna, baglodd y mab nerfus yn ei ôl a syrthio ar ei liniau gan wneud y sŵn gwichian mwyaf ofnadwy, a'i ddwylo'n gallu gwneud dim ond pawennu carn y *mavrománika* a ymwthiai o'i fron. Agorodd ei geg i ddweud rhywbeth ond ffrwydrodd ton o waed coch tywyll, bron yn ddu, o'i geg, a disgynnodd yn ei ôl a'i lygaid llonydd yn syllu'n ddall ar yr awyr.

Rhythodd y tad arno, yna rhoes floedd uchel o boen a galar. Cododd ei reiffl, a . . .

*

Doedd Yanni'r Chwibanwr yn teimlo nemor ddim poen erbyn hyn. Hwyrach, tasa fo'n trio symud . . . ond doedd ganddo mo'r nerth. Dim nerth i chwibanu, hyd yn oed.

Mi fyddai 'na alw mawr am wasanaeth Yanni'r Chwibanwr mewn dawnsfeydd, yn y dyddiau pan oedd 'na ddawnsio yn digwydd yn rheolaidd. Coesau'n cicio a sgertiau'n troi ac yn codi; chwys a chluniau noethion. Byddarol – dyna'r unig air am chwiban Yanni'r Chwibanwr, yn enwedig rhwng pedair wal a than do, a doedd dim ond eisiau iddo fygwth rhoi ei fys canol a'i fawd yng nghorneli'i geg, a byddai pawb yn gwasgu cledrau eu dwylo dros eu clustiau.

Chlywodd Ilithyia erioed mohono'n chwibanu, sylweddolodd. Wyddai hi ddim, hyd yn oed, ei fod o'n *gallu* chwibanu. Doedd o rioed wedi dweud wrthi. 'Ilithyia . . .'

Gorweddai yn y gwlith a rhoddai'r byd am fedru troi ac agor ei geg a gadael iddo wlychu blaen ei dafod a'r tu mewn i'w geg. Ond roedd hynny'n amhosib.

Dechreuodd feddwl am y Drosoulites. Cysgodion y gwlith, dyna ystyr yr enw. Roedd llawer un wedi'u gweld nhw dros y blynyddoedd, neu felly roeddan nhw'n honni. Ysbrydion, rhithiau, adleisiau o'r ganrif flaenorol. Pwy a ŵyr? Ond roedd disgrifiad pawb ohonyn nhw'r un fath: cysgodion criw o wŷr arfog – rhai ohonyn nhw'n cerdded, eraill yn marchogaeth gan ddilyn y ffordd o fynachlog Agios Charalambos i'r hen gaer yn Frangokastello. Ond be oeddan nhw? Hen filwyr Groegaidd a gawsai eu lladd yn ystod brwydr Frangokastello ym Mai 1828, ac yn ymddangos o gwmpas y dyddiad hwnnw bob blwyddyn, yn ôl y sôn, ben bore pan fyddai'r môr yn llonydd a'r haul heb eto losgi'r niwl a sychu'r gwlith. Aethai Yanni yno efo'i dad, yr holl ffordd i lawr at arfordir y de, ond welson nhw mo'r milwyr.

Mi hoffai fod wedi cael un cip arnyn nhw, dim ond un cip sydyn cyn i'r gwlith ddiflannu.

Rŵan, gallai deimlo'r haul yn cusanu ei wyneb. Fyddai'r haul ddim yn hir yn sychu gwlybaniaeth y gwlith oddi ar ei ddillad. Roedd o eisoes yn ei gynhesu. Cyn bo hir byddai'n ei losgi, yna'n ei grasu.

Ac yna, ar ôl ychydig, byddai'n pydru.

Un chwiban arall . . .

Ceisiodd symud ei law a llwyddodd i'w chodi fymryn nes at ei geg, ond roedd hynny fel cynnau tân eirias yn ei fron. Pesychodd, a chyn cau'i lygaid gwelodd gwmwl coch yn ffrwydro o'i geg, a phan agorodd ei lygaid eto, roedd yr haul yn uwch o lawer ac yn taro'n chwilboeth ar ei wyneb. Meddyliodd ei fod yn gallu clywed ei ddefaid yn brefu, ei ddefaid a'i eifr, ond yna cofiodd – na. Roeddan nhw wedi mynd.

Ddoe? Echdoe? Y diwrnod cynt?

Ei eifr a'i ddefaid o – a defaid a geifr Manoli.

'Hidia befo.'

Manoli ddeudodd hynna?

Ceisiodd godi'i ben, ond roedd o fel tasa rhywun wedi curo hoelen anferth drwy'i benglog ac i mewn i'r mynydd oddi tano. Tasia, meddyliodd; gobeithio nad oeddan nhw wedi gwneud unrhyw beth iddi hi.

Un chwiban arall . . .

Gwnaeth yr haul ei orau i gadw Yanni'r Chwibanwr yn gynnes, ond roedd yr oerni a deimlai'n rhuthro trwyddo'n rhy gryf hyd yn oed i haul Gorffennaf Creta.

'Rwyt ti fel y mynydd 'ma,' ddeudodd Siphi wrtho. 'Wastad yma.'

Ydw, meddyliodd Yanni, wrth fynd.

19

Y kokkalas

Nikos

Roedd hi wedi dechrau nosi pan ddaeth Nikos o hyd iddo fo.

Erbyn hynny roedd o wedi dysgu mor anferth oedd y mynyddoedd 'ma mewn gwirionedd, ac mor fychan oedd o – ac mor ddwl, mor ddiawledig o ddwl. Doedd o ddim wedi gwrando ar Yanni, ac yn amlwg heb ddysgu'r wers bwysig honno am ddefnyddio pob un wan jac o'i synhwyrau. Yn enwedig y synnwyr cyntaf, sef defnyddio'i lygaid, nid yn unig i edrych ond i *weld*.

Roedd o wedi mynd ar goll yn lân, cymaint felly nes iddo ddechrau amau ar un adeg oedd o hyd yn oed ar y mynydd iawn.

'Mae'r creigiau 'ma'n gallu newid eu siapiau heb i ti sylwi,' roedd Yanni wedi'i ddweud wrtho un tro, a Nikos yn nodio ond hefyd yn meddwl, *sut gythral ma rywbath mor galed, mor gadarn â mynydd yn gallu newid ei siâp?* Ond roedd Yanni'n iawn, wrth gwrs; roedd craig a ymddangosai fel pen llew wrth i chi edrych arni o un cyfeiriad yn gallu edrych yn hollol wahanol o gyfeiriad arall. Hawdd iawn, felly, oedd cerdded heibio i graig gyfarwydd heb ei nabod – neu, yn waeth fyth, ei diystyru.

Doedd y llwybrau ddim yn helpu, chwaith, a hynny am y rheswm syml fod 'na ormod ohonyn nhw o beth wmbredd, i gyd ar yr olwg gyntaf yn edrych yn union yr un fath â'i gilydd. Ar ben hynny, roedd un llwybr yn aml yn troi'n ddau, a hithau bron yn amhosib dewis rhyngddyn nhw – ac ar ôl i Nikos neud y dewis a dilyn y llwybr hwnnw am hydoedd, yn hwyr neu'n hwyrach dôi wyneb yn wyneb â dewis o dri neu bedwar arall, i gyd yn arwain i gyfeiriadau gwahanol. Sylweddolodd y dylai fod wedi sylwi llawer mwy ar Maria, a nodi pa lwybrau yn union roedd hi wedi'u cymryd wrth fynd i fyny at Yanni, yn hytrach na'i dilyn fel oen llywaeth.

Doedd 'na neb o gwmpas y tro yma iddo ofyn y ffordd iddyn nhw, chwaith. Clywsai sawl ergyd o wn yn ystod y dyddiau y bu'n crwydro'n ddibwrpas, ond roedd hi'n amhosib dweud o ble'n union roeddan nhw'n dod. Ac er bod bugeiliaid Creta wastad yn saethu at rywbeth neu'i gilydd, doedd dim sicrwydd mai bugeiliaid oedd wrthi bob tro.

O leiaf roedd o wedi dysgu dod o hyd i rywle i gysgu cyn i'r haul ddechrau machlud: roedd y mynydd yn frith o ogofâu. Ond teimlai ei ysbryd yn mynd yn is ac yn is gyda phob bore newydd. Ai dyma fyddai ei hanes am weddill ei oes – crwydro o un llethr i'r llall a dringo un clogwyn ar ôl y llall, ddim ond i deimlo'r siom fwyaf ofnadwy bob tro o weld mai tirwedd hollol ddieithr oedd yn aros amdano'r ochr arall? Crwydro a chrwydro nes iddo, yn y diwedd, farw o newyn? Doedd dim briwsionyn ar ôl yn ei *sakoúli* bellach, ac roedd ei stumog wedi dechrau ei boeni go iawn – poenau nad oedd wedi'u profi ers pan adawodd Kondomari hefo'i fam.

Dim ond ffŵl sy'n marw o newyn ar y mynydd. Llais Yanni yn ei ben, ac wrth i Nikos wthio rhyw drychfil anghynnes i mewn i'w geg, addunedodd y byddai o hynny allan yn gwrando'n astud ar bob cyngor a gâi gan yr hen fugail – petai Duw ddim ond yn ei dywys ato.

O'r diwedd, roedd Duw wedi gwrando arno. Wedi dod o hyd i hen ffynnon yr oedd o, y bore cynt. Os ffynnon hefyd – roedd hi'r tu mewn i ogof gul, mor gul nes byddai'n amhosib i neb feddwl am gysgu ynddi, hyd yn oed rhywun bychan fel fo. Ond roedd un o waliau'r ogof yn wlyb socian a dŵr yn llifo drosti, a rhoddodd Nikos ei wyneb yn erbyn ei hwyneb garw, bendigedig o oer, a gadael i'r dŵr grwydro dros ei wallt a'i dalcen ac yna i lawr ei goler, gan gosi ei gorff â bysedd oerion. Yfodd oddi ar y graig – yfed y chwys, y dagrau a'r poer – gan gredu na flasodd blaen ei dafod erioed unrhyw beth cystal.

Llanwodd rywfaint ar ei boteli dŵr ac ailddechrau cerdded. Roedd o wedi bod yn syllu ar ei gysgod yn tyfu'n denau o'i flaen, cyn sylweddoli mai cysgod rhywun hynod o fain a thal oedd hwn. Dyna pryd y sylweddolodd fod yr haul ar fin diflannu'r tu ôl i fynyddoedd y gorllewin. Ymhen ychydig funudau roedd y cysgod wedi diflannu ac awel fach yn dod o rywle – awel a wisgai bersawr go anghynnes. Dafad neu afr wedi cael codwm oddi ar un o'r clogwyni, meddyliodd Nikos. Oedd hynny'n golygu bod 'na fugail yn y cyffiniau?

Ceisiodd wneud yr hyn roedd Yanni wedi'i ddysgu i'w wneud. 'Teimlo, Nikos – sefyll yn llonydd a gadael i'r mynydd siarad efo chdi. Yr awyr, hefyd, a beth bynnag sy'n cael ei gludo yn yr awel gan y gwynt . . .' Felly, trodd mewn cylch yn araf – ei geg ynghau ond ei ffroenau'n llydan agored, ei glustiau rhyfedd yn pigo gan y straen o wrando, a'i lygaid yn crwydro'n araf, araf dros graig a chlogwyn.

A dyna pryd y sylweddolodd fod rhywbeth cyfarwydd ynglŷn â'r creigiau hyn – y ffordd roedd eu pennau'n ymddangos fel tasan nhw'n closio at ei gilydd i rannu cyfrinachau. Rhuthrodd y dagrau i'w lygaid. Dwi yma! meddyliodd. O'r diwedd, a Duw a ŵyr sut, ond dwi yma, dwi'n *siŵr* mod i yma. Ac os cerdda i i'r cyfeiriad acw, a throi a sbio'n ôl, yna mi fydda i'n gweld yn glir yr hyn roedd Yanni'n ei feddwl, sef bod y creigiau'n edrych yn union fel criw o hen ferched yn clebran ar sgwâr y pentref. Ac mi fydd cwt Yanni yno yn eu cysgod.

Dechreuodd gerdded, ond roedd gwybod ei fod o yma o'r diwedd wedi sugno'r nerth o'i goesau, rywsut, a syrthiodd ar ei liniau. 'Tyd!' meddai wrtho'i hun. Sychodd y dagrau oddi ar ei wyneb â'i lawes, a'r sneips o'i drwyn.

Lle mae'r defaid a'r geifr? Neidiodd y geiriau i'w feddwl, a bron heb sylwi ei fod yn gwneud hynny, cododd ar ei draed a synhwyro'r aer. Dylai fod wedi gallu arogli'r praidd erbyn hyn, ond yr unig beth ar yr awel oedd y drewdod annifyr yna: drewdod rhywbeth yn pydru. Doedd 'na'r un fref i'w chlywed chwaith, a daeth yn agos at feichio crio pan gofiodd am Yanni'n dweud wrth Maria ei fod o'n meddwl symud y praidd yn uwch i fyny'r mynydd.

Cychwynnodd Nikos i lawr ochr y graig. Roedd yr awel fach 'na'n brathu'n giaidd o oer, ac erbyn iddo gyrraedd troed y graig roedd yn groen gŵydd o'i gorun i'w sodlau. Gallai weld y gorlan rŵan – y gorlan wag, oni bai am . . . ia, roedd o'n iawn, gweddillion dafad neu afr rhwng y gorlan a'r cwt, ei gwlân yn wyn yn yr hanner gwyll.

Roedd rhywbeth arall yno hefyd, nid nepell o'r clawdd. Rhyw siâp rhyfedd, rhywbeth a edrychai fel tasa fo'n symud mewn rhyw ffordd afiach, od.

Arafodd Nikos ei gamau. Wrth iddo nesáu gallai weld gwlân gwyn y ddafad farw'n cael ei chwythu fel plu wrth i'r awel gribo'i bysedd trwyddo. Safodd yn stond. *Blew* sy'n symud fel yna mewn awel, meddyliodd – nid gwlân.

'Tasia!'

Anghofiodd Nikos am ei flinder, a chychwyn rhedeg at y fan lle gorweddai hynny oedd ar ôl o'r ci hardd. Beth bynnag oedd wedi digwydd i Tasia, roedd rhywbeth wedi bod yno wedyn yn gwledda ar ei gweddillion. Cododd ei ben, a thrwy'i ddagrau gwelodd fod ei lais wedi dychryn y siâp rhyfedd hwnnw ger y clawdd, ac wrth iddo rythu arno gwelodd bedair adain gref yn agor wrth i ddau wddw hir godi ohonyn nhw fel dwy neidr. Rhewodd drwyddo pan welodd ddau wyneb milain, cyntefig y ddau *kokkala* – dau Fwltur Barfog – yn rhythu arno a chortynnau cochion yn hongian o'u pigau.

Cododd y ddau aderyn erchyll yn hamddenol wrth i Nikos redeg tuag atyn nhw dan sgrechian a chlecian ei ddwylo yn erbyn ei gilydd fel dyn o'i go.

Roedd o wedi sylweddoli, o'r diwedd, beth oedd y siâp a orweddai ger y clawdd. Neu, yn hytrach, *pwy* oedd o.

Wrth redeg tuag ato, clywodd lais yn gweiddi 'Yanni!', a sylweddoli'n syth mai ei lais ei hun a glywai. Pam roedd o'n gweiddi, doedd wybod, oherwydd roedd hi'n amlwg nad oedd Yanni am godi a'i gyfarch, ei geryddu am gadw'r ffasiwn dwrw a chynhyrfu'r defaid, wir Dduw – oherwydd doedd dim defaid yno, na geifr, na hyd yn oed gi na bugail bellach i edrych ar eu holau . . . Roeddan nhw i gyd wedi mynd.

Sibrydodd Nikos enw'r hen fugail eto wrth syllu i lawr ar ei weddillion.

'Yanni . . .' Syrthiodd ar ei liniau wrth ei ochr. 'O, Yanni,' sibrydodd eto.

Roedd y locsyn gwyn, trwchus i'w weld o hyd, ond dyna'r cyfan oedd ar ôl o wyneb Yanni'r Chwibanwr. Roedd ei lygaid a'i drwyn wedi diflannu, a'i wefusau wedi'u pigo a'u rhwygo oddi arno. Roedd y pigau creulon hefyd wedi sleisio drwy'i ddillad a'r cnawd tyner oddi tanyn nhw, gan adael tyllau anferth a blêr rhwng ei ên a'i gluniau, a throi ei gorff yn gragen wag.

Trodd Nikos yn wyllt. Doedd y ddau *kokkala* ddim wedi mynd yn bell, a daeth y syniad ofnadwy iddo fod eu boliau, hwyrach, yn rhy lawn iddyn nhw allu hedfan yn uchel iawn. *Yn llawn o Yanni a Thasia.*

Roeddan nhw wedi setlo'n ôl ar y ddaear ychydig o lathenni oddi wrtho, y ddau'n ei lygadu'n faleisus ac yn amlwg yn aros iddo adael cyn dychwelyd at eu gwledd. Wrth i Nikos edrych arnyn nhw, lledodd un ei adenydd yn fygythiol.

'Bastads!'

Sgrialodd Nikos ar ei draed a sgubo llond llaw o gerrig oddi ar y ddaear. Rhedodd yn syth am y ddau aderyn, a phledu un garreg ar ôl y llall atyn nhw, a than sgrechian arno, cododd y ddau fwltur i'r awyr. Doeddan nhw ddim yn rhy drwm, wedi'r cwbl. Ond eto, aethon nhw ddim yn bell – dim ond cyn belled â'r graig agosaf, ac eistedd arni ochr yn ochr a'u llygaid wedi'u hoelio ar weddillion Yanni.

Dychwelodd Nikos ato, a phenlinio wrth ei ochr unwaith eto. Be oedd wedi digwydd i'r bugail? Roedd hi'n amhosib dweud: roedd pigau'r *kokkalas* wedi gadael gormod o lanast. A'r dagrau'n powlio i lawr ei ruddiau, llusgodd Nikos ymlaen ar ei bengliniau. Cododd ben Yanni a'i roi i orffwys ar ei gluniau, ac wrth wneud hynny, rhoes ei law dan ei gefn er mwyn ei symud. Teimlodd rywbeth sticlyd ar ei fysedd a phan graffodd arnyn nhw yn yr hanner gwyll, gallai weld eu bod yn frowngoch. Gan duchan, llwyddodd i godi digon ar ysgwyddau Yanni i weld y twll crwn, taclus yng nghanol ei gefn.

Ei saethu . . . Roedd rhywun wedi'i saethu.

Gadawodd i ben yr hen fugail syrthio'n ôl ar ei gluniau bach eiddil, a chan godi'i wyneb i fyny, udodd Nikos ei dristwch i'r lleuad ifanc.

*

Arhosodd efo Yanni trwy'r nos. Bob tro y teimlai ei hun yn dechrau pendwmpian, canai rai o'r *mantinádes* roedd Yanni wedi'u dysgu iddo. Roedd hynny hefyd yn helpu i gadw'r *kokkalas* oddi wrtho, neu felly y gobeithiai. Er ei waethaf, syrthiodd i gysgu fwy nag unwaith, yna deffro â naid neu floedd i weld y ddau aderyn yn agos ato, ac yn baglu oddi wrtho'n lletchwith ar eu coesau pluog.

Weithiau, dychmygai ei fod yn clywed llais Yanni ar yr awel, yntau hefyd yn hymian yr un hen, hen ganeuon, a deffrodd un tro yn sicr iddo glywed ei chwiban fain, uchel. Dro arall, credai iddo weld Yanni'n eistedd yng ngolau'r lleuad ar y sedd garreg y tu allan i'r cwt, lle'r arferai eistedd yn cael smôc ac yn hel meddyliau. Gallai Nikos glywed oglau cyfarwydd y baco ar yr awel, a gweld blaen y sigarét yn disgleirio'n goch wrth i Yanni dynnu arni. Daliodd i syllu arno am amser hir nes bod ei lygaid agored yn dyfrio, oherwydd gwyddai'r tro nesaf y byddai ei amrannau'n cau ac yn agor y byddai Yanni wedi mynd.

Ond *mae* o wedi mynd, meddai Nikos wrtho'i hun – Tasia a fo – wedi mynd am byth. A ddôn nhw byth yn ôl.

Rhoddai'r byd am fedru gorwedd yn y cwt a chysgu, ond feiddiai o ddim gadael Yanni allan yn yr awyr agored fel hyn: byddai'r *kokkalas* wedi ymosod arno eto fyth; doedd dim digon i'r diawliaid ffiaidd ei gael. Roedd wedi penderfynu oriau'n ôl nad oedd unrhyw bwrpas rhedeg i mewn i'r cwt i chwilio am reiffl Yanni: byddai pwy bynnag a'i lladdodd yn siŵr o fod wedi mynd â'r reiffl hefo nhw, ac roedd y *mavrománika* fawr a gadwai Yanni mewn gwain ledr ar ei wregys wedi diflannu. A doedd ganddo mo'r nerth i lusgo Yanni i mewn i'r cwt efo fo.

Yfory, gwyddai, byddai'n rhaid iddo feddwl am agor bedd, ond o ble y câi'r nerth i wneud hynny, Duw a ŵyr. Roedd yn sicr mai yma ar y mynydd y byddai Yanni'n dymuno bod, nid ym mynwent eglwys un o'r pentrefi. Yma roedd o i *fod*.

Daeth y wawr o'r diwedd. Roedd Nikos wedi pendwmpian eto fyth, a deffrodd y tro hwn yn argyhoeddedig ei fod yn clywed sŵn defaid a geifr yn brefu. Doedd dim golwg o'r ddau fwltur. Ceisiodd godi, ond roedd ei goesau wedi cyffio gormod, a gwaeddodd wrth i ddwy wiallen boeth drywanu trwy'i gluniau. Swniai ei lais ei hun yn uchel yn y bore bach – ond nid mor uchel ag y dylai swnio, sylweddolodd, oherwydd roedd o'n dal i allu clywed y brefu. Os rhywbeth, swniai'r côr aflafar yn uwch ac yn nes ato ac fel petai'n tarddu o'r wawr ei hun, oherwydd o'r haul y dôi. Trodd Nikos, ond roedd golau'r haul yn ei ddallu. Wrth iddo graffu pallodd y golau ryw fymryn wrth i gwmwl trwchus o lwch godi o'r llwybrau a arweiniai i lawr y llethrau, fel petai carnau dwsinau o anifeiliaid wedi'i greu.

A thyfodd sŵn y brefu'n uwch, ac yn uwch.

A rŵan, gallai Nikos weld siapiau'r tu mewn i'r cwmwl – siapiau defaid a geifr. Ac yna roeddan nhw, o'i gwmpas, yn gwthio heibio iddo ac ambell un yn taro'n ysgafn yn ei erbyn, ond dim un ohonyn nhw'n troedio dros Yanni nac ychwaith dros weddillion Tasia. Y tu mewn i'r cwmwl hefyd roedd 'na ddau ddyn yn symud . . . ond yna gorfu i Nikos gau ei lygaid oherwydd y llwch, a phan agorodd nhw eto ac edrych i fyny, gwelodd mai dim ond un dyn oedd yno wedi'r cwbwl, yn sefyll rhyngddo a'r haul wrth i'r defaid a'r geifr lifo'n dwt ohonynt eu hunain i'r gorlan.

Yna siaradodd y dyn.

'Nikos?' meddai; roedd ei lais yn gyfarwydd, ond yn llais na chlywsai Nikos mohono ers misoedd lawer. 'O, Nikos, ro'n i'n amau . . . ro'n i'n ofni.'

Aeth Marko Alevizakis i'w gwrcwd, y dagrau'n sgleinio yn

ei lygaid wrth iddo blygu uwchben gweddillion Yanni'r
Chwibanwr.

*

Marko

Roedd o wedi clywed sawl ergyd o sawl gwn dros yr wythnosau
diwethaf, a'i ymateb cyntaf, os nad greddfol, yn ddieithriad
fyddai cerdded i gyfeiriad arall, mor bell o darddiad yr ergyd
ag y gallai. Wel, onid felly roedd llwfrgwn y byd 'ma i fod i
ymateb?

Treuliai ei ddyddiau'n crwydro ac ymguddio. Weithiau, pan
deimlai'n sicr nad oedd o a'r bugail yn nabod ei gilydd, mentrai
i lawr at gorlan neu gwt i gardota am ychydig o fwyd.
Gwrthodai bob cynnig i dreulio'r noson dan do, wrth y tân:
doedd wybod pwy arall a grwydrai'r mynyddoedd ac a allai
daro i mewn i rannu lletygarwch y bugeiliaid yn ystod oriau'r
nos, rhywun fyddai'n ei nabod neu o leia'n gwybod amdano.
Marko Alevizakis, y llwfrgi . . .

Fel arall, bwytâi drychfilod a phlanhigion y mynydd, yn
enwedig dant y llew gwyllt, y planhigyn â'r dail llwydion a dyfai
ymysg y creigiau.

Doedd Marko rioed wedi bod yn or-hoff o'r mynydd, ddim
fel Levtheri a Maria, oedd yn byw ac yn bod arno bob cyfle gaen
nhw, ac ym mhob tywydd. Roedd Levtheri'n fugail o'i gorun i'w
sawdl er pan oedd yn ddim o beth, ac mi fedrai eistedd am
oriau meithion yn yr un lle heb ddweud gair o'i ben. Roedd
Marko'n rhy aflonydd a diamynedd i hynny.

A phan ddechreuodd glywed oglau ei ddŵr, collodd y
mynydd fwy fyth o'i apêl. Daeth i warafun yr wythnosau hirion
y mynnai ei dad ei fod yn eu treulio yng nghwmni defaid, geifr
a bugeiliaid eraill, a dôi ei ddiffyg diddordeb yn y gwaith yn
fwyfwy amlwg. 'Dydi meddwl hwn ddim ar ei waith o gwbwl,'
byddai ei dad yn grwgnach wrth Yanni'r Chwibanwr, ac ateb
Yanni'n ddi-ffael fyddai, 'Gad o hefo mi am flwyddyn; mi wna
i fugail ohono fo, saff i ti.'

Mae'n ddigon posib y byddai Yanni wedi llwyddo petai o

wedi cael y cyfle, ond roedd Marko'n benderfynol na ddigwyddai hynny. Allai o ddim meddwl am unrhyw beth gwaeth na threulio blwyddyn gyfan ar y mynydd yng nghwmni Yanni, oedd yn amlwg yn cael trafferth i guddio'i ddiffyg amynedd hefo fo, a'i ddirmyg tuag ato.

'Be uffarn wnest ti o'i le wrth genhedlu hwn, Manoli?' clywsai Yanni'n holi ei dad droeon. 'Dydi o a'i frawd ddim byd tebyg.' Gwyddai Marko mai dim ond ei barch tuag at Thera a rwystrai Yanni rhag tynnu ymhellach ar Manoli trwy awgrymu nad fo oedd tad Marko mewn gwirionedd, ond yn hytrach rhyw ddili-do o ferchetwr oedd wedi digwydd crwydro'n hudolus drwy Anogia un pnawn. Ac yno y mynnai meddyliau Marko grwydro bob gafael, dim ots faint yr ymdrechai Yanni a Manoli hefo fo, a waeth faint yr ymdrechai yntau i wrando ar eu cyfarwyddiadau – i Anogia a'r pentrefi eraill cyfagos, a hefyd, yn ddiweddarach, i drefi Iráklion a Rethymnon.

Ond roedd o eto i weld Hania. Go brin y gwnâi o hynny bellach, meddyliai rŵan – na Rethymnon nac Iráklion eto chwaith, na hyd yn oed Anogia, gan mai'r mynydd fyddai'n gartref ac yn garchar iddo o hyn ymlaen.

*

Roedd Marko wedi hen sylwi ar y *kokkalas* – dau ohonyn nhw, ben bore'r diwrnod hwnnw, yn troi mewn cylchoedd diog fry yn y pellter ac yn mynd yn is ac yn is bob tro – heb wir werthfawrogi eu harwyddocâd. Fel Nikos, mae'n debyg i Marko yntau gymryd mai dafad neu afr wedi cael codwm dros ddibyn oedd wedi'u denu.

Yn nes ymlaen y diwrnod hwnnw, ac yntau ddim ond newydd benderfynu pa ogof i gysgu ynddi, y daeth ar draws y defaid. Neu, yn hytrach, y daeth y defaid ar ei draws o. Roedd ei ogof uwchben hen gorlan, a ffynnon fach nid nepell oddi wrthi; newydd orffen lleddfu rhywfaint ar ei syched yr oedd Marko pan glywodd sŵn y defaid a'r geifr yn dod yn nes.

Ffycin bugeiliaid, melltithiodd, wrth frysio'n ôl i'r ogof. Roedd eisoes wedi gofalu tynnu brigau a llwyni dros geg ei ogof fechan, a swatiai'r tu ôl iddyn nhw rŵan yn gweddïo y byddai'r bugeiliaid hyn yn dal i fynd yn eu blaenau i lawr y mynydd.

Ond gwyddai mai gweddi ofer oedd hi: er nad oedd y cwt bugail bellach fawr mwy na murddun, a dwy o'i waliau wedi'u colbio cymaint gan y tywydd nes eu bod wedi dymchwel, roedd y gorlan ei hun mewn lle delfrydol i'r bugeiliaid noswylio gyda'u praidd, diolch i'r ffynnon. Ac wrth gwrs, dyna be wnaethon nhw. Rhegodd Marko iddo'i hun, ond gyda lwc – os nad oedd ganddyn nhw gi busneslyd efo nhw – fyddai'r bugeiliaid ddim callach ei fod o yno'r tu ôl i'r creigiau.

Y drafferth oedd, roedd *o*'n ymwybodol iawn eu bod *nhw* yno, ac roedd eu presenoldeb – ynghyd â'r ofn y byddai un neu ragor ohonyn nhw'n crwydro draw ac yn dod o hyd iddo – yn sicr o'i gadw ar ddi-hun am oriau, os nad drwy'r nos. I goroni'r cyfan, roedd ei ffroenau'n dweud wrtho fod ganddyn nhw fwyd, ac roedd arogl y caws ar yr awel wedi deffro'i stumog wag. Fwy na thebyg, petai o wedi setlo'r noson honno â stumog lawn, yna fyddai Marko Alevizakis ddim wedi mentro allan o'i ogof; byddai wedi aros nes eu bod nhw wedi hen fynd cyn dod allan i weld a oeddan nhw wedi gadael unrhyw beth ar ôl y gallai o ei fwyta.

Ond mentro wnaeth o, gan gropian o'r ogof fel llygoden fawr allan o dwll, meddyliodd. Ia, fo, y llanc llawn ohono'i hun, a oedd tan yn ddiweddar mor ddilornus o fugeiliaid. Dilornus o bawb, a dweud y gwir, nad oedd yn Marko Alevizakis. Marko – y dawnsiwr gorau yn Anogia, a'r un a fedrai neidio uchaf a'i wên wen yn fflachio. A pha ddiawl o les ydi hynny yn fama, Marko, y llygoden fawr?

Felly, ymlusgodd ar ei bedwar at waelodion y ddwy graig oedd rhyngddo a'r bugeiliaid a'u praidd, a sbecian yn ofalus heibio iddynt. Dau, hyd y gwelai. Roeddan nhw wedi cynnau tân y tu mewn i'r hen gwt, a gwaelod un o'i furiau'n cuddio'i olau gwan o olwg y llethrau a'r iseldiroedd. Ond gyda chymorth y lleuad, roedd digon o olau i Marko fedru gweld mai dyn canol oed go dew oedd un ohonyn nhw, a'r llall yn denau fel brwynen. Dim ci, chwaith. Dyna beth od, meddyliodd, a neidio pan glywodd fref gyfarwydd yn dod o'r tywyllwch ychydig i'r chwith iddo, a sylweddoli bod ganddyn nhw ful.

Craffodd. Gwelodd fod y mul wedi'i glymu wrth fôn draenen wen, ond roedd 'na siâp od arno, rywsut. Yna, symudodd yr anifail fymryn, a gwelodd Marko fod rhywbeth yn hongian dros ei gefn. Wrth iddo wylio, cododd y ddau ddyn oddi wrth y tân, a chiliodd Marko yn ôl i gysgodion y creigiau wrth iddyn nhw fynd tuag at y mul. Â chryn duchan, fe lwyddon nhw i dynnu beth bynnag oedd wedi'i glymu ar gefn y mul a'i osod yn ofalus – bron yn dyner – ar y ddaear.

Rhythodd Marko pan sylweddolodd mai corff marw oedd baich y mul. Rhywun annwyl i'r ddau yma hefyd, yn ôl y dagrau oedd yn powlio i lawr bochau tewion y dyn canol oed, a'r olwg brudd oedd ar wyneb y llall. Roedd yr un hynaf wedi mynd i'w wrcwd ac yn anwesu wyneb y corff, gan fwmian rhywbeth na fedrai Marko ei glywed yn iawn. Yna trodd y bugail yn sydyn, a chwifio'i ddwrn i gyfeiriad y mynydd oedd ar goll yn y tywyllwch. 'Múle!' llefodd. 'Ai sto diaolo! Putanas yie!' Cer i uffern, y bastad!

A, Cretiaid ydi'r rhain, felly, meddyliodd Marko – ac mae hwn yn edrych fel tasa fo'n melltithio'r mynydd ei hun. Dechreuodd Marko feddwl mai wedi cael damwain ar y llethrau roedd y creadur marw – rhywbeth prin iawn i fugail profiadol, ond roedd hynny'n gallu digwydd, yn enwedig yn ystod misoedd y gaeaf. Ond doedd hi ddim *yn* aeaf, nagoedd? Roedd hi'n ganol haf – be oedd hi hefyd, Gorffennaf? Yntau oedd hi'n Awst erbyn hyn? Am y tro cyntaf, sylweddolodd nad oedd ganddo ddim clem pa ddiwrnod oedd hi, hyd yn oed, ac nad oedd o wedi meddwl am y peth chwaith. Wel, dyna un peth y medrwn i gael ei wybod gan y ddau yma.

Eto, er bod ei stumog erbyn hyn yn sgrechian arno, petrusodd. Roedd 'na rywbeth ynglŷn â'r sefyllfa hon, a'r ddau ddyn, a'r corff marw . . .

Arhosodd yn y tywyllwch, felly, ar ei fol, yn gwylio ac yn gwrando. Ymhen hir a hwyr, rhoes y dyn hynaf y gorau i'w grio a'i nadu. Cododd, a thynnu *kapóta* oddi ar gefn y mul a'i gosod

dros ran uchaf y corff marw. Safodd yn syllu i lawr ar y corff
am rai eiliadau, cyn taro'r dyn arall yn ei fraich a dychwelyd
hefo fo at y tân y tu mewn i weddillion yr hen gwt.

Disgwyliodd Marko iddyn nhw ymlacio rhywfaint, a dechrau
setlo am y noson. Gallai glywed murmur eu lleisiau ond nid eu
geiriau. Eto, roedd o'n gyndyn o fynd atyn nhw. Pam? holodd
ei hun, drosodd a throsodd. Am fod 'na rywbeth nad oedd yn
'iawn' amdanyn nhw, ia – ond wedyn, be? Mynnai ei lygaid
grwydro'n ôl at siâp amwys y corff marw – oedd i'w weld
ychydig yn gliriach erbyn hyn, diolch i'r *kapóta* llwydwyn a
orweddai drosto fel pabell – ac at y defaid a'r geifr yn y gorlan.

Y defaid a'r geifr.

Yna sylweddolodd – a daeth o fewn dim i riddfan yn uchel
oherwydd ei dwpdra ei hun. *Dyna* be oedd, siŵr Dduw –
doeddan nhw ddim yn mynd i'r cyfeiriad cywir! Roeddan nhw'n
cael eu harwain a'u gyrru i lawr y mynydd, a doedd hynny ddim
yn digwydd yr adeg yma o'r flwyddyn. Efallai nad oedd o fawr
o fugail, ond diawl, roedd hyd yn oed rhyw ddili-do fel fo'n
gwybod hynna: cael eu symud yn uwch fyddai'r anifeiliaid
ganol haf, os o gwbl.

Anifeiliaid wedi cael eu dwyn oedd y rhain – eu dwyn oddi
ar y person anhysbys y clywsai Marko'n cael ei alw'n bob enw
gan y dyn tew yn gynharach. Teimlai fel neidio ar ei draed a
chymeradwyo'r creadur, pwy bynnag oedd o. Roedd hi'n amlwg
o'r corff marw nad oedd perchennog yr anifeiliaid wedi gadael
i'r lladron helpu'u hunain heb gwffio'n ôl, a da iawn fo am
hynny.

Llusgodd ei hun ar ei fol, yn ôl i'r tywyllwch y tu ôl i'r
creigiau. Eisteddodd i feddwl, a'i gefn yn erbyn gwaelod un o'r
creigiau. Ei dasg gyntaf oedd ceisio rheoli rhywfaint ar ei
dymer, a mygu'r demtasiwn i ruthro at y ddau dan sgrechian,
ei reiffl yn bytheirio a'i gyllell yn fflachio. Roedd hi'n amlwg
iddo fod y rhain wedi dwyn praidd cyfan, a mwy na thebyg
wedi lladd y bugail tra oeddan nhw wrthi.

Ond wedyn, doedd yntau wedi dwyn defaid yn ei ddydd? A
faint o weithiau roedd Marko wedi eistedd yn gwrando ar ei

dad a Levtheri a Yanni'r Chwibanwr yn rhowlio chwerthin wrth adrodd eu hanturiaethau nhw yn dwyn defaid, ŵyn a geifr oddi ar fugeiliaid eraill? Roedd hyn yn draddodiad yng Nghreta, wedi'r cwbl, yn tarddu o'r oes pan ormesid yr ynys gan y Fenisiaid, a hawliai'r holl ddefaid a'r geifr iddyn nhw'u hunain; yr unig ffordd y gallai'r Cretiaid gael cig i'w fwyta oedd drwy ddwyn defaid yn ôl oddi ar eu gormeswyr. Ond fyddai Manoli a Yanni byth yn cymryd mwy na rhyw lond dwrn o ŵyn ar y mwyaf – a hynny gan amlaf fel ffordd o dalu pwyth yn ôl. Roedd y traddodiad bellach yn ddefod ym mywydau bugeiliaid ifainc Creta, ac mewn ffordd yn agwedd arall ar yr arferiad *klepsi-klepsi* – 'bachu' rhywbeth oddi ar rywun arall, yn hytrach na lladrata, oedd ystyr hynny.

Ond roedd dwyn praidd cyfan yn fater cwbl wahanol ac yn drosedd llawer iawn mwy difrifol – mynd â bywoliaeth dyn oddi arno, bywoliaeth oedd wedi cymryd blynyddoedd i'w sefydlu. Canlyniad rhywbeth felly, gan amlaf, fyddai fendeta go waedlyd, a theuluoedd a fuasai gynt yn ffrindiau yn troi'n elynion ffyrnig dros nos, a phentrefi cyfain, hyd yn oed, yn brwydro yn erbyn ei gilydd.

Gwyddai Marko y gallai wneud un o dri pheth: mynd yn ei ôl i'r ogof nes byddai'r rhain wedi gadael drannoeth; sleifio i ffwrdd rŵan hyn dan gysgod y nos a chymryd arno na welsai o nhw o gwbl, neu . . .

Neu be? Ti'n gwbod be, Marko Alevizakis. Wedi'r cwbl, dydyn nhw ddim yn gwbod dy fod ti yma. Y cwestiwn, wrth gwrs, ydi: Wyt ti'n ddigon o ddyn?

Ydw!

Wel, profa hynny, ta.

Cyn iddo orffen meddwl hyn – neu efallai cyn iddo gael y cyfle i ailfeddwl – roedd yn ôl ar ei fol ac yn nadreddu am ochr bella'r creigiau, lle roedd y mul wedi'i glymu'n sownd wrth y goeden ddraenen wen, a lle gorweddai'r corff marw o dan y *kapóta*.

Po agosa yr ymlusgai Marco at y corff, mwya'n y byd yr ymdebygai'r *kapóta* i babell â phig fel copa mynydd yn codi o'i chanol. Ond roedd yn rhaid iddo fynd heibio i'r mul i ddechrau, ac o nabod fy lwc i hefo'r ffernols yma, meddyliodd, mi fydd hwn wedi brefu ar dop ei lais. Ond chymerodd y mul ddim sylw ohono, a phan gyrhaeddodd Marco'r corff, oedd eisoes wedi dechrau drewi, a chodi'r *kapóta*, gwelai'r rheswm am y siâp pabell. Roedd *mavrománika* fawr yn ymwthio o fron y dyn.

Cydiodd Marko ynddi gerfydd ei charn ond fedrai o mo'i thynnu'n rhydd: roedd fel petai asgwrn y fron wedi cau yn dynn amdani. Wrth iddo dynnu'i law yn ôl, sylweddolodd fod rhywbeth cyfarwydd ynglŷn â'r gyllell. Ei charn dywyll yn arbennig, wedi'i gwneud o gorn bwch gafr gwyllt o'r ynys, y *kri-kri*. Hynny, a'r ffordd roedd hi'n teimlo yn ei law.

Dim ond un dyn y gwyddai Marko amdano oedd â chyllell fawr fel hon, un a'i charn o gorn y *kri-kri*. Wrth iddo dyfu, roedd wedi troi hon drosodd a throsodd yn ei ddwylo gannoedd o weithiau, wastad dan lygad barcud ei pherchennog.

*

'Un fel hon ydw *i* isio, Yanni. Ma hon yn well nag un Nhad ac un Levtheri. Ga' i un fel hyn?'

'Cei, tad.'

Cofiai fel roedd o wedi methu credu'i glustiau. 'Caf, wir?'

'Cei, debyg iawn, ond . . .' A, roedd 'na wastad 'ond' efo Yanni'r Chwibanwr.

'Ond be?'

'Ma'n rhaid i ti weithio amdani.'

'Oes, mwn.' Trodd Marko ag ochenaid i edrych ar y defaid: roedd o wedi disgwyl hyn.

Ond chwerthin wnaeth Yanni. 'Na, nid yn fama dwi'n feddwl! Yn bell o fama. Cryn dipyn o waith cerddad – dyddia. A llawar o ddringo wedyn, a byw ar y creigia nes y byddi di wedi toddi i mewn i'r mynyddoedd.' Roedd o wedi syllu ar Marko a'i lygaid yn dawnsio'n ddireidus. 'Sôn rydw i am y Madares, Marko Alevizakis – y mynyddoedd moel yng ngorllewin yr ynys 'ma, mynyddoedd heb dyfiant arnyn nhw o gwbwl.'

Yna eglurodd Yanni iddo am y *kri-kri*, am eu cynefin uchel

ar glogwyni anferth y Madares, nifer ohonyn nhw dros dair mil o droedfeddi o uchder ac yn hollol serth – clogwyni a edrychai fel petaen nhw'n amhosib eu dringo.

Ond nid i'r *kri-kri*. 'Meddylia am fadfall ar dalcan dy dŷ di yn Anogia, talcan sydd, drwy ryw ffliwc, a dim diolch i ymdrechion uffernol dy dad fel bildar, yn hollol syth. Fedri di'i gweld hi yn dy feddwl, yr hen fadfall honno?' Nodiodd Marko. 'Reit – gad i dy gysgod syrthio drosti. Be mae hi'n 'i neud?'

'Gwibio i fyny neu i lawr y wal,' atebodd Marko.

'Yn hollol. Dyna'n union sut ma'r *kri-kri*'n symud dros wyneb y clogwyni, cyn gyntad ag y byddan nhw wedi cael cip arnat ti, neu wedi dy glywad di – hyd yn oed ddim ond wedi d'ogleuo di ar yr awel. Dyna be oedd gen i gynna, yli, pan ddeudis i fod yn rhaid i ti doddi i mewn i'r mynyddoedd. Wyt ti'n dallt rŵan? Ma raid i ti weithio'n galad cyn bod gen ti'r hawl i roi carn wedi'i gneud o gorn y *kri-kri* ar dy gyllall; ma raid i ti *ennill* yr hawl yna, Marko, drwy hela a lladd un o'r *kri-kri* dy hun. Ac ella, un diwrnod, pan fyddi di'n hŷn, yr awn ni'n dau draw i'r Mandares, a gadael dy dad a dy frawd yma i warchod y praidd.'

*

Wawriodd y dydd hwnnw ddim, a fedrai Marko Alevizakis feio neb ond fo'i hun am hynny. Anwesodd garn y *mavrománika* eto, gan deimlo'r dagrau'n crafu'i lygaid fel nodwyddau. Roedd o wedi cefnu ar Yanni a'i ffordd o fyw – y ffordd o fyw oedd wedi cynnal ei deulu yntau ers cenedlaethau, ers canrifoedd, yn wir. Gwyddai fod Manoli wedi gadael iddo ymuno efo fo a Levtheri a'r *andártes* yn y gobaith y byddai hynny'n ei aeddfedu ryw gymaint, a chofiai glywed ei dad yn addo i Thera y byddai o a Levtheri'n edrych ar ei ôl o, beth bynnag ddigwyddai.

Ond joban uffernol o wael o edrych ar eu holau *nhw* wnaeth o, yntê? Eu lladd nhw, i bob pwrpas – oherwydd gwyddai ym mêr ei esgyrn bellach eu bod yn farw. A rŵan roedd hi'n edrych fel bod yr hen Yanni wedi mynd i'w hebrwng.

Yn ofalus, symudodd Marko'n nes at y defaid a'r geifr – at y rhai ar ymyl y ddiadell, fel na fyddai'r holl anifeiliaid yn dychryn ac yn achwyn am ei bresenoldeb drwy neidio a brefu. Estynnodd ei law allan ddigon i anwesu pen y ddafad agosaf, drosodd a throsodd, nes iddi adael iddo deimlo'i chlust chwith. Er ei fod wedi disgwyl hynny, fwy neu lai, fedrai Marko ddim peidio ag ochneidio wrth deimlo'r toriad siâp hanner lleuad cyfarwydd yn y glust.

Nod clust defaid ei dad, a nod rhai Yanni'r Chwibanwr.

Teimlodd y dicter yn rhuo drwy'i gorff. Roedd y bastads yma wedi lladd Yanni: fel arall, fasa'r hen fugail byth wedi gadael iddyn nhw fynd â'r praidd oddi arno. Doedd Yanni druan ddim wedi cael ei ladd gan estroniaid, ond gan ei bobol ei hun. O leiaf, roedd o wedi llwyddo i fynd ag un o'r diawliaid hefo fo . . .

Dechreuodd Marko Alevizakis wylo – wylo'n dawel, dawel ond yn dorcalonnus. Cyn heno, doedd o ddim wedi colli deigryn dros neb arall; teimlo drosto'i hun roedd o wedi'i wneud, am greu'r fath lanast ac am y felltith famol oedd yn sicr yn aros amdano gartref yn Anogia – a does 'na ddim byd mwy grymus na melltith mam; llawer grymusach na'r cywilydd a'r dirmyg a ddôi i'w ran o du ei gyd-bentrefwyr. Ond heno, wylodd dros ei dad, ei frawd a thros Yanni.

Claddodd ei wyneb yn y ddaear er mwyn mygu'r igian dolurus a ysgydwai ei gorff.

*

Dychwelodd, o'r diwedd, at y corff marw. Cydiodd eto yng ngharn y *mavrománika* a thynnu'n galed. Y tro hwn, clywodd sŵn crensian yn dod o'r fron. Rhewodd. Iddo fo, swniai'n fyddarol o uchel, ond ar wahân i ambell ddafad yn troi'i phen tuag ato heb fawr o chwilfrydedd, ddaeth dim ymateb arall o unlle. Mentrodd godi'i ben a chraffu dros gefnau'r anifeiliaid tua'r cwt. Hyd y gwelai, doedd yr un o'r ddau leidr wedi symud oddi yno. Ailgydiodd yng ngharn y gyllell a thynnu eto: fu hi ddim yn hir yn ildio a dod allan o'r corff â sŵn tebyg i ddant yn cael ei rwygo'n rhydd gerfydd ei wreiddiau. Roedd ar fin ei sychu'n lân ar y *kapóta* pan sylweddolodd fod rhywbeth cyfarwydd ynglŷn â honno hefyd: doedd o ddim yn siŵr, ond os oeddan nhw wedi dwyn *mavrománika* Yanni, ei ddefaid a'i eifr – ei fwyd hefyd, fwy na thebyg, ac o bosib ei reiffl – yna gallai deimlo'n weddol saff mai *kapóta* Yanni'r Chwibanwr oedd y fantell.

Gorweddodd yno am ychydig, y gyllell yn un llaw a'r fantell yn y llall. Yna cododd ar ei eistedd a thynnu'r *kapóta* amdano. Pa ots ei bod hi'n drewi o lygredd y corff marw y bu'n gorwedd drosto? Safodd, a rhoi ei reiffl i orwedd ar y ddaear. Â *mavrománika* Yanni yn ei law, cerddodd yn hollol agored i gyfeiriad yr hen gwt bugail.

Roeddan nhw'n cysgu, y ddau leidr, bob ochr i weddillion y tân. Dau ddarn o gachu, meddyliodd Marko wrth syllu i lawr arnyn nhw. Petaen nhw'n digwydd agor eu llygaid a'i weld o yn sefyll yno uwch eu pennau, a'r *kapóta* wedi'i lapio amdano a'r hwd dros ei ben, gwyddai y bydden nhw'n dychryn am eu bywydau. Ond doedd dim perygl o hynny; roeddan nhw'n cysgu'n rhy drwm – yn chwyrnu cysgu, fel dau fochyn. Cymhariaeth ddigon addas, meddyliodd Marko, o ystyried yr hyn dwi'n pasa'i wneud iddyn nhw.

Yna, fe'i cywirodd ei hun. Roedd meddwl am y ddau yma fel moch yn sarhau'r anifeiliaid hynny. Cofiodd am yr adar bloesg a welsai'n cylchdroi yn yr awyr yn gynharach. Doedd y ddau yma ddim mymryn gwell na'r *kokkalas*, meddyliodd. Sborion o ddynion, dyna be oeddan nhw; tra oedd gwŷr canmil gwell na nhw'n aberthu eu bywydau dros Greta, roedd y llysnafedd yma'n cipio'u heiddo.

Ar flaenau ei draed, croesodd Marko lawr y cwt at y lle roedd yr ieuengaf o'r ddau leidr yn cysgu. Eisteddodd ar y ddaear y tu ôl iddo ac un goes bob ochor i'w gorff nes bod pen y lleidr bron iawn yn cyffwrdd â'i gwd. Yng ngolau gwan y lleuad, gwelodd fod reiffl Lee Enfield Yanni'n gorwedd ymhlith arfau eraill y dynion. Lapiodd ei fraich chwith am ben y lleidr gan wasgu'i law yn dynn dros ei geg a rhoi herc i'w ben yn ôl er mwyn iddo fedru gweld y gwddw. Agorodd y lleidr ei lygaid mewn braw ond erbyn hynny roedd llaw dde Marko wedi llifio ar draws ei wddw efo llafn finiog, fawr y *mavrománika*.

Llinyn denau, dywyll i ddechrau, ond yna ffrydiodd y gwaed a llifo dros fron y lleidr. Syllodd Marko i fyw ei lygaid, ac wrth i'r rheiny ledu a chwyddo'n fawr ag ofn, gallai weld bod y dyn yn gwybod yn iawn beth oedd yn digwydd iddo. Ceisiodd wneud rhyw fath o swn ond roedd llaw chwith Marko fel feis dros ei geg; ceisiodd ei ryddhau ei hun, ond roedd braich Marko'n rhy gryf i rywun yr oedd ei nerth yn llifo ohono â phob curiad o'i galon.

Dechreuodd ei sodlau gicio'n wyllt yn erbyn y ddaear, ond gwyddai'r hen fugeiliaid ymhle i adeiladu eu cytiau ac roedd y glaswellt byr yn rhy drwchus i'r sodlau greu fawr o dwrw. Roedd y llygaid anferth yn ymbil rŵan, ond yr hyn oedd ar feddwl Marko oedd fod yr hen Levtheri yn llygad ei le: roedd rhywun *yn* cofleidio'i elyn i bob pwrpas, ac yn gallu teimlo'r bywyd yn llifo allan ohono. A'i arogli hefyd, sylweddolodd, wrth i bledren ac ymysgaroedd y lleidr agor ac i'r drewdod nofio i fyny tuag at wyneb Marko.

Eisteddodd yno nes bod y sodlau wedi llonyddu go iawn cyn llacio'i afael: aros yno am rai munudau, yn gwrando ar y lleidr arall yn chwyrnu.

Yna cododd y *mavrománika* unwaith eto . . .

*

Yn y diwedd, bu'n rhaid i Marko ddeffro'r ail leidr drwy dollti llond llaw o lwch a cherrig mân dros ei wyneb o'r tu ôl iddo. Hyd yn oed wedyn, bu'n gyndyn o ddeffro nes i rywfaint o'r llwch fynd i mewn i'w ffroenau a'i geg. Ei besychu o ei hun a'i deffrodd yn y diwedd, ond y cwbwl a wnaeth oedd poeri a thynnu cefn ei law dros ei drwyn, a setlo'n ôl i gysgu.

Yna, agorodd ei lygaid a chraffu. Gwnaeth swn bychan yng nghefn ei wddf, fel y swn cnewian a wna ci pan fydd rhywbeth yn digwydd sy'r tu hwnt i'w ddeall. Dim ond pan sylweddolodd fod 'na ben cyfarwydd – a dim ond y pen – yn gorffwys ar ei fron fel rhyw dyfiant erchyll y dechreuodd y lleidr sgrechian.

Dyna'r unig beth a wnaeth o am rai eiliadau, dim ond sgrechian ar dop ei lais nes bod ei sgrechiadau'n atseinio rhwng y creigiau a'r clogwyni gan gyfuno'n un floedd ofnadwy. Yna, cofiodd fod ganddo freichiau a dwylo, a defnyddiodd nhw i'w wthio'i hun ar ei eistedd, nes peri i'r pen rowlio'n ddiog i lawr ei gorff a setlo ar ei lin.

Dechreuodd floeddio'n orffwyll, ond yna'n sydyn, tawodd a llonyddu trwyddo: roedd o wedi synhwyro bod rhywun yn sefyll y tu ôl iddo. Dechreuodd droi, ond erbyn hynny roedd bysedd Marko wedi cydio mewn llond dwrn o'i wallt nes tynnu'i ben tuag yn ôl. Doedd Marko ddim am roi cyfle iddo ddod ato'i hun: teimlai'n reddfol mai camgymeriad fyddai oedi am eiliad, felly llusgodd lafn y gyllell fawr ar draws ei wddw cyn ei wthio oddi wrtho, camu'n ôl a'i wylio'n gwingo i farwolaeth.

Casglodd Marko yr arfau ynghyd, gan gynnwys y cyllyll, a'u rhoi ar y llawr hefo reiffl Yanni tra oedd o'n newid ei fotasau carpiog am rai llawer gwell y lleidr ieuengaf.

'*Klepsi-klepsi*' meddai â chwerthiniad bychan. Cymerodd fotasau'r llall, hefyd. Er eu bod yn rhy fawr iddo fel ag yr oeddan nhw, mater bach iawn fyddai gwthio rhywbeth i mewn iddyn nhw nes eu bod yn ei ffitio. Â'r arfau a'r botasau yn ei freichiau, dychwelodd at yr anifeiliaid a dweud wrth y mul wrth iddo'i lwytho, 'Wyst ti be? Coelia neu beidio, dwi'n reit falch dy fod ti yma, 'rhen ddyn.'

Rŵan – y defaid a'r geifr. Oedd o'n ddigon o foi i fynd â nhw'n ôl i fyny'r mynydd, a hynny ar ei ben ei hun? Nag oedd, ofnai. A hwyrach, wir, mai ymateb hwyr i'r hyn roedd o newydd ei wneud oedd yn gyfrifol am y lludded mwyaf ofnadwy a deimlodd yn llifo trwyddo, a syrthiodd ar ei liniau dan grynu trwyddo fel petai twymyn arno.

Edrychodd i fyny a gweld y defaid agosaf ato'n syllu arno'n hollol ddifynegiant. 'Be dwi'n mynd i neud efo chi?' gwaeddodd arnyn nhw. 'Sut ddiawl dwi am fynd â chi i gyd yn ôl adra?'

Syllodd y defaid a'r geifr yn hurt arno am ychydig, cyn troi eu pennau fel un oddi wrtho'n rhyfeddol o sydyn, gan synhwyro'r gwynt.

'O, be *rŵan?*' clywodd Marko'i lais ei hun yn dweud, ond yna cododd yr anifeiliaid ar eu traed, fel cwmwl o wlân yn codi oddi ar y ddaear, a phob un yn edrych tua'r clogwyni uchel.

Yna, clywodd Marko yr hyn roeddan nhw wedi'i glywed o'i flaen – chwiban uchel, fain yn treiddio tuag ato trwy'r nos o dywyllwch y mynydd. Chwiban bugail. Chwiban *un* bugail.

Dechreuodd y praidd symud allan o'r gorlan – pob dafad, a phob gafr – allan o'r gorlan a heibio i'r cwt, ac anelu at un llwybr arbennig a arweiniai i fyny'r mynydd.

Daeth y chwiban unwaith eto, a chododd Marko Alevizakis ar ei draed, ei flinder wedi diflannu'n llwyr. Roedd yr anifeiliaid yn mynd adref, a chydiodd Marko yn nhennyn y mul a'u dilyn, gan adael y cyrff yno, yn fwyd i'r *kokkalas.*

20

Rhosod gwynion

Iráklion

Yn weddol fuan ar ôl y tro cyntaf hwnnw, gofynnodd Magda iddo, 'Pam, Tobias?' – ac yna eistedd i fyny wrth ei ochr yn y gwely, tanio sigarét, a'i wylio'n ceisio meddwl am ffordd i osgoi ei hateb.

'Dydi o ddim yn *iawn*,' meddai Tobias. 'Yr hyn maen nhw'n ei neud. Dydi o ddim yn iawn.'

Gwelodd y gwg yn dechrau ffurfio ar wyneb Magda a rhoes ei law ar ei chlun. 'Wn i, wn i – dydi hynna ddim yn ddigon. Meddwl yn uchel ydw i.'

Nac ydi, meddyliodd, wrth gwrs dydi hynna ddim yn ddigon, ond yna meddyliodd eto: Nac ydi? Efallai fod y pum gair bychan yna'n gryfach na dim arall, yn dweud y cyfan ac yn ymgorffori a chwmpasu'r holl resymau eraill i gyd.

Dydi o ddim yn iawn . . .

Ond roedd Magda'n gwybod hynny, a hi oedd wedi deud y geiriau gyntaf – wrtho fo, drwy ochneidiau a dagrau. Mae'n rhaid ei bod hi wedi teimlo'n eitha siŵr ohona i, meddyliodd droeon wedyn, i fentro'u hyngan o gwbwl. Er hynny, cofiai weld fflach o ofn yn ei llygaid, a'r ansicrwydd felltith yna a lanwai feddyliau pawb, gan ladd pob gonestrwydd, ymddiriedaeth a hyd yn oed cariad. Yn enwedig gonestrwydd.

Ond y diwrnod hwnnw gonestrwydd a enillodd, a llifo ohoni, ynghyd â'r dagrau a wylodd Magda dros ferch ifanc o'r enw Sophie.

'*Plant* oeddan nhw, Tobias – dim ond criw o blant . . .'

*

Ulm, Baden-Württemberg, de'r Almaen

Roedd Sophie wedi'i dychryn y tro cyntaf iddyn nhw gyfarfod. Eistedd ar ymyl pwll nofio'n cael pum munud roedd Magda pan ffrwydrodd y pen 'ma'n ddirybudd allan o'r dŵr gyferbyn â'i thraed, fel pen morlo, a'r gwallt wedi'i gaethiwo'n dynn dan gap nofio gloyw, du.

Gwenodd y ferch gan ymddiheuro. Cododd ei hun yn ddidrafferth o'r dŵr, gan droi yr un pryd nes ei bod yn eistedd wrth ochr Magda.

'Rydan ni'n rhannu'r un enw, ti a fi,' meddai. Datododd y cap a gwelodd Magda mai gwallt brown tywyll oedd ganddi oddi tano.

'Ydan ni? Magda . . .'

'Ia. Ond f'enw canol i ydi o: Magdalena, ar ôl Mam, ond Magdalene ydi hi. Does bron neb yn ei ddefnyddio fo: Nhad weithia, pan fydda i'n gneud rhywbeth dwl.' Trawodd ei thalcen a dynwared llais dwfn ei thad. ' "Sophie Magdalena!" Mae o'n swnio fel rhywun yn rhegi mewn Eidaleg, yn dydi?' Acen Eidaleg gref rŵan wrth gymryd arni regi: 'Sophie Mag-da-lena!'

Chwarddodd Magda. Fel y dywedodd flynyddoedd wedyn wrth Tobias, roedd hi wedi cymryd at yr hogan yn syth bìn. Mis Mai 1937 oedd hi, a Sophie Scholl newydd gael ei phen-blwydd yn un ar bymtheg. Daeth Magda i ddeall hefyd fod dod at rywun dieithr er mwyn cyflwyno'i hun iddyn nhw yn beth go anghyffredin i Sophie ei wneud.

'Dyna pam ro'n i'n parablu cymaint y tro cyntaf hwnnw. Ro'n i wedi bod isio siarad efo chdi ers hydoedd, ond mod i'n rhy swil.'

'Efo fi? Pam? Be sy mor gyfareddol amdana i?'

Roedd hwnna'n gwestiwn digon dilys ar ran Magda, gan fod ei thad wedi gwneud joban mor dda o andwyo'i hunan-barch. Doedd hi ddim wedi sylweddoli hynny'n iawn nes iddi ddewis, a mentro, mynd i Ulm i gael ei hyfforddi fel nyrs, yn hytrach nag i un o ysbytai Munich.

Yn ystafelloedd newid y pwll nofio y bu'r ail sgwrs hefo

Sophie. Edrychodd Sophie o'i chwmpas rhag ofn fod aelodau eraill o'r clwb nofio o fewn clyw, a gostyngodd ei llais.

'"Be sy mor gyfareddol amdana i?" Dyna ofynnaist ti imi'r diwrnod o'r blaen. Mi ddeuda i wrthat ti, Magda – y ffordd rwyt ti'n nofio.'

Un o'r pethau cyntaf a wnaethai Magda ar ôl cyrraedd Ulm oedd ymuno â'r clwb nofio lleol, gan ofalu peidio â sôn gair am yr hyfforddiant a gawsai ym Munich. Ond roedd yn rhaid nad oedd wedi llwyddo i gelu hynny os oedd yr eneth ifanc hon wedi sylwi.

'Y ffordd dwi'n nofio?'

'Ia. Rwyt ti'n *gwenu*, Magda, wrth symud drwy'r dŵr. Mae pawb arall yn gwgu fel tasa'r byd ar ben os na lwyddan nhw i nofio hyn a hyn o lapiau o fewn hyn a hyn o amser. Dydyn nhw ddim yn edrach fel tasan nhw'n cael unrhyw fwynhad o nofio. Ond amdanat ti – wel, mae 'na wên fach hapus ar dy wynab di o'r eiliad mae dy gorff di'n taro'r dŵr. Gwên . . . wynfydedig, bron. Rwyt ti fel tasat ti yn dy elfen.'

Gwynfydedig? *Fi*? meddyliodd Magda. Oedd hi hyd yn oed yn gallu gwenu felly? Roedd hi wastad wedi meddwl mai rhyw wên fach dynn, fursennaidd oedd ganddi, byth ers iddi ddigwydd clywed un o'i ffrindiau ysgol yn dweud wrth rywun fod ceg Magda wastad yn gwneud iddi feddwl am dwll tin iâr.

Roedd y wên wastad yno, mynnodd Sophie, a hithau wedi gwneud ati i chwilio amdani wedyn. Roedd hi hyd yn oed wedi sôn amdani wrth y teulu gartref.

'O, Sophie!' meddai Magda pan glywodd hynny.

'Mae Hans isio gwbod pa un o'r *Rheintöchter* wyt ti, Magda.'

'Ydi o, wir.'

Hans oedd brawd mawr Sophie, a'r *Rheintöchter* oedd y tair nymff ddŵr yn y cylch o operâu gan Wagner, *Der Ring des Nibelungen,* oedd yn ffefryn mawr gan Herr Dürr, a Magda wedi gorfod gwrando ar y blydi peth nes ei bod bron â drysu. Byth ers hynny, fedrai hi ddim gwrando ar unrhyw gerddoriaeth heb weld ei thad yn plygu dros y gramoffon yng nghornel yr ystafell fyw, ac yn gosod y nodwydd i lawr mor ofalus â phetai'n dadffiwsio bom, cyn sythu a chuchio ar Magda fel tasa fo'n ei herio i ddweud yr un gair neu symud yr un fodfedd. Na, sylweddolodd wrth dyfu i fyny, cuchio arni fel tasa fo'n *gobeithio* y byddai'n siarad neu'n symud er mwyn cael esgus dros gychwyn ffrae arall roedd o.

'Ac enw pa un o'r tair roist ti iddo fo – Woglinde, Wellgunde neu Flosshilde?' gofynnodd i Sophie.

Un lydan, ddireidus oedd gwên Sophie Scholl. 'Dyna'r union dri enw gynigiodd Hans. A fasa'n werth i ti fod wedi bod yno i weld ei wyneb o pan ddeudis i "Magda"!'

Gwnaeth Magda geg gam. 'Mi alla i ddychmygu. Neu o leia, mi faswn i'n gallu dychmygu taswn i'n nabod dy frawd.'

Lledodd gwên Sophie fwyfwy. 'Wel, does dim rhaid i ti ddisgwyl yn hir iawn am hynny. Mae o'n disgwyl amdanon ni yn y caffi.'

Edrychodd Magda'n siarp arni: nag oedd, doedd hi ddim yn tynnu'i choes. Gallai deimlo'i thu mewn yn crebachu fel hen afal, ac ofnai fod ei chnawd hefyd mor grebachlyd â phetai'n hen wrach yn un o straeon y Brodyr Grimm.

'A, wel. Ym . . .'

'A-wel-ym-be?' Rhoes Sophie ei braich trwy fraich Magda fel tasa arni hi ofn iddi geisio dianc. 'Mae o'n ysu am gael dy gyfarfod di – tyd.'

Llwyddodd Magda i ryddhau ei braich. 'Be ar y ddaear wyt ti wedi'i ddeud wrth yr hogyn amdana i, Sophie?' Swniai ei llais yn uchel iddi hi'i hun, yn debycach i wich na dim arall.

'Mond ein bod ni'n ffrindiau, dyna'r cwbwl. Ond os basa'n wirioneddol well gen ti beidio . . .' Roedd Sophie'n edrych yn od arni, sylweddolodd Magda, a gwnaeth ymdrech i'w rheoli ei hun.

'Na, na – ma'n ol-reit.'

Trodd at y drych, a difaru gwneud hynny'n syth. Roedd golwg y diawl arni hefo'i gwallt di-liw yn hongian yn llipa, a'i llygaid yn edrych fel rhai penwaig ffres o'r môr. Ac roedd hynny bach o golur yr arferai ei wisgo wedi'i hen olchi i ffwrdd.

Clywodd sŵn piffian chwerthin a chododd ei llygaid. Y tu ôl

iddi, safai Sophie mewn sgert las a blows wen – iwnifform y
BDM – yn wên o glust i glust.

'Magda, mond Hans ydi o!' Ailgydiodd yn ei braich. 'Tyd!'

Pan gerddon nhw i mewn i'r caffi cododd gŵr ifanc ar ei
draed wrth fwrdd ger y ffenest. Roedd ganddo'r un wên
gyfeillgar, lydan ag un Sophie, a meddyliodd Magda na ellid
camgymryd y ddau yma am unrhyw beth ond brawd a chwaer.

Yna gwelodd fod y gŵr ifanc yn gwisgo iwnifform yr
Hitlerjugend, ac yn edrych, credai Magda, fel hysbyseb i'r
mudiad. Dwi ddim yn mynd i leicio'r hogyn yma, meddyliodd
– mae o'n edrach fel ymgnawdoliad o'r Natsi ifanc, delfrydol:
rhywun y basa Nhad yn gwirioni ei gael yn fab iddo. Neu'n fab-
yng-nghyfraith.

Teimlodd Magda'i hun yn cochi. Pam, Duw a ŵyr: doedd gan
Hans Scholliaid y byd 'ma ddim affliw o ddiddordeb mewn
merched plaen fel hi. Ond roedd gwên Hans Scholl, wrth i
Sophie eu cyflwyno i'w gilydd, yn un hollol ddidwyll, ac os
oedd o wedi sylwi arni'n gwrido, chymerodd o ddim arno o
gwbl.

'Mae'n bleser gallu rhoi wyneb i'r enw o'r diwedd,' meddai
wrth ysgwyd ei llaw. 'Mi gawson ni i gyd sioc pan ddywedodd
Sophie ei bod wedi magu digon o blwc i'w chyflwyno'i hun i ti.'

'Ti'n gweld?' meddai Sophie wrthi, cyn troi at ei brawd.
'Doedd hi ddim yn coelio mod i'n berson swil.'

'Mae o'n hollol wir, Magda, mor swil nes ei bod hi'n
ymddangos yn surbwch weithia.' Pwniodd Hans ei chwaer yn
ei hystlys â blaen ei fys, nes iddi wingo a chwyrnu arno.

Dros goffi a theisennau, a'r brawd a'r chwaer am y gorau i
dynnu ar ei gilydd, gallai Magda deimlo'i hun yn ymlacio.
Cafodd ei hun hefyd yn gorfod newid ei meddwl ynglŷn â Hans.
Doedd hyn ddim yn beth newydd iddi, synfyfyriodd wedyn: bu
wastad yn un am feirniadu a chondemnio pobol ar yr olwg
gyntaf. Ond, yn wahanol i'r *Hitlerjugend* eraill y dôi ar eu traws,
doedd Hans ddim yn un i ailadrodd hyd syrffed y gwenwyn a
boerid yn feunyddiol ar y radio gan Dr Goebbels. A dim ond yn
ei gwely'r noson honno, wrth iddi ail-fyw'r prynhawn, y

sylweddolodd Magda na fu unrhyw sôn am wleidyddiaeth drwy gydol y te – yn hytrach, llenyddiaeth oedd testun eu sgwrs.

'Dim ond fod rhai ohonom, wrth gwrs, yn dal i ddarllen *Der Struwelpeter*,' pryfociodd Hans.

'A be sy'n bod efo hynny?' mynnodd Sophie gael gwybod.

Roedd Magda hithau'n gyfarwydd â'r llyfr plant poblogaidd hwnnw. Cliriodd ei gwddw, gan edrych yn ffug-euog ar Hans.

Gwenodd Sophie arni. 'Titha hefyd?'

Nodiodd Magda. 'Mae gen i bowlen cawl efo llun Zappelphilipp – Philipp Aflonydd – arni.'

'Ac wyt ti'n dal i fwyta ohoni?' gofynnodd Hans.

Nodiodd Magda eto.

'Duw a'n helpo!'

Deallodd Magda mai dau o chwe phlentyn oedd Hans a Sophie, ond bod un ohonyn nhw, Thilde, wedi marw flwyddyn ar ôl iddi gael ei geni yn 1925. Deallodd hefyd fod Hans dair blynedd yn hŷn na Sophie. Synhwyrodd fod y ddau yma'n nes o lawer at ei gilydd na'r lleill, ac roedd y ffaith na chwrddodd erioed â'r tri arall yn cadarnhau hynny.

Cafodd hefyd ar ddeall fod Sophie yn bianydd medrus, ei bod wedi dotio ar fyd natur a bod allan yn yr awyr agored, ac mai ei hoff lyfr pan oedd hi'n iau oedd *Robinson Crusoe* – esgus dros ragor o dynnu coes ar ran ei brawd mawr: pam mai dim ond un ôl troed oedd i'w weld ar y traeth? Trodd y sgwrs yn ddadl gyfeillgar dros wahanol esboniadau posibl, a amrywiai o'r hurt bost, sef mai canibal ungoes, anferth oedd wedi galw heibio i'r ynys ar wibdaith – 'Yr hyn mae'r Saeson yn ei alw'n *island hopping*,' meddai Hans, dim ond i gael slap haeddiannol gan ei chwaer – i'r posibl a chredadwy, sef bod cenedlaethau o ddarllenwyr wedi cael eu camarwain gan genedlaethau o arlunwyr a fynnai osod yr ôl troed yn wirion o bell o'r môr, reit ar ganol traeth tywodlyd a gwastad.

*

'Do'n i ddim yn gallu cofio pryd oedd y tro dwytha i mi fwynhau cwmni rhywun cymaint,' meddai Magda wrth Jung. 'Ac o'n –

ro'n i wedi cymryd ffansi at Hans, mi fasa'n wirion i mi drio gwadu'r peth. Ar wahân i'r ffordd roedd o'n edrych, roedd o hefyd yn gwrtais, yn sensitif ac yn ddiwylliedig' – gan ofalu peidio â dweud mai dyna'r union rinweddau a'i denodd hi at Tobias hefyd.

Y pnawn hwnnw yn y caffi oedd y cyntaf o bnawniau eraill tebyg i Magda. Daeth yn arferiad gan Sophie a hithau alw yno ar ôl nofio. Weithiau byddai Hans hefo nhw, weithiau ddim, ond doedd y brathiad bychan o siom a deimlai Magda oherwydd ei absenoldeb byth yn ei phoeni'n hir gan fod Sophie'n gwmni mor ddifyr. Gallai barablu pymtheg y dwsin ond gwyddai hefyd sut i wrando, a byddai Magda'n dweud pethau wrthi na ddywedodd erioed o'r blaen wrth neb – am ei bywyd gartref a'r gwrthdaro cyson rhyngddi a'i thad, a oedd, erbyn iddi ddianc yma i Ulm, wedi gwaethygu i'r fath raddau fel mai prin y torrent air â'i gilydd.

Nodiodd Sophie. 'Mae hi wedi bod felly acw hefyd, droeon.'

Edrychai Magda arni mor hurt fel y bu raid i Sophie chwerthin.

'Be, oeddat ti'n meddwl mai seintiau oeddan ni neu rywbath?'

'Wel, nag o'n, debyg iawn, ond . . .' Ysgydwodd Magda'i phen. 'Alla i ddim meddwl amdanoch chi'n ffraeo, rywsut. Yn enwedig efo'ch rhieni. Rwyt ti a Hans wastad wedi rhoi'r argraff eich bod yn . . .' Cododd Magda'i hysgwyddau.

'Yn blant bach da, ia? Wel, tydan ni ddim yn ffraeo hanner cymaint y dyddiau yma, ond ar un adeg roedd Hans a Nhad yng ngyddfau'i gilydd bob diwrnod, bron.' Gwenodd Sophie wên fach fingam. 'A do'n inna ddim yn helpu pethau ryw lawer.'

Ar bob bwrdd yn y caffi roedd 'na fâs wydr denau a dau rosyn gwyn ym mhob un. Cydiodd Sophie yn y fâs a chodi'r blodau at ei thrwyn, gwenu'n dawel a rhoi'r fâs yn ôl ar y bwrdd. Yna edrychodd ar Magda.

'Mae hi'n noson braf. Be am i ni ista am chydig yn y Münsterplatz, ia?'

Nodiodd Magda. Wrth iddyn nhw godi a throi am y drws, trawodd Sophie ei chlun yn erbyn ochr y bwrdd. Heb iddi sylwi, syrthiodd dau betal gwyn, un oddi ar bob rhosyn, a glanio'n dawel ar liain claerwyn y bwrdd.

*

'Pam Ulm, Magda?' oedd un o gwestiynau Hans y tro cyntaf iddyn nhw gwrdd. Fel arfer, byddai Magda wedi dweud rhywbeth fel 'Pam lai?' – ond gwyddai rywsut fod ar Hans wirioneddol eisiau gwybod, ac na fyddai'n bodloni ar ateb mor llipa.

Felly meddai, 'Oherwydd nad Munich mohoni.'

Roedd Hans a Sophie wedi edrych ar ei gilydd, a chwerthin. Eglurodd Sophie eu bod nhw'u dau yn ysu am gael mynd i'r brifysgol ym Munich, er nad oeddan nhw'n siŵr iawn be fydden nhw'n ei astudio ar ôl cyrraedd. '*Os* gwnawn ni gyrraedd yno,' meddai Hans. 'Falla na fydd yr un ohonan ni'n ddigon clyfar.'

Brys yr ychwanegiad hwn a wnaeth i Magda feddwl wedyn nad cyfeirio at ei allu academaidd yr oedd o, ond at y sefyllfa wleidyddol. A dyna'r unig dro iddo ddod yn agos at wneud unrhyw sylw gwleidyddol. Roedd fel petai'n benderfynol nad oedd eu sesiynau coffi a theisennau i gael eu llygru gan wleidyddiaeth. Yn y Münsterplatz gyda Sophie, a haul Mehefin yn gynnes ar eu hwynebau, deallodd Magda fod Hans bellach wedi dechrau alaru ar yr *Hitlerjugend*.

'Mi newidiodd o,' meddai Sophie, 'ar ôl mynychu un o'r ralïau yn Nuremberg. Ar y cyfan, creaduriaid go ddiniwed ydi'r *Hitlerjugend* yma yn Ulm. Yn Nuremberg mi ddaeth o ar draws Natsïaid go iawn, a doedd o ddim wedi hoffi'r hyn a welodd yno. Ddim o gwbwl. A bellach, mae o a Nhad fwy neu lai'n cytuno.'

Roedd Robert Scholl – a fu, cyn symud i Ulm, yn faer Ingersheim ac yna Fochtenberg lle treuliodd Hans a Sophie y rhan fwyaf o'u plentyndod – yn feirniad hallt o'r Natsïaid, a bu sawl ffrae rhyngddo a'i blant pan fynnon nhw ymuno â'r mudiadau ieuenctid.

'Fel arall roedd hi acw,' meddai Magda. 'Nhad fynnodd mod i'n ymuno â'r *Jungmädelbund* ac yna'r BDM.'

'Wnest ti fwynhau?'

'Ddim felly.' Yna ailystyriodd. 'Do, ambell beth – y gwersylla, y gwaith ffarm – unrhyw beth a olygai mod i'n cael bod oddi cartra.' Edrychodd ar yr eneth ifanc wrth ei hochr, yn ei blows wen a'i sgert las tywyll. 'A be amdanoch chi, Fräulein Scholl?'

'Dwi'n mwynhau bod allan yn yr awyr iach.'

'A dyna'r cwbwl?'

'Erbyn hyn, ia. Dwyt ti ddim, gobeithio, am roi pregeth i mi am *Kinder, Küche und Kirche* – 'plant, cegin ac eglwys', byd cyfan y wraig Almaenig ddelfrydol?'

'Debyg iawn mod i.' Cliriodd Magda'i gwddw a dyfynnu o *Mein Kampf* mewn llais dwfn. 'Dim ond un nod sy'n bwysig wrth addysgu merched, sef y ffaith y byddan nhw, ryw ddiwrnod, yn famau.'

A gwenodd Sophie Scholl ei gwên lydan, ddireidus.

*

Bron i chwe mlynedd yn ddiweddarach, ar yr ail ar hugain o Chwefror 1943, dienyddiwyd Hans a Sophie Scholl o fudiad y Rhosyn Gwyn, ynghyd â Christoph Probst, myfyriwr arall o Brifysgol Münich, yng ngharchar Stadelheim. Bedwar diwrnod ynghynt, roeddynt wedi cael eu harestio gan y Gestapo am ddosbarthu taflenni'n beirniadu Hitler a'r Blaid Natsïaidd. Ffars, wrth gwrs, oedd yr achos; hefo'r dyn gwallgof hwnnw, Roland Freisler, yn teyrnasu dros y llys, doedd ganddyn nhw ddim gobaith. Am bump o'r gloch y prynhawn, ychydig oriau yn unig ar ôl iddyn nhw gael eu dedfrydu, fe gerddon nhw fesul un o brif adeilad y carchar, ar draws buarth bychan ac at adeilad arall a safai ar wahân, lle'r arhosai'r dienyddwr Johann Reichhart amdanynt â'i beiriant erchyll, yn ei het uchel ddu a'i fenig gwynion. Sophie aeth gyntaf, ac yn ôl y tystion, roedd ei dewrder hi a'r ddau ifanc arall wrth iddyn nhw wynebu'r gilotîn yn anhygoel.

Roedd hi bron yn fis Mai erbyn i Magda Dürr glywed am farwolaeth ei ffrindiau. Ar y pryd, roedd hi yn ninas Hania tra oedd Tobias Jung yr ochr arall i Iráklion – dim ond ychydig o filltiroedd i ffwrdd, mewn gwirionedd, ond fuasai waeth i Jung fod ar y lleuad ddim. A hwyrach fod hynny'n eitha peth, oherwydd roedd y sioc a feddiannodd gorff a meddwl Magda'r diwrnod hwnnw, mewn rhyw ffordd ryfedd, wedi'i harbed rhag troi'n swp dagreuol, di-ddim. Mae'n sicr y buasai pethau wedi bod yn o ddrwg arni petai rhai o'i swyddogion wedi sylweddoli ei bod yn galaru dros ddau o bobol ifainc a fyddai, yn eu golwg nhw, yn fradwyr.

Ond fe ddaeth y dagrau yn y diwedd, cyn gynted ag y gwelodd hi Tobias. Roedd hwnnw ar y dechrau'n hurt ac yn llywaeth, heb ddim clem be ar y ddaear oedd yn bod arni, pam roedd hi'n ei ddyrnu un funud a'r funud nesa'n ei gofleidio'n dynn, yn boenus o dynn.

'Plant oeddan nhw,' meddai drosodd a throsodd. 'Dim ond plant.'

21

Rhosod cochion

Creta

1943

Fis yn ddiweddarach, gwrandawodd Magda'n gegrwth wrth i Jung ddweud wrthi am drefniant roedd o wedi'i ddechrau ychydig fisoedd ynghynt efo rhyw lyfrgellydd Cretaidd a ffansïai ei hun fel tipyn o archaeolegydd, rhywun a oedd, fel yntau, yn byw a bod ymysg adfeilion Knossos. Dim byd mor anhygoel o ddewr â'r hyn a wnaethai ei ffrindiau ifanc hi yn Munich. Dim ond ambell air i gall bob hyn a hyn – dim mwy na sïon, a dweud y gwir, ynglŷn â pha bentrefi oedd yn debygol o gael eu llosgi yn y dyfodol agos. Efallai, pwy a ŵyr, meddai, ei fod o'n gwneud rhyw lygedyn bach o wahaniaeth o bryd i'w gilydd.

'Tobias,' meddai ar ei draws. 'Tobias, pam rwyt ti'n deud hyn wrtha i?' – oherwydd roedd Magda Dürr o fewn dim i feddwl mai rhyw fath o brawf creulon oedd hyn, ac mai disgwyl am ei hymateb hi roedd Tobias Jung cyn gwneud ei adroddiad i bwy bynnag oedd wedi darganfod ei chyfeillgarwch â Hans a Sophie Scholl. Ond sut roedd hi i fod i ymateb? Pa ymateb fyddai'r un cywir, yr un diogel? Braw? Sioc? Ofn? Neu beth am siom, dicter a ffieidd-dod?

'Pam?' meddai eto.

Meddyliodd i ddechrau nad oedd o am ei hateb. Daliai i sôn am y llyfrgellydd yma: 'Stelios,' meddai, fwy nag unwaith, 'Stelios'. Fel petai am iddi gofio'r enw am ryw reswm. Duw a ŵyr pam, meddyliodd Magda, oherwydd roedd Stelios bellach wedi cael ei saethu mewn ysgarmes rywle ar arfordir y de. Doedd y llyfrgellydd ddim o gwmpas mwyach, dywedodd Jung, ond . . .

'Ond be?' gofynnodd hithau.

'Ond dydi'r trefniant ddim wedi gorffen hefo fo. Mae'r trefniant yn dal i fodoli.'

Ar y dechrau, eglurodd, trefniant llafar oedd o. Os byddai o, Jung, wedi digwydd clywed rhyw si ynglŷn â phentref arbennig, yna byddai'n crybwyll yr enw yng nghanol sgwrs am adfeilion hynafol eraill ar yr ynys (a phob tro mewn Saesneg herciog; doedd gan y llyfrgellydd ddim Almaeneg, ac roedd Groeg Jung yn chwerthinllyd o wael). Enw'r pentref dan sylw fyddai wastad yr olaf i gael ei ddweud.

'I have not yet been to visit Apodoulu.'

'No? It's Minoan.'

'Yes, I know. I wish also to see Eleftherna, and perhaps also . . .' – yna enwi'r pentref, a byddai'r llyfrgellydd yn nodio cyn mynd yn ei flaen i sôn, efallai, am ryw ogof oedd â chysylltiadau mytholegol, neu am safleoedd archaeolegol eraill y dylai Jung ymweld â nhw.

Wrth reswm, cawsai'r trefniant newydd ei ddechrau cyn i'r llyfrgellydd gael ei ladd. Fedrai'r llyfrgellydd ddim bod yn Knossos yr un pryd â Jung bob un tro, a ph'run bynnag, yn fuan wedyn, roedd yr Almaenwyr wedi gwahardd pob Groegwr o'r lle. Bob tro y parciai Jung ei jîp y tu allan i'r giatiau, byddai rhywun yn ei wylio'n ofalus; os oedd neges gan Jung, yna roedd o i ysgrifennu enw'r pentref – mewn Groeg – ar y tu mewn i baced sigaréts cyn gadael yr adfeilion. Wedyn, roedd o i aros wrth y jîp yn mwynhau un smôc olaf, cyn dringo i mewn iddo a gyrru i ffwrdd. Ond cyn gadael, roedd gofyn iddo wasgu'r paced sigaréts yn belen, a'i gollwng i mewn i'r bin sbwriel wrth y giatiau; byddai rhywun yn dod i nôl y paced gwag rywbryd ar ôl i Jung adael – a doedd o ddim i loetran er mwyn gweld pwy oedd y 'rhywun' hwnnw.

Daeth yr eglurhad hwn allan yn un llif, a dyna wnaeth i Magda sylweddoli: Dduw mawr, mae hwn yn deud y gwir, oherwydd mae'r holl beth bron iawn fel cyffes, fel petai'n falch o fedru bwrw'i fol fel hyn. Ac mae'n siŵr ei fod o'n rhyddhad iddo, meddyliodd: doedd wybod ers faint y bu Jung, fel barbwr y Brenin Meidas, yn byw hefo'r gyfrinach ofnadwy 'ma'n corddi y tu mewn iddo. Efallai nad oedd yr hyn roedd o'n ei wneud mor herfeiddiol o ddewr â'r hyn a wnaeth Hans a Sophie, ond yr un fyddai'r gosb petai'n cael ei ddal: naill ai apwyntiad â'r gilotîn 'nôl yn Berlin, neu ei grogi yma yng Nghreta – nid â rhaff, ond â gwifren biano.

'Ond pam wyt ti'n deud wrtha i, Tobias?'

Edrychodd arni heb ddweud dim am funud, fel tasa fo ddim ond newydd sylweddoli'r hyn roedd o wedi'i wneud. Yna meddai, yn fwy gofalus ac araf o gryn dipyn:

'Dwi isio meddwl – na, dwi isio *gwbod* – mod i'n gneud gwahaniaeth, Magda. Dwi isio gallu sgwennu mwy na dim ond ambell si y tu mewn i'r pacedi sigaréts yma; dwi isio delio mewn ffeithiau, mewn gwybodaeth – mewn *sicrwydd*.'

Roedd o'n syllu arni mewn ffordd go ryfedd.

'Tobias . . .?'

'Does gen i ddim hawl i ofyn hyn,' meddai o'r diwedd. 'Ond ro'n i'n meddwl . . . mae'r holl bethau rwyt ti wedi bod yn eu deud wedi gneud i mi feddwl, i mi obeithio . . . y basat ti falla'n fy helpu i gael rhywfaint o'r sicrwydd hwnnw?'

Ydi pobol yn gallu clywed pwyad y gilotîn wrth i'r llafn wahanu eu pen oddi wrth eu corff? Mae 'na sôn fod y llygaid yn dal i allu gweld, a'r clustiau'n dal i allu clywed am eiliad neu ddau neu dri ar ôl i'r llafn ddisgyn. Ydi hynny'n wir? Os felly, ydyn nhw'n gallu gweld y fasged yn rhuthro i fyny tuag atyn nhw, a gweld eu gwaed eu hunain yn ffrydio allan o stwmpyn y gwddf? Neu ydi'r cwbwl drosodd mor ddi-boen ag mae eraill yn ei honni?

Ac a fyddwn i, petai hi'n dod i hynny, yn gallu dangos yr un dewrder ag y gwnaeth Hans a Sophie?

Na fyddwn – Duw a'm helpo, na fyddwn! sgrechiodd ei meddwl.

Eto, erbyn diwedd y flwyddyn honno, roedd Magda, yn rhinwedd ei swydd fel negesydd radio, wedi gallu rhoi enw sawl pentref i Tobias Jung.

Ac un o'r enwau cyntaf oedd Koustoyérako.

*

Iráklion
1943

Ddau neu dri phentref ar ôl Koustoyérako, felly, yn yr ystafell westy lychlyd honno, gofynnodd Magda unwaith eto, '*Pam*, Tobias?' cyn tanio sigarét a disgwyl am ei ateb.

Dydi o ddim yn iawn . . .

Symudodd Jung ei law oddi ar ei chlun a rhwbio'i wyneb yn ffyrnig. Yna meddai, 'Oherwydd fy nhad.'

Ychydig iawn, iawn roedd Jung wedi'i ddweud wrthi erioed am ei gefndir. Dim ond ffeithiau moel a chyffredinol – mai un o Regensburg oedd o, yn unig blentyn, ei fod wedi colli'i fam pan oedd yn ifanc, a bod ei dad wedi marw tra oedd Jung i ffwrdd yn ymladd ar ddechrau'r rhyfel – a'i fod o, Tobias, yn arfer bod yn dipyn o gerddor ac yn canu'r organ yn yr eglwys. Rywsut neu'i gilydd, roedd o wedi llwyddo i'w chael hi i fodloni ar hynny; doedd o ddim yn hoffi siarad am ei gartref a'i gefndir, a dyna fo. Ond meddai wrthi'n awr, roedd o wedi bod yn ôl i Regensburg unwaith ar ôl iddo gael ei anafu.

Dim ond un waith.

*

Regensburg, yr Almaen
1942

Rhegodd Jung. Doedd dim ateb yn nhŷ Walter Schultze. Mi ddylai fod wedi ysgrifennu atyn nhw ymlaen llaw.

Roedd hi'n ddiwedd pnawn Sul oer a gwlyb yn nechrau mis Mawrth – a lle uffarn oedd Schultze? Fyddai o ddim yn y banc, ddim ar y Saboth. Mi ddylai'r dyn fod gartref o flaen tanllwyth o dân, cyn codi'n ddiog o'i gadair i ddechrau paratoi i fynd i'r eglwys.

Roedd hi'n dechrau tywyllu, a'r glaw mân yn syrthio'n ddibaid. Roedd ei goes yn ei boeni'n ofnadwy, gan ei fod wedi cerdded yr holl ffordd yma o'r orsaf. Ia, dyna ddirgelwch arall: i ble gythral aeth yr holl dacsis? Teimlai ei fag fel petai'n pwyso tunnell; roedd ganddo ddolur gwddw a chur yn ei ben, a waeth faint a godai ar ei goler, llwyddai'r glaw i wthio bysedd oerion i lawr ei wâr.

Hiraethai am gusan ffyrnig haul Creta, gan anghofio fel y bu iddo'r haf blaenorol hiraethu am law mân Regensburg.

Ei fwriad oedd cael allweddi tŷ ei dad oddi ar Walter Schultze. Rŵan, wrth freuddwydio am fath poeth a phryd o fwyd, sylweddolodd mai tŷ oer, tamp, digysur a digroeso fyddai'n aros amdano. Wnest ti ddim meddwl am hyn ynghynt, *Dummkopf*?

Od, hefyd, fod neb gartref; lle roedd Mrs Schultze? A'r ferch, be bynnag oedd ei henw? Greta, dyna hi – Greta Schultze. Lle roedd honno? Penderfynodd Jung dreulio'r noson mewn gwesty cyfagos cyn dychwelyd fore trannoeth i nôl yr allweddi. Bwyd, bath a noson iawn o gwsg, a byddai mewn gwell cyflwr o lawer i fynd i'r afael â'r tŷ.

Caeodd y giât ar ei ôl a chychwyn ar hyd y palmant llithrig, llaith am y gwesty. O'i flaen, ac yn dod yn nes gyda phob herc, roedd yr eglwys. Eglwys ei dad. Yr eglwys lle roedd ei dad rŵan hyn, yn y pridd, a gwyddai Tobias Jung nad oedd ganddo unrhyw obaith o gerdded heibio heb droi i mewn i'r fynwent. Un peth oedd gohirio'r tŷ; roedd hi'n amhosib gohirio'r fynwent. Dim byd ffansïol, hurt fel meddwl ei fod yn gallu clywed llais Christoph Jung yn gweiddi amdano o ddyfnderoedd y pridd. Na, dim byd felly – dim ond yr wybodaeth na fedrai orweddian mewn bath a mwynhau pryd o fwyd heb iddo'n gyntaf ymweld â'r bedd.

Arhosodd y tu mewn i giatiau'r fynwent, wedi sylweddoli nad oedd ganddo unrhyw syniad ymhle'n union roedd y bedd. Unwaith eto, melltithiodd Walter Schultze am lenwi ei lythyr â brawddegau mor amwys. Claddwyd Christoph 'ym mynwent yr eglwys' oedd y cwbwl a ddywedodd, ac nid mynwent fechan mohoni. Oedd ganddo ddigon o amser i grwydro'r holl lwybrau mud, yn craffu ar bob beddfaen cymharol newydd, cyn iddi dywyllu go iawn?

Ag ochenaid, cychwynnodd am y beddau – ac aros yn stond pan roes ei galon naid afresymol, ofergoelus wrth iddo sylweddoli bod rhywun yn sefyll yno'n ei wylio'n dod. Dynes mewn côt law ddu, laes, a sgarff am ei phen, a'i hwyneb yn wyn yn yr hanner gwyll.

'Tobias?' meddai'r ddynes. 'Tobias Jung?' Camodd tuag ato, a chymerodd yntau gam neu ddau tuag ati hithau yr un pryd. Pwy gythral . . .? Craffodd arni, a chyda gwên fach ymddiheurol, datododd y ddynes ei sgarff a'i dynnu oddi ar ei phen.

'Greta,' meddai, yn ddiangen oherwydd roedd Jung wedi'i nabod, neu'n hytrach wedi nabod y rhaeadr o gyrls melyn, anhydrin. Am y rhain y meddyliai pawb wrth feddwl am Greta Schultze.

'Greta,' meddai yntau'n hurt yn ôl. 'Wrth gwrs. Ma'n ddrwg gen i, wnes i ddim . . .'

Cododd ei ffon a'i chwifio'n amwys i gyfeiriad y glaw a'r llwydolau. Y cof oedd ganddo fo ohoni oedd o blwmpen fach gron, ond roedd hi wedi teneuo cryn dipyn ers iddo'i gweld hi ddiwethaf, a'i hwyneb crwn wedi troi yn un hir, ei gên wedi miniogi a'i bochau wedi pantio. Ceisiodd Jung ei atgoffa'i hun mai geneth ifanc oedd hi bryd hynny, fawr hŷn na phlentyn. Bellach, roedd hi'n ddynes – dynes ifanc, efallai, ond dynes yr un fath. Ond roedd y cyrls ganddi o hyd, meddyliodd Jung wrth eu gwylio'n diflannu'n eu holau o dan y sgarff, a mygodd yr ysfa i'w rhwystro rhag eu cuddio oherwydd roedd y glaw mân wedi gwau gwe pryf cop arian drostyn nhw.

Roedd ei llygaid hithau'n ymlusgo dros ei wyneb o. Gwyddai fod y blynyddoedd wedi dwyn pwysi lawer oddi arno yntau hefyd, ac roedd ei gôt laes yn hongian amdano. Roedd y cyfnod hir o hyfforddi caled wedi'i gulhau wrth ei galedu, a bwledi'r milwr o Seland Newydd a'r misoedd wedyn mewn ysbytai wedi'i droi yn ddyn tenau, a'r crychau o gwmpas ei lygaid yn ei wneud yn hen o flaen ei amser.

'Mi wnes i alw,' meddai wrthi. 'Gynnau – yn y tŷ. Ro'n i wedi gobeithio cael gweld dy dad.'

Trodd Greta oddi wrtho am eiliad, ond nid yn ddigon cyflym iddo golli'r cysgod sydyn o boen a wibiodd dros ei hwyneb.

'Mae Nhad yn fama,' meddai. 'A Mam hefyd.'

Wrth gwrs, beth arall fuasai dynes ifanc fel hi'n dda mewn mynwent ar fin nos mor annifyr â hon?

'Ma'n wir ddrwg gen i.'

Nodiodd Greta'n swta, braidd, fel petai hi ddim isio gwrando ar ei gydymdeimlad hwyrol. Yna edrychodd ar ei fag, ac meddai Jung, 'Mi ddois i yma'n syth o'r orsaf – wel, ar ôl galw yn dy gartra di gynta, yndê. Ro'n i ar fy ffordd i . . . os dwi'n cofio'n iawn, mae 'na westy rhyw ddwy stryd i ffwrdd.'

'Yr Ibis?' Ochneidiodd Greta. 'Mae'r Ibis ar gau, Tobias.'

'O, wel. Ga' i allweddi'r tŷ gen ti?'

'Wrth gwrs, wrth gwrs, maen nhw gartra'n ddiogel.' Roedd hi'n craffu arno eto. 'Ond . . . ond dwyt ti ddim wedi gweld y bedd eto.'

'Naddo. Sgen i ddim syniad lle mae o.'

'O, Tobias.' Ochneidiodd Greta'n ddwfn. 'Bedd dy fam ydi o. Mae'r ddau hefo'i gilydd. Roedd Nhad yn meddwl mai dyna be fasa dymuniad Christoph.'

'A-aa . . . Ia, wrth gwrs, debyg iawn. Roedd o yn llygad ei le, hefyd.' Pam uffarn nad oedd o ei hun wedi meddwl am hynny? Edrychodd dros y fynwent, ac mae'n rhaid fod golwg hollol lywaeth a cholledig arno, oherwydd meddai Greta:

'Mi wyt ti'n cofio lle mae bedd dy fam?'

Edrychodd Jung arni, ac roedd yn rhaid iddo ysgwyd ei ben. Ochenaid arall gan Greta – un ddiamynedd y tro hwn – ac yna trodd. 'Tyd.'

'Greta, wir i ti – roeddat ti ar dy ffordd adra, mi ddo' i'n ôl.'

'Tyd.'

Dilynodd Jung hi rhwng y beddau, ar hyd llwybrau anghyfarwydd. Hyd yn oed pan oedd yn hogyn ifanc, pur anaml y dôi i sefyll wrth fedd ei fam. Dôi Christoph yma ddwywaith neu dair bob wythnos, ac roedd yn well gan y Tobias Jung ifanc, hunanol gredu bod ei dad yn gwerthfawrogi cael bod yma ar ei ben ei hun, a'r munudau a dreuliai yma hefo'i wraig yn rhai preifat a sanctaidd lle gallai ollwng deigryn heb deimlo'n annifyr wrth wneud hynny yng ngŵydd ei fab. Doedd Tobias erioed wedi gofyn i'w dad a hoffai iddo fo ddod yma hefo fo, a theimlai'n sicr rŵan fod hynny wedi brifo Christoph Jung.

Rhywbeth arall i Tobias ofyn am faddeuant amdano.

Arhosodd Greta wrth fedd oedd yn gywilyddus o anghyfarwydd. Roedd yn dal i fod yn ddigon golau i Tobias allu gweld enw'i fam ar y garreg: Thilde Anna Jung. Ac o dan un ei fam, enw'i dad – Christoph Otto Jung – a llinell o farddoniaeth:

Musik fängt dort an wo die Worte enden.

Mae cerddoriaeth yn dechrau pan fydd geiriau'n dirwyn i ben.

Darllenodd Jung nhw'n uchel, ac yna'n ddistawach iddo'i hun.

'Goethe,' meddai Greta wrth ei ochr.

'Dewis . . .?' Cliriodd Jung ei wddf – 'Dewis dy dad?'

'Ia. Gobeithio nad oes ots gen ti?'

Ysgydwodd Jung ei ben. 'Ddim o gwbwl. Mae o'n ddyfyniad . . . addas. Yn dydi?'

'Felly roedd Nhad yn tybio. Tobias, leiciet ti gael chydig funudau ar dy ben dy hun?'

'Na . . . na, ma'n ol-reit, diolch. Mi ddo' i'n ôl yma.' Edrychodd o'i gwmpas hefo'r bwriad o sodro lleoliad y bedd yn ei feddwl, ond roedd hi'n tywyllu erbyn hyn a'r glaw yn disgyn yn drymach. 'Fory,' meddai, 'neu drennydd.' Crynodd; roedd ei wddw'n brifo go iawn rŵan bob tro y ceisiai lyncu. 'Diolch i ti, Greta. Ac i dy dad, wrth gwrs.'

'Ia, Nhad . . .' Meddyliodd Greta Schultze am funud, cyn edrych arno. 'Lle'r ei di rŵan, felly?'

'Wel, gan fod y gwesty 'na ar gau, ro'n i'n meddwl, os ca' i'r allweddi gen ti . . .'

'Na chei.'

'Ma'n ddrwg gen i?'

'Wel, mi gei di nhw, ond ddim yn syth,' meddai Greta. 'Dwyt ti ddim mewn unrhyw gyflwr i fynd i mewn i dŷ sy wedi bod yn sefyll yn wag ers tair blynedd, a faswn i byth yn maddau i mi fy hun taswn i'n gadael i chdi neud hynny. Ti'n dŵad adra hefo fi, Tobias Jung.'

'Greta, dwi ddim isio creu unrhyw draff. . .'

'Tyd.'

*

Gwan ar y naw oedd ei brotestiadau pan fynnodd Greta Schultze ei fod yn derbyn ei chynigion o fath poeth a phryd o fwyd. Roedd ei iwnifform yn wlyb er gwaethaf ei gôt, a rhoddodd Greta hi o flaen y tân i sychu tra oedd Jung yn brwydro'n galed i beidio â phendwmpian yn y bath.

Daeth y botel *Schnaps* allan hefo'r bwyd, a theimlodd Jung ei ddolur gwddw'n cilio wrth i wres y ddiod flodeuo trwyddo. Gwyliodd Greta fo'n claddu'r golwythion cig oen a'r llysiau llipa fel tasa fo ar lwgu.

'Dwi wedi colli'r ddawn, braidd,' meddai, wrth i Jung ganmol y bwyd. 'Ychydig iawn o goginio go iawn ydw i wedi'i wneud ers . . . ers i Dad a Mam fynd.'

'Fuon nhw'n wael am hir, Greta?'

Syllodd Greta arno am ychydig cyn ateb. Nid am y tro cyntaf, cafodd Jung y teimlad ei bod hi'n pwyso a mesur pob cwestiwn, ac yn geirio'i hatebion yn rhyfedd o ofalus: roedd eu sgwrsio'n ffinio ar y ffurfiol. Cafodd yr argraff hefyd ei bod hi'n hapusach pan oedd o'n adrodd ei hanesion o na phan oedd o'n ei holi hi am ei bywyd yma yn Regensburg. Gwyddai ei bod yn gweithio yn ffatri awyrennau Messerschmitt Bf 109, ond dyna'r cwbwl, i bob pwrpas. Doedd ganddi ddim modrwy ar ei bys, a doedd hi ddim wedi sôn gair am unrhyw gariad – nid bod hynny'n ddim o'i fusnes o.

'Mi aeth Mam yn frawychus o sydyn ar ôl Nhad,' meddai hi. 'Ychydig fisoedd – fel tasa hi wedi rhoi'r ffidil yn y to unwaith roedd o wedi mynd.'

'A dy dad?' Roedd llais Tobias Jung yn llawn tynerwch a chydymdeimlad.

'Strôc,' atebodd Greta'n swta. Yn rhy swta, sylweddolodd, felly ychwanegodd: 'Dwy, a bod yn fanwl gywir. Un gymharol fechan, ac yna un farwol. Mewn ffordd, roedd hi'n drugaredd.'

Nodiodd Jung. 'Peth ofnadwy ydi gorfod gwylio rhywun annwyl yn dirywio ar ôl strôc ddrwg . . .'

Tawodd. Roedd Greta'n ysgwyd ei phen arno.

'Nid dyna be . . .'

'Ma'n ddrwg gen i?'

Syllodd Greta ar ei phlât. Siaradodd yn dawel, bron yn gyndyn, ac roedd yn rhaid i Jung blygu tuag ati er mwyn medru'i chlywed.

'Fuodd Nhad ddim 'run fath ers . . . ers pan fu farw dy dad,' meddai.

'Wel, roeddan nhw yn dipyn o fêts . . .' dechreuodd Jung, ond torrodd Greta ar ei draws.

'Oeddan, dyna'r peth.' Cododd ei phen ac edrych i fyw ei lygaid. 'Euogrwydd laddodd 'y nhad, Tobias. Roedd o'n cael ei fyta'n fyw gan euogrwydd. Euogrwydd am yr hyn a ddigwyddodd i dy dad.'

Cododd a dechrau clirio'r bwrdd, a chario'r llestri i'r gegin. Roedd ychwaneg i ddod, gwyddai Jung, a'r tacluso hwn oedd ei ffordd hi o glirio'i meddwl cyn siarad ymhellach. Roedd wedi sylwi eisoes ei bod hi wedi newid i flows wen a sgert ddu tra oedd o yn y bath, ac wedi defnyddio ychydig bach o golur a minlliw – y mymryn lleiaf, ond roedd yn ddigon – ac wrth iddi fynd heibio iddo gyda'r llestri budron, coswyd ei ffroenau gan bersawr ysgafn a wnâi iddo feddwl am rosod cochion ar ôl cawod o law tyner yr haf. Ond pam meddwl am rosod cochion?

Pan ddaeth hi'n ei hôl o'r gegin, tywalltodd wydraid arall o *Schnaps* yr un iddyn nhw'u dau. Arhosodd Jung nes ei bod wedi setlo gyferbyn â fo cyn dweud, '"Euogrwydd am yr hyn a ddigwyddodd i dy dad" – dyna be ddeudist ti gynna. *Be ddigwyddodd i Nhad, Greta?* Wnaeth dy dad ddim manylu yn y llythyr, mond deud ei fod o wedi marw gartra, yn y tŷ. Oedd Nhad yn sâl?'

Ysgydwodd Greta'i phen.

'Wel, be ta?' mynnodd yntau, gan deimlo'i fod wedi disgwyl yn hen ddigon hir bellach. 'Oedd dy dad yn dweud rhyw gelwydd golau bach er mwyn arbed fy nheimladau i? Chafodd Nhad mo'i arestio na dim byd felly?'

'Naddo, naddo. Ddeudodd Nhad 'run gair o gelwydd wrthat ti, Tobias. Mi ddaru dy dad farw gartra. Ond . . .'

'O'r arglwydd – *be?*'

'Gwneud amdano'i hun wnaeth o, Tobias. Mae'n ddrwg gen i.'

Rhythodd Jung arni. Am yn hir, hir.

'Sut?'

'O, Tobias, dwyt ti ddim isio gwbod . . .'

'*Sut?*'

Petrusodd Greta, cyn dweud, 'Ei grogi'i hun, Tobias. Nhad ddaeth o hyd iddo, y diwrnod wedyn.' A doedd hi *ddim* am adrodd fel y bu i'w thad, ar ôl curo a churo wrth ddrws Christoph Jung ben bore'r diwrnod hwnnw a methu cael ateb, fynd i'w gwrcwd a gweiddi trwy'r blwch llythyrau, ddim ond i weld coesau a thraed Christoph yn hongian yno uwchben y grisiau, yn wynebu'r drws.

Eisteddai Jung yn hollol lonydd a'i ddwylo'n gorffwys ar y bwrdd. Canai chwiban uchel, fain yn ei ben, mor uchel nes ei fod bron yn synnu na allai Greta, hefyd, ei chlywed. Teimlodd rywbeth yn pwnio'i fys ac edrychodd i lawr – y gwydraid *Schnaps* llawn, yn cael ei wthio tuag ato gan Greta. Cododd y gwydryn ac yfed y *Schnaps* ar ei dalcen. Rhoes y gwydryn i lawr yn ei ôl. Roedd Greta'n barod hefo'r botel, a nodiodd yntau.

'Diolch.'

Wrth iddi blygu ymlaen eto hefo'r botel, meddai Jung, 'Rhosod cochion.'

'Tobias?'

'Y persawr 'na rwyt ti'n ei wisgo. Mae'n ogleuo fel rhosod cochion.'

'O, ydi . . .'

'Dwi'n cofio rŵan,' meddai Jung. 'Ro'n i'n trio meddwl gynna pam mae dy bersawr di'n gneud i mi feddwl am rosod cochion. Pam *coch* yn hytrach na . . . dwn 'im, melyn neu binc? Ond dwi'n cofio rŵan. Faint oedd d'oed ti ar y pryd, Greta? Chwech, falla? Saith? Ro'n i tuag un ar ddeg, dwi'n siŵr. Mi ddoist ti draw acw efo dy rieni, a dwi'n cofio meddwl – *hon* eto, cha' i ddim munud o lonydd rŵan nes y byddan nhw wedi mynd â hi adra. Ro'n i allan yn yr ardd, ac ar ganol llyfr ro'n i'n ei fwynhau'n arbennig pan gyrhaeddaist ti efo dy dad a'th fam trwy'r giât gefn. Roedd Nhad wrthi'n trin ei lwyni rhosod ar y pryd, ac mi dorrodd un rhosyn coch a'i osod yn ofalus yn dy wallt, reit yng nghanol y cyrls gogoneddus yna oedd gen ti – *sydd* gen ti o hyd – a deud, "Dyna ti, cadwa di hwn yn dy wallt hynny fedri di, ac mi fyddi di wastad yn ogleuo o rosod cochion." Ti'n cofio, Greta? A wyddost ti be, prin gwnest ti symud 'run fodfedd trwy'r pnawn hwnnw – chdi, oedd yn arfar gwibio'n wyllt o gwmpas y lle. Dim ond ista'n llonydd a'r rhosyn coch 'na yng nghanol dy gyrls melyn . . .'

A phlygodd Tobias Jung ymlaen a rhoi ei dalcen ar wyneb y bwrdd, a beichio crio.

*

Iráklion
1943
Erbyn y bore, medda fo wrth Magda, roedd o wedi cael gwybod y cyfan a wyddai Greta Schultze. Sut roeddan Nhw wedi erydu ei dad fesul tipyn, ac, yn nhyb Christoph Jung, eisoes wedi troi ei fab yn ei erbyn ac yna'i gipio oddi arno. Wedyn roeddan Nhw wedi troi eu sylw at ei waith, ei alwedigaeth, gan ei waedu'n ara deg nes i'r dydd gyrraedd pan ganodd Christoph yn iach i'w gleient olaf.

Erbyn hynny, dim ond ei gerddoriaeth oedd ganddo ar ôl. Dim ond ei gôr, a fuon Nhw ddim yn hir iawn cyn cipio'r rheiny oddi arno hefyd, a throi ei ffrind pennaf, Walter Schultze, yn Iscariot tra oeddan nhw wrthi.

I gyd am fod Christoph Jung yn gwrthod arwyddo darn o bapur a gwisgo bathodyn bychan ar ei gôt. Y ffŵl gwirion, ystyfnig, gwych iddo fo.

'Ac ydi,' meddai Jung rŵan wrth Magda Dürr, '*mae*'r hyn a wnaeth Golo Wolf yn un rheswm pam y bydda i'n mwynhau smôc y tu allan i giatiau Knossos, cyn gollwng y paced sigaréts gwag i mewn i'r bin ysbwriel a gyrru i ffwrdd, yn domen o chwys, ac yn argyhoeddedig fod y byd i gyd yn fy ngwylio ac yn gwybod yn iawn be dwi newydd ei neud. Wrth gwrs ei fod o'n un rheswm, ond nid yr unig reswm – ac nid y prif reswm chwaith, o bell ffordd.'

Wrth iddyn nhw ffarwelio â'i gilydd y diwrnod hwnnw, gofynnodd Magda iddo, 'A'r ferch 'na, Greta? Wyt ti wedi clywed unrhyw beth oddi wrthi hi wedyn?'

Ysgydwodd Tobias ei ben. 'Dim gair,' meddai.

Ond doedd o ddim am ddweud wrth Magda fel y bu iddo, fis Awst diwethaf, freuddwydio am Greta. Nid y ddynes ifanc, denau a roes y fath fraw iddo yn y fynwent yn Regensburg, ond yn hytrach y blwmpan fach benfelen a wisgai rosyn coch yn ei gwallt. Yn ei freuddwyd roedd o'n sefyll ar ochr y ffordd, yma yng Nghreta, yn gwylio bws yn llusgo heibio iddo. Roedd Greta ar y bws, ac yn chwifio'i llaw arno trwy'r ffenest gefn a'r rhosyn yn ei gwallt. Daeth sgrech y breciau wrth i'r bws aros, a sylweddolodd Jung fod Greta'n gwneud ystum arno i ymuno efo hi ar y bws. Dechreuodd frysio tuag ati ond wrth iddo nesáu, gwelodd nad rhosyn oedd ganddi yn ei gwallt wedi'r cwbl, ond clamp o dwll coch yn ei phen. Arhosodd yn stond a gwylio'r bws yn mynd hebddo, a Greta'n syllu'n ôl arno trwy'r ffenest gefn.

Rai dyddiau wedi hynny, ar yr ail ar bymtheg o Awst, clywodd fod lluoedd awyr y gelyn wedi bomio'r ffatri awyrennau Messerschmitt yn Regensburg, a 203 o bobol wedi'u lladd yn yr ymosodiad.

Gwyddai, heb orfod gwneud unrhyw ymholiadau, mai merch benfelen o'r enw Greta Schultze oedd un ohonyn nhw.

22

Y plismon pentref

Hania
Awst 1944

Gorweddai Golo Wolf ar ei gefn yn syllu ar y nenfwd ac yn meddwl am Tobias Jung. Roedd y ddynes a eisteddai arno yn griddfan â phleser ffug, ei llygaid ynghau a'i cheg yn agored fel pe na bai hi erioed o'r blaen wedi profi'r fath ecstasi. Gwyliodd Wolf hi'n ddidaro, fel rhywun mewn syrcas oedd wedi gweld yr un gamp yn cael ei pherfformio ddwsinau o weithiau gan anifail hollol gyffredin – ci yn neidio trwy gylch neu geffyl yn sefyll ar ei goesau ôl. Act oedd y cyfan ganddi, wrth gwrs; roedd o mor llipa â chadach llestri gwlyb y tu mewn iddi, a doedd hithau ddim yn actores dda.

Agorodd y ddynes un llygad a'i weld yn syllu arni. Diflannodd y mwgwd esctatig a daeth golwg ofnus dros ei hwyneb – golwg a fradychai ei hoed. Groeges oedd hi – o'r tir mawr, nid o Greta; roedd Wolf wedi dechrau amau nad oedd 'na'r ffasiwn bethau â phuteiniaid Cretaidd i'w cael. Gwnaeth ystum arni a sgrialodd y ddynes oddi arno'n lletchwith a blêr, a'r union bethau a wnaeth iddo'i dewis hi yn y lle cyntaf – y bronnau mawrion a'u tethi tewion, tywyll, a'r goedwig drwchus, ddu rhwng ei chluniau – bellach yn troi'i stumog.

'*Was ist los, Honigbienchen*?' gofynnodd iddo.

Rhythodd Wolf arni. *Honigbienchen*? Pwy gythral ddysgodd hon i alw'i chwsmeriaid yn wenyn bach?

'*Was ist los*?' gofynnodd hithau eilwaith, yn fwy nerfus o lawer y tro hwn. 'Be sy?'

Ochneidiodd Wolf a thynnu'i drôns a'i drowsus i fyny'n ôl dros ei gluniau. *Was ist los*, wir . . .

Tobias Jung, meddyliodd. Tobias Jung – *dyna* be sy; Tobias Jung, y ffŵl – y blydi, blydi ffŵl.

Safai'r ddynes â'i chefn yn erbyn y mur, yn noeth ac ansicr wrth wylio'r Almaenwr yn gwisgo amdano, ei feddwl yn bell yn rhywle. Roedd popeth wedi mynd yn iawn ar y dechrau, ond yna fe'i teimlodd yn crebachu'r tu mewn iddi. Doedd dim bai arni hi, gwyddai, ond go brin y byddai o'n derbyn hynny, a gweddïai na fyddai o'n gadael gormod o lanast ar ei hwyneb.

Edrychodd Wolf i fyny'n sydyn a'i dal yn syllu arno. Wrth ei hochr, yn hongian oddi ar y mur, roedd un eicon lliwgar a edrychai'n druenus yn ei unigedd – addurn hynod mewn lle fel hyn, a'i hynodrwydd yn fwy amlwg â'r hwran hon yn sefyll yn noethlymun o'i flaen. Cipiodd Wolf ei dillad oddi ar y gadair a'u lluchio ati.

'Gwisga amdanat, wir Dduw!'

Ufuddhaodd y ddynes yn frysiog, a phan ddaliodd yntau'r arian allan iddi, daeth ato'n ofnus, yn amlwg yn disgwyl bonclust neu waeth, cyn cipio'r pres o'i ddwylo a brysio o'r ystafell.

Eisteddodd Wolf yn ôl ar erchwyn y gwely a thanio sigarét. Hongiai'r eicon yn simsan oddi ar hoelen gam: buasai un waldan ar y mur yn ormod iddo. Y Forwyn Fair, wedi'i gwisgo mewn coch, a'r baban Iesu, mewn oren a gwyn, yn eistedd ym mhlyg ei phenelin chwith, ei foch yn anwesu boch ei fam.

Chwythodd Wolf linyn o fwg tuag atynt. Roedd hi'n annioddefol o boeth, a doedd y ffan hynafol a hongiai o'r nenfwd ddim yn gweithio. Drwy'r pared gallai glywed sbringiau gwely'n gwichian yn rhydlyd, a llais actores arall yn mynd trwy'i phethau â'r un argyhoeddiad – neu'r un diffyg argyhoeddiad – â'r un oedd newydd fynd trwy'r drws. Y gwir amdani oedd, pan welodd hi'n sefyll yn noeth fel yna o flaen yr eicon, roedd Golo Wolf wedi dod yn agos at ailddatod ei drowsus a galw arni 'nôl i'r gwely. Hwyrach mai'r gwrthgyferbyniad amlwg oedd y rheswm – y cnawdol a'r

388

dwyfol ochr yn ochr. Merched fel hon a ddewisai Wolf bob tro: roeddan nhw mor wahanol i Veronika, ei wraig bryd golau, luniaidd – cymaint felly nes iddo fedru'i berswadio'i hun nad bod yn anffyddlon iddi roedd o wrth fustachu rhwng cluniau proffesiynol a dieithr.

Ond roedd wedi mynnu bod hon heddiw'n gwisgo amdani a mynd. Petaen nhw wedi dychwelyd i'r gwely, ofnai Wolf y byddai blydi Tobias Jung yno hefo nhw unwaith eto – Tobias Jung, y ffŵl, y bradwr. Neu felly roedd pethau'n ymddangos, beth bynnag. Y fo a'r dreipan denau honno roedd o'n ei thrin.

*

Cyn dod yma i'r puteindy, roedd Golo Wolf wedi bod yn swyddfeydd y Gestapo yng nghwmni dyn o'r enw Losch.

Fu gan Golo Wolf erioed fawr i'w ddweud wrth y *Geheime Staatspolizei*, er gwaetha'r ffaith fod ei dad ei hun (dyn a gawsai ei eni i fod yn blismon) yn gweithio bellach fel *Kriminaldirektor* hefo nhw gartref yn Köln. Yn nhyb Wolf, bodau slei a ddibynai ar sibrydion ac achwynion oeddan nhw, yn ffynnu ar ofn a chreulondeb: bwlis, mewn geiriau eraill. Ac roeddan nhw mor uffernol o rodresgar, ar ben popeth arall. Ond nefoedd, roeddan nhw'n drylwyr!

Losch a fu'n cynnal yr archwiliad i'r Oberleutnant Tobias Jung. Roedd wedi treulio oriau lawer mewn tŷ gwag a edrychai i lawr ar brif fynedfa Knossos – oriau hir, chwyslyd, anghyfforddus ac unig, oherwydd roedd Golo Wolf, gyda chefnogaeth y Cafridog Müller, wedi mynnu nad oedd neb arall i wybod am yr archwiliad. A Müller ei hun a ddewisodd Losch, nid yn unig oherwydd ei gyfrinachedd, ond hefyd oherwydd ei ymddangosiad allanol. Un byr oedd o, â gwallt cyrliog, du, a mwstás trwchus o'r un lliw. Yn y siwt ddi-raen a hongiai'n llipa am ei gorff tenau, ynghyd â'r crys gwyn digoler a welsai ddyddiau gwell flynyddoedd ynghynt, hawdd fuasai credu ei fod yn aelod o'r mudiad gwrthsafiad lleol. Roedd y gwargrymu'n iawn ganddo hefyd: cerddai'n gefngrwm a'i ben i lawr, ei ddwylo naill ai ym mhocedi ei drowsus neu'n chwarae â mwclis gofidiau. Roedd hyd yn oed yn eistedd yn gefngrwm, gan roi'r argraff y byddai'n ymdrech fawr iddo godi ar ei draed.

Felly'r eisteddai rŵan, yn gwgu dros y ddesg. Roedd wedi cael hen lond bol ar Tobias Jung – ac ar Golo Wolf hefyd, petai'n dod i hynny. Collodd hynny o amynedd oedd ganddo ar ôl.

'Eu harestio nhw, Herr Hauptmann – Oberleutnant Jung a'r ddynes Dürr.'

Ond roedd Golo Wolf yn ysgwyd ei ben. 'Ddim eto.'

'Pam?'

'Tydan ni ddim gant y cant yn siŵr mai Jung . . .'

Dyna pryd y collod Losch ei amynedd. 'O, Herr Hauptmann!' Taflodd y bag plastig â'r paced sigaréts crebachlyd y tu mewn iddo ar y ddesg mewn cynddaredd lwyr. 'Gyda phob parch, Herr Hauptmann, rydan ni'n hen ddigon sicr i'w harestio nhw. Awr neu ddwy efo ni, ac mi fyddan nhw wedi cyffesu.'

Ond roedd Golo Wolf yn benderfynol. 'Ddim eto, Losch. Ydan ni'n dallt ein gilydd?'

Meddyliodd am eiliad fod Dieter Losch am feiddio dadlau: roedd y dyn yn amlwg yn cael trafferth rheoli'i dymer. Ond yn y diwedd rhoes hwnnw nòd swta, cyndyn.

'*Danke*,' meddai Golo Wolf.

Wedi i'r drws gau ar ei ôl, eisteddodd Losch yn llonydd y tu ôl i'r ddesg am rai munudau. Yn y diwedd, mentrodd godi a chroesi at y ffenest fawr a edrychai i lawr tuag at harbwr Hania – lle tlws ar un adeg, tybiai, ond bellach wedi'i hagru gan yr holl gychod milwrol. Am faint eto, tybed? Ddim llawer yn hwy, teimlai: misoedd ar y mwyaf, yn ôl fel roedd pethau'n datblygu. Roedd y rhyfel wedi'i golli, i bob pwrpas; roedd pawb yn teimlo hynny, yn credu hynny, yn gwybod hynny – pawb ond y ffyliaid yn Berlin, a'r prif ffŵl yn arbennig. A be wedyn iddo fo, Losch, pan ddôi'r gorchymyn i ganu'n iach i Greta? Yn ôl i Berlin? Go brin. Roedd hi'n amhosib dweud faint o'r ddinas fyddai ar ôl erbyn hynny.

Byddai'n gas ganddo orfod mynd oddi yma; roedd o wedi dod i hoffi'r ynys ac i edmygu dewrder ei phobol. Cabledd, efallai, i aelod o'r Gestapo, ond dyna fo. Roedd wedi gwylio sawl dienyddiad ers iddo gyrraedd yma – y peth lleiaf y gallai ei wneud ac yntau'n rhannol gyfrifol am amryw ohonyn nhw – ac roedd o eto i weld un Cretiad yn ymbil am ei fywyd. Yn hytrach, safent i gyd, y dynion a'r merched, yn wynebu'r sgwad saethu mor ddidaro â phetaen nhw'n aros am fws.

Ei waith, fe'i hysbyswyd pan ddaeth yma gyntaf, oedd dod o hyd i enwau'r gwrthwynebwyr oedd yn gweithredu'n gyfrin yn erbyn yr Almaenwyr. Roedd o hefyd i ddarganfod enwau'r holl Iddewon oedd yn byw ar yr ynys. Deallodd Losch yn fuan fod digonedd o wrthwynebwyr yma, ond dim llawer o Iddewon – rhyw lond dwrn yma yn Hania, a dim un yn Rethymnon. Roedd y rhan fwyaf yn Iráklion, y ddinas fwyaf gosmopolitaidd o'r tair, a llond dwrn arall, efallai, yma ac acw yn y pentrefi. Roedd nifer ohonyn nhw wedi'u lladd yn sgil Brwydr Creta, ond yr eironi oedd na sylweddolodd yr Almaenwyr ar y pryd eu bod yn lladd Iddewon yn ogystal â'r Cretiaid.

Rhywbeth go anghyffredin oedd y busnes yma gyda Tobias Jung. Meddyliai ar y dechrau mai dim ond chwilen ym mhen Golo Wolf oedd y cwbwl. Roedd y Losch craff wedi synhwyro'n syth fod gan Wolf ryw atgasedd rhyfedd tuag at Jung. Roedd y ddau, deallodd, wedi achub bywydau'i gilydd yn ystod Brwydr Creta, a basa rhywun yn tybio i rywbeth fel'na wneud ffrindiau mynwesol o'r ddau, ond na. Plismon oedd Losch, nid seicolegydd, ond allai o ddim peidio â meddwl tybed oedd gan y digwyddiad hwnnw rywbeth i'w wneud â'r obsesiwn yma oedd gan Wolf: roedd fel petai'r dyn yn dal dig, rywsut, oherwydd i Jung achub ei fywyd.

Roedd Wolf yn dipyn o arwr erbyn diwedd Brwydr Creta, ond hwyrach y teimlai fod sglein ei ogoniant wedi'i wanhau, i raddau, gan y ffaith fod rhywun arall wedi gorfod achub ei fywyd. Graddau bychain, hwyrach, ond i rywun fel Golo Wolf – a oedd, yn nhyb Losch, yn goc oen o'r radd eithaf – roeddan nhw'n anferth o raddau.

Ar y dechrau, felly, daethai Losch yn agos at roi adroddiad digon ffwrdd-â-hi am yr archwiliad, ac awgrymu eu bod yn diystyru Tobias Jung. Gallai fod wedi honni nad oedd y dyn yn ddim mwy na rhyw greadur egsentrig a chanddo obsesiwn am hanes hynafol: rhywun y byddai'n well ganddo – oherwydd ei anafiadau – eistedd y tu ôl i ddesg yma ar ynys heulog a'r môr glas o'i gwmpas, yn llenwi a stampio un ffurflen ar ôl y llall a dangos swyddogion pwysig a hunanbwysig o gwmpas y lle, na threulio gweddill y rhyfel yn gwneud fwy neu lai yr un peth yn union mewn dinas wlyb ac oer gartref yn yr Almaen.

A phwy allai ei feio am hynny? meddyliodd Dieter Losch. Serch hynny, aeth ati i gloddio'n drylwyr i orffennol Tobias Jung, ac i orffennol y ddynes oedd bellach yn rhyw fath o gariad iddo.

Ac roedd wedi dod o hyd i un neu ddau o bethau diddorol. Pethau digon dibwys ar yr wyneb, efallai, ond eto'n ddigon i brocio'i chwilfrydedd. I ddechrau, y ffaith fod tad Jung wedi'i ladd ei hun yn hytrach nag ymuno â'r Blaid. Y ffaith, hefyd, mai'r unig un i ymweld â Jung yn yr ysbyty ar ôl iddo gael ei anafu oedd y ffotograffydd Bruno Nagel, oedd yn bresennol pan gosbwyd Kondomari – yr un ysbyty ag roedd Magda Dürr yn nyrsio ynddi ar y pryd. Yna'r ffaith fod Dürr wedi treulio cyfnod yn ninas Ulm, cartref y bradwyr Scholl . . .

Ia, pethau bychain iawn, ond gwnaethai Losch nodyn ohonynt. Ynghyd â'r ffaith mai'r unig berson i Jung siarad efo fo yn ystod ei ymweliadau â Knossos oedd llyfrgellydd diniwed o'r enw Stelios Manousakis. Ond roedd y llyfrgellydd, mewn gwirionedd, yn bell o fod yn ddiniwed. Yn hytrach, roedd o'n aelod blaenllaw o un o fudiadau'r gwrthsafiad, a chawsai ei saethu mewn ysgarmes gyda phlatŵn o filwyr yn ne'r ynys.

Fesul tipyn, tyfodd Tobias Jung yn ffigwr llawer iawn tywyllach nag roedd Losch wedi'i ddisgwyl, ac o'r diwedd – *o'r diwedd* – daeth i wybod am y pacedi sigaréts ac am y glanhawr strydoedd oedd wedi cael ei ddilyn ac yna'i arestio, ac a oedd bellach mewn cell, a blaen llafn cleddyf Damocles fwy neu lai'n crafu croen ei gorun.

Fasa rhywun wedi meddwl y basa Golo Wolf wrth ei fodd, ond dyna lle roedd o gynnau'n dadlau dros *beidio* ag arestio Jung a Dürr. Yn hytrach na dawnsio o gwmpas yr ystafell mewn llawenydd, roedd o wedi ymddangos, os rhywbeth, yn siomedig. Ac yn anniolchgar uffernol hefyd, petai hi'n dod i hynny. Oedd gan y llabwst di-serch unrhyw glem faint o waith caled fu hyn i gyd? Faint o chwys?

Teimlodd Losch ei hun yn dechrau gwylltio unwaith eto, felly trodd o'r ffenest a mynd yn ei ôl at y ddesg. Dim ond ar ôl iddo eistedd y sylweddolodd fod y bag plastig a'r paced sigaréts ynddo wedi diflannu.

*

Syllodd Golo Wolf ar y bag, ac ar y paced gwag y tu mewn iddo, i gyfeiliant y gwichian a'r griddfan a ddôi drwy'r pared.

Caeodd ei lygaid a cheisio creu darlun yn ei feddwl o Tobias Jung yn cael ei osod ar ei fol ar fwrdd y gilotîn, neu'n sefyll ar drap-dôr y crocbren a gwifren biano am ei wddf. Neu hyd yn oed yn sefyll wedi'i glymu wrth bostyn neu â'i gefn yn erbyn wal, yn wynebu'r gynnau.

Dôi'r darluniau'n ddigon rhwydd, ond heb y wefr o bleser a ddylai ddod yn eu sgil. Meddyliodd am y cyfarfod gyda Losch, a'r boddhad ar wyneb hwnnw wrth iddo dywys Wolf drwy un adroddiad ar ôl y llall. Gwenai Losch wên dyn a wyddai ei fod wedi gwneud ei waith, a'i wneud yn dda. Roedd ei siom, wedyn, wedi dilyn Wolf o'r ystafell fel ail gysgod.

Tobias, Tobias. Roedd mor rodresgar, damia fo – yn meddwl ei fod yn well na phawb arall, ddim ond am ei fod o wedi darllen ychydig mwy o lyfrau na'r rhan fwyaf o bobol, ac wedi canu rhyw blydi organ mewn eglwys yn nhwll-din-byd. Roedd ei wyneb pan gyrhaeddodd Golo Wolf yn ôl yn ei fywyd yn bictiwr wrth iddo frwydro i guddio'r ffaith amlwg mai'r hen Golo oedd y person diwethaf, y person olaf yn y byd roedd arno eisiau'i weld eto. Ac roedd gorfod galw Wolf yn 'Herr Hauptmann' – wel, tasa fo wedi cael dewis rhwng gwneud hynny a bwyta llond plât o gachu ci, y plât fyddai wedi ennill.

Un peth da, roedd Jung yn prysur golli'i wallt – ei wallt melyn, Aryaidd, perffaith. Roedd ei wallt o, Wolf, er yn ddu, yn dal i fod mor drwchus ag erioed. Pan ymaelododd gyntaf â'r

Hitlerjugend, byddai wedi rhoi unrhyw beth am gael edrych fel rhywun o dras Aryaidd pur, hefo'r gwallt melyn a'r llygaid gleision delfrydol, os ystrydebol.

Ond heblaw, efallai, am Heydrich (heddwch i'w lwch!), faint o brif arweinwyr y Reich oedd yn edrych yn unrhyw beth tebyg i'r model Aryaidd perffaith hwnnw a welid ar bosteri'r *Hitlerjugend*? Dim un. Cofiai am jôc yr arferai ei chlywed yn cael ei dweud gan rai o'i gyd-aelodau mwy mentrus o gwmpas tanau'r gwersyllau, yn ystod yr hafau hudolus, meddw rheiny cyn dechrau'r rhyfel.

'Sut berson ydi'r person Aryaidd delfrydol? Rhywun sy'n olau fel Hitler, yn dal fel Goebbels ac yn siapus fel Göring.'

Ac oedd, roedd Golo Wolf wedi ymuno yn y chwerthin, ond yn ddistaw bach roedd o'n ffieiddio tuag at y bechgyn perffaith hynny a edrychai fel duwiau Aryaidd, ifainc, wedi disgyn o ryw fynydd chwedlonol er mwyn rhoi creaduriaid llai ffodus fel fo ar ben ffordd. A'r rheiny, wrth gwrs, oedd wastad yn cael y dewis cyntaf o blith genod y BDM.

*

'Tynna dy goc allan.'

Haf 1936 oedd hi. Haul y boreau cynnar yn gynnes ar ei wâr, dŵr clir y llyn yn berffaith, berffaith lonydd, a gwyrddni'r dail yn erbyn yr awyr las, ac arogl cig moch a selsig yn ffrio yn llenwi'i ffroenau. Haf poeth, ia, ond ddim yn *rhy* boeth yng nghanol mynyddoedd Bafaria, a digon o awel i roi bywyd i faneri'r *Hitlerjugend*. Weithiau, byddent yn clecian yn iach uwchben y pebyll gwynion ar lannau'r llyn.

Roedd y gân y buon nhw i gyd yn ei chanu'r noson cynt yn dal i droi a throsi yn ei feddwl:

> Wir werden weitermarschieren,
> Wenn alles in Scherben fällt,
> Denn heute gehört uns Deutschland,
> Und morgen die ganze Welt.

Heddiw'r Almaen sy'n ein meddiant,/Fory ni fydd piau'r byd . . .

Yr ochr arall i'r llyn roedd gwersyll y merched, y *Bund Deutscher Mädel*, gyda'r fflagiau bach pigog, lliwgar yn chwifio uwchben y pebyll. Roedd yna ryw ffresni arbennig yn perthyn i bopeth yn y dyddiau hynny: roedd y wefr yn dal yn gryf, yn fyw ac yn rhedeg fel trydan trwy'r tir.

Cyn i'r cyfan droi'n gachu. Cyn iddo glywed sôn am y ffycin ynys felltigedig yma.

'Tynna dy goc allan – *Jude*.'

Roedd Golo Wolf wedi ymaelodi â'r *Hitlerjugend* pan oedd yn ddeuddeg oed. Pan fynnodd ei rieni ei fod yn ymuno â'r *Deutsches Jungvolk*, y mudiad ar gyfer bechgyn rhwng deg a phedair ar ddeg oed, gwirionodd yn syth. Hwyaden at ddŵr, os bu un erioed. 'Mae'n rhaid i'n hieuenctid fod mor wydn â lledr,' roedd Hitler wedi'i ddweud – 'mor galed â dur Krupp, ac yn chwim fel milgwn.'

Roedd Golo Wolf yn un o'r miloedd a safodd â'u breichiau dde allan ac i fyny mewn ralïau yn Nuremberg, yn gwrando ar y geiriau hyn – yn un o'r miloedd caled a gwydn a chwim. Cofiai'r balchder a chwyddodd yn ei fron pan glywodd y Führer yn dweud, 'Bydd y byd cyfan yn cilio mewn arswyd oddi wrthych chi, fy mhobol ifainc sy wedi'ch magu rhwng muriau fy nghaer. Cenhedlaeth ifanc dreisgar, feistrolgar, feiddgar a chreulon – dyna yw'r nod. Ni fydd unrhyw feddalwch yn perthyn i chi. Bydd eich llygaid yn disgleirio unwaith eto â rhyddid a gogoniant y bwystfilod rheibus.'

'Dy goc, *Judenschwein* – dangosa dy goc.'

Gerda oedd ei henw, a dôi o dref Freising yn Bafaria. 'Fuost ti yno erioed?' gofynnodd iddo, ac roedd Golo Wolf wedi ysgwyd ei ben a dweud, 'Naddo, erioed' – gan ofalu peidio ag ychwanegu nad oedd o, chwaith, erioed wedi clywed am y lle. Un o'r trefi hynaf yn Bafaria i gyd, meddai Gerda wrtho, ac yn gartref i'r bragdy hynaf yn y byd. Yno roedd ei thad yn gweithio, fel goruchwyliwr.

'O, ia?' meddai Golo Wolf, a dweud fod ei dad o yn

Kriminalobersekretär – neu is-gapten – gyda'r Gestapo yn Köln. Y noson honno, roedd hi wedi gwenu arno'n bryfoclyd wrth godi gwaelod ei fest wen â'r swastica ddu mewn deiamwnt coch a du rhwng ei bronnau, reit i fyny at ei gwddf, ac wedi datod ei bronglwm. Gadawodd iddo anwesu a chusanu ei bronnau, a'r noson ddilynol caniataodd iddo roi ei law i lawr blaen ei siorts. Ochneidiai yn ei glust wrth i'w fys lithro i mewn ac allan ohoni, a rhoes gigl fach ddireidus pan gydiodd Wolf yn ei llaw a gwneud iddi gau ei bysedd am y caledwch poeth y tu mewn i'w siorts yntau.

Ond y drydedd noson . . .

Chwech ohonyn nhw i gyd, pedwar o fechgyn hŷn o'r *Hitlerjugend* a dwy o genod o adran y merched hŷn o fewn y BDM – y *Werk Glaube und Schönheit*, Cymdeithas Ffydd a Harddwch. Arweinydd y criw yma oedd hogyn o'r enw Manfred Rhywbeth-neu'i-gilydd. Dwylath o goc oen, llawn ohono'i hun ers iddo gael ei wneud yn *Fähnleinführer* (arweinydd sgwad) y flwyddyn cynt – gwallt melyn wedi'i dorri'n gwta, llygaid gleision, dannedd gwynion, ysgwyddau llydain ac yn fabolgampwr heb ei ail. Bastad o foi, mewn geiriau eraill. Ac os oedd Golo Wolf wedi cymryd yn ei erbyn o, yna'n sicr roedd Manfred wedi cymryd yn erbyn Golo Wolf, a bu'r ddau ohonyn nhw'n llygadu'i gilydd yn wyliadwrus dros dri haf.

Y noson honno roedd o a'i griw yn amlwg wedi gweld Gerda a Wolf yn sleifio i mewn i'r goedwig, ac wedi penderfynu eu dilyn. Gerda a'u gwelodd gyntaf, dros ysgwydd Wolf, ac ebychodd yn uchel wrth stryffaglu i'w wthio oddi arni. Trodd yntau a gweld y chwech yn sefyll yno mewn hanner cylch ac yn syllu i lawr arnyn nhw, a golau tortshys y bechgyn ar Gerda wrth iddi geisio codi'i siorts ag un llaw a gwneud joban wael o guddio'i bronnau efo'r llall.

Cododd Wolf yn araf a'u hwynebu.

'Be?' meddai.

Doedd yr un ohonyn nhw'n gwenu. Gwisgai pob un y mwgwd di-wên hwnnw a wisgent mewn lluniau ffurfiol, neu wrth fartsio mewn gorymdeithiau yng ngolau ffaglau trwy drefi a phentrefi.

'Be?' adleisiodd Manfred. Llusgodd ei lygaid oddi ar Gerda – a oedd, o'r diwedd, wedi llwyddo i guddio'r rhan fwyaf o'i chorff – a syllu i fyw llygaid Wolf. 'Dyma ni, yn mynd am dro drwy'r goedwig ac yn meindio'n busnes ein hunain, a be ydan ni'n ei weld? Almaenes Aryaidd, bur, yn cael ei threisio . . .' – a daeth hanner gwên sbeitlyd i'w wyneb – 'gan ryw *ffycin Iddew.*'

Rhythodd Wolf arno'n gegrwth.

'Ac ma gynno fo'r wyneb i ddeud "Be?" wrthon ni,' gorffennodd Manfred.

'Do'n i ddim yn ei threisio hi, siŵr Dduw!' protestiodd Wolf. 'Gerda, deud wrth y clown yma, 'nei di?'

Trodd, ond roedd Gerda'n pwyso yn erbyn boncyff y goeden, a'i llygaid yn sgleinio ac yn dawnsio 'nôl a blaen rhwng Wolf a'r lleill. Gwrthododd edrych yn ei wyneb. Yna ffrwydrodd tân drwy glust Wolf wrth i law agored Manfred roi swadan galed iddo ar ochr ei ben. Teimlodd ei waed yn dechrau berwi. Pwyll, Golo, meddai wrtho'i hun: mae 'na ormod o'r ffycars 'ma.

'Ti'n cyfadda, felly, dy fod ti'n Iddew?'

Unwaith eto, rhythodd Wolf ar Manfred. Oedd hwn o ddifri? Trodd ei ben oddi wrtho ag ochenaid ddiamynedd. 'Paid â bod mor ffycin stiwpid, wnei di?' – a theimlo'i glust yn ffrwydro unwaith eto wrth i'r *Fähnleinführer* ei daro am yr eildro. Collodd ei dymer y tro hwn a rhuthro am Manfred, ond rhuthrodd tri o'r lleill ymlaen a chydio ynddo, i'w ddal yn llonydd.

Camodd Manfred ymlaen a'i freichiau wedi'u plethu, a'r hen wên sbeitlyd honno ar ei wep.

'Stiwpid? Falla, wir, fy mod i. Falla hefyd mod i wedi gneud camgymeriad. Ond chwara teg, mae o'n gamgymeriad digon hawdd i'w neud, a chditha'n edrach fel rwyt ti. Wedi'r cwbwl, dwyt ti ddim yn edrach fel Almaenwr go iawn, wyt ti?'

'Nac ydi,' ategodd un o'r rhai a afaelai yn Wolf. Rhoddodd ei law agored dros wyneb Wolf a gwasgu'i fysedd yn boenus i mewn i'w fochau, i ddal ei ben yn llonydd. 'Mae o'n debycach i Iddew nag i rywun dynol.'

Gwingodd Wolf nes i'r llall ollwng ei afael. Ceisiodd siarad yn bwyllog.

'Ti'n gwbod cystal â finna na 'sna'm tropyn o waed Iddewig yn fy ngwythienna i. Faswn i ddim yma fel arall, na faswn?'

'Dwn 'im, wir,' atebodd Manfred. Cymerodd arno boeri. 'Rydach chi'n betha mor slei, chi'r Iddewon . . .'

'Dwi ddim *yn* ffycin Iddew!'

Distawrwydd am eiliad neu ddau: roedd o wedi bloeddio'r geiriau, ac oni bai fod y tri arall yn gafael yn dynn ynddo, byddai wedi rhuthro am wddw Manfred.

'Profa hynny, ta,' meddai un o'r merched.

'Be?'

Ond wrth i'r ferch arall ddweud, 'Dyna'r unig ffordd o ffeindio allan,' ac i'r wên slei honno ddychwelyd i wyneb Manfred, sylweddolodd Golo Wolf mai dyma beth oedd eu bwriad drwy'r amser – ei ddilyn, ei biwsio a'i fychanu. A hynny yng ngŵydd Gerda.

Nodiodd Manfred yn araf. 'Tynna dy goc allan.'

Cafodd Wolf bwniad esgyrnog yn ei gefn. 'Glywist ti'r *Fähnleinführer?* Tynna dy goc allan – *Jude.*'

Ysgydwodd Golo Wolf ei ben. Sibrydodd Manfred yng nghlust un o'r merched, a chan wenu, camodd hithau ymlaen i afael yn Gerda, a'i rhoi i sefyll wrth ochr Manfred, yn wynebu Wolf a'r bechgyn eraill.

Meddai Manfred, 'Dy goc, *Judenschwein*. Dangosa dy goc. Os nad wyt ti'n fodlon gneud hynny, yna fydd gynnon ni ddim dewis ond casglu bod gen ti rywbath i'w guddio. Rywbath mae gen ti gywilydd ohono fo. Rywbath 'dan ni i gyd yn ei ama'n gry yn barod.'

Dechreuodd un o'r lleill ganu, reit yng nghlust dde Wolf, 'Wenn das Judenblut vom Messer spritzt . . .' Yna ymunodd un arall yn y gân, yn ei glust chwith, 'Dann geht's nochmal so gut.'

Yna roeddan nhw i gyd yn canu – 'Pan lifa'r gwaed Iddewig, bydd popeth yn gymaint gwell' – y tri llanc, Manfred a'r ddwy ferch. Gwelodd Wolf un ferch yn ysgwyd braich Gerda er mwyn ei chael hithau hefyd i ganu, ond doedd dim angen llawer o anogaeth arni oherwydd roedd ei gwefusau eisoes yn symud wrth i eiriau cyfarwydd y gân lithro drostynt:

> Schmeißt sie raus, die ganze Judenbande,
> Schmeißt sie raus aus unserem Vaterlande,
> Schickt sie wieder nach Jerusalem
> Und schneidet ihnen die Hälse ab,
> Sonst kommen sie wieder heim!

Taflwn nhw allan o'r Famwlad, anfonwn nhw'n ôl i Jerwsalem, neu yn ôl y dôn nhw!

Erbyn i linell olaf y gân gael ei bloeddio, roedd Gerda'n canu â'r un egni ac awch â'r chwech arall, ac roedd Golo Wolf yn ei chael yn anodd credu bod hyn yn digwydd iddo fo. Ia, y *fo* – mab y *Kriminalobersekretär* Gunther Wolf, un o hoelion wyth y Gestapo gartref yn Köln. Roedd o'n gyfarwydd iawn â'r gân, debyg iawn: onid oedd o ei hun wedi'i llafarganu ar sawl achlysur wrth fartsio trwy strydoedd ei ddinas hardd, ac yn enwedig felly wrth fartsio'n ôl a blaen y tu allan i gartrefi Iddewon mwyaf cefnog y ddinas?

Ond roedd cael y chwech yma – na, y *saith* yma, Golo; paid ag anghofio Gerda – yn ei bloeddio tuag ato fo yn brofiad oedd y tu hwnt i'r swreal.

'Wel, *Untermensch*,' meddai Manfred yn sarhaus ar ôl iddyn nhw orffen y gân. 'Wyt ti am ei thynnu hi allan i ni, is-ddyn, ta be?'

Edrychodd Golo Wolf ar Gerda. Roedd hi'n sefyll yno'n syllu arno'n ddisgwylgar: yn eiddgar, bron, yn amlwg wedi'i chynhyrfu.

Edrychodd Wolf yn ôl ar Manfred. '*Fick dich, Wichser*,' rhegodd.

Camodd yr ail ferch arall ymlaen, a hanner gwên ar ei hwyneb. Un arall o 'ferched poster' y BDM, â'i dwy blethen euraid, hir. Cododd un o'r rheiny a chosi wyneb Golo Wolf yn bryfoclyd â'i gwaelod, fel petai'r blethen yn frwsh siafio. Yna, yn hollol ddirybudd, gwthiodd ei dwy law i lawr ochrau ei siorts a'u tynnu i lawr, ynghyd â'i drôns, cyn dawnsio oddi wrtho dan giglan yn chwareus. Gwingodd Wolf, ond roedd dwylo'r bechgyn eraill wedi tynhau amdano; doedd ganddo ddim dewis ond sefyll yno, yn noeth o'i ganol i lawr at ei fferau.

Sylwodd fod llygaid Gerda wedi'u hoelio ar ei goc, a'i bod yn rhythu â chryn benbleth, fel pe na bai'n gallu credu mai'r un oedd y fesen fach druenus a welai rŵan â'r cyhyr caled, cynnes y bu hi'n gynharach yn ei fyseddu drwy'i siorts.

'Wps!' meddai Manfred. 'Roedd o'n deud y gwir, hefyd, dydi o ddim yn Iddew wedi'r cwbwl. *Be* ydi o'n union, Duw a ŵyr, ond dydi o ddim yn Iddew!'

Safodd Wolf yno'n disgwyl am y chwerthin, ac wrth gwrs fe ddaeth, a'r merched yn giglan ac yna'n giglan mwy byth pan ddywedodd un ohonyn nhw, 'O, bechod!' – a phlygodd y bechgyn oedd yn gafael ynddo i edrych hefyd, ac i chwerthin, ac efallai – *efallai* – y bydden nhw wedi bodloni ar hynny, wedi'i daflu i'r llawr a cherdded oddi yno yn ôl i'r gwersyll, lle roedd y coelcerthi'n llosgi'n glyd, a chanu a chwerthin yn llenwi'r nos, a mynd â Gerda hefo nhw, gan ei adael o yno hefo'i drôns a'i siorts am ei fferau, wedi'i wisgo mewn cywilydd.

Efallai.

Ond fedrai Golo Wolf ddim dioddef meddwl am hynny, felly meddai wrth Manfred, 'Ti'n hapus rŵan, *Schwuler*?'

Diflannodd y grechwen o wyneb Manfred. 'Be ddeudist ti?'

'Mond sugnwr cocia fatha chdi fasa wedi gneud y ffasiwn fôr a mynydd o gael gweld 'y nghoc i. Ac erbyn meddwl,' meddai, gan edrych ar y lleill, 'dwi wedi sylwi arno fo ers tua dwy flynedd rŵan yn fy llygadu i'n slei.' Edrychodd eto ar Manfred, gan droi ei ganol mewn parodi o bryfocio rhywiol. 'Dyma chdi – sbia arni hi go iawn. Croeso i ti helpu dy hun iddi, y sugnwr . . . y *Schwanzlutscher*!'

Erbyn iddo dewi roedd wyneb Manfred yn hollol wyn; doedd tywyllwch meddal y noson o haf ddim yn ddigon trwchus i guddio hynny.

'Daliwch o'n dynn,' sibrydodd.

Teimlodd Wolf ddwylo'r tri arall yn tynhau'n fwy fyth amdano ac wrth i Manfred gymryd cam tuag ato, poerodd yn ei wyneb. Clywodd Manfred yn rhuo fel tarw wrth i'w ddwrn ffrwydro yn erbyn ei wyneb. Gwasgodd Wolf ei lygaid ynghau yn dynn wrth i flas metelaidd ei waed ei hun lenwi'i geg. Daliodd ei ben i lawr, ond teimlodd fysedd un o'r lleill yn ei wallt, ac yn halio'i ben yn ôl i fyny er mwyn i'r dyrnau gael ei golbio eto ac eto ac eto, yn ei wyneb ac yn ei gorff. Doedd dim cof ganddo o gael ei ollwng i'r llawr, ond yno roedd o, a nodwyddau'r pinwydd a dail a brigau bychain yn llenwi'i geg a'i ffroenau ac yn glynu wrth y mwgwd gwaedlyd a oedd erbyn hyn yn wyneb iddo. Roeddan nhw'n ei gicio fo rŵan a cheisiodd yntau ei droi ei hun yn belen – a dyna'r peth olaf y gallai ei gofio oherwydd daeth esgid o rywle, a hynny ar wib, am ei wyneb, a dod â thywyllwch trugarog gyda hi.

Welodd o mo Gerda wedyn; welodd o 'run ohonyn nhw, na neb arall o'r gwersylloedd yr haf hwnnw, oherwydd roedd hi'n fis Medi arno'n cael mynd adref o'r ysbyty.

'Welis i mohonyn nhw'n iawn,' fyddai o'n ei ddweud wrth bawb a'i holai – a do, bu ymholiad go drwyadl i'r digwyddiad. Doedd y math yma o beth ddim i fod i ddigwydd yng ngwersylloedd haf yr *Hitlerjugend*. 'Roedd hi'n rhy dywyll; ro'n i ar y llawr a fwy neu lai allan ohoni cyn i mi sylweddoli be oedd yn digwydd.'

'Un enw,' meddai ei dad wrtho. 'Tasa gen ti ddim ond un enw i mi, buan iawn y basan ni'n cael gwbod pwy oedd y lleill.'

Daeth yn agos iawn, yn ystod y dyddiau cyntaf hynny yn yr ysbyty pan ddôi'r dagrau ar ddim, i roi dau enw i'w dad – Manfred a Gerda. Yn wir, dyna'r unig ddau enw a wyddai; doedd ganddo ddim clem pwy oedd y lleill. Ond brwydrodd i beidio – be fasa'n digwydd iddyn nhw, beth bynnag? Hwyrach y câi Manfred ei ddiraddio o fod yn *Fähnleinführer* ond dim llawer mwy na hynny. Roedd yr *Hitlerjugend* wedi tyfu'n fwyfwy grymus a threisgar, a go brin y byddai neb yn cymryd llawer o sylw o ryw ffrae a aethai ychydig dros ben llestri. Roeddan nhw eisoes â'r hawl i fynd i mewn i ysgolion, i gael gair yng nghlust pa athrawon bynnag a oedd heb eto gydgordio â'r mudiad, a doedd wiw i'r un athro neu athrawes ddweud gair yn eu herbyn.

Ac roedd llai fyth o ddiben enwi Gerda. Mae'n debyg mai dim ond sefyll yno'n gwylio'r bechgyn yn ei guro a wnaeth hi. Er hynny, meddwl amdani *hi*, a'r cyffro roedd hi'n amlwg wedi'i deimlo wrth ei wylio'n cael ei fychanu, a ddeffrai'r pigyn mwyaf creulon y tu mewn i Golo Wolf. Cyffro rhywiol oedd o, yn bendant, a gwyddai y byddai hi wedi ffwcio o leiaf un o'r bechgyn eraill ar ôl dychwelyd i'r gwersyll, ar ôl gadael Golo Wolf yn un swpyn gwaedlyd a hanner noeth yn nüwch y goedwig.

*

Wrth gwrs, roedd o wedi meddwl am ddial. Roedd wedi breuddwydio am ddial, a rhyw hanner cynllwynio hynny hefyd. Oherwydd obsesiwn ei genedl am gadw cofnodion manwl, fu dim rhaid iddo dreulio mwy na chwarter awr yn swyddfa'i gangen leol o'r *Hitlerjugend* (lle roedd ganddo rwydd hynt i fynd a dŵad fel roedd o eisiau), cyn dod o hyd i enwau llawn a chyfeiriadau cartref Manfred a Gerda. Un o Munich oedd Manfred Reikmann, yn fab i brifathro ysgol uwchradd ac athrawes ymarfer corff, y ddau'n aelodau brwd a blaenllaw o'r Blaid Natsïaidd. Dôi Gerda, wrth gwrs, o Freising, lle roedd ei thad, Friedrich Lehmann, yn 'oruchwyliwr ym mragdy hynaf y byd'. Ond a oedd y goruchwyliwr mawr yn aelod o'r Blaid?

Drannoeth, a Golo yn gwybod y byddai ei dad allan o'r ddinas tan y pnawn, aeth draw i'w swyddfa ym mhencadlys y Gestapo, lle roedd ei wyneb yn gyfarwydd iawn i'r staff. Arhosodd tan yr awr ginio cyn crwydro i mewn yn hamddenol a dweud ei fod am aros am ei dad yn ei swyddfa. Yno, bu'n chwilota drwy'r rhestr o enwau aelodau o'r Blaid yn Freising, ond methodd yn lân â dod o hyd i enw Friedrich Lehmann arni yn unman.

Doedd y goruchwyliwr, felly, ddim yn aelod o'r Blaid.

Diddorol. Gerda, Gerda – hogan ddrwg, mwy na thebyg yn aelod o'r BDM yn groes i ewyllys ei thad. Ond beth allai o ei wneud â'r wybodaeth? Mater bychan iawn fyddai defnyddio teipiadur ei dad gartref ac anfon llythyr – ar dudalen yn dwyn pennawd swyddogol y Gestapo – at y swyddog priodol yn Freising, yn awgrymu y dylai'r Gestapo lleol gymryd cryn dipyn mwy o ddiddordeb yn Friedrich Lehmann a'i deulu.

Yn y diwedd, penderfynu peidio wnaeth o. Os oedd Lehmann mor ystyfnig â hynny, byddai'r Gestapo'n siŵr o ddechrau ymddiddori ynddo cyn hir, p'run bynnag: roedd yn wyrth ei fod yn dal i fod yn ei swydd, erbyn meddwl. Ac roedd Golo Wolf yn ddigon bodlon â'r wybodaeth fod y pŵer ganddo i droi bywydau Gerda a'i theulu'n un hunllef hir, ddiddiwedd, petai o'n dewis gwneud hynny.

Ac am Manfred . . .

Ymddangosai fod y diawl hwnnw'n Natsi da, y fo a'i deulu, ac felly allan o'i gyrraedd. Breuddwydiai am ddod ar ei draws mewn rali, am ei ddilyn a'i ddyrnu ac yna peintio'i wefusau â minlliw pinc, cyn torri ei goc i ffwrdd a'i gwthio i mewn i'w geg. Ond gwyddai mai breuddwydio am y peth oedd y cyfan a wnâi, oherwydd roedd Manfred ddwywaith cymaint â fo. Yr unig beth y gallai ei wneud oedd gobeithio y byddai, ryw ddiwrnod, yn cael y pleser o wneud i Manfred sugno blaen ei bistol wrth i Wolf dynnu'r triger, a'i wylio'n cachu'i hun wrth i'r morthwyl bychan ddisgyn ar un siambr wag ar ôl y llall nes, o'r diwedd, y byddai pen melyn, perffaith y *Fähnleinführer* yn ffrwydro'n fflamgoch, ac . . .

*

Ymysgydwodd. Credai ei fod yn gwybod rŵan beth i'w wneud ynglŷn â Tobias Jung. Yr unig beth oedd, gwyddai na fyddai Losch a'r Gestapo'n fodlon disgwyl llawer iawn yn hwy.

Dürr, meddyliodd, mi gân' nhw Magda Dürr. Ond nid Tobias Jung.

Cododd oddi ar y gwely a chadw'r bag plastig yn ofalus ym mhoced ei diwnig. Caeodd y drws ar ei ôl â chlep a brysio i lawr

coridor y puteindy, ei feddwl ar y dyddiau nesaf, ar Tobias Jung;
felly chlywodd o mo'r sŵn y tu mewn i'r ystafell wrth i glep y
drws ysgwyd y wal ac achosi i'r eicon ddisgyn, o'r diwedd, oddi
ar ei hoelen gam.

23

Y ffordd i Yení Gavé

Croesau duon

Anogia

Fel y gwnâi bron bob bore er pan briodon nhw, safai Eva Yrakis yn nrws ei thŷ yn gwylio'i gŵr yn cerdded i gyfeiriad y pentref a'r eglwys.

Fel arfer, byddai Kosta'n brasgamu i lawr y lôn fel garan fawr letchwith, a bryd hynny gwyddai Eva – heb iddo droi – fod y wên a wisgai wrth blannu cusan ar ei boch yn aros ar ei wefusau am sbelan reit dda. Ond doedd o ddim yn brasgamu'r diwrnodau hyn. Bellach, symudai'n wargrwm a'i gamau'n gyndyn a thrwm, a doedd Eva ddim wedi gweld y wên ers wyddai hi ddim pryd.

'Rwyt ti'n gneud dy ora, Kosta,' oedd ei geiriau wrtho fore heddiw cyn iddo'i gadael. 'Elli di ddim gneud mwy na hynny, ddyn.'

'Ond dydi ngora i ddim digon da bellach.'

Nid y geiriau eu hunain a lanwodd Eva â phryder, ond y ffordd y dywedodd Kosta nhw, a'r ffordd roedd o wedi edrych i fyny arni, cyn codi'n drwsgl o'i gadair a throi am y drws. Roedd ei lygaid yn llawn ofn – ofn dyn oedd wedi gorfod cydnabod nad oedd ei ymdrechion gorau yn ddigon da o bell ffordd.

'Pa gysur all rhyw greadur fel fi ei gynnig i ddynes fel Thera Alevizakis, Eva?' roedd wedi gofyn iddi un noson. 'Bod ei gŵr a'i mab hynaf yn eistedd hefo'r Arglwydd? Eu bod nhw mewn gwell lle? Iddi hi, does 'na ddim gwell lle nag yma yn Anogia, gartra efo hi. Maen nhw mor wag, Eva, y geiriau sy gen i i'w cynnig iddi. Dwi'n gallu teimlo'u gwacter nhw yn fy ngheg wrth i mi eu hynganu.'

Fore heddiw, dywedodd wrthi cyn mynd allan trwy'r drws, 'Dduw mawr, dwi wedi blino, Eva. Wedi blino 'nghalon.'

Roedd llawer gormod o ferched fel Thera Alevizakis wedi bod dros y blynyddoedd diwethaf, a llawer gormod o dai Anogia bellach yn dai galar. Faint fyddai hi eto cyn i galon fawr ei gŵr ildio dan eu pwysau?

Arhosodd Eva yn y drws nes i Kosta gyrraedd y tro yn y lôn lle'r arferai aros, troi a chodi'i law arni. Wnaeth o mo hynny heddiw. Na ddoe, petai'n dod i hynny, nag echdoe, na'r diwrnod cynt. Pryd gwnaeth o droi ddiwethaf a chodi'i law arni, weithiau'n gellweirus a hances wen yn hongian o'i law fel rhywun dagreuol yn ffarwelio am oes, ac yna'n rhoi bloedd o chwerthin wrth i Eva ysgwyd ei phen arno mewn ffug gerydd?

Gwyliodd Eva y ffigwr du, unig yn diflannu heibio i'r tro rhwng y cloddiau claerwyn, cyn camu'n ôl i'r tŷ a chau'r drws.

*

'Sut maen nhw erbyn hyn, Pater?'

Fedrai Thera ddim clywed eu geiriau – er eu bod allan ar yr allt a hithau'r tu mewn i'w thŷ, roedd pawb yn tueddu i ostwng eu lleisiau fel petai hi yn yr un ystafell â nhw, yn pendwmpian yn y gornel – ond gwyddai i'r dim beth oedd pob un o'r geiriau, bron fel petai'n gallu darllen gwefusau'r holwyr.

Ac ymateb y Tad Kosta Yrakis?

'Yn rhyfeddol, a chysidro.'

O, Kosta, meddyliodd Thera, be wyddost ti? Yr holwr, eto fyth, oedd Grigori Daskalakis. Byddai'n aros y tu allan i'r tŷ bob diwrnod yn ddi-ffael – yn eistedd ar y llawr a'i gefn yn erbyn y clawdd, a'i goesau hirion, main yn ymwthio allan yn flêr, fel îsl arlunydd a hwnnw wedi torri.

'Trio dangos ei fod o yma i chi mae o,' meddai Hanna Kallergis wrthi un diwrnod. 'Chi a Maria.'

Un waith yn unig roedd Grigori wedi galw yn y tŷ, yn fuan ar ôl i'r newyddion am Manoli a Levtheri lifo trwy'r pentref.

Roedd y tŷ dan ei sang a phawb wedi dod â bwydydd a diodydd efo nhw, a Thera'n cael gwneud yr un affliw o ddim, ddim hyd yn oed estyn plât yn ei chegin ei hun. Bwyd, bwyd, bwyd – a hithau'n methu meddwl am roi darn o fara yn ei cheg heb gyfogi. Pawb yn troi o gwmpas Adonia, oedd wedi ploncio'i hun ar stôl o flaen y drws cefn yn ôl ei harfer, a'i llygaid wedi'u hoelio ar y drws. I ganol hyn i gyd y daeth Grigori Daskalakis, a photel lychlyd o *tsikoudiá* dan ei gesail. Doedd dim lle iddi ar y bwrdd, cofiai Thera, a Grigori ei hun yn eistedd ar y llawr mewn cornel, ei bengliniau fwy neu lai'n crafu ei dalcen. Throdd Maria ddim un waith i edrych arno, nes iddo fo godi a chyffwrdd â'i braich a mwmian, 'Os oes 'na rywbeth – unrhyw beth – y galla i 'i neud . . .' – sef yr union eiriau roedd pawb arall wedi'u dweud, mwy na heb. Ond roedd Maria wedi troi arno, ac er nad oedd hi'n gweiddi, roedd pawb wedi clywed yr hyn ddywedodd hi wrtho.

'Oes, Grigori. *Mae* 'na rywbath y medri di ei neud. Mynd allan a lladd pob un o'r Germani rwyt ti'n ei weld. Fedri di neud hynny i ni?' Syllodd arno am rai eiliadau. 'Na, felly ro'n i'n ama,' meddai, cyn troi'i chefn arno'n ddilornus.

Roedd wyneb Grigori Daskalakis wedi troi'n fflamgoch; yna ar ôl mwmian 'Mae'n ddrwg gen i . . .' wrth flaenau'i esgidiau, aeth allan a'r botel yn dal dan ei gesail, gan adael tawelwch llethol ar ei ôl nes i rywun glirio'i wddf, neu ei gwddf, ac i'r sgyrsiau ailddechrau yn raddol.

Dylwn ei cheryddu am siarad fel'na efo fo, meddyliodd Thera ar y pryd, ond sgen i mo'r egni na'r awydd, a bod yn hollol onest. Ond dwi'n gwbod, taswn i'n mynd allan am awyr iach rŵan ac yn gweld milwr Almaenig yn cerdded heibio, mi faswn i'n rhuthro amdano fo ac yn plannu f'ewinedd yn ddwfn yn ei lygaid a rhwygo, rhwygo, rhwygo.

Oedd hi'n dal i feddwl felly, ar ôl wythnos a mwy? Wel oedd, debyg iawn. Y nosweithiau cynta rheiny, bu'r syniad ganddi yng nghefn ei meddwl bod rhywbeth yn wahanol, rhywbeth ar goll. Yna, roedd hi wedi sylweddoli mai Braw a Dychryn oedd wedi mynd; doedd mo'u hangen nhw yma rhagor, nhw a'u pigau a'u crafangau budron a'u plu sgraglyd, a'u crawcian aflafar yn llenwi'i phen.

Daeth casineb yn eu lle. Doedd Thera erioed wedi teimlo'r fath gasineb o'r blaen. Thera Alevizakis, un o genod Anogia na wyddai'n iawn beth *oedd* casineb tan hyn. Gwyddai rŵan ei fod fel rhywbeth aflonydd a barus yn gwingo'n ddi-baid y tu mewn iddi, yn ei bwyta oddi mewn, yn gwledda ar ei henaid a'i hatgofion. Fe'i daliai ei hun yn aml yn sefyll yn stond, ac yn syllu ar ddrws y gegin fel y gwnâi Adonia, yn methu'n glir â dygymod â'r syniad na fyddai hi byth eto'n gweld ei gŵr a'i phlentyn hynaf yn dod i mewn trwyddo ar ôl wythnosau ar y mynydd. Manoli, gan amlaf, yn synhwyro'r aer fel rhyw hen gi ac yn rwdlan ar dop ei lais, 'Lle ma hi? Ma hi yma'n rhywla, dwi'n gallu'i harogli hi, y ddynas dwi am ei bwyta'n fyw, bob tamad ohoni' – ac yna'n aros yn stond ac yn rhythu arni. 'A – dacw hi! Tyd yma; mae 'na ddyn sy heb molchi ers wsnosa isio dy wasgu di nes byddi di'n crefu am dy fam!'

Roedd Manoli'n *hwyl*, ac roedd yr Almaenwyr wedi mynd â'r hwyl hwnnw oddi arni. Yr hwyl yn y gwely, eu dau'n giglan fel ffyliaid wrth wneud smonach o geisio caru'n ddistaw rhag deffro'r plant. Doedd y caru hwnnw byth yn ddyletswydd i Thera. Fu dim raid iddi orwedd yn llonydd ac ufudd iddo erioed; roedd hi wastad yn eiddgar amdano, ac yntau amdani hithau.

Roedd llygaid Manoli wedi llenwi â dagrau pan ddywedodd hi wrtho ei bod yn disgwyl Levtheri, eu plentyn cyntaf. Roedd o wedi rhoi ei glust yn erbyn ei bol, cyn edrych i fyny arni mewn penbleth ffug: 'Chlywa i ddim byd. Mi faswn i'n disgwl i blentyn i mi fod yn canu *mantinádes* fel coblyn erbyn hyn!'

'Tebot!' Waldan iddo ar ei gorun moel efo'r llwy bren oedd yn digwydd bod yn ei law ar y pryd. A phan wingodd Manoli oddi wrthi, gadawodd staeniau hapus ei ddagrau ar ei ffedog.

Geni Levtheri, wedyn, a'r tair bydwraig – Eleni Vandoulakis, Iríni a Rodianthe – yn clwcian o'i chwmpas, a Levtheri'n llithro mor anhygoel o hawdd ohoni nes i'r tair rythu arni fel petai hi wedi eu sarhau, rywsut, trwy esgor arno mor ddidrafferth, a nhwythau wedi ymbaratoi ar gyfer oriau o riddfan a chwysu. Manoli'n troi ei ben i ffwrdd er mwyn cuddio'i ddagrau wrth ddal y bwndel bach yn ei freichiau. Yanni'r Chwibanwr yn gwrthod cydio ynddo ar y dechrau – 'Dwi'm isio'i dorri fo!' meddai'r dyn oedd wedi llusgo cannoedd o ŵyn a mynnod geifr i'r byd. Llygaid hwnnw wedyn yn sgleinio'n hurt wrth i ddwrn bychan Levtheri gau yn dynn am ei fys bach.

Ond roedd angen Eleni a'r ddwy Seirēne arni pan gafodd Marko ei eni. Deunaw awr a mwy, medden nhw wrthi wedyn – fel petai'r duwiau wedi dweud, Wps! roedd dy dro cynta di'n rhy hawdd o beth wmbredd, ma'n well i ni neud i ti ddiodda ychydig y tro hwn. Teimlai fod Marko'n ei rhwygo hi'n ddau hanner, bron, y cythral bach, mor ofnadwy o gyndyn oedd o i ddod allan ohoni. Roedd o'n fabi anodd hefyd, yn bloeddio crio am y peth lleiaf. Ond hyd yn oed pan oedd o'n fabi, ac yn un a'i cadwai ar ddi-hun noson ar ôl noson, roedd gan Marko ffordd o edrych arni a gyrhaeddai ddyfnderoedd ei chalon.

Ac yna'r olaf, Maria. Merch o'r diwedd, a beichiogrwydd annisgwyl oherwydd, ar ôl y drafferth a gawsai gyda Marko, ofnai Thera na fyddai hi'n esgor ar blentyn arall. Erbyn hynny roedd Dimítris Peros, mab Maia, o gwmpas y lle ers blynyddoedd, a hyd heddiw cofiai Thera'r sioc a gafodd pan osododd Dimítris ei law ar ei bol a gwenu'i wên hyfryd. 'Dimítris, be ti'n neud? Dwi ddim yn . . .' dechreuodd ddweud, yna sylweddoli mai Dimítris oedd yn iawn, a'i bod hi'n bendant yn feichiog.

Roedd dyfodiad Maria i'r byd bron cyn hawsed ag un Levtheri, ac wrth iddi dyfu, teimlai Thera weithiau wrth edrych arni ei bod yn edrych i mewn i ddrych bychan. Tra oedd Manoli'n dysgu'r hogia am fugeilio (neu'n trio gwneud hynny, yn achos Marko), trwythai Thera ei merch yn yr hen arferion: ei dysgu am y ffisigau a'r elïau arbennig, ac am y *mystiká prágmata*. Sylweddolodd yn fuan fod Maria'n ddisgybl gwych, a bod ganddi sensitifrwydd greddfol tuag at rai pethau; roedd hi'n ymddangos yn nes o lawer at Natur a'r hen, hen gyfrinachau nag y bu Thera ei hun erioed.

Yr wythnos diwethaf – y nosweithiau cyntaf, arteithiol rheiny – roedd Maria wedi dod ati i'r gwely a chlosio ati, fel yr arferai ei wneud pan oedd hi'n ddim o beth. Fel arall, gwyddai Thera, fyddai'r un o'r ddwy ddim wedi gallu cysgu winc. Ar yr ail noson, cafodd ei deffro gan Maria'n crio wrth ei hochr, cymaint felly nes bod y gwely'n ysgwyd.

'Marko,' meddai Maria. 'Mae Marko'n fyw, Mam. Mae o'n fyw, ond mae o ar goll.'

'Ar goll?'

Ysgwyd ei phen wnaeth Maria. Dyna'r cwbl a wyddai, meddai, ond cawsai Thera'r teimlad nad oedd hi wedi dweud y cyfan wrthi. Efallai nad oedd Maria'n siŵr ei hun; byddai ei breuddwydion yn aml yn bethau niwlog ac ansicr. O leiaf, meddyliodd Thera, mae'r beth fach wedi gallu crio rhywfaint.

Drannoeth, daeth y gweddwon. Gweddwon Anogia, gweddwon o bob oed, oherwydd roedd oed yn amherthnasol bellach. I ferched Anogia doedd mo'r ffasiwn beth â 'hen weddw': efallai fod y corff yn heneiddio ac yn crebachu, ond nid y boen o fod yn weddw. Arhosai hynny cyn gryfed ag erioed, mor finiog ag yr oedd y tro cyntaf iddyn nhw sylweddoli mor fawr ac mor oer ac mor uffernol o wag y gall gwely fod. Llond tŷ perffaith ddistaw y tro hwn, a Thera, nad oedd wedi gollwng yr un deigryn cyn hynny, o'r diwedd yn gallu rhoi ei phen i lawr ar ei breichiau a gadael i'r dagrau ffrydio ohoni. Doedd dim rhaid i'r un o weddwon Anogia ddweud gair. Bob tro yr edrychai Thera i fyny, roedd y cyfan yno yn eu llygaid ac yng nghyffyrddiad ysgafn eu bysedd ar ei boch, ei hysgwydd a chefn ei llaw. Roedd gweddwon Anogia yn *gwybod*.

Felly, pan edrychai Thera allan drwy'r ffenest a gweld rhywun yn gofyn, 'Sut maen nhw erbyn hyn?', a gweld Kosta Yrakis yn ateb, 'Yn rhyfeddol, a chysidro,' doedd dim rhyfedd iddi deimlo fel cydio ynddo a sgrechian yn ei wyneb, 'Be wyddost ti, Kosta Yrakis? Be uffarn wyddost ti?'

Gad o i'r gweddwon, Kosta bach. Y nhw sy'n gwybod.

*

Dim ond unwaith y galwodd Eris Stagakis i'w gweld. Roedd Gaia Leladakis wedi bod droeon a dôi Hanna yno'n feunyddiol – ond Eris? Dim ond yr un tro hwnnw, a hynny hefo'i rhieni, a hithau'n amlwg yn ysu am adael eiliadau yn unig ar ôl iddi gamu i mewn i'r tŷ.

Oedd hi'n bod yn gysetlyd? Efallai ei bod hi, i raddau, ond fedrai Maria ddim peidio â meddwl am ymweliad Eris a'i rhieni fel rhyw fath o ymweliad brenhinol, bron. Oedd mam Eris wedi gorfod mygu'r demtasiwn i sychu sedd ei chadair cyn ploncio'i phen-ôl bach esgyrnog arni? Ac oedd tad Eris wedi sefyll am hydoedd o flaen y drych cyn dod yma, yn ymarfer yr olwg ddwys yna oedd ganddo ar ei wyneb wrth iddo gydymdeimlo hefo Thera a hithau? Ac oedd pob gair a ynganai'n swnio fel tasa fo'n gwneud araith gyhoeddus – ac oedd o wedi bod yn ymarfer y rheiny hefyd? Fo, yr arlywydd lleol, yn berchen ar ddau le caws yn Anogia ac yn gyd-berchennog, hefo'i frawd, ar sawl planhigfa olewydd i lawr yn nyffryn Amari. Eris oedd eu plentyn ieuengaf, yr olaf o bedair merch; roedd y tair arall yn briod â dynion busnes ac wedi hen ganu'n iach i Anogia ac i'r ynys, eu tair yn ddigon diogel rhag y rhyfel – un yn y Swistir, un yng Nghyprus a'r llall yn America.

Oni bai am y rhyfel, doedd dim dwywaith nad dyfodol digon tebyg fuasai un Eris hefyd. Yn America, fel ei chwaer hynaf, yn ôl y ffordd y siaradai. Marko druan, meddyliodd Maria, doedd gen ti ddim gobaith. Cofiodd am y ddau'n gwneud llygaid cŵn bach ar ei gilydd yn ystod y ddawns honno, ac am Marko, yr hurtyn, yn neidio'n uwch pan dybiai fod llygaid Eris arno. Petai gan Eris unrhyw feddwl ohono, byddai wedi bod yma droeon dros y misoedd diwethaf, yn holi a oedd Maria a Thera wedi clywed rhywbeth amdano.

Prin roedd Eris wedi edrych arni ers iddi ddod i'r tŷ heddiw. Cafodd Maria gofleidiad bach llipa ganddi pan gyrhaeddodd – un sydyn heb nemor ddim cyffyrddiad corfforol, fel tasa arni ofn i ddillad y llall faeddu ei rhai hi. Mae'n siŵr y câi gofleidiad bach swta arall wrth i'r teulu ymadael. Mor wahanol i'r ffordd roedd Gaia wedi gafael amdani, mor naturiol a di-lol – rhuthro amdani a'i breichiau ar agor, a'i gwasgu mor dynn nes bod Maria'n cael trafferth anadlu, cyn troi at Thera a gwneud yr un fath iddi hi. Doedd Gaia ddim wedi stopio crio'r tro cyntaf hwnnw. Roedd hi wedi gwella rhywfaint erbyn hyn, ond roedd ei llygaid yn dal i sgleinio'n wlyb wrth iddi ymadael bob tro.

Wrth gwrs, roedd gan Gaia'i phryderon hefyd, gan na wyddai nemor ddim o hanes ei thad, Nikolaos. Ond o leiaf, meddyliodd Maria, gallai ei chysuro'i hun â'r wybodaeth ei fod yn dal yn fyw gan nad oedd hi na'i mam wedi clywed unrhyw beth i'r gwrthwyneb; roedd Thera a Maria wedi cael clywed am Manoli a Levtheri'n reit fuan, diolch i'r negesydd ifanc, carpiog hwnnw. Anghofia i byth, meddyliai Maria'n aml, weld hwnnw a'r Tad Kosta yn dod yn araf, araf i fyny'r allt, eu dau'n edrych fel ymgnawdoliad o angau, ac ro'n i'n gwbod, yn *gwbod*, wrth i mi daro llygad arnyn nhw bod fy myd ar fin cael ei chwalu'n rhacs grybibion.

Y noson ar ôl ymweliad Eris a'i rhieni y cafodd Maria'r freuddwyd honno am Marko. Ceisiodd ddweud wrthi'i hun wedyn ei fod yn anochel iddi hel meddyliau am Marko yn sgil ymweliad Eris, ond gwyddai fod mwy i'r peth na hynny oherwydd roedd yr hyn a welsai hi yn y freuddwyd mor glir. Gwelodd Marko'n sefyll y tu allan i gwt carreg Yanni, yn edrych o'i gwmpas fel pe na bai ganddo unrhyw syniad lle roedd o. Roedd ei wallt yn sglyfaethus o fudur ac roedd ganddo locsyn du, ond Marko oedd o. Edrychai i lawr ar ei draed, yn mwmian rhywbeth wrtho'i hun; yna, cododd ei ben yn sydyn a rhythu reit arni hi. Pe bai Maria'n gwylio un o ffilmiau gwirion Grigori ar y pryd, byddai Marko wedi ymddangos fel petai'n edrych yn syth i lens y camera.

Yr eiliad nesaf roedd hithau yno hefyd, ar y mynydd, ac yn gallu teimlo'r awel arbennig honno'n crwydro'n ddiog dros ei hwyneb ac yn sychu'r chwys oddi ar ei thalcen, fel cadach oer.

'O, Marko, lle ti 'di *bod*?' meddai hi wrtho.

Syllodd yntau arni am ychydig, ei wyneb yn hollol ddifynegiant.

'Marko, be sy? Fi sy 'ma – Maria.'

412

Daliodd ei brawd i syllu arni, yna ysgwyd ei ben a throi oddi wrthi. Crwydrodd draw at y garreg wastad a ddefnyddiai Yanni fel sedd, ac eistedd arni yn ei gwman. Cerddodd Maria tuag ato; gallai deimlo'r haul ar ei gwar a chlywed brefu'r defaid a thincian cloch ambell afr, a hithau'n codi'i llaw yn ddiamynedd i gael gwared ar bryf ystyfnig a fynnai setlo ar ei thrwyn bob gafael – a gweld bod ysgwyddau Marko'n ysgwyd.

'Marko?'

Roedd o'n beichio crio. Estynnodd ei llaw tuag ato, ond cyn iddi fedru cyffwrdd ynddo, cododd Marko'n ddirybudd a cherdded oddi wrthi gan fwmian iddo'i hun. Sylweddolodd Maria fod yr haul a'r awel wedi mynd, a bod niwl trwchus, gwlyb wedi dod yn eu lle. Cerddodd Marko i mewn i'r niwl, a diflannu o'i golwg.

Yna, roedd hi hanner ffordd i lawr y mynydd. Clywodd chwiban uchel, fain, gyfarwydd a throdd yn sydyn a gweld Yanni'n sefyll ar graig, yn uchel uwch ei phen, a Tasia wrth ei ochr. Syllodd Yanni a hithau ar ei gilydd, a hyd yn oed o'r pellter hwn gwyddai Maria fod Yanni'n gwenu arni trwy ddagrau. Yna trodd y ddau, y bugail a'r ci, hwythau hefyd wedi diflannu i'r niwl.

'Maria?'

Thera oedd yno, yn rhoi ei braich amdani i'w chysuro. *Fedra i ddim dweud wrthi am Yanni*, meddyliodd Maria, *fedra i ddim; fasa hynny'n ormod iddi ar ben popeth arall.* Felly soniodd wrthi am Marko, ei fod o'n fyw, ond ei fod ar goll. 'Ar goll?' meddai Thera a nodiodd Maria, gan wybod bod ei mam yn disgwyl rhagor, ond doedd ganddi ddim mwy i'w ddweud, ddim heno.

Fedrai hi, chwaith, ddim meddwl dweud ei bod, pan ddaeth i lawr o'r mynydd hefo Nikos y diwrnod hwnnw cyn i'r awyren ymosod arnyn nhw, wedi gweld Yanni'r Chwibanwr am y tro olaf.

*

'Gadwch i mi ei neud o,' meddai Maria.

Ysgydwodd Thera ei phen, a'i gwefusau'n fain.

'Mam – na!'

'Ma'n rhaid i mi. Fy lle i ydi o.'

Rhythodd y ddwy ar ei gilydd dros y bwrdd. Dwy lathen o'r un brethyn, ill dwy mor benderfynol, mor bengaled â'i gilydd.

'Mi wnawn ni o hefo'n gilydd, ta,' meddai Thera. 'Ond . . . wyt ti'n meddwl y gallet ti nôl y paent a'r brws?' Yna'n frysiog: 'Dwi ddim yn credu mod i'n barod eto, ddim i fynd i mewn i'r hen gwt bach 'na. Ro'n i wedi meddwl mod i'n ddigon cry, ond . . .'

'Mam. Ma'n iawn. Mi a' i.'

'Wyt ti'n siŵr?'

Nag oedd, doedd Maria ddim yn siŵr – Dduw mawr, nag oedd! Doedd hi ddim wedi cofio bod angen gwneud hyn, ddim tan bore heddiw pan ddywedodd Thera, wrth iddyn nhw godi, 'Ti'n gwbod be sydd raid i ni ei neud yn hwyr neu'n hwyrach, yn dwyt?'

Ond allan yr aeth Maria, i'r cwt bychan, simsan yng nghefn y tŷ. Arferai hwn fod yn dipyn o destun sbort gan Yanni: 'Manoli, ma'n rhaid dy fod ti'n dipyn o ffrindia efo'r Bod Mawr, achan! Hyd y gwela i, mond ei ewyllys da Fo sy'n cadw'r jôc yma rhag syrthio ar dy ben di.'

Y cwt oedd mor llawn o'i thad. Doedd o'n fawr o gwt, fawr mwy na chasgliad o blanciau pren yn pwyso yn erbyn ei gilydd, a tho sinc arno. Dim drws – roedd hi'n mynd yn rhy boeth yno i ganiatáu drws o unrhyw fath. Mainc hir, ac offer ei thad yn hongian oddi ar hoelion – yr union hoelion a ddaliai'r holl beth at ei gilydd, fwy na thebyg. Stôl uchel – fersiwn ychydig bach mwy o stôl yr eisteddai Adonia arni yn y gegin. Y stôl hon yn y cwt ddaeth â'r dagrau i lygaid Maria rŵan, dagrau fel nodwyddau poethion.

Fedra inna ddim gneud hyn chwaith, meddyliodd. Dw inna ddim yn barod. Ond roedd yn rhaid iddi, felly camodd i mewn a chydio mewn pot o baent du a brws oedd yn sefyll mewn hen botyn, ei flewiach yn galed a phigog.

Roedd ei mam yn aros amdani wrth y drws cefn.

'Diolch, pwtan.' Sychodd ddagrau Maria â blaenau ei bysedd.

414

Cerddodd y ddwy heibio ochr y tŷ, i lawr rhai o'r stepiau gwynion ac at y drws ffrynt pren. Cydiodd Thera yn y brws. Rhoddodd Maria'r pot paent ar y llawr. Llwyddodd i gael blaenau ei bysedd dan y caead a'i godi. Wrth ymsythu, daeth yn ymwybodol fod yna bobol yn y stryd yn eu gwylio. Gwrthododd edrych arnyn nhw wrth ddal y pot paent i'w mam.

'Mam?'

'Dwi'n iawn . . .'

Llusgodd Thera flaen y brws dros y paent. Ar ddrws y tŷ peintiodd ddwy groes ddu.

'Levtheri,' meddai. Ac yna, 'Manoli.'

Yna petrusodd, a'r brws yn wylo dagrau duon dros gefn ei llaw a'i garddwrn, gan ymddangos fel tasa hi'n ystyried peintio trydedd croes ar bren y drws.

'Mae o'n fyw, Mam!' meddai Maria. 'Mae Marko'n fyw!'

Roedd y croesau hyn i'w gweld ym mhobman yng Nghreta, ar ddrysau cannoedd ar gannoedd o dai, ym mhob pentref o un pen o'r ynys i'r llall: un groes ddu ar gyfer pob gwryw o'r teulu oedd wedi'i ddienyddio gan yr Almaenwyr.

Un o'r bobol yn y stryd y bore Sadwrn hwnnw o Awst yn Anogia oedd y Tad Kosta Yrakis. Pan aeth adref wedyn, meddai wrth Eva, 'Tra bydda i byw, wna i ddim anghofio hynna. Y ddwy fach 'na hefo'u brws a'u paent.'

*

Yn yr eglwys drannoeth, edrychodd Kosta arnyn nhw'n eistedd ochr yn ochr. Cofiodd fel roedd gwalltiau'r ddwy yn sgleinio ddoe yng ngolau'r haul, wrth iddyn nhw beintio'r ddwy groes ddu ar ddrws eu tŷ.

Y Sul hwn, bu'n rhaid iddo ohirio dechrau ei wasanaeth am hanner awr, bron, wrth i fwy a mwy o bobol Anogia wasgu i mewn i'r eglwys. Chawsai o erioed y fath gynulleidfa – cymaint o bobol nes ei bod yn amhosib cau'r drysau. Roedd fel tasan nhw i gyd, rywsut, yn *gwybod*, meddyliodd Kosta wedyn.

Oherwydd drannoeth, ar y dydd Llun, daeth y milwyr cyntaf i Anogia.

415

Gwartheg Duon

Deg ohonyn nhw, dan arweiniad Josef Keller o'r garsiwn yn Yení Gavé.

Aeth y gair o gwmpas Anogia cyn iddyn nhw gyrraedd, wedi'i ledaenu gan y gwragedd a'r plant:

'Mae'r gwartheg duon yn yr ŷd.'

Gwartheg duon go gyfarwydd hefyd, rai ohonyn nhw. Nid heddiw oedd y tro cyntaf i Keller ddod i Anogia o bell ffordd, ac roedd yn gas ganddo orfod ymweld â'r blydi lle. Doedd dim ond eisiau iddo edrych i gyfeiriad Anogia a byddai'n teimlo'i holl nerfau'n tynhau. Bob tro y dôi yma, teimlai fel oen llywaeth yn crwydro trwy goedwig yn berwi o fleiddiaid.

Dyn a ŵyr, roedd o wedi gwneud ei orau glas i fod yn glên efo'r bobol yma, mor glên ag roedd hi'n bosib bod o dan yr amgylchiadau. Ond roeddan nhw i gyd, yn enwedig y merched, yn edrych fel petaen nhw'n ceisio dewis rhwng plannu eu cyllyll yn ei galon neu dynnu eu llafnau ar draws ei wddf.

Ei dasg heddiw oedd casglu nifer o ddynion tebol ar gyfer gwaith llafur, a gwyddai o brofiad chwerw nad tasg hawdd oedd o'i flaen: roedd o wedi teimlo'i galon yn suddo pan ddaethai'r gorchymyn o Rethymnon ddoe. Gwyddai i'r dim sut y byddai hi – neb ar gael. Doeddan nhw ddim hyd yn oed yn cynnig esgus erbyn hyn. Pan ddaethai yma gyntaf, roeddan nhw o leiaf yn dweud mai bugeiliaid oedd y rhan fwyaf o ddynion Anogia, a'u bod i gyd yn gwarchod eu preiddiau. Ond bellach, doeddan nhw ddim yn trafferthu gyda hynny, hyd yn oed, dim ond dweud y 'neb ar gael' swta, gan ddisgwyl iddo fo dderbyn hynny.

Pwy oedd pobol Anogia yn meddwl oeddan nhw, beth bynnag? Falla'n wir fod ganddyn nhw enw ar yr ynys felltigedig yma fel ymladdwyr ffyrnig a dewr, ond be oeddan nhw mewn gwirionedd ond llond dwrn o daeogion – bugeiliaid dwl ac anniwylliedig. Pa hawl oedd ganddyn nhw i sbio i lawr eu trwynau ar bawb arall, ac yn enwedig arno fo? Nefoedd wen, roedd hi'n wyrth nad oedd y blydi lle wedi cael ei fomio i ebargofiant flynyddoedd cyn hyn; roedd pawb yn gwybod bod yr *andártes* yn mynd a dŵad yma, a bod y lle'n ferw o gynllwynion, a phob asiant ac ysbïwr a sabotajwr o Brydain ac o blith y Cynghreiriaid yn cael lloches yma.

Pethau fel hyn oedd yn mynd drwy feddwl Keller wrth iddo fartsio i mewn i Anogia'r bore tanbaid hwnnw, yn y gobaith y byddai wedi gwylltio gormod i deimlo'n ofnus: onid oedd y diawliaid yma fel cŵn, yn synhwyro'r ofn ym mhawb arall? Er hynny, wrth iddo arwain ei filwyr heibio i'r tai gwynion, twt a'r *bougainvillea*'n ffrwydro'n gymylau o borffor dros y cloddiau, roedd yn rhaid iddo wneud ymdrech i lonyddu rhywfaint ar yr hen ddraenog hwnnw yn ei stumog.

*

'Gofala nad ydi Eris yn symud o'r tŷ 'ma nes bod y diawliaid wedi hen fynd,' meddai Georgios Stagakis wrth ei wraig. Roedd o yn llewys ei grys ac ar fin gadael i fynd i un o'i laethdai pan glywodd am y gwartheg duon. Yn araf, rowliodd ei lewys i lawr dros ei arddyrnau a thynnu siaced ei siwt amdano.

'Na, dim tei,' meddai wrth i'w wraig agor drôr y ddresel fawr bren. Gwenodd. 'Tydi'r mochyn yma ddim yn haeddu cymaint o barch â hynna.'

Cyffyrddodd yn ysgafn â'i boch, a tharo winc ar ei ferch.

Roeddan nhw'n aros amdano yn y sgwâr – deg o wynebau'n sgleinio'n chwyslyd a choch; Keller, fel arfer, hefo'i chwip hela a'i fleiddgi, a hwnnw ar ei fol a'i dafod allan fel carped mawr pinc.

Un od ydi'r sarjant yma, meddyliodd Georgios Stagakis. I lawr yn Yení Gavé, yn ôl pob sôn, roedd o'n weddol boblogaidd – rhywbeth wnaeth i drigolion Anogia feddwl tybed ai'r un dyn oedd o. Roedd 'na si ei fod o, ar un adeg, yn gwybod yn iawn fod 'na asiant Prydeinig yn ei ardal, ond nad oedd o wedi cymryd arno'i fod o'n gwybod unrhyw beth o'r fath. Yn fwy na hynny, dywedid iddo daro winc ar fab arweinydd y gwrthsafiad lleol pan ddaeth ar draws yr hogyn hefo basged yn llawn o fwyd i'r asiant, cystal â dweud, 'Dwi'n gwbod yn iawn lle ti'n mynd, y cena bach drwg. Dos – brysia!'

Taerai nifer o Yení Gavé fod hyn yn wir bob gair, ac nad oedd ganddo'r un gair da i'w ddweud am Hitler a'i griw. Ond diawch erioed, pam felly fod y dyn yn ymddwyn fel Natsi rhonc bob tro y dôi i Anogia?

Heddiw, roedd o'n amlwg mewn gwaeth hwyliau nag arfer, a chyn i Georgios allu'i gyfarch, hyd yn oed, dechreuodd weiddi a dweud bod arno angen llwyth o ddynion tebol ar gyfer llafurio.

Ochneidiodd yr arlywydd. 'Faint?'

'Mi benderfyna i faint.'

Edrychodd Keller o gwmpas y sgwâr a theimlo'i dymer yn codi i'r berw. Dyma nhw eto, meddyliodd, blydi pobol y lle felltith 'ma – dim byd ond hen ddynion, merched a phlant. Lle roedd y dynion? Wedi'i ffaglu hi i fyny i'r mynydd eto, siŵr iawn, cyn gynted ag y dechreuodd y blydi merched a'r plant weiddi. Yno roeddan nhw rŵan, yn ei wylio drwy eu binociwlars ac yn cael hwyl am ei ben. A hwyrach mai'r syniad hwnnw barodd i nerfau Keller dorri – hynny, yn ogystal â'r ffaith fod yr arlywydd hunanbwysig hwn wedi dechrau arni hefo'i esgusodion ffwrdd-â-hi eto fyth.

'Herr Feldwebel,' dechreuodd Stagakis, a gallai Keller daeru bod yna ochenaid o syrffed yn ei lais. 'Fel y gwelwch chi, mae'r rhan fwyaf o ddynion Anogia . . .'

Heb iddo fod yn ymwybodol ei fod am wneud hynny, cododd Keller ei law a tharo Georgios Stagakis ar draws ei wyneb â'i chwip hela. Daeth ebychiad uchel o gyfeiriad y gwylwyr, a boddwyd sŵn y sicadau gan glecian metelaidd gynnau'r milwyr wrth iddyn nhw'u paratoi i saethu petai gofyn.

Baglodd Georgios Stagakis yn ei ôl gan godi'i law i'w wyneb. Roedd y boen eirias ac annisgwyl, ynghyd â'r sioc, wedi peri iddo frathu'i dafod wrth iddo faglu, a gallai deimlo'r gwaed nid yn unig yn ffrydio i lawr ei wyneb ond hefyd yn llenwi'i geg. Gallai deimlo rhywbeth arall yn ei geg, hefyd, a meddyliodd i ddechrau mai darn bach o gig yn sownd rhwng ei ddannedd oedd o, ond yna sylweddolodd mai teimlo blaen ei dafod roedd o.

Edrychodd i fyw llygad yr Almaenwr a phoeri blaen ei dafod, ynghyd â llond ceg o waed, i ganol ei wyneb.

Tro Keller oedd hi i faglu'n ôl rŵan, ac os oedd ei nerfau wedi torri'n gynharach, collodd arno'i hun yn llwyr y tro hwn. Â sgrech uchel, cododd ei chwip a tharo Georgios Stagakis eilwaith ar draws ei wyneb, a'r tro yma teimlodd Georgios ei lygad chwith yn ffrwydro dan yr ergyd. Syrthiodd ar ei liniau, a theimlo'r chwip yn llosgi ar draws ei wyneb eto, yna'r tu ôl i'w ben wrth iddo blygu, ac yna ar ei wâr. Disgynnodd ar ei hyd ar y lôn, a'r llwch a'r cerrig mân yn ymosod ar ei archollion fel haid o wenyn. Teimlodd y chwip yn brathu dro ar ôl tro i mewn i'w gefn, ond yna, rhaid bod braich yr Almaenwr wedi dechrau blino oherwydd dechreuodd hwnnw'i gicio, yn ei ben ac yna yn ei asennau, drosodd a throsodd, nes i'r milwr flino ar hynny hefyd.

Plygodd Keller a chydio mewn llond dwrn o wallt cyrliog yr arlywydd, a thynnu'i ben at i fyny. Yr un pryd, tynnodd ei bistol Luger o'i holster a chodi'r clicied cyn gwasgu'r blaen yn erbyn talcen Georgios Stagakis.

'Na!'

Trodd pob gwn i bwyntio at Eleftheria Stagakis wrth iddi redeg i ganol y sgwâr ond chymerodd hi ddim sylw o gwbl o'r un ohonyn nhw: roedd ei holl sylw ar ei gŵr. 'Aros!' cyfarthodd Keller arni, ond anwybyddodd Eleftheria fo'n llwyr wrth iddi benlinio wrth ochr Georgios. Heb hidio dim am y gwaed, cusanodd ei ben cyn troi a rhythu i fyny ar Keller, a safai uwch ei phen a'i bistol yn pwyntio ati'n grynedig.

'Os wyt ti am saethu un ohonan ni, yna mi fydd raid iti'n saethu ni'n dau,' meddai, heb gryndod o gwbl yn ei llais a phob gair i'w glywed yn glir yn nhawelwch y sgwâr. 'Dydi ngŵr i ddim yn cael mynd i nunlla hebdda i.'

Efallai nad oedd digon o Roeg gan Keller iddo fod wedi deall pob gair, ond gwyddai'n iawn beth oedd y ddynes yma'n ei ddweud wrtho. Camodd yn ei ôl a defnyddio'r gwn i wneud ystum arnyn nhw i godi.

Trodd at ei filwyr a heb edrych yn llawn i wyneb yr un ohonynt, rhoes y gorchymyn iddyn nhw gasglu oddeutu deg a thrigain o drigolion Anogia ynghyd. Roedd o am fynd â nhw i Rethymnon fel gwystlon nes i ddynion Anogia ymddangos a'u cynnig eu hunain ar gyfer y gwaith llafur.

'Os dynion hefyd,' gorffennodd. Ond gwyddai fod ei lais yn swnio'n wan ac yn wichlyd: roedd hyd yn oed y sicadau'n ei foddi wrth iddo orchymyn i'w filwyr ddechrau heidio'r bobol ar hyd y ffordd a arweiniai'n ôl i lawr i Yení Gavé, ac yna i Rethymnon.

*

Un o'r bobol hynny oedd Grigori Daskalakis, a phrin y gallai gerdded. Ond roedd 'na sawl llaw i'w helpu heddiw, i'w dynnu yn ei flaen nes i'w goesau ddod o hyd i ryw nerth o rywle, sawl braich i bwyso arni nes i'w ysgyfaint a'i ddiaffram ailddechrau gweithio fel y dylen nhw heb sgrechian mewn poen, ac i'r cur aruthrol yn ei ben gilio digon iddo fedru gweld y ffordd o'i flaen yn weddol glir.

Ac un hances feddal, dyner yn ogleuo o rosmari i sychu'r gwaed a lifai o'i dalcen. Oherwydd roedd Grigori wedi cael stid hefyd. Nid gan Keller, ond gan un o'i filwyr â charn ei reiffl – un ergyd yn ei stumog ac un arall ar ochr ei dalcen, wrth iddo syrthio ar ei liniau.

Fel pawb arall yn Anogia, roedd yntau wedi clywed rhybuddion y plant. Pan ymunodd â'r dyrfa yn y sgwâr, gwelodd sawl person yn pwnio'u cymdogion a nodio tuag ato. 'Nefoedd, be welodd *hwn* i ddŵad yma heddiw? Cuddio mae o fel arfer, dan ddesgiau'r plant yn yr ysgol.' Ac fe allai Grigori'n hawdd iawn fod wedi dychwelyd adref a chuddio yno nes byddai'r milwyr wedi mynd. Heddiw, fodd bynnag, roedd o wedi dal i fynd yn ei flaen i'r sgwâr, a chymryd ei le gyda'i watwarwyr, ac wedi cydbrofi'r wefr o atgasedd a redai trwy bawb, fel trydan o un person i'r llall, wrth iddyn nhw orfod sefyll yno'n gwylio'u harlywydd yn cael ei chwipio a'i gicio'n ddidrugaredd.

A meddyliodd: os mai bwriad yr Almaenwr ydi bychanu Georgios Stagakis drwy ei chwipio fel hen gi, yna mae o wedi methu'n llwyr. Mae'r sypyn gwaedlyd sy'n gorwedd yn y llwch yma heddiw yn uwch ei barch nag y bu erioed.

Grigori oedd un o'r rhai cyntaf i gael ei ddewis ar gyfer y daith i Rethymnon. Pan drodd ac edrych ar y dyrfa, yr wyneb cyntaf a welodd oedd un Hanna Kallergis. Ceisiodd wenu arni, a chael nòd cynnil yn ôl – nid un o rai arferol Hanna, ond nòd araf a pheth edmygedd ynddo, ac awgrym o wên y tu ôl iddo. A chyda hi, safai nifer o blant o'i ysgol, gan gynnwys y bechgyn fu'n taflu cerrig ato hefo Nikos – Paulos, Stavro a Petraka – hwythau hefyd yn ciledrych arno a syndod ar eu hwynebau. Ac efallai mai hyn, a'r teimlad llawen, bron, a deimlai Grigori'n chwyddo'r tu mewn iddo, a barodd iddo ymddwyn fel y gwnaeth o funud yn ddiweddarach. Roedd un milwr wedi troi at y sarjant, a gofyn:

'*Die Kinder, Herr Feldwebel?*'

Trodd y sarjant ac edrych ar y plant, ac yna nodio.

'*Ja. Die Kinder. Besonders die Kinder.*'

Ia, wrth gwrs – 'yn enwedig y plant' – oherwydd, â phlant yn wystlon, byddai eu tadau 'tebol' yn fwy tebygol o gropian allan o'u tyllau.

Trodd y milwr yn ôl at y plant a chydio yn Stavro, a dechrau ei lusgo draw at Grigori. Gwrthododd Stavro fynd efo fo, gan dynnu'n ôl ac ysgwyd ei ben, ei lygaid yn llawn dagrau. Rhegodd y milwr a rhoi clustan i'r hogyn reit ar draws ei wyneb cyn ei halio'n greulon at y gwystlon eraill.

Bron heb iddo sylweddoli ei fod yn gwneud hynny, camodd Grigori Daskalakis at y milwr.

'*Nein*!' meddai, cyn newid i'r iaith Roeg, gan wybod na fyddai'r llwdwn hwn ddim callach, ond gan obeithio y byddai o leiaf yn gallu dehongli ei arwyddion a'i osgo. 'Sdim rhaid iti'i dynnu fo fel'na, na'i guro fo. Stavro, tyd ti ata i, ngwas i . . .'

A dyna pryd y plannodd y milwr garn ei reiffl yn stumog

Grigori. Welodd o mo'r ergyd yn dod, dim ond teimlo'r gic ofnadwy yn ei stumog, ac yna'r tu mewn i'w ben yn ffrwydro fel tasa fo wedi rhedeg nerth ei draed i mewn i glawdd. Gwyddai, er mawr gywilydd iddo, ei fod wedi chwydu ar lawr y sgwâr. Roedd o hefyd wedi colli ei sbectol, ond yna teimlodd law fechan yn cyffwrdd â chefn ei law, a thrwy'r gwaed a'r dagrau gwelodd mai un arall o'r hogia, Paulos, oedd wedi codi'i sbectol a'i glanhau cyn ei rhoi'n ôl i'w athro.

Rŵan roedd nifer o blant Anogia yn heidio ato, gan lynu wrth ei ochr wrth iddyn nhw gerdded ar hyd y ffordd, ac er gwaetha'r boen yn ei fol a'i ben, fedrai o ddim peidio â gwenu rhyw fymryn bach wrth feddwl am stori'r pibydd brith – cyn cofio'n sydyn, â chyfarthiad bach o chwerthin yn ei wddf, mai stori Almaenig oedd hi.

Roedd yr hances feddal yn ogleuo o rosmari'n dal ganddo yn ei law, yn un lwmpyn gwaedlyd.

'Ma'n ddrwg gen i,' meddai wrth Hanna, a dangos ei hances iddi.

'Well iti'i chadw hi, Grigori, rhag ofn i ti dynnu rhywun arall yn dy ben.' Yr hanner gwên yna eto.

'Mi bryna i un newydd i ti pan gawn ni ddod yn ein holau,' meddai, ac edrychodd Hanna i lawr ychydig yn swil. Ai awgrym o wrid oedd hwnna ar ei hwyneb?

'Sut wyt ti'n teimlo rŵan, Grigori?' Gaia, a'i llaw ar ei fraich, a'i llygaid yn llawn pryder – a chyn iddo gael cyfle i'w hateb, 'Chwara teg i ti, Grigori. Yndê, Hanna? Yn enwedig ar ôl be ddigwyddodd i dad Eris. Ma pawb wedi synnu.'

'Gaia!' meddai Hanna, a chochodd Gaia at ei chlustiau.

'Wel, do'n i ddim am i Georgios Stagakis gael yr holl sylw iddo fo'i hun,' meddai Grigori.

Roedd yna dinc hysteraidd i'w cellwair, gwyddai. Cerddasant yn eu blaenau, amryw ohonynt yn pesychu oherwydd yr holl lwch a godai oddi ar y lôn, a phawb, teimlai Grigori, yn meddwl am ddewrder Eleftheria Stagakis a'i gŵr. Oeddan nhw'u dau yma hefyd, ymysg y gwystlon? Oedd y rhain yn ddigon o fastads i wneud iddyn *nhw* gerdded i Yení Gavé? Ceisiodd

Grigori weld tros bennau'r rhai a gerddai o'i flaen, ond pan geisiodd edrych yn ei ôl, dechreuodd ei ben droi a'i stumog wrthryfela.

'Kýrios Daskalakis?' Yr hogyn Petraka oedd yn siarad. 'Ydyn nhw am neud i ni gerddad bob cam i Rethymnon?'

Gwenodd Grigori. 'Go brin. Wyddost ti pam?' Ysgydwodd Petraka'i ben. 'Maen nhw'n rhy ddiog. Mae'n siŵr y bydd gynnyn nhw lorïau i fynd â ni o Yení Gavé . . .'

'Distaw!' bloeddiodd un o'r milwyr. Yna, trodd oddi wrthynt yn sydyn wrth i gi Keller ddechrau coethi.

'Be sy rŵan . . .?' dechreuodd Gaia, ond boddwyd gweddill ei chwestiwn gan synau reifflau'n cael eu saethu. 'I lawr!' gwaeddodd rhywun mewn Groeg, a rhuthrodd pawb am y cloddiau, gan eu lluchio eu hunain i lawr ar y ddaear. Tynnodd Grigori Petraka i lawr hefo fo, a gorwedd â hanner ei gorff drosto. Estynnodd ei law allan tuag at un arall o'r plant – Pella, merch ieuengaf y teulu a gadwai'r siop olew a chanhwyllau – a'i thynnu'n nes ato nes ei fod yn ei chuddio hithau'n rhannol hefyd. Gwelodd fod Hanna a Gaia wedi gwneud rhywbeth tebyg gyda rhai o'r plant eraill; roedd Hanna'n gorwedd reit wrth ei ymyl a llanwyd ei ffroenau ag arogl y rhosmari unwaith eto. Trodd hithau'i phen tuag ato, ac am eiliad syllai'r ddau i fyw llygaid ei gilydd.

Yna dechreuodd y saethu go iawn.

*

Gallai Josef Keller deimlo'r dirmyg yn llifo drosto ac yna'n glynu wrtho fel cynfas wlyb. Yn llifo o'r Cretiaid, ia, yn bendant, pob un wan jac ohonyn nhw, ond hefyd o'i ddynion o ei hun. Doedd yr un ohonyn nhw'n gallu edrych arno'n iawn. Be goblyn ddaeth drosto, i golli arno'i hun i'r fath raddau? Fedrai o ddim peidio â meddwl am ei deulu gartref yn Bonn. Fasa Margit, tasa hi wedi'i weld o, wedi nabod ei gŵr? Fasa Minna a Gretchen wedi nabod eu tad? Go brin.

Am rai munudau yn y sgwâr chwilboeth, felltith hwnnw yn Anogia, roedd Josef Keller, gŵr a thad cariadus a arferai wneud i'w deulu a'i ffrindiau rowlio chwerthin trwy chwarae 'Für Elise' allan o diwn yn rhacs ar y piano, wedi colli nabod arno'i hun yn llwyr.

Mae'r gwallgofddyn yna yn Berlin wedi'n troi ni i gyd yn genedl o wallgofion, meddyliodd, a neidio'n sydyn pan deimlodd blwc sydyn ar ei fraich wrth i'w gi sefyll yn stond a chwyrnu. Roedd yn rhythu i gyfeiriad clwstwr o greigiau isel uwchben y lôn, ac wrth i Keller hefyd droi i edrych, dechreuodd y ci gyfarth yn uchel. Trodd Keller yn sydyn wrth i synau saethu ffrwydro o gyfeiriad creigiau eraill, ac wrth i'r gwystlon i gyd daflu eu hunain ar eu hyd ar lawr, sylweddolodd Keller fod y saethwyr cudd wedi anelu i'r awyr a saethu i rybuddio'r bobol cyn . . .

. . . cyn dechrau saethu at y milwyr.

Fel un mewn breuddwyd, rhythodd ar y milwr â'r trwyn pig eryr wrth i hwnnw ollwng ei reiffl a chodi'i ddwylo at ei wyneb fel petai'n beichio crio. Yna, gwelodd y gwaed yn ffrydio rhwng ei fysedd, cyn iddo syrthio am yn ôl, a'i lygaid llonydd yn rhythu i fyny i lygad yr haul.

Tynnodd Keller ei bistol o'i holster – ond i ba gyfeiriad y dylai saethu? Roedd y Cretiaid o'r golwg y tu ôl i'r creigiau, a bwledi ei filwyr yn neidio oddi ar wynebau'r creigiau dan sgrechian mewn rhwystredigaeth. Syrthiodd dau filwr arall. Does gynnon ni ddim gobaith, meddyliodd: mi fyddan ni i gyd yn gelain fel hyn. Does gen i ddim dewis ond rhoi'r gorchymyn i ildio.

Gwyliodd yr *andártes* yn ymddangos o'r tu ôl i'r creigiau, wynebau tywyll a gwyliadwrus, yn ysu am yr esgus lleiaf i gael saethu eto. Gallai glywed synau siffrwd yn dod o'r tu ôl iddo wrth i'r gwystlon godi ar eu traed. Gwaeddodd un ferch (plwmpan fach gron) mewn llawenydd cyn rhedeg at un o'r *andártes* – creadur tal a thenau a'i fwstás yn hongian yn llipa i lawr heibio corneli ei geg – a'i gofleidio.

Teimlodd Josef Keller ei du mewn yn troi'n ddŵr wrth i'w lygaid neidio o un wyneb i'r llall a sylweddoli nad oedd o'n nabod yr un o'r rhain, nad oedd ganddyn nhw ddim clem ynglŷn â'r holl bethau bychain roedd o wedi'i wneud dros y blynyddoedd i helpu pobol Yení Gavé. A hyd yn oed petaen nhw'n gwybod, go brin y buasen nhw'n hidio'r un iot.

Ceisiodd ganolbwyntio, felly, ar wynebau Margit, Minna a Gretchen wrth i'r *andártes* gymryd arfau ei filwyr oddi arnynt, a'i heidio fo a'i ddynion i fyny'r llethr, yn uwch ac yn uwch ac yn nes ac yn nes at yr awyr las y tu ôl i'r creigiau. Yno, dywedwyd wrthyn nhw am aros a phenlinio ar y ddaear, a gwenodd Josef Keller oherwydd roedd wynebau Margit, Minna a Gretchen bellach yn hollol glir yn ei feddwl – bron fel petaen nhw yno hefo fo – a dechreuodd hymian alaw 'Für Elise' wrth iddo deimlo blaen pistol yn cyffwrdd yn dyner, fel cusan, â chefn ei ben.

24
Arwr a dolffin

Hania

Gan mai yn Anogia y mae canolfan gwasanaeth cudd Prydain yng Nghreta, ac mai pobol Anogia a lofruddiodd ringyll-gadlywydd y garsiwn yn Yení Gavé yn ogystal â'r garsiwn dan ei oruchwyliaeth; gan mai pobol Anogia oedd yn gyfrifol am yr ymosodiad yn Damasta, a bod Anogia'n rhoi lloches i wahanol grwpiau'r gwrthsafiad, a chan mai trwy Anogia y teithiodd y rhai hynny oedd yn gyfrifol am herwgipio'r Cadfridog Kreipe, yr ydym yn gorchymyn bod Anogia'n cael ei DDIFA YN LLWYR, a bod pob person gwryw o Anogia yn cael ei ddienyddio, gan gynnwys y rhai hynny a gaiff eu darganfod o fewn un cilometr i'r pentref.

UWCH-GADLYWYDD Y GARSIWN ALMAENIG YNG NGHRETA
Hania
13.08.1944

Darllenodd y Cadfridog Friedrich-Wilhelm Müller drwy'r ddogfen. Oedd o wedi crybwyll popeth? Oedd – a mwy nag oedd ei wir angen, a bod yn onest. Ond roeddan nhw'n hoffi hirwyntogrwydd yn Berlin.

Anogia – blydi Anogia, meddyliodd. Bu'r lle'n ddraenen yn ei ystlys byth ers iddo ddod i'r ynys yma gyntaf. Doedd o ei hun erioed wedi rhoi yr un o'i draed yno, a doedd ganddo ddim bwriad o wneud hynny ychwaith. Fasa fiw iddo fo, Gigydd Creta, fynd ar gyfyl yr un o bentrefi'r mynyddoedd. Roedd y gelyn yn dal i glochdar ar ôl cipio rhyw ffŵl di-werth fel Kreipe; mi fasa'r cywilydd, petaen nhw'n llwyddo i gael eu bachau arno *fo*, yn aruthrol.

Dylai ei ragflaenydd (nid Kreipe – doedd Müller ddim yn cyfrif hwnnw – ond Bruno Bräuer) fod wedi sathru ar y lle yn syth bìn. Ond na, roedd o'n rhy lywaeth, yn rhy feddal – gyda'r canlyniad fod y ddannoedd fechan oedd yn dipyn o niwsans wedi cael ei gadael i ddatblygu'n ddannoedd hyd at waed, gydag asiantau'r SOE yn mynd a dod o'r lle fel tasan nhw yno ar eu gwyliau.

Oedd, roedd cipio'r cadfridog wedi gwneud i'r Almaenwyr edrych yn rêl ffyliaid, ond yr hyn a wylltiai Müller fwyaf oedd y ffaith fod y Prydeinwyr yn amlwg yn meddwl eu bod nhw'n hollol ddwl. Roedd y nodyn hwnnw a adawodd Leigh Fermor yn honni mai Prydeinwyr, a dim ond Prydeinwyr, oedd yn gyfrifol am gipio Kreipe yn gelwydd noeth. Fasan nhw byth wedi gallu cyflawni'r fath gamp heb gymorth yr *andártes* a'r trigolion lleol, ac roedd disgwyl i Müller gredu fel arall yn ei sarhau.

Ar y dechrau, tybiai eu bod nhw hefyd wedi cael help llaw gan rywun oddi mewn, oherwydd cawsai Kreipe ei gipio mor uffernol o rwydd. Yr un amlwg i'w amau oedd Tobias Jung, felly anfonodd Müller am Hauptmann Golo Wolf.

Roedd y ffordd roedd Wolf wedi ymdrin â Kondomari a Kandanos wedi gwneud cryn argraff arno. Mwy o filwyr fel Wolf oedd ei angen, a llai o ryw ddili-doau fel Jung. Credai ar y dechrau fod Jung a Wolf yn dipyn o ffrindiau, ond dim o'r ffasiwn beth, yn ôl Wolf. Os rhywbeth, synhwyrodd Müller fod yn gas gan Wolf glywed enw Jung. Felly, pan ddywedodd Wolf ei fod yn fodlon nad oedd gan Jung unrhyw beth i'w wneud â chipio Kreipe, cafodd Müller dipyn o ail.

Ond gyda chymorth y Gestapo, roedd Wolf wedi darganfod nifer o bethau diddorol iawn am Tobias Jung. Roedd y ffaith iddo ofyn am gael dod yn ôl i Greta pan oedd ganddo'r dewis i ddychwelyd i'r Almaen fel tipyn o arwr – ac i unrhyw le a fynnai yno, hefyd – ynddo'i hun yn beth od ar y naw. Yna, daeth yr wybodaeth am dad Jung i sylw Wolf, ac wedyn y cariad yna oedd yn clywed pob math o bethau drwy gyfrwng ei swydd fel gweithredydd radio.

Ers tro, bu nifer o swyddogion Müller yn amau bod rhywun yn rhybuddio gwahanol bentrefi y bydden nhw'n cael eu llosgi. Dro ar ôl tro byddai'r milwyr yn cyrraedd pentrefi a'u cael yn wag. Yna'r hyn a ddigwyddodd ym mhentref Koustoyérako y mis Medi cynt – ac ychydig iawn, iawn o bobol yn gwybod ymlaen llaw fod Koustoyérako yn mynd i gael ymweliad.

Erbyn hyn, roeddan nhw fwy neu lai'n *gwybod* mai Jung a'i gariad oedd yn gyfrifol. Ond roedd Wolf wedi gofyn am gael delio hefo Jung ei hun. Fel arfer, byddai Müller wedi gwrthod, ond roedd ganddo gryn dipyn o waith i ddyn fel Golo Wolf, felly rhoddodd ganiatâd iddo ymdrin â Tobias Jung yn ei ffordd ei hun, sut bynnag byddai hynny.

Edrychodd eto ar y gorchymyn. Dyma botas – potas o esgusodion. Er bod ei holl enaid milwrol yn gwrthryfela'n ffyrnig yn erbyn cydnabod y fath beth, roedd yn rhaid iddo yntau dderbyn bod yr Almaen, i bob pwrpas, wedi colli'r rhyfel. Byddai'r fyddin Almaenig, fe wyddai, wedi ymadael â'r ynys erbyn diwedd mis Hydref.

Ond ei waith o rŵan oedd sicrhau bod y cyfan yn digwydd mor esmwyth â phosib. Doedd ar y *Wehrmacht* ddim eisiau i'r *andártes* feddwi ar y syniad eu bod nhw wedi ennill; rhaid oedd eu sodro nhw yn eu lle go iawn, unwaith ac am byth, fel na fyddai unrhyw beth arall yn digwydd i wneud y gwrthgilio'n anoddach nag y dylai fod.

Doedd ganddo ddim bwriad o anfon un platŵn ar ôl y llall i fyny i'r mynyddoedd: ychydig iawn o'r milwyr hynny fyddai'n dod yn eu holau. Ond allai'r *andártes* ddim ffynnu heb gefnogaeth a chymorth y bobl leol – y pentrefwyr cyffredin – ac roedd ei ysbïwyr wedi bod yn sôn ers tro byd fod y pentrefwyr wedi cael llond bol ar gael eu cosbi oherwydd castiau'r *andártes*.

Y peth i'w wneud, felly, oedd dinistrio'r pentrefi a saethu digon o'r pentrefwyr fel y byddai ar yr *andártes* ofn gwneud affliw o ddim. Byddai gwneud hynny'n rhoi terfyn ar broblem arall oedd wedi cynyddu dros y misoedd diwethaf. Roedd nifer o filwyr wedi synhwyro sut roedd y gwynt yn chwythu hefo'r rhyfel, ac wedi mynd drosodd at y gelyn. Trwy ofalu bod cynifer o filwyr â phosib yn cymryd rhan yn y dial, byddai gan unrhyw lwfrgwn eraill ormod o ofn newid ochr. Unwaith y byddai Müller wedi gorffen efo Creta, allai'r un Almaenwr ddisgwyl y mymryn lleiaf o drugaredd gan y Cretiaid.

Ac roedd o am ddechrau efo Anogia.

Cydiodd y Cadfridog Friedrich-Wilhelm Müller yn ei bìn sgwennu, a chrafu'i lofnod ar waelod y gorchymyn.

*

Knossos
Allai Alexandros ddim peidio crynu; bu'n crynu byth ers iddo gael ei gicio'n effro awr ynghynt a'i lusgo o'i gell. Dyma ni, meddyliodd, dwi am gael fy ngosod yn erbyn y wal uffernol 'na yn y buarth.

Doedd o ddim yn ddyn dewr. Roedd o wedi sylweddoli hynny rai dyddiau'n ôl, a daethai'r ddealltwriaeth yma fel tipyn o siom iddo. Roedd o wastad wedi meddwl ei fod yn goblyn o arwr – un yn ymladd dros ryddid ei wlad, ac a deimlai'n flin tuag at y gwrthsafwyr oherwydd iddyn nhw wrthod gwneud gwell defnydd ohono.

Sgubo'r stryd y tu allan i giatiau Knossoss oedd ei waith o, meddan nhw wrtho. Roedd o'n gwneud hynny cyn y rhyfel, ac mae'n debyg y byddai'n gwneud hynny ar ôl y rhyfel, hefyd. Roedd yn waith pwysig ynddo'i hun, meddan nhw (o, roeddan nhw'n gallu bod mor nawddoglyd ar brydiau!) – a'r dyddiau hyn, y dyddiau peryglus hyn, roedd yn waith pwysicach nag erioed.

Pam, felly? Wel, roedd o'n beth *normal*, dyna pam. Roedd

pawb wedi hen arfer ei weld o yno hefo'i frws a'i drol, ei fagiau a'i fasgedi a'i finiau sbwriel; yn wir, buasai'r strydoedd y tu allan i giatiau Knossos yn edrych yn *ab*normal hebddo fo. Oherwydd hynny, meddan nhw, roedd Alexandros o werth aruthrol iddyn nhw, a doeddan nhw ddim am fentro'i golli drwy roi gwaith mwy peryglus iddo – yn enwedig ac yntau'n ŵr, yn dad ac yn daid.

Ond doeddan nhw ddim yn gweld? Roedd arno fo eisiau i'w deulu fod yn falch ohono, a sylweddoli nad dim ond dyn sgubo'r ffordd oedd o. O, mi wnân nhw sylweddoli, fe'i sicrhawyd ganddynt. Pan fydd hyn i gyd drosodd, pan fydd y Germani wedi mynd, mi gân' nhw i gyd wybod dy fod ti'n arwr, Alexandros, ac mi fyddan nhw mor falch ohonat ti.

Ia, go dda. Arwr, wir! Gwyddai ei fod yn bell o fod yn arwr y funud y daeth y dyn bach blêr ato wrth iddo droi'r gornel ar ôl mwynhau ei wydraid o *rakí* yn y caffi, a gadael paced sigaréts yr Un Cloff yn belen yn y blwch llwch. Roedd y dyn bach wedi'i gyfarch yn ddigon cyfeillgar hefo gwên lydan a '*Yásas, Alexandro!*' uchel. Losch ei hun oedd hwn, ond wyddai Alexandros mo hynny, wrth gwrs: yr unig beth a welai oedd Cretiad arall mewn siwt fudur yn dod ato'n wên o glust i glust, ac roedd Alexandros yn brysur yn trio meddwl oedd o i fod i nabod hwn o rywle pan arweiniodd Losch o i mewn i gar lle roedd tri dyn arall yn aros amdano, a dim ond pan wasgodd Losch i mewn wrth ei ochr yn y sedd gefn a chau'r drws a gadael i'r wên ddiflannu, y sylweddolodd Alexandros beth oedd yn digwydd iddo.

Dyna pryd y dechreuodd grynu.

Cafodd ei wthio'n gyntaf i mewn i gell dywyll, yna'i guro, hyn eto yn y tywyllwch: dynion anweledig yn ei ddyrnu a'i golbio – dyrnau a thraed a phastynau'n dod o nunlle ac o bob cyfeiriad.

Wedyn, yr holi. Y dyn bach blêr yna eto, ond heb y wên, hefo'r paced sigaréts mewn bag plastig ar y bwrdd o'i flaen. Pwy oedd wedi rhoi hwn yn y bin sbwriel? Doedd Alexandros ddim yn gwbod pwy, meddai. Doedd ganddo ddim clem, meddai. Drosodd a throsodd a throsodd.

O'r diwedd, dywedodd mai ei waith o oedd edrych drwy'r sbwriel yn y bin bob dydd – ia, sglyfath o job, a phetaech chi'n gweld rhai pethau sy'n cael eu stwffio i mewn i finiau sbwriel, hogia bach! Ac os oedd o'n dod ar draws paced sigaréts, fel hwnna sy gynnoch chi ar y bwrdd o'ch blaen, Syr, yna roedd o i fynd â fo i'r caffi, mwynhau gwydraid o *rakí*, codi, a cherdded i ffwrdd gan adael y paced yn y blwch llwch. Ma'n ddrwg gen i . . .? Nag oes, sgen i ddim syniad pwy sy'n dod yno i'w nôl o – fydda i wedi hen, hen fynd erbyn hynny.

Syllodd y dyn bach blêr arno am ychydig, cyn gofyn eto, pwy oedd yn rhoi'r paced sigaréts yn y bin yn y lle cyntaf?

Doedd o ddim yn *gwbod*, sawl gwaith oedd isio deud? Doedd o rioed wedi'i weld o.

'Celwydd!' sgrechiodd y dyn bach, reit yn ei wyneb. Llusgwyd Alexandros o'r ystafell ac i mewn i gell arall, a dim byd ynddi ond cadair galed, solet a bath haearn yn llawn o . . . o . . . Dduw mawr! – llawn o fudreddi: cachu a phiso a gwaed. Ac i mewn i hwnnw yr aeth pen Alexandros nes ei fod yn ychwanegu ei chwd ei hun at yr uwd drewllyd, uffernol. Yna roedd ar y llawr a rhywun yn chwistrellu dŵr drosto o beipen, gormod o ddŵr nes ei fod yn tagu ac yn teimlo'i fod yn boddi. Yna'r gadair, a'r un hen gwestiynau eto – pwy-pwy-pwy?

Doedd o ddim yn gwbod!

Y bath amdani eto, felly, a'i ben yn cael ei wthio i mewn iddo a'i dynnu allan ohono nes bod yr uwd yn llenwi'i ffroenau, ei geg, ei wddf . . . yna'r llawr a'r beipen ddŵr, yna'r gadair a'r cwestiwn, ac felly y bu hi ar Alexandros, y naill ar ôl y llall, bath-llawr-cadair, bath-llawr-cadair, nes o'r diwedd y dywedodd, 'Almaenwr.'

A nag oedd, doedd o ddim yn gwbod *pwy* oedd o, dim ond mai Almaenwr oedd o. Roedd o wastad yn rhy bell oddi wrtho – yn wir, dyna'r gorchymyn pwysicaf a gawsai, sef nad oedd o i fynd yn agos at y bin sbwriel na giatiau Knossos nes bod yr Almaenwr wedi hen fynd. Yr unig beth a welai, a hynny o gryn bellter, oedd ffigwr mewn lifrai Almaenig, a helmed haul yn cuddio'i wyneb. Oedd o'n dal, oedd o'n fyr, oedd o'n dew neu yn denau? Roedd hi'n amhosib deud o'r fath bellter. Wir yr, ar fy marw.

Cafodd lonydd ganddyn nhw wedyn, ar ôl cael ei sodro mewn cell arall, uwchben y buarth o ble y dôi cyfarthiadau gynnau'r sgwadiau saethu o bryd i'w gilydd. Bu yno am ddyddiau, a rywbryd yn ystod y cyfnod hwn y sylweddolodd Alexandros nad oedd y dyn bach blêr ddim unwaith wedi gofyn iddo pwy oedd wedi rhoi'r gorchmynion iddo yn y lle cyntaf. Pam? Oherwydd eu bod nhw'n gwybod yn barod, ac efallai mai'r synau saethu oedd . . .

Ymdrechodd i beidio â meddwl am hynny, ond roedd y crynu'n ei rwystro.

Yr Un Cloff, meddyliodd, yr Un Cloff. O leia wnes i ddim cyfeirio ato fel 'yr Un Cloff', dim ond fel 'Almaenwr'. Ac efallai, mewn rhyw ffordd fechan, fod y dyn glanhau'r ffordd yn dipyn o arwr, wedi'r cwbwl.

Ond ddim rŵan, yn sefyll yma'r tu allan i giatiau Knossos yn crynu fel deilen. Tipyn o ail, a fynta wedi meddwl yn siŵr mai cael ei lusgo at y wal yr oedd o. Yn lle hynny, roeddan nhw wedi'i lusgo i mewn i jîp, a'i ddwylo mewn gefynnau, ac yna'i roi i sefyll y tu ôl i'r jîp, un pen i gadwyn gref wedi'i glymu'n sownd wrth y gefynnau, a'r pen arall wrth gefn y jîp. Gallai Alexandros weld yn glir beth oedd am ddigwydd iddo, a dechreuodd weddïo.

Ond fedrai o ddim peidio â meddwl – *pam*? Pam mynd i'r holl drafferth yma? Roedd mwy o filwyr yma hefyd, dan arweiniad capten ifanc hefo locsyn bwch gafr, tywyll, a nodiodd yn fodlon pan welodd Alexandros yn cael ei dynnu o gefn y jîp a'i glymu wrth du ôl y cerbyd.

Dowch, wir Dduw, dowch! meddyliodd Alexandros. Os ydach chi am neud hyn, yna gadwch inni'i gael o drosodd.

Gwasgai gyrrwr y jîp ei droed ar y sbardun bob hyn a hyn gan wenu'n faleisus o weld ymateb Alexandros, a chlywid rhai o'r milwyr eraill yn chwerthin.

Dowch, wir Dduw – dowch!

Edrychodd y capten ar ei wats.

*

Roedd hi'n dal yn dywyll pan gafodd Tobias Jung ei ddeffro gan y rhingyll, a wthiodd ddarn o bapur ato.

'Be gythral?'

'Herr Oberleutnant.'

Darllenodd Jung y gorchymyn. Roedd i'w gyflwyno'i hun i'r rhingyll ymhen chwarter awr wedi iddo dderbyn y neges. Ar waelod y darn papur roedd enw'r Cadfridog Müller, ac oddi tano, un Golo Wolf.

'Cit llawn? O'r gora – be 'di hyn? Be sy'n digwydd?'

Doedd y sarjant ddim yn gwybod, meddai. Craffodd Jung arno, ond roedd ei wyneb yn hollol ddifynegiant.

Nodiodd Jung. 'Chwarter awr.'

Aeth y sarjant allan. Trwy'r drws cafodd Jung gip ar jîp, a dau filwr arall yn sefyll wrth ei ochr. Roedd yr holl beth yn drewi, a'r drewdod yn ddigon cryf i godi pwys arno, mae'n rhaid, oherwydd roedd ei stumog yn troi fel buddai.

'Fedrwch chi o leia ddeud wrtha i lle rydan ni'n mynd?' gofynnodd ar ôl hercian i'r jîp dan bwysau anghyfarwydd ei git llawn.

'Knossos, Herr Oberleutnant.'

'Knossos?!'

Dyna'r cwbl a wyddai'r sarjant, meddai – neu hwyrach mai dyna'r cwbl roedd o wedi cael caniatâd i'w ddweud. Doedd dim diben ei holi ymhellach, gwyddai Jung.

Gyrrwyd y jîp i gyfeiriad Knossos, a'r arogl pridd ac olewydd a theim yn gryf yn y bore bach, a gwawr oren yn dechrau lliwio'r ynys wrth i'r haul godi'n araf y tu ôl i'r mynyddoedd.

Teimlai Tobias Jung fel chwydu.

*

Erbyn i Jung gyrraedd, roedd Golo Wolf wedi gofalu bod clwstwr o filwyr yn sefyll rhwng jîp Jung a thu ôl y jîp arall, lle safai'r Cretiad. Doedd arno ddim eisiau i'r ddau daro llygad ar ei gilydd nes ei fod o, Wolf, yn barod i hynny ddigwydd.

Wrth i Jung ddringo allan o'r jîp, daeth Wolf i'w gyfarch. Y peth cyntaf a wnaeth Wolf oedd codi'i fraich dde mewn salíwt. '*Heil Hitler!*'

'*Heil Hitler.*' Roedd salíwt Jung, sylwodd Wolf, yn fwy ffwrdd-â-hi o dipyn. 'Ga' i ofyn be sy'n digwydd, Herr Hauptmann?'

Syllodd Golo Wolf arno am rai eiliadau, yna gwenodd yn araf. 'Ro'n i'n meddwl hwyrach y basat ti'n mwynhau gweld hyn, Tobias, cyn i ni gychwyn.'

'Cychwyn i ble?'

Yn hytrach na'i ateb, a heb dynnu'i lygaid oddi ar ei wyneb, estynnodd Wolf un sigarét o boced ei diwnig a'i rhoi hi i Jung.

'*Danke,*' meddai Jung yn llywaeth, a gwenodd Wolf eto. Cynigiodd dân i Jung, cyn dweud, 'Nid i chdi ma hi, Tobias.'

Edrychodd Jung arno dros fflam y leitar, cyn tynnu'r sigarét o'i geg yn araf. Amneidiodd Wolf ei ben i gyfeiriad y clwstwr o filwyr.

'Dwi am i chdi fynd â hi draw i rywun sydd 'i hangan hi'n fwy nag wyt ti.'

'Herr Hauptmann?'

'Mi ddoi di i ddallt, Herr Oberleutnant. Falla – falla – dy fod ti yn 'i nabod o, hyd yn oed. Brysia rŵan, cyn i hon losgi'n ddim.'

Be 'di gêm y diawl yma rŵan? meddyliodd Jung wrth droi tuag at y clwstwr o filwyr. Yn ogystal â theimlo'n swp sâl, roedd ei glun yn brifo fel tasa hi'n cael ei chnoi o'r tu mewn gan ryw anifail barus, a'i nerfau i gyd yn sgrechian arno fod rhywbeth mawr iawn o'i le. Ond doedd dim dewis ond ufuddhau. Gan afael yn dynnach yn ei ffon, dechreuodd hercian tuag at y milwyr.

Symudodd y milwyr i'r naill ochr, un ar ôl y llall, fel y Môr Coch yn agor o flaen rhyw Foses unig. Pan symudodd y milwr olaf, gwelodd Jung fod 'na ddyn bach eiddil ei olwg, dyn ymhell yn ei chwedegau a chanddo lond pen o wallt gwyn, trwchus, yn sefyll ar ei ben ei hun, ac wedi'i glymu wrth du ôl y jîp. Safai a'i ben i lawr, ac yng ngolau'r wawr gallai Jung weld ei wefusau'n symud. Sylweddolodd mai gweddïo roedd y dyn druan. Edrychodd i fyny wrth i Jung nesáu ato, yna'n ôl i lawr – yna'n ôl i fyny'n sydyn, a syndod yn llenwi'i wyneb, ac yn ei lygaid gwelodd Tobias Jung fflach o obaith.

Ond pwy oedd o?

Camodd Jung yn nes ato. Nag oedd, doedd o erioed wedi taro llygad ar hwn cyn heddiw. Pan gododd y sigarét a'i rhoi hi'n ofalus rhwng gwefusau'r dyn, gwelodd y gobaith yn diflannu o'i lygaid. Yn ei le, daeth rhywbeth tebyg i gasineb. Poerodd y sigarét o'i geg a phoerodd honno'i gwreichion yn erbyn blaen tiwnig Jung.

'*Múle!*'

Mae'n rhaid fod Wolf wedi gwneud rhyw arwydd ar yrrwr y jîp, oherwydd rhoes hwnnw'r cerbyd mewn gêr a sathru'r sbardun. Wrth i'r jîp saethu yn ei flaen, tynnwyd Alexandros oddi ar ei draed a rhoddodd sgrech uchel o boen wrth i'w freichiau gael eu rhwygo allan o'u socedi. Rhythodd Jung yn gegrwth wrth wylio'r jîp yn gyrru i ffwrdd, a'r dyn yn bowndian y tu ôl iddo fel bagiad o sbwriel.

Trodd at Golo Wolf a'i wyneb yn wyn. Gwyddai fod ei lais yn crynu wrth iddo siarad.

'Oedd *raid* gneud hynna?' – cyn ychwanegu â dirmyg na cheisiodd ei guddio – 'Herr Hauptmann?'

Roedd y wên yn ôl ar wyneb Wolf. 'O, oedd.'

'Pam? Welis i rioed unrhyw beth mor . . . mor *sadistaidd*!'

O'r tu ôl iddo clywodd un o'r milwyr yn piffian chwerthin, a throdd yn wyllt gan herio pwy bynnag wnaeth hynny i'w wneud o eto.

Cododd Wolf ei aeliau. 'Doeddat ti ddim yn ei nabod o, felly?'

'Be?' Trodd Jung yn ei ôl. 'Nag o'n i, siŵr! Doedd gen i ddim syniad pwy oedd o!'

'Siŵr, rŵan?' gofynnodd Golo Wolf. 'Oherwydd . . . wel, mi ges i'r argraff bendant, Tobias, ei fod o wedi dy nabod di.'

Llanwyd y tawelwch gan sŵn y jîp yn dod yn ei hôl. Er mai dyna'r peth olaf roedd arno eisiau ei wneud, trodd Jung ac edrych.

Doedd y peth budur-goch a orweddai'n llonydd y tu ôl i'r jîp yn ddim byd tebyg i ddyn. Aeth Wolf ar ei gwrcwd a'i bwnio.

'Coelia neu beidio, mae o'n dal yn fyw.' Ymsythodd. 'Gorffenna'r gwaith, Herr Oberleutnant.'

Rhythodd Jung arno. Yna trodd a thynnu'i bistol o'r holster. Gweddïai fod y creadur bach yn anymwybodol wrth iddo blygu drosto, anelu a thanio. Neidiodd pen y dyn i fyny ac yn ôl i lawr ar wyneb caled y ffordd.

'Neu, ar y llaw arall, falla wir 'i fod o wedi hen roi ei rech ola,' clywodd Golo Wolf yn dweud y tu ôl iddo. 'O, wel, ma'n eitha peth inni fod yn siŵr, ti'm yn meddwl, Tobias?'

Trwy feddwl Tobias Jung fflachiai delwedd ohono'i hun yn troi ac yn gwagio gweddill ei fwledi i wyneb a chorff Golo Wolf: gwelodd yn glir y wên anghynnes honno'n malu'n deilchion. Crynai drwyddo â'r ysfa, a dechreuodd rhyw sŵn rhyfedd ffurfio yng ngwaelodion ei wddf, sŵn fyddai wedi troi'n sgrech uchel – y preliwd i droi a saethu – pe na bai'r sgrech wedi'i boddi gan glecian gynnau'n cael eu paratoi ar gyfer tanio.

Trodd yn araf, a gweld bod sawl milwr yn pwyntio'u gynnau tuag ato. Camodd Golo Wolf ymlaen a chymryd ei bistol oddi arno. Syllodd i wyneb Jung am rai eiliadau, ei wyneb yn gymysgedd o atgasedd, dirmyg, siom a pheth tristwch. Yna rhoes slasan i Jung ar draws ei wyneb hefo baril y pistol, a theimlodd Jung flaen y baril yn rhwygo cnawd ei foch.

'Y blydi ffŵl, Tobias,' meddai Wolf. 'A mond i ti gael gwybod,' – edrychodd ar ei wats – 'mi ddylai'r Fräulein Magdalena Dürr fod wedi'i harestio gan y Gestapo tua hanner awr yn ôl. Erbyn heno mi fydd hi ar ei ffordd i Berlin i sefyll ei phrawf am fradychu'r Reich a'r Führer.'

Rhagor o syllu, a disgwyliai Jung i Wolf godi'r pistol a'i saethu yn y fan a'r lle. Ond yn lle hynny rhoes Wolf nòd ar y milwyr a throi tua'r cerbydau. Dechreuodd y milwyr lusgo Jung tuag at y jîp.

'Wolf!'

Trodd Golo Wolf.

'Be amdana i?' gofynnodd Tobias Jung. 'Be sy'n mynd i ddigwydd i mi?'

'Rwyt ti'n dŵad hefo ni,' atebodd Wolf. 'I Anogia.'

*

Gallai glywed y gweiddi'n dod o rywle'r tu ôl iddi.

Roedd hi wastad wedi gobeithio cael nofio hefo'r dolffiniaid, byth ers iddi glywed eu bod nhw weithiau'n dod i mewn i'r porthladdoedd. Ond doedd hi erioed wedi'u gweld nhw yno.

'A wnei di ddim, chwaith, bellach,' roedd Tobias Jung wedi'i ddweud wrthi. 'Mae'r dŵr yma'n rhy fudur iddyn nhw'r dyddiau yma – diolch i ni,' ychwanegodd yn sarrug, a chofiai Magda feddwl: Ia, mae hyn wastad wedi bod yn chwilan ganddo, y ffaith ein bod *ni* wedi gwneud yr ynys yma'n ynys hyll, yn enwedig harbwr pob porthladd, a oedd, yn ôl Tobias, yn arfer bod yn ddigon o ryfeddod cyn i ni ddŵad yma hefo'n llongau a ballu i rechu olew a budreddi o bob math i mewn i'w dyfroedd.

Roedd o'n iawn, hefyd. Blas olew a phetrol oedd i'r dŵr yn harbwr Hania. 'Falla, pan fydd hyn i gyd drosodd,' ddywedodd Tobias Jung, 'mi fedrwn ni fynd allan mewn cwch i'r bae, ac mi gei di nofio efo'r dolffiniaid wedi'r cwbwl.'

Falla . . . fo a'i falla. Pob addewid wastad yn 'falla' ganddo.

Ond roedd o'n iawn i beidio ag addo, meddyliodd Magda rŵan. Fo oedd yn iawn drwy'r adeg. Fydd 'na ddim diwedd i'r rhyfel yma, a wnaiff pethau byth setlo digon i ni fedru mynd allan mewn cwch i'r bae. Mi fydd y rhyfel yn mynd ymlaen ac ymlaen nes, yn y diwedd, mai dim ond rhyw lond dwrn o bobol fydd ar ôl yn y byd. Os hynny.

Roedd y gweiddi wedi peidio. Gwyddai heb edrych eu bod nhw'n galw am gwch modur – yn sgrialu i mewn iddo erbyn hyn, hyd yn oed. Ond roedd hi bron allan o'r harbwr erbyn hynny, yn nofio rhwng dwy long anferth, lwyd, a reit yng nghysgod un ohonyn nhw, yn diflannu o dan y dŵr ac yn codi lathenni i ffwrdd, i fyny ac i lawr yn union fel dolffin. Nofiai'n noethlymun ar ôl diosg ei choban wen, eiliadau ar ôl i'w chorff drywanu dŵr yr harbwr.

Hoffai gredu mai Sophie a Hans oedd wedi'i rhybuddio. Yn sicr, roeddan nhw ar ei meddwl pan gododd yn hanner gwyll y bore bach i fynd i'r tŷ bach, ei phledren yn orlawn ar ôl gormod o goffi neithiwr, coffi uffernol wedi'i wneud o fes a chorbys. Ar ei ffordd o'r tŷ bach, clywodd y lleisiau'n dod i fyny'r grisiau, a'r sibrydion i'w clywed yn uchel yn nhawelwch yr hostel. 'Dürr,' clywodd, 'Magdalena Dürr,' ac yn ôl â hi wysg ei chefn i'r tŷ bach tywyll, gan adael y drws yn gilagored a sefyll y tu ôl iddo fel y byddai pwy bynnag a gerddai heibio i'r drws ac edrych i mewn yn gweld dim byd ond y toiled.

Cyn gynted ag yr aethon nhw heibio'r drws, ac yna yn eu blaenau ar hyd y coridor, ac aros y tu allan i'w hystafell, caeodd y drws yn dawel, a'i gloi. Yna trodd at y ffenest, ei hagor a dringo allan – yn ei choban – gan eistedd ar sil y ffenest cyn ei gollwng ei hun i lawr fesul tipyn nes ei bod yn hongian oddi ar y sil gerfydd ei bysedd fel y byddai ei chwymp yn llai, a'i gollwng ei hun i'r ddaear. Rhowliodd ac yna sefyll, ac oedd, roedd hi'n iawn, diolch i Dduw, felly dechreuodd redeg, Duw a ŵyr i ble. Dim ond rhedeg drwy'r llwyni a'r coed olewydd, a'r ddaear yn brathu gwaelodion ei thraed â phob cam o'i heiddo.

Dyna pryd y clywodd y floedd gyntaf yn dod y tu ôl iddi, ac ergyd pistol. Rhedodd, ac yna llanwyd ei ffroenau â phersawr y môr. Roeddan nhw ar ei hôl hi rŵan, dynion ac esgidiau am eu traed tra oedd ei thraed gwynion, meddal hi'n troi'n goch gan waed, ac yn dod yn agos at droi ei rhedeg yn hercian.

Cyrhaeddodd yr harbwr – dynes wallgof mewn coban wen wedi dianc o rywle neu'i gilydd – ei thraed yn ddau lwmp o gig amrwd ond doedd dim ots, roedd hi bellach wrth ochr yr harbwr. Dim ots bod y gweiddi'n uwch ac yn nes o lawer, roedd hi yno uwchben y dŵr, yn yr awyr ac yna yn y dŵr ac oddi tano, a diflannodd y boen o'i thraed wrth iddi gicio a phlymio'n is ac yn is cyn ildio o'r diwedd i'r pwysau yn ei chlustiau a chodi i'r wyneb heb y goban wen.

Yna roedd hi allan o'r harbwr ac oedd, roedd Tobias yn iawn, roedd y dŵr yma'n lân ac yn blasu o halen. Ond gallai glywed peiriant y cwch modur yn gwenynu'n nes ac yn nes, ac edrychodd i fyny ar yr awyr oedd yn dechrau troi'n las.

O, Tobias, meddyliodd.

Cododd i fyny yn y dŵr un waith eto cyn diflannu o dan y tonnau. Nofiodd i lawr ac i lawr ac i lawr, a gwyddai ei bod yn gwenu'r wên fach fodlon honno y sylwodd Sophie arni flynyddoedd yn ôl ym mhwll nofio Munich.

Wrth gwrs fod Magda'n gwenu.

Roedd Magda, wedi'r cwbl, yn ei helfen.

25

Awst yn Anogia

Meudwy gorffwyll

Mynydd Ida

Eisteddai dau ffigwr ar gerrig gwastad y tu allan i hen gwt bugail, yn gwylio'r nos yn cropian yn araf dros y llethrau. Yn y gorlan y tu ôl iddyn nhw, gorweddai'r defaid a'r geifr ar eu boliau, yn rhy swrth a llipa hyd yn oed i godi'u ffroenau a synhwyro'r aer yn y gobaith fod rhyw fath o awel yn dod o rywle.

Ond o leiaf roeddan nhw wedi cael eu cneifio; roedd Yanni wedi bwrw iddi ar ei ben ei hun eleni ar drothwy'r haf, cyn iddi fynd yn rhy boeth. Fel arfer byddai Manoli a Levtheri yno i'w helpu, ynghyd â dau neu dri o fugeiliaid lleol eraill; byddent eu tri wedyn yn helpu'r rheiny gyda'u preiddiau hwythau.

Ond ers y rhyfel . . .

Cofiai Marko y byddai'n edrych ymlaen at y cyfnod cneifio â theimladau cymysg. Roedd yn gas ganddo'r cneifio ei hun, a theimlai nad oedd ond eisiau iddo edrych ar ddafad iddi ddechrau gwingo'n aflonydd, fel tasa hi'n cael ei bwyta'n fyw gan forgrug tân, a mynnai pob gwellaif a gydiai ynddo fynd i bob cyfeiriad ond yr un iawn wrth iddo chwysu i geisio meistroli'r grefft o gneifio. Roedd ei dad a'i frawd a Yanni yn hen giamstars arni, wrth gwrs, a bron yn gallu cneifio â'u llygaid ynghau: munud neu ddau, a dyna i ni ddafad foel. Ond Marko?

'Jacob yn ymgodymu â'r angel,' hoffai ei dad ddweud bob tro y byddai Marko'n ceisio mynd i'r afael ag unrhyw ddafad, wastad i gorws o chwerthin uchel. Teimlai weithiau fod rhai o'r bugeiliaid eraill yn cynnig helpu Manoli ddim ond er mwyn cael dod i'w wylio fo, Marko, yn stryffaglu o un llanast i'r llall.

Cyn gynted ag y byddai'r cneifio wedi'i orffen, fodd bynnag, roedd hi'n amser y wledd. Ymdrechodd Marko rŵan i beidio â meddwl am y gwleddoedd hynny, ond roedd hi'n rhy hwyr – roedd arogl y cigoedd wrth iddyn nhw gael eu rhostio a'u berwi'n goglais ei gof a'i ffroenau'n barod, a'r cof oedd ganddo o'r *dolmades* a'r blodau *zucchini* wedi'u stwffio hefo reis yn dod â dŵr i'w ddannedd.

Ac yna'r dawnsio.

Cododd ar ei draed mor sydyn fel y bu bron i Nikos neidio. *Be rŵan?* Ond yna dechreuodd Marko gerdded o gwmpas dan fwmian iddo'i hun, i fyny at y gorlan a heibio i'r cwt ac yn ôl. Gwnâi hyn yn aml, ac roedd Nikos wedi dod i ddeall mai dyma oedd ffordd Marko o gael gwared ar rywbeth o'i feddwl, un o'r pethau a ddôi i'w boeni sawl gwaith y dydd, a droeon yn ystod y nos. Ond fyddai o ddim yn codi a cherdded o gwmpas yn y nos, dim ond os byddai'r gweiddi a wnâi yn ei gwsg wedi bod yn ddigon uchel i'w ddeffro.

Roedd Nikos wedi dychryn am ei fywyd y tro cyntaf i hynny ddigwydd, y noson ar ôl iddyn nhw gladdu Yanni a Tasia – y ddau, y bugail a'i gi, yn yr un bedd, ond o leiaf roedd Yanni bellach *yn* y mynydd ac yn rhan ohono, fel y gwyddai Nikos a Marko y byddai wedi dymuno bod, a'r garn uchel o gerrig trymion ar y bedd yn sicrhau na allai 'run dyn nac anifail sgrialu i lawr atyn nhw. Roedd Nikos wedi llwyr ymlâdd erbyn hynny, ar ôl ei holl nosweithiau'n hanner cysgu, heb sôn am y noson uffernol honno pan fu'n gwarchod corff Yanni rhag y *kokkalas*. Serch hynny, deffrodd yng nghanol y nos i glywed Marko'n bloeddio'n uchel yn ei gwsg; cododd Nikos ei ben, a dod yn agos iawn at floeddio ei hun.

Roedd y llygedyn o olau o weddillion y tân rhedyn yn ddigon iddo allu gweld yr hyn a dybiai i ddechrau oedd y diafol ei hun yn dod ato ar ei bengliniau ar hyd llawr y cwt. Yna sylweddolodd mai Marko oedd o, hefo cyllell fawr Yanni yn ei

441

law, ei lygaid yn fawr ac yn grwn ac yn sgleinio'n goch, rywsut, yng ngolau'r tân. Roedd y llygaid yn rhythu arno fel petai Marko'n benderfynol o'i ladd. Llusgodd Nikos ei hun oddi wrtho a chodi ar ei draed. Yna sylweddolodd nad oedd llygaid Marko wedi'i ddilyn a'u bod nhw'n dal i rythu'n syth o'i flaen. Yn ofalus, symudodd Nikos fesul tipyn ar hyd muriau'r cwt nes iddo fedru teimlo ochrau'r drws y tu ôl iddo. Llithrodd allan i'r nos gan adael Marko yno'n penlinio ar y llawr. Pan fentrodd Nikos ddychwelyd i'r cwt, roedd Marko wedi mynd yn ôl i'w gornel ac yn cysgu'n sownd.

Dychwelodd Nikos i'w gornel yntau, ond wrth iddo wneud hynny trawodd ei droed yn erbyn rhywbeth caled. Edrychodd i lawr a gweld *mavrománika* Yanni, wedi'i phlannu'n ddwfn yn y ddaear yn union lle bu Nikos yn gorwedd cyn i Marko'i ddihuno â'i weiddi. Aeth allan a threulio gweddill y noson yn y gorlan hefo'r defaid a'r geifr.

Drannoeth, sylwodd fod *mavrománika* Yanni yn ei hôl ar wregys Marko. Y diwrnod hwnnw hefyd y dechreuodd Marko grwydro o gwmpas dan fwmian wrtho'i hun. Wyddai Nikos mo hyn, wrth gwrs, ond mwmian darnau o gerdd yr *Erotókritos* yr oedd o – pytiau oedd wedi sleifio i'w gof ar ôl yr holl flynyddoedd o fynd i gysgu i gyfeiliant lleisiau Yanni a'r bugeiliaid eraill yn adrodd y llinellau diddiwedd o gwmpas y tân.

Wrth i'r dyddiau fynd heibio, âi Marko'n fwy a mwy tawedog, ar wahân i'r mwmian diddiwedd hwnnw. Eisteddai am oriau a'r reiffl ar ei lin, yn syllu ar y defaid fel pe na bai o erioed wedi gweld y fath greaduriaid yn ei fywyd. Cymerai lai o sylw o Nikos bob dydd. Weithiau roedd hi fel tasa'r hogyn ddim yno o gwbl, dro arall rhythai arno am hydoedd, ei ben a'i lygaid yn troi i'w ddilyn i bobman, fel tasa fo ddim yn siŵr be'n union roedd o'n ei weld, neu hwyrach ddim hyd yn oed yn ei weld o gwbl.

Ceisiodd Nikos droeon ei gael i siarad – i ddweud rhywbeth am Manoli a Levtheri a gweddill yr *andártes* – ond yn ddi-ffael, ysgydwai Marko'i ben yn ffyrnig cyn codi a chrwydro a mwmian

442

i mewn i'w locsyn; felly buan iawn y rhoes Nikos y gorau i hynny. Roedd hi'n haws trio cynnal sgwrs efo'r mul ddaethai yma efo Marko, meddyliai – ac yn saffach o beth coblyn, oherwydd doedd y mul ddim yn edrych ar Nikos fel tasa fo'n ceisio penderfynu sut i'w ladd.

Ac roedd Marko'n anobeithiol am edrych ar ei ôl ei hun. Byddai wedi byw ar blanhigion a thrychfilod petai Nikos heb goginio *misíthra* un diwrnod – y tro cynta iddo wneud hynny ei hun, ond roedd o wedi gwylio Yanni wrthi ddigon i wybod sut i fynd o'i chwmpas hi. Yn ystod y broses hir yma, roedd Marko wedi dod i mewn i'r cwt ac eistedd ar y llawr, gan syllu ar Nikos yn troi'r llefrith yn y crochan, heb hidio dim am y mwg a ymosodai ar ei lygaid gan wneud iddyn nhw ddyfrio'n boenus.

Dyna pryd y penderfynodd Nikos fod yn rhaid iddo fynd yn ôl i Anogia: byddai'n rhaid iddo gael help rhywun arall i fod hefo Marko. Doedd hwnnw ddim ffit i fod yma ar ei ben ei hun, a Duw a helpo'r defaid a'r geifr tasan nhw'n cael eu gadael yn ei ofal. Duw a helpo Nikos ei hun, petai hi'n dod i hynny; roedd o'n treulio pob nos yn y gorlan hefo'r anifeiliaid, yn cael ei ddeffro ymhell cyn y wawr gan y bloeddio o'r tu mewn i'r cwt, ac yn crynu drwyddo wrth ddychmygu Marko a'r gyllell yn ei ddwrn a'i lygaid yn sgleinio'n goch. Roedd bod allan yn yr awyr agored yn iawn ym mis Awst, ond cyn bo hir mi fyddai'r awel yn dechrau magu dannedd.

Roedd Nikos wedi gwneud digon o'r *misíthra* i'w gadw i fynd am hydoedd, felly fyddai dim raid iddo boeni y byddai Marko'n llwgu yn y cyfamser, a ph'run bynnag, roedd digon o blanhigion a thrychfilod ar gael yr adeg yma o'r flwyddyn. Penderfynodd fynd â'r mul efo fo.

Â'r atgofion am yr awyren a ymosododd arno fo a Maria yn fyw yn ei feddwl, cychwynnodd un ben bore ar ôl godro'r geifr, cyn bod y tarth wedi codi o'r dyffrynnoedd islaw. Aeth â *mavrománika* Marko hefo fo, gan fod Marko wedi penderfynu mai ganddo fo roedd yr hawl i un Yanni.

Trodd un waith ac edrych yn ei ôl i fyny. Safai Marko y tu

allan i'r cwt yn ei wylio'n mynd – ia, dim ond Marko, er i Nikos feddwl am eiliad fod rhywun arall yno hefyd, yn sefyll wrth ei ochr. Cododd Nikos ei law – ond i be? Doedd Marko ddim callach ei fod o yno hanner yr amser; doedd o ddim yn debygol o gydnabod y ffaith ei fod o'n mynd, nagoedd?

Eto, sefyll yno'n ei wylio wnaeth Marko, nes i Nikos a'r mul ddod at dro yn y llwybr a diflannu o'i olwg.

Dwrn ar ddrws pren

Byth ers y dydd Llun hwnnw y daethai'r milwyr o Yení Gavé, roedd cymysgedd o banig ac ofn wedi bod yn chwyddo'r tu mewn i stumog Maria. Doedd hi ddim wedi mynd ar gyfyl y sgwâr y diwrnod hwnnw. Roeddan nhw wedi clywed y rhybuddion o'r tŷ, ond 'Dwyt ti ddim i fynd yno, Maria' oedd Thera wedi'i ddweud yn bendant wrthi. 'A waeth iddyn nhw heb â dŵad yma; does gynnon ni ddim dynion yma erbyn hyn, maen Nhw wedi gofalu am hynny.'

Roedd y tair wedi cofleidio'i gilydd yn dynn – Maria, Thera ac Adonia – pan ddaeth sŵn y saethu. Gallai Maria deimlo'i mam yn crynu drwyddi, a chlywed Adonia'n gwneud synau bach ofnus yng nghefn ei gwddw. Yna daeth y newyddion am y lladd, a'r gair fod pawb i adael y pentref, a dyna pryd y crynhodd panig gwirioneddol y tu mewn i Maria. Ond roedd ei mam yn llipa, yn hurt, ac yn symud fel un mewn breuddwyd.

'Mam – dowch!'

'Wn i, wn i.'

Roedd Thera'n sefyll yng nghanol y gegin. Beth i'w adael ar ôl? Roedd penderfynu beth i fynd *hefo* nhw'n haws o beth myrdd: bwyd, diod, dillad cynnes ar gyfer y nos, hynny bach o arian oedd ganddyn nhw yn y tŷ, yr hen gas lledr hwnnw a oedd yn gartref i'w dogfennau pwysicaf, lluniau o'r teulu, elïau a moddion. Unrhyw beth gwerthfawr arall . . .

Ia. Dyna lle roedd pethau'n dechrau mynd yn anodd,

oherwydd mwya sydyn roedd cymaint o bethau cymharol ddibwys wedi magu rhyw werth anhygoel.

'Hwn, Mam?'

'Mm, ia . . .'

'A be am y rhain?'

'Na . . . na, dwi ddim yn meddwl. Er, dwn 'im, chwaith. Na, gwell peidio, erbyn meddwl.'

'Be am hwn, ta?'

Dim ateb.

'Mam . . .'

Roedd Maria wedi troi a gweld bod Thera wedi suddo i'r gadair a'i hwyneb yn ei dwylo.

'Fedra i ddim gneud hyn, Maria.'

'Mam, ma *raid* i ni.'

Dwi'n teimlo ar goll, meddyliodd Thera, ar goll yn lân yn fy nhŷ fy hun. Clywodd sŵn traed Maria'n dod tuag ati a theimlo'i breichiau'n cau amdani, a Duw a'i helpo, ond roedd yn rhaid i Thera ei hatal ei hun rhag gwthio'i merch oddi wrthi: roedd yr ysfa i gael *gwneud* rhywbeth, rhoi ergyd i gyfeiriad rhywun, bron iawn yn drech na hi.

Y Nhw sydd wedi gwneud hyn i mi, meddyliodd – y Germani ffiaidd, uffernol 'na. A pha hawl oedd ganddyn nhw? Doedd gen i affliw o ddim byd i'w wneud â'u hen ryfel nhw, ond eto dyma nhw'n cipio ngŵr oddi arna i, fy mab hynaf – a'r ieuengaf hefyd, hyd y gwn i – a rŵan maen nhw am ddŵad yma a llosgi nghartre i'n ulw.

Fel tasan nhw'n llosgi sbwriel.

Fel pob dynes, pob mam, pob gweddw yn Anogia, roedd hi wedi gorfod dygymod ag emosiwn newydd a dieithr, a doedd hi ddim yn siŵr iawn beth i'w alw fo. Credai ei fod yn gryfach na chasineb, oherwydd câi ei fwydo gan gynddaredd a llid, a'r peth gwaethaf am y llid hwn oedd ei ddiymadferthedd llwyr. Berwai'r tu mewn iddi ddydd a nos, heb unman i fynd, gan ei gadael yn hollol rwystredig ac yn teimlo fel sgrechian. A gwyddai, petai yna griw o *andártes* yn cyrraedd yma rŵan ac yn taflu milwr Almaenig o'i blaen, na fuasai'r creadur hwnnw'n

445

agos at fod yn ddigon i fodloni'r awydd ofnadwy hwn. Roedd arni eisiau distrywio'r genedl gyfan – a doedd yr wybodaeth fod yna famau a gweddwon yn yr Almaen a deimlai'n union yr un casineb â hi o ddim cysur o gwbl.

'Mam?' meddai llais tawel Maria yn ei chlust.

Nodiodd a sychu'i dagrau. 'Dwi'n gwbod,' meddai Thera. 'Dwi'n gwbod bod yn rhaid i ni.'

'Dowch, ta – plis, dowch.'

Edrychodd o gwmpas y gegin – ei chartref gorlawn o atgofion, llawer ohonyn nhw wedi mynd yn angof ganddi tan y dyddiau diwethaf. Roeddan nhw fel ysbrydion, yn ymddangos o bob twll a chornel, fel petai'r ffaith ei bod hi am gefnu arnyn nhw wedi'u deffro a'u sbarduno i ddod allan a deud, 'Hei, be amdanon *ni*? Dwyt ti rioed am fynd a'n gadael ni – ddim y ni!'

A Maria?

Fedrai Maria ddim peidio â meddwl am yr awyren honno a rwygodd Elias y Rhedwr yn ei hanner, a'r peilot yna'n gwenu arni cyn ceisio'i orau glas i wneud yr un peth iddi hi. Dynion fel hwnnw oedd ar eu ffordd yma.

Mi ddylsan ni fod wedi hen fynd erbyn hyn, meddyliodd, ond yma rydan ni'n tin-droi, a'r pentref cyfan yn prysur wagio o'n cwmpas. Ysai am gael cydio yn ei mam a'i hysgwyd yn galed, a sgrechian yn ei hwyneb. Ond roedd Thera yn ei chwrcwd, yn siarad yn dawel efo Adonia, a hyd yn oed wedi llwyddo i hymian canu wrth ymdrechu i'w gwisgo mewn hen drowsus. Doedd Adonia'n helpu dim arni wrth i Thera stryffaglu i dynnu'r trowsus i fyny o dan ei sgert. Roedd wedi eistedd yn ei hôl ar ei stôl, yn ddall a byddar i bopeth ond y drws a sŵn ei glicied a'i wich, ac yn ymddangos i Maria fel tasa hi'n gwneud ati i fod yn stiff ac yn lletchwith.

Ma hyn yn hollol hurt! Dydach chi, Mam, ddim isio aros yma; dydw i ddim isio aros yma, ond eto yma rydan ni, dim ond am fod hon *– sy ddim hyd yn oed yn un o bobol Anogia – yn mynnu aros yma'n disgwl i'r cwdyn bach annymunol yna ddŵad yn ei ôl. Mi fyddan ni'n cael ein* lladd *oherwydd hon! Ylwch, Mam – mi* *awn ni'n dwy. Chwara teg – sbiwch arni. Dydi hi ddim callach ydan ni yma efo hi ai peidio.*

DWI'N MYND I SGRECHIAN UNRHYW FUNUD . . .

'Mam – 'dan ni'n *mynd!*'

Ymsythodd Thera o'r diwedd a chwythu cudyn o'i gwallt oddi ar ei thalcen chwyslyd. Tynnodd yn ysgafn ar fraich Adonia a'i chodi ar ei thraed. Nodiodd ar Maria, a symudodd Maria'r stôl oddi wrth y drws a'i rhoi yn ei man arferol wrth y lle tân. Dyna pryd y daeth sŵn dwrn yn curo ar ddrws ffrynt y tŷ.

*

Y Nhw sy 'ma? Dydyn nhw rioed yma'n barod? Na, does bosib; mi fasan ni wedi clywed rhywbeth cyn hyn. Fasan nhw ddim yn curo'n gwrtais fel yna, p'run bynnag.

Yr un olaf yna a arafodd rywfaint ar galonnau Thera a Maria wrth i'r curo ddod eilwaith, fymryn yn uwch ond yr un mor betrusgar.

Ac yna'r llais. 'Kyría Thera? Maria?'

Edrychodd Maria ar ei mam. 'Eris Stagakis.'

'Wel, agor i'r hogan.'

Ond fedrai Maria ddim symud, dim ond sefyll yno fel delw. Teimlai fod Eris, mewn rhyw ffordd neu'i gilydd, yn mynd i'w rhwystro rhag ffoi, ac wrth i'w mam ymwthio heibio iddi tuag at y drws, gwyddai hefyd, petai'r nerth ganddi, y byddai wedi tynnu'i mam yn ei hôl a phlannu'i llaw dros ei cheg nes bod Eris yn rhoi'r ffidil yn y to ac yn mynd oddi yno. Ond rŵan fedrai hi wneud dim ond sefyll yno'n gwylio Thera'n datgloi'r drws ac yn ei gilagor.

'Eris!' meddai Thera, a chamu'n ei hôl er mwyn i Eris fedru llithro i mewn i'r tŷ. Rhythodd Maria arni. Prin y baswn i wedi'i nabod taswn i wedi'i phasio ar y stryd, meddyliodd. Roedd ei siwmper a'i sgert yn hen a di-raen; ei gwallt, pan dynnodd ei sgarff, wedi colli'i sglein ac yn hongian yn glymau blêr, a'r cnawd o gwmpas ei llygaid wedi chwyddo'n goch.

Cyffyrddodd â'i braich. 'Eris, be *sy*?' meddai, a gweld llygaid Eris yn llenwi'n syth.

'Kyría Thera,' meddai, 'mae Mam yn gofyn, ellwch chi ddod draw i weld oes rhywbeth fedrwch chi'i neud i Nhad?'

Syllodd Thera arni am eiliad, yna â nòd fechan, trodd i fynd i nôl y moddion oedd mewn *sakoúli* yn y gegin, yn barod i fynd, a meddyliodd Maria: Ro'n i'n *gwbod*, cyn gynted ag y clywais i'r curo, mai rhywbeth fyddai'n ein rhwystro rhag ymadael fyddai yno.

'Ma'n ddrwg gen i, Maria,' meddai Eris, a sylweddolodd Maria ei bod yn syllu ar yr hogan fel tasa hi'n ysu am ei lladd. Ceisiodd nodio a gwenu, ond roedd ei phen a'i gwefusau'n gwrthod symud. Trodd ei chefn, a chlymu'i sgarff dros ei gwallt.

'Reit,' meddai Thera. 'Dowch.'

Wedi iddyn nhw fynd, safodd Adonia yng nghanol y gegin yn ei sgert a'r trowsus oedd filltiroedd yn rhy fawr iddi. Syllodd ar y drws am rai eiliadau fel petai'n disgwyl i Thera a Maria ddychwelyd. Yna, trodd ac estyn y stôl o ochr y lle tân, ei gosod gyferbyn â'r drws cefn, ac eistedd yn glewt arni a'i llygaid wedi'u hoelio ar y drws pren.

Asyn Duw

Noson ola leuad.

Petaech chi'n uchel ar y mynydd ac yn edrych i lawr ar Anogia, go brin y byddech chi'n gweld dim byd yn wahanol i'r arfer. Roedd gofyn i chi fod yn sefyll rhwng y cloddiau, ar y llwybrau cerrig taclus, i deimlo'r llonyddwch a orweddai fel niwl dros y pentref, a phrofi rhythu iasol y ffenestri dall o'ch cwmpas. Go brin y byddai neb yn gweld bai arnoch chi am feddwl mai pentref o ysbrydion oedd Anogia heno.

Ddim hyd nes ichi ddod yn ymwybodol fod rhywun yn crwydro'r strydoedd gweigion hyn, ei lais yn dod yn nes ac yn chwyddo'n uwch ac yn uwch wrth iddo godi'i ddwrn ar y lleuad lawn.

Dyn oedd hwn a felltithiai ei Dduw.

Ym mhob stryd, gwaeddai'r Tad Kosta Yrakis yr un geiriau, gan droi mewn cylchoedd a cherdded yn ôl a blaen o glawdd i glawdd, o fur i fur, bron fel petai'n bowndian oddi arnyn nhw, a'i gasog ddu yn fflapian o gwmpas ei goesau.

'Ar fy nghefn!' gwaeddodd. 'Ydach chi'n clywad? Mi gluda i bob un ohonoch chi i fyny'r mynydd ar fy nghefn. Pawb ohonoch chi, un ar ôl y llall, a wna i ddim gorffwys, wna i ddim suddo ar fy nglinia nes bydda i wedi cario'r olaf un ohonoch chi o 'ma! *Dyna* be ydach chi isio? Mi wna i hynny, 'chi, mond ichi ddeud. Drychwch, dyma fi rŵan, ar 'y ngliniau, yn addo i chi gerbron y Duw mawr 'na sy'n gwrthod gwrando ar unrhyw air. Asyn Duw, dyna be ydw i. Fi ydi asyn Duw!'

Cododd ei wyneb a'i ddwrn i'r awyr.

'Wyt ti'n hapus rŵan? Wnei di fodloni ar hyn, ta? Alla i ddim gneud dim mwy. *Alla* i ddim!'

A fedrai Eva Yrakis wneud dim byd ond ei ddilyn o stryd i stryd, cyn sefyll yn fud a'r dagrau'n powlio i lawr ei gruddiau wrth iddi wylio'i gŵr yn mynd o'i gof, a dyn y lleuad yn dylyfu gên uwchlaw pentref Anogia.

*

Roedd hi'n amhosib dweud pryd y dechreuodd Kosta golli arni. Hwyrach mai diwedd y pnawn Llun hwnnw pan gyrhaeddodd yn ei ôl o bentref Gonies. Roedd yn hollol gynddeiriog efo fo'i hun pan glywodd am yr hyn oedd wedi digwydd yn ei absenoldeb.

'Kosta, be fasat ti wedi gallu'i neud, p'run bynnag, tasat ti wedi bod yma?' gofynnodd Eva.

'Siawns na fedrwn i fod wedi gallu gneud *rywbath* – siarad efo'r sarjant 'na, trio'i gael i fod yn rhesymol.'

'Doedd 'na ddim siarad efo'r dyn,' meddai Eva, a oedd yn y sgwâr ond wedi cael ei hebrwng oddi yno'n gyflym pan ddechreuodd Josef Keller alw am wystlon. Petai o wedi gweld bod gwraig yr offeiriad yno – ac oedd, roedd o'n gwybod pwy oedd hi – yna Eva fuasai un o'r rhai cyntaf iddo fod wedi'i

449

chymryd. 'Mi fasat ti wedi cael yn union yr un peth ag a gafodd Georgios Stagakis druan, os nad gwaeth, Kosta. Wnaeth y ffaith eu bod nhw'n offeiriaid ddim arbed unrhyw un o'r lleill, cofia,' ychwanegodd, gan gyfeirio at nifer o offeiriaid o bentrefi eraill a gawsai eu saethu gan yr Almaenwyr dros y blynyddoedd.

'Ond fy lle i oedd bod yma, efo fy mhobol,' taerodd ei gŵr, yn ymwybodol ei fod yn swnio braidd yn rhodresgar ond yn meddwl pob gair. Dwi wedi'u siomi nhw unwaith eto, meddyliodd. Ond hwyrach fod Eva'n nes ati nag y mae hi ei hun yn ei sylweddoli; petawn i wedi bod yma, pa iws faswn i wedi bod iddyn nhw mewn gwirionedd? Wedi'r cwbwl, dydw i ddim hyd yn oed rŵan yn gallu dwyn perswâd ar hynafiaid Anogia i ymuno hefo gweddill y pentrefwyr ar y mynydd.

Roedd nifer wedi gadael y pentref yn syth: roedd tair blynedd o'u presenoldeb wedi dangos nad oedd yr Almaenwyr yn rhai i din-droi cyn mynnu dial. Wedi'r cwbl, roedd wyth o filwyr wedi'u lladd – gan gynnwys y sarjant a gafodd ei ddienyddio gan yr *andártes*, ynghyd â'r milwyr oedd yn dal yn fyw ar ôl yr ysgarmes.

Ond deg Cretiad am bob un Almaenwr . . .

Drannoeth, roedd ysgarmes arall wedi digwydd, un llawer iawn mwy, nid nepell o bentref Damasta. Beth yn union ddigwyddodd yno, doedd Kosta ddim yn siŵr iawn; clywsai sawl fersiwn a sawl dehongliad. Roedd Radio Creta'n wych am drosglwyddo newyddion, ond ddim cystal hefo'r manylion. Deallodd fod y Sais Billy Moss (yr un a oedd, gyda 'Michali', yn gyfrifol am gipio'r Cadfridog Kreipe) yn ei ôl ar yr ynys, ac mai fo oedd y tu ôl i'r ysgarmes. Yn ôl rhai, bu'n cynllunio'r ymosodiad ers peth amser, ymhell cyn y digwyddiad ar y ffordd i Yení Gavé. Er ei fod wedi dweud wedyn mai ymdrech i rwystro'r Almaenwyr rhag dial ar Anogia oedd y cyfan, roedd 'na sibrydion mai chwilio am ryw ddogfennau arbennig roedd o mewn gwirionedd.

Y cyfan a wyddai Kosta go iawn, a'r cyfan oedd yn bwysig iddo ar y foment, oedd fod oddeutu deg ar hugain o filwyr Almaenig wedi'u lladd yn yr ysgarmes, a bod nifer o *andártes*

Anogia'n rhannol gyfrifol, o leiaf – gan gynnwys Xylouris, y *kapetán* ei hun, a thad Gaia Leladakis, Nikolaos. Am Marko Alevizakis, ni chlywsai Kosta unrhyw sôn.

Ac os oedd yr Almaenwyr yn debygol o ddial ar Anogia i dalu'n ôl am yr hyn a ddigwyddodd i Josef Keller a'i filwyr, yna roeddan nhw'n sicr o wneud hynny yn sgil yr ymosodiad ger Damasta.

Deg Cretiad am bob un Almaenwr. Dim rhyfedd, felly, fod y rhan fwyaf o drigolion Anogia eisoes wedi dianc am y bryniau a'r mynydd.

Y rhan fwyaf ohonyn nhw. Ond roedd rhai'n gwrthod mynd.

*

'Dwi ddim am fynd,' meddai Eleni Vandoulakis.

Y peth rhyfeddaf oedd ei bod hi'n gwenu wrth ddweud hyn: gwên fach dawel, ychydig yn flinedig, fel sy gan rywun ar derfyn diwrnod caled ond boddhaus o waith. A'r wên yna, yn anad dim, a ddywedodd yn glir wrth Kosta fod Eleni Vandoulakis yn meddwl pob gair o'i brawddeg fer.

Ceisiodd ddychmygu Anogia hebddi, ond fedrai o ddim. Roedd y ddwy chwaer, Iríni a Rodianthe, yno hefo hi; trodd Kosta atynt, gan dybio'u bod hwythau, fel yntau, wedi dod yma i ddwyn perswâd arni i newid ei meddwl, ac wedi cael ail.

'Waeth i ti heb ag edrach arnon ni, Kosta,' meddai Rodianthe. 'Rydan ninna wedi penderfynu aros hefyd.'

'Na!' meddai Kosta Yrakis. 'Na!'

Teimlodd law ysgafn ar ei arddwrn.

'Kosta,' meddai Eleni. 'Gwranda, ngwas i. Dwi'n *hen*; rydan ni i gyd yn hen. Ia, hyd yn oed y ddwy gloman acw, er eu bod nhw'n gallu gneud i ambell ffŵl feddwl eu bod nhw ddegawdau'n iau. Ond rydan ni mewn gwth o oedran – yn *rhy* hen bellach. Wyt ti'n dallt?'

Trwy lygaid llaith, syllodd Kosta ar yr wyneb cyfarwydd, caredig a wenai arno, y cnawd fel rhisgl ond eto'n denau fel papur sidan. Nefi, mi fydd 'na chwith ar ei hôl hi, ar eu holau nhw i gyd . . . a dechreuodd wylo go iawn, doedd ganddo mo'r help bellach. Dyn mawr tebol, nobl a blewog yn eistedd yn ei ddu parchus ar gadair galed mewn cegin y bu ynddi ganwaith, weithiau'n chwerthin, bob amser yn dadlau ac weithiau'n ffraeo, ac yn aml yn gadael wedi llyncu mul. Ond dyma fo yma heddiw'n torri'i galon fel plentyn wrth i Eleni Vandoulakis roi mwythau i'w ben wrth siarad efo fo.

'Wyt ti wedi bod yn gweld Nikolaos Aerakis?'

Nodiodd Kosta, a thrwy'i ddagrau adroddodd yr hanes. Roedd yr hen ddyn fwy neu lai wedi chwerthin. Roedd ei dŷ wedi'i losgi droeon gan y Twrciaid, meddai, a nifer o'i deulu wedi'u lladd ganddyn nhw. Roedd yn wyrth ei fod o ei hun yn dal yma. 'Gad i'r Germani ddŵad, Pater,' meddai. 'Peth fel hyn ydi rhyfel.' Ac yna adroddodd yr hen ddihareb honno roedd Kosta'n casáu ei chlywed erbyn hyn – honno sy'n dweud nad yw'n bosib cynnal gwledd briodas heb gig.

Ac roedd eraill yr un mor ystyfnig â fo. Fel y gweddwon Kavlendi a fyddai wastad yng ngyddfau'i gilydd tra oedd eu gwŷr yn fyw, ond a fu'n ffrindiau pennaf ers i'w dynion farw. Fel Irene Karaskou ac Evangleina Pasparaki, gweddwon eraill oedd yn cadw'r gwenyn a gynhyrchai'r mêl gorau yn Anogia. Fel yr hen begor cloff Georgios Spinthouris oedd wedi torri ei goes mewn sawl man pan gafodd ei wthio oddi ar ddibyn uchel ar Fynydd Ida gan hwrdd gwallgof, a'r ddau hen gefnder Konstantinos ac Ioannis Xylouris.

Pobol hollol gyffredin – ond pobol mor anhygoel o ddewr. Teimlai Kosta'i galon yn chwyddo nes ei fod yn ei chael hi'n anodd i gymryd ei wynt.

'Rydach chi i gyd cyn waethad â'ch gilydd,' llwyddodd i ddweud o'r diwedd. 'Mor ddiawledig o styfnig. Roedd Asyn Balaam fel ci defaid o ufudd o'i gymharu efo chi.'

'Mi faswn i wedi mwynhau cael gweld un gwanwyn arall, Kosta,' meddai Eleni. 'Mi fasan ni i gyd, wrth reswm. Ond mi wn i'n iawn, dyna lle baswn i'r ha' nesa'n dyheu am gael gweld un gwanwyn arall eto – ac un arall eto wedyn. Ond os nad ydi hynny am fod . . . wel, dyna ni, yndê.'

'Dydan ni ddim yn gneud hyn ar chwara bach, Pater,' meddai Rodianthe. 'Mae'n *amser* – wyt ti'n dallt?'

Nag oedd, doedd o ddim yn dallt. Ai ewyllys Duw oedd hi'n ei feddwl? Os felly, sut fath o dduw oedd yn penderfynu mai fel hyn y byddai pobol mor wych â'r rhain yn diweddu eu hoes? Ai dyna'r math o dduw roedd o'n ei gynrychioli?

*

Doedd Georgios Stagakis ddim am fynd, chwaith, ond roedd hynny oherwydd na fedrai symud.

'O, Thera . . .'

Teimlodd Kosta fwy byth o'i egni'n llifo ohono pan welodd mai Thera Alevizakis oedd yma'n tendiad ar yr arlywydd, a daeth dicter i gymryd lle'r diffyg egni pan sylweddolodd fod Maria ac Eris yn dal i fod yma hefyd.

'Dwi ddim yn mynd heb Mam!' meddai Maria wrth iddi ei weld o'n troi tuag ati hi ac Eris, a'i lygaid yn fflachio.

'Na finna,' ategodd Eris.

Roedd y ddwy wedi camu'n ôl oddi wrtho – wedi'u dychryn braidd o'i weld yn gwthio'i fysedd drwy'i wallt, ac yn tynnu ar ei locsyn fel tasa fo'n gwneud ei orau i'w rwygo oddi ar ei ên. Clywodd Kosta lais rhywun yn eu dynwared yn sbeitlyd – llais rhyw blentyn powld yn dweud, 'Dwi'm-yn-mynd-heb-Mam, na finna, dwi'm-yn-mynd-heb-Mam' – a dim ond pan glywodd Thera Alevizakis yn dweud 'Kosta!' yn siarp y sylweddolodd mai ei lais ei hun a glywai.

Roedd Georgios Stagakis yn ceisio dweud rhywbeth wrtho, a chofiodd Kosta ei fod o wedi brathu blaen ei dafod i ffwrdd yn y sgwâr y dydd o'r blaen – ia, hwn, y dyn a allai draethu am oriau. Roedd Eleftheria'n plygu drosto â'i chlust wrth ei geg.

'Mae o am i chi wbod, Pater, nad ydi o'n barod am ei gymun olaf eto.'

Roedd Doctor Manoussos wedi tendiad arno wedi i'r milwyr adael y dydd Llun hwnnw, ond doedd y meddyg ddim wedi sylweddoli, meddai Thera, faint o niwed a wnaed i du mewn

Georgios wrth i'r sarjant ei gicio. Roedd wedi dechrau pesychu gwaed.

'Gwaed tywyll hefyd, Pater – bron yn ddu.' Edrychodd ar Kosta. 'Alla i mo'i adael o. Ddim heb wneud fy ngora iddo fo.'

Agorodd Kosta'i geg i ddadlau, ond dywedai ei hwyneb penderfynol yn glir wrtho na fyddai unrhyw ddiben. Ochneidiodd, a thynnu'i fysedd drwy'i wallt unwaith eto.

'O, Thera, Thera.'

Gwasgodd hithau ei fraich. 'Cer â dy wraig i'r mynydd, Kosta. Mi fydd d'angan di yma ar ôl . . . ar ôl i hyn i gyd orffan.'

*

Aeth o ddim, wrth gwrs, er bod Eva wedi pacio'n barod. I'r eglwys yr aeth o a theimlo, wrth iddo weddïo am oriau, nad oedd unrhyw ateb am ddod. Pan gododd oddi ar ei liniau o'r diwedd, baglodd allan o'i eglwys ac edrych yn hurt o'i gwmpas oherwydd roedd hi wedi hen nosi.

Dyna pryd y rhuthrodd drwy'r pentref yn bloeddio nerth ei ben, a neb yn cymryd mymryn o sylw ohono, a neb ond Eva yno i'w weld ar ei liniau ar gerrig crynion un o strydoedd Anogia, yn beichio crio.

Yna clywodd Kosta sŵn annisgwyl, a chodi'i ben i fyny, a gwrando.

Clip-clop, clip-clop . . .

Edrychodd yn wyllt i bob cyfeiriad. Roedd fel petai'n dod o sawl stryd, y sŵn rhyfedd hwn – clip-clop, clip-clop yn adleisio'n wag. Cododd Kosta ar ei draed. Be oedd o? *Lle* roedd o?

Trodd mewn cylch eto, a chwilio, chwilio, fel dyn meddw'n ceisio dod o hyd i'r llwybr cywir fyddai'n ei arwain adref.

'Kosta,' meddai Eva, wrth i'r clip-clop, clip-clop ddod i ben.

Trodd ati a rhythu, a meddyliodd Eva: Dydi o ddim callach mod i yma efo fo, ddim o gwbwl. Amneidiodd i gyfeiriad pen gogleddol y stryd, lle cychwynnai'r llwybr am y mynydd.

Yno, safai asyn yn rhythu'n ôl arno. Ac wrth ochr yr asyn

safai bachgen ifanc, bychan ac eiddil: bachgen â'i ddwy glust yn ymwthio'n gomic o ochrau ei ben.

A throdd wylo'r Tad Kosta Yrakis yn chwerthin afreolus.

Storïwr Embriski

Llethrau Mynydd Ida

Rhanasant â'i gilydd eu bwyd, eu dŵr a'u gwinoedd. Rhanasant eu plancedi a chynhesrwydd eu cyrff, oherwydd roedd eu hangen ar nifer ohonyn nhw ar lethrau Mynydd Ida, canol Awst neu beidio. Rhanasant eu gobeithion a'u hofnau, eu gofidiau a'u gweddïau; rhanasant storïau am eu teuluoedd, gan ddarganfod cysylltiadau newydd ac ambell gyd-ddigwyddiad a wnaeth iddynt ryfeddu ac anghofio am ennyd neu ddwy nad ar eu haelwydydd yr oeddan nhw ond allan o dan y sêr, neu'r tu mewn i geg rhyw ogof.

Cytunwyd, heb i neb ddweud yr un gair yn uchel, mai'r peth gorau i'w wneud yng nghlyw'r plant lleiaf fyddai smalio mai antur fawr oedd hyn i gyd, a chyn gynted ag y byddai pawb wedi cael llond bol, y bydden nhw i gyd yn dychwelyd adref. Ond doedd dim twyllo ar blant Anogia; chwaraeai'r rhai iau hefo'r rhai hŷn oedd wedi bod ar y sgwâr y dydd Llun cynt i weld eu harlywydd yn cael ei chwipio, a'u hathro'n cael ei bwnio â charn reiffl. Yna'r rhai oedd wedi cychwyn cerdded i Yení Gavé, ac a welodd y milwyr yn marw ar ochr y ffordd, ac a glywodd yr ergydion wrth i'r Dyn â'r Chwip a'r milwyr eraill gael eu saethu.

Gwyddai'r plant i'r dim pam roedden nhw yma, ac roedd hi'n dasg amhosib eu rhwystro rhag syllu i lawr y llethrau i gyfeiriad Anogia, yn disgwyl gweld cymylau duon o fwg yn nofio i fyny tuag atyn nhw.

Unrhyw funud.

*

Eisteddai Grigori Daskalakis, fel arfer, ar ei ben ei hun – ond o

455

ddewis y tro yma. Roedd pobol bellach yn ei gyfarch, a rhai'n rhannu bwyd hefo fo, eraill eu diodydd. Ac roedd y plant o'i gwmpas byth a beunydd, yn llawn cwestiynau, ond allai Grigori mo'u hateb gan na wyddai beth oedd eu rhieni am iddyn nhw ei wybod. Doedd ganddo mo'r atebion, p'run bynnag.

Fel y cwestiwn a daflwyd ato gan griw o hanner dwsin o enethod y diwrnod o'r blaen: chwe wyneb ifanc a hollol sobor hefo cwestiwn oedd yn amlwg wedi bod yn achosi cryn bryder iddyn nhw.

'Kýrios Daskalakis, be nath ddigwydd i'r ci?'

'Y ci? Pa gi, Bethania?' Ac roedd o wedi sbio o'i gwmpas, yn rêl llo, oherwydd roedd nifer o bobol Anogia wedi dod â'u hanifeiliaid efo nhw, yn ogystal â hynny o nwyddau a chelfi roeddan nhw wedi gallu eu cludo yma.

'Ci y Dyn Chwip.'

'A-aa, ia.' Cofiodd fod bleiddgi gan y sarjant.

'Achos mae Kairos yn deud bod yr *andártes* wedi'i saethu fo,' meddai'r un fach arall, ei gwefus isaf yn crynu a'i llygaid yn llawn.

Mae Kairos yn llygad ei le, meddyliodd Grigori – ond doedd wiw iddo ddweud hynny. 'Peidiwch â gwrando ar Kairos, nag ar neb arall sy'n deud petha fel'na wrthoch chi. Mae'n siŵr fod un o'r *andártes* wedi mynd â fo adra hefo fo.'

'Do?'

'Mwy na thebyg,' meddai Grigori. 'Meddyliwch, rŵan – be ydi gwaith y rhan fwya o'r *andártes*, pan fyddan nhw ddim yn *andártes*?'

Cododd y rhan fwyaf o'r genod eu dwylo fel tasan nhw yn yr ysgol. 'Bugeiliaid, Kýrios Daskalakis.'

'Yn hollol. A be sy gan bob bugail i'w helpu hefo'r defaid a'r geifr?'

'Ci!'

Daeth yr ateb yn un corws, a chyda sawl gwên, ac aeth y genod i ffwrdd yn hapus. Dim affliw o ots am y milwyr, meddyliodd Grigori; cyn belled â bod y ci yn fyw ac yn iach a chanddo rywun i edrych ar ei ôl, yna roedd bob dim yn tshiampion.

Er mwyn osgoi chwaneg o gwestiynau, dechreuodd Grigori adrodd straeon. Adroddodd straeon am yr ynys – am yr ogof lle ganwyd Zews; am balas anferth y Brenin Minos yn Knossos; am yr hanner dyn, hanner tarw a ruai yn y labyrinth tywyll o dan y ddaear, ac am Icarws oedd yn ysu am gael dianc o Greta – 'Ia, meddyliwch! Pa fath o ffŵl fasa isio dianc o ynys mor hyfryd â hon?!' – ac a swniodd ac a hefrodd ar ei dad i lunio adenydd iddo er mwyn iddo allu hedfan i ffwrdd dros y môr, adenydd wedi'u gwneud o wêr cannwyll a phlu. 'Cofia,' roedd Daedalus wedi'i ddweud wrtho, 'be bynnag wnei di, paid ti â hedfan yn rhy uchel neu mi fyddi di'n rhy agos at yr haul. Ond be wnaeth yr hogyn gwirion? Ia, hedfan yn rhy agos at yr haul, a dyma wres yr haul yn toddi'r gwêr cannwyll ac i lawr a fo, ar ei ben i'r môr. Felly, be ydi'r wers yn y stori yna? Yn hollol – yr hen a ŵyr a'r ieuanc a dybia. Gwrandwch chitha ar eich rhieni bob tro. Falla'u bod nhw'n swnio'n hurt bost ar adegau, ond y nhw sy'n iawn yn y pen draw.'

'Wel . . . y rhan fwya o'r amser,' meddai wedyn, gan daro winc ar yr oedolion. Roedd nifer ohonyn nhwythau wedi dechrau mynychu ei sesiynau dweud stori, gan wrando'n astud a chymeradwyo ar y diwedd. Roeddan nhw i gyd wedi hen glywed y straeon hyn, wrth gwrs, ond doedd dim ots am hynny, oherwydd roedd gan Grigori Daskalakis ffordd ddeheuig o adrodd stori, ac roedd y gallu ganddo i wneud i hen, hen straeon swnio fel rhai newydd sbon.

Teimlai wres cynnes y tu mewn iddo bob tro yr edrychai i fyny a gweld Hanna Kallergis yn eistedd yno'n gwrando, a'r hanner gwên fach honno ar ei hwyneb. Roedd Gaia yno hefyd, gan amlaf, yn eistedd wrth ei hochr.

Ond doedd dim golwg o Maria Alevizakis. Nac, ychwaith, o Eris Stagakis. A ffigwr arall a ddylai fod wedi ymddangos cyn hyn oedd y Tad Yrakis. Bu Grigori'n holi hefyd am Eleni Vandoulakis a'r ddwy chwaer hynod, ond doedd neb wedi'u gweld.

'Falla'u bod nhw i gyd yn Playia,' meddai Hanna, a nodiodd Grigori. Roedd nifer o bobol Anogia yno; yno hefyd roedd y rhan fwyaf o'r *andártes*, dan arweiniad Xylouris, a byddai'n gwneud synnwyr i rywun fel Thera Alevizakis fod yno yn helpu'r doctor i dendiad ar y rhai oedd wedi'u hanafu yn ystod yr ysgarmes ger Damasta – hi a'i basged yn llawn elïau a moddion rhyfeddol. Doedd dim ond eisiau i Grigori gau ei lygaid iddo allu teimlo bysedd tyner Thera yn rhoi'r eli ar ei wyneb dolurus y diwrnod ofnadwy hwnnw . . . faint yn ôl? Dim llawer – mis ar y mwyaf, er ei fod yn teimlo fel blynyddoedd.

Ond y noson ddilynol, roedd Hanna wedi dod ato a golwg go bryderus ar ei hwyneb. Roedd hi wedi hen nosi a'r plant yn pendwmpian, a sgyrsiau'r oedolion o gwmpas y tanau bychain yn furmuron tawel. Yn ôl tad Gaia, oedd newydd ddod o Playia, doedd Maria na Thera ddim wedi bod ar gyfyl y lle. Na'r teulu Stagakis chwaith. Y gred yno oedd eu bod nhw i gyd yma yn Embriski.

'Lle uffarn maen nhw, ta?' gofynnodd Grigori.

Edrychodd Hanna arno, a rhythodd Grigori yn ôl arni, yn ofni ei fod yn dechrau deall.

'Paid â deud – dydyn nhw ddim yn dal i fod yn Anogia, siawns?'

'Wel, roedd tad Gaia'n hollol bendant nad ydyn nhw yn Playia. Lle arall gallasan nhw fod, Grigori?'

Bu tawelwch rhwng y ddau am ychydig. Trodd Grigori a syllu i gyfeiriad Anogia, fel tasa fo'n disgwyl eu gweld nhw i gyd yn ymddangos yn wyrthiol, a'r Tad Kosta'n eu heidio fel rhyw fugail blewog.

Kosta Yrakis, y dyn oedd wastad wedi bod yno i Grigori. Pan fu'n chwarae â'r syniad o fynd yn offeiriad, Kosta, yn ei ffordd dawel, a wnaeth iddo sylweddoli mai camgymeriad mawr fyddai hynny – nad oedd Grigori a'r eglwys yn gweddu i'w gilydd, yn bennaf am nad oedd ganddo ddigon o amynedd hefo pobol. Ond hefo plant – wel, roedd honno'n stori wahanol. Trefnodd y Tad Kosta fod yr eglwys yn talu am hyfforddiant iddo, a gofalu wedyn fod 'na swydd ar ei gyfer yn Anogia, fel y gallai fod yno hefo'i fam oedd erbyn hynny wedi dechrau gwaelu.

Y dyn a oedd, mewn rhyw ffordd ryfedd, yn ffrind iddo. Yr unig wir ffrind oedd ganddo ar ôl bellach, a'r unig un a fu ganddo erioed yn Anogia.

Trodd Grigori ac edrych ar Hanna. Ai ffrind oedd hi rŵan – ynteu rhywbeth mwy na hynny? Na, doedd o ddim am ddechrau hel meddyliau yn y cyfeiriad yna; roedd ffordd faleisus gan yr oes oedd ohoni o chwalu pob breuddwyd yn rhacs jibidêrs cyn iddi lawn ddatblygu.

Edrychodd Hanna i fyny a'i ddal yn syllu arni.

'Be?'

Ysgydwodd Grigori ei ben. 'Dim byd.'

'Gwranda, dwi wedi bod yn meddwl . . .'

'Do, wn i. Ro'n i'n dy wylio di. Lle ma' dy fam, Hanna?'

'Mam? Ma hi'n fan'cw, hefo'i ffrindia.' Pwyntiodd Hanna yn ôl dros ei hysgwydd tuag at un o'r clystyrau o bobol oedd wedi setlo mewn gwahanol lecynnau yng nghanol y creigiau.

Nodiodd Grigori'n feddylgar, yna ochneidiodd a chodi ar ei draed. 'Tyd, ta.'

'Be?'

'Paid ag edrych mor ddiniwad.' Gwthiodd Grigori ei sbectol yn uwch i fyny ar ei drwyn. 'Mi wn i'n iawn be sy ar dy feddwl di. Dwyt ti rioed yn credu mod i am adael i chdi fynd yn d'ôl i Anogia ar dy ben dy hun, gobeithio?'

Gwisgai Hanna hen drowsus du, trwchus a arferai berthyn i'w thad, a chortyn yn ei ddal i fyny am ei chanol main. Gwisgai hefyd hen siwmper wlân garpiog a thyllog, a doedd ei gwallt ddim wedi gweld brws ers dyddiau. Ond i Grigori Daskalakis, roedd hi'n dal i ogleuo o rosmari, ac wrth iddi sgrialu at ei ochr a gwenu arno yng ngolau'r lleuad – nid hanner gwên ond gwên lydan, lawn – credai Grigori na welsai o erioed ferch cyn harddded â Hanna Kallergis.

*

Synnodd Hanna o weld pa mor ystwyth oedd Grigori wrth iddi

gerdded i lawr y llethrau, hyd yn oed yn y tywyllwch. Gwyddai'n union pa lwybrau i'w dilyn, a phan arhoson nhw am bum munud, gwelodd Grigori ei bod hi'n ei lygadu mewn ffordd go ryfedd.

'Be?' meddai. 'Be sy, Hanna?'

'Y chdi, Grigori Daskalakis. Ma hi'n un agoriad llygad ar ôl y llall efo chdi y dyddia yma. Wyddwn i ddim dy fod ti mor gyfarwydd â'r mynydd 'ma.'

'Na . . .' Edrychodd Grigori draw oddi wrthi. 'Wel, mi fydda i'n dŵad i fyny yma'n amal. Ma rhywun yn dŵad i arfar.'

Yn ei meddwl, gallai Hanna'i weld yn ymlwybro yma ar ei ben ei hun, yn ffigwr lletchwith ac unig – efallai'n eistedd am oriau ar ben craig ac yn gyndyn o godi a gadael y llonyddwch, yr unigedd cysurus hwn lle nad oedd pobol yn sibrwd yn ddilornus amdano yn ei glyw. Roeddwn innau'n un o'r rheiny tan yn ddiweddar iawn, meddyliodd yn drist, a'i thro hi rŵan oedd hi i droi draw rhag iddo sylwi bod ei llygaid yn sgleinio yng ngolau'r lleuad.

*

Wrth iddyn nhw nesáu at Anogia, meddai Hanna, 'Grigori – mae 'na rywbath y dylet ti ei wbod.' Eisteddodd ar graig i roi gorffwys i gyhyrau ei fferau. 'Mae Thera a Maria'n siŵr o holi ynghylch Marko pan ddeallan nhw mai hefo *andártes* Xylouris yr ydan ni.'

'Dwi wedi clywad amryw yn holi tybad be ydi'i hanas o.' Craffodd arni. 'Wyddost ti rywbath?'

'Gwn, ond fasa'n dda gen i taswn i ddim.' Ochneidiodd Hanna. 'Y teulu druan yna. Un peth ar ôl y llall.'

Eisteddodd Grigori wrth ei hochr. Sylwodd fod brigyn bach o redyn ynghlwm yng nghaglau ei gwallt. Ysai am gael ei dynnu, a chael rhoi ei fraich amdani.

'Nikolaos Leladakis oedd yn deud.'

Arhosodd Grigori, ac eisteddodd Hanna'n llonydd ac yn dawel am funud a mwy. Yna, dechreuodd ddweud wrtho yr hyn roedd Gaia wedi'i ddweud wrthi.

Er bod Grigori wedi'i ysgwyd a'i ddychryn gan yr hanes, allai o ddim dweud iddo gael ei synnu'n ormodol gan y newydd mai Marko oedd wedi achosi'r cyfan trwy fod yn ddiamynedd. Tipyn o lanc fuodd hwnnw erioed, meddyliodd. Ond wedyn, faswn i byth wedi dymuno i'r fath beth ddigwydd iddo fo.

'A does 'na'r un o'r lleill yn gwbod be ddaeth ohono fo?' meddai.

Dawnsiai'r brigyn rhedyn bychan yng ngwallt Hanna wrth iddi ysgwyd ei phen.

'Dydi o fawr o bwys gan y rhan fwya ohonyn nhw. Oni bai am Nikolaos, mi fasa'r Kapetán Xylouris wedi gadael iddyn nhw'i ddienyddio fynta hefyd.'

Falla basa hynny wedi bod yn fwy caredig, meddyliodd Grigori. Fel roedd hi – os oedd yr hanes yn wir – fyddai gan Marko Alevizakis ddim dewis ond bod yn alltud, yn gorfod byw am weddill ei oes hefo'r wybodaeth mai fo, i bob pwrpas, oedd wedi lladd ei dad a'i frawd ei hun.

Euogrwydd fel'na sy'n gyrru dyn o'i go, meddyliodd Grigori'n uchel.

'Be?'

Ysgydwodd Grigori ei ben. 'Meddwl am Marko druan ro'n i. Creadur bach.'

Ciledrychodd Hanna arno. Nefoedd, meddyliodd. Mae'r *andártes* eraill i gyd am waed Marko, a phan ddaw'r hanes yn wybyddus i bawb – fel mae'n sicr o wneud, a hynny'n o fuan hefyd, o nabod fy mhobol i – mi fydd pawb arall hefyd am ei waed o. Ond dyma lle mae hwn yn teimlo drosto fo, er bod Marko wedi bod mor ddilornus ohono dros y blynyddoedd a hynny yn ei glyw.

Safodd Grigori ac edrych i lawr arni. 'A dydi Thera'n gwbod dim o hyn? Na Maria?'

'Yn ôl fel dwi'n dallt, nac'dyn. Roedd Nikolaos Leladakis fel gafr ar d'rana nes iddo sylweddoli nad oeddan nhw yn Embriski wedi'r cwbwl – roedd arno fo gymaint o ofn y basa Thera'n rhuthro ato fo, isio gwbod am Marko.'

'Faswn inna hefyd.' Tynnodd Grigori ei sbectol a'i llnau ar ei grys. Roedd 'na olwg feddylgar ar ei wyneb, a hwnnw'n edrych yn rhyfedd o noeth heb y sbectol.

'Be wyt ti'n ddeud, felly, Hanna? Maen nhw'n siŵr o'n holi ni, yn tydyn?'

Dim gair o gerydd am rannu'r wybodaeth efo fo, sylwodd Hanna, a oedd wedi rhyw led ofni y buasai Grigori'n myllio: *oedd raid iddi ddeud hyn wrtha i*? Dim o'r ffasiwn beth. Unwaith eto, dwi wedi gneud cam â fo, meddyliodd.

'Dwi'n gwbod bod hyn yn swnio'n llwfr,' meddai hi ymhen sbel, 'ond nid ein lle ni ydi deud wrthyn nhw. Wedi'r cwbwl, dim ond achlust ges i, yndê? Trwy Gaia . . . O, Grigori! Mae hynna'n swnio mor llipa, yn dydi? Ond fedra i ddim ychwanegu at boen Thera a Maria, fedra i ddim!'

Yna roedd hi'n crio, yn crio yn erbyn siaced siwt Grigori oherwydd roedd o wedi lapio'i freichiau amdani, a meddyliodd Hanna trwy'i dagrau: gafaela yndda i, Grigori, gafaela yndda i'n dynn, dynn.

Hogyn da

Nid nhw'u dau oedd yr unig rai i ddychwelyd i Anogia'r noson honno. Gan ddilyn llwybrau croes, ar draws ei gilydd i gyd, roedd Dimítris Peros wedi mynd yn ei ôl i Anogia i gasglu melonau.

Roedd o wedi eithaf mwynhau'r dyddiau diwethaf, efo'r holl bobol i fyny ar y mynydd, yn sgwrsio ac yn canu'r hen ganeuon ac yn cysgu allan dan y sêr a Kýrios Daskalakis yn dweud straeon. Yr unig beth oedd yn ei boeni, braidd, oedd y teimlad a gâi o'n amlach o hyd nad oedd ei fam yn hapus iawn yma. Roedd Maia wedi crio wrth gasglu bwyd a dillad ynghyd pan ddaeth y gair fod y Germani am ddod a llosgi tai pawb, ac er ei bod yn ddiwrnod braf, roedd hi wedi crio eto wrth iddyn nhw gerdded i fyny'r mynydd. Ceisiodd Dimítris dynnu ystumiau arni – pob mathau o ystumiau – gan fod hynny wastad wedi gwneud iddi chwerthin, ond er bod ei wyneb yn brifo erbyn iddo roi'r gorau iddi, wenodd Maia ddim o gwbl, ddim un waith, heb sôn am chwerthin.

Ar ôl iddyn nhw gyrraedd y fan lle roedd pawb arall, doedd wiw iddo symud yn bell oddi wrthi, ac roedd hynny'n dipyn o niwsans. Bob tro y ceisiai sleifio i ffwrdd i wylio'r plant yn chwarae, roedd hi'n galw arno i eistedd i lawr wrth ei hochr ac i beidio â bod mor aflonydd.

Roedd o'n bod yn hogyn drwg, meddai ei fam, a dywedai'r drefn wrtho am y pethau lleiaf. Cafodd bryd o dafod ac yntau ddim ond wedi gofyn i Kyría Iolanthe, un o ffrindiau ei fam, a oedd ei nain hi'n un am domatos. Doedd ei fam byth bron yn dweud y drefn wrtho o flaen pobol eraill, a dyna sut y gwyddai Dimítris nad oedd hi'n hapus o gwbl. Ceisiodd feddwl am wahanol ffyrdd o wneud iddi wenu, os nad i chwerthin, ond doedd dim byd yn tycio. Bellach, roedd yn gas ganddo edrych arni oherwydd y dagrau a welai'n llifo i lawr ei hwyneb drwy'r amser, ac roedd o wedi dechrau amau mai arno fo roedd y bai am hyn oherwydd ei fod o, rywsut, wedi bod yn hogyn ofnadwy o ddrwg.

Ond heno, roedd o wedi cael syniad. Melonau. Roedd ei fam wrth ei bodd efo melonau. Ond roeddan nhw wedi anghofio dod â rhai efo nhw, a doedd o ddim – ddim ar unrhyw gyfrif, meddai ei fam – i fynd adra i nôl rhai o'r ardd gefn.

Roedd hynny rai dyddiau'n ôl, a meddyliodd Dimítris, wel, os oedd ei fam yn drist oherwydd eu bod nhw wedi anghofio dod â melonau efo nhw'r diwrnod hwnnw, yna byddai ei weld o'n cyrraedd yma fory efo llond sach o felonau yn sicr o ddod â gwên i'w hwyneb. Efallai, hefyd, y byddai hi wedi anghofio pob dim iddi ei siarsio nad oedd o i fynd adra i'w nôl nhw. Ac mi fyddai ei fam unwaith eto'n chwerthin, ac yn dweud wrth bawb mai hogyn da oedd ei Dimítris hi.

Heno, meddai wrtho'i hun yn gynharach, mi a' i heno 'ma. Ond wrth iddo aros i'w fam gysgu, aeth yntau i gysgu hefyd. Deffrodd rywbryd yng nghanol y nos hefo'r teimlad ei fod o wedi meddwl gwneud rhywbeth pwysig – ond be? Yna cofiodd am y melonau. Erbyn hynny, roedd ei fam yn chwyrnu cysgu, a pheth hawdd iawn oedd camu drosti a chychwyn i lawr y mynydd.

Doedd o ddim yn bell iawn o Anogia pan sylweddolodd rywbeth. Roedd hi'n dal i fod yn dywyll, ac er bod y lleuad yn llawn mi fyddai hi'n rhy dywyll iddo gasglu melonau. P'run bynnag, roedd angen sach arno, ac er bod ganddyn nhw sach yn rhywle yn y tŷ, doedd o ddim yn gwybod lle roedd o, ac roedd hi'n rhy dywyll iddo fo chwilota amdano – a doedd o ddim yn cael goleuo canhwyllau ar ei ben ei hun.

Dim ots. Roedd o wedi blino, p'run bynnag, felly penderfynodd orwedd yma ar y gwellt meddal yng nghysgod y graig, a chael cyntun bach nes byddai'r haul wedi dechrau codi.

Y tro nesaf iddo agor ei lygaid, roedd o'n gallu gweld yn well o lawer. Aeth y tu ôl i'r graig i wneud pi-pi cyn ailgychwyn i lawr y mynydd. Yna arhosodd yn stond. Gallai weld Anogia'n glir oddi yma, ond gallai hefyd weld y lonydd a arweiniai i fyny i Anogia. Meddyliodd i ddechrau fod y lonydd yn symud, fel nadroedd mawrion. Yna sylweddolodd mai milwyr oedd yn symud ar hyd y lonydd. Cannoedd o filwyr. Cannoedd ar gannoedd.

Ac roeddan nhw i gyd yn mynd i gyfeiriad Anogia.

Apwyntiad yn Samarra

Yr holl ffordd yno, fedrai Tobias Jung ddim peidio â meddwl am Magda, a geiriau Golo Wolf – 'Erbyn heno mi fydd hi ar ei ffordd i Berlin i sefyll ei phrawf am fradychu'r Reich a'r Führer.'

Gallai rannu ei harswyd. Fel y ffigwr amwys hwnnw a fu'n aflonyddu arno fo byth ers iddo gael ei anafu, roedd gan Magda hefyd ei bwgan arbennig hithau – ei 'Alp'.

A'i enw oedd Johann Reichhart.

Am fisoedd, ers iddi glywed am ddienyddiad Hans a Sophie Scholl, roedd ffigwr hunllefus y dienyddwr swyddogol wedi aflonyddu arni i'r fath raddau nes iddo dyfu i fod yn obsesiwn ganddi. 'Paid â meddwl amdano fo,' pwysai Jung arni droeon, ond allai Magda ddim peidio: roedd y ffigwr sinistr yn ei het uchel a'i fenig gwynion yn ei dilyn i bobman. Pwysodd Jung arni hefyd i roi'r gorau i'w fwydo fo ag enwau'r gwahanol bentrefi oedd wedi'u dedfrydu i gael eu dinistrio. 'Fydd dim rhaid i ti boeni am Herr Reichhart wedyn,' dywedai wrthi dro ar ôl tro. Ond gwrthodai Magda wrando arno, bron fel petai hi'n herio'i hunllef.

A rŵan, yn ôl Wolf, roedd hi ar ei ffordd i ddod wyneb yn wyneb â'r hunllef, tra oedd Jung ar ei ffordd i . . . i be? I gadw'r 'apwyntiad yn Samarra' hwnnw y soniodd Bruno Nagel wrtho amdano? Fwy na thebyg. Doedd Wolf, yn sicr, ddim yn bwriadu iddo ddychwelyd yn fyw o Anogia.

Eisteddai Jung wedi'i wasgu'n anghyfforddus rhwng dau filwr yng nghefn y jîp. Cyn cychwyn, roedd Wolf wedi gorchymyn nad oedd neb i dorri gair hefo fo, ddim hyd yn oed i sbio arno, ac roedd Jung wedi disgwyl y byddai Wolf ymhell cyn hyn wedi ildio i'r demtasiwn i 'dynnu arno', ei wawdio a'i boenydio. Yn hytrach, o'r eiliad y cafodd ei sodro yn y jîp, roedd fel petai o'n rhywbeth hollol amherthnasol, fel petai o ddim yn bodoli.

Wrth iddyn nhw ddringo drwy un pentref tawel ar ôl y llall, a'r haul yn codi'n uwch fel pe bai'n ffoi oddi wrthynt, gallai Jung deimlo'r tensiwn yn codi fel arogl chwys o gyrff y milwyr. *Bandengebiet*, meddyliodd; dyna lle rydan ni rŵan – bro'r banditiaid. Ond edrychai'r pentrefi mor heddychlon – y gwragedd yn eu dillad duon yn sgwrsio ar y strydoedd a phrin yn codi'u pennau i sbio ar yr Almaenwyr yn gyrru heibio mewn cymylau o lwch, a'r hen ddynion a eisteddai'r tu allan i'r tai coffi yn y sgwariau'n troi eu cefnau'n ddirmygus arnyn nhw. Y rhain, meddai Jung wrtho'i hun, ydi'r bobol y bu Magda a finnau'n eu rhybuddio, yn eu helpu – yn eu hachub, hyd yn oed. Efallai, wir, fod yr hen begor acw sy'n edrych fel tasa fo'n chwarae efo'r syniad o boeri wrth i ni yrru heibio, a'r weddw ifanc yna y ces gip sydyn ar ei llygaid duon yn fflachio casineb i'n cyfeiriad, a'r criwiau o blant sy'n rhythu'n bowld arnom ac yn edrych fel petaen nhw'n ysu am ein pledu â cherrig – efallai eu bod nhw i gyd ddim ond wedi gallu gwneud hynny heddiw oherwydd Magda a finnau.

Dwi erioed wedi bod ar gyfyl yr un o'r pentrefi hyn cyn heddiw, meddyliodd, erioed wedi taro fy llygad ar yr un o'u trigolion. Dim ond enwau oeddan nhw, enwau roeddwn i'n eu dysgu a'u cofio fel poli parot ac yna'n eu hanghofio cyn gynted ag yr oeddwn wedi'u sgwennu'r tu mewn i bacedi sigaréts gweigion.

A dyma ni rŵan, Magda a finna, ar fin aberthu'n bywydau er mwyn i'r rhain fedru dal i fyw yn eu tai igam-ogam sydd fawr gwell na hofelau, a bod yn gwbwl onest; aberthu'n bywydau er mwyn iddyn nhw fedru dal i sgwrsio â'i gilydd ar y strydoedd ac eistedd y tu allan i'w tai coffi caeedig yn malu cachu, a chwarae'n droednoeth yn y llwch.

O, Magda, Magda . . . dyma pam y byddi di'n wynebu dy hunllef waethaf. Fy nghariad fach i – fy nghariad fach blaen, esgyrnog, ddewr.

Caeodd Tobias Jung ei lygaid, plygu'i ben a chrio.

*

'Samarra,' clywodd.

Agorodd ei lygaid a chodi ei ben. Brenin mawr, oedd o wedi cysgu? Mae'n rhaid ei fod o, oherwydd roeddan nhw wedi aros yng nghanol pentref, ac roedd 'na gerbydau milwrol a milwyr o'i gwmpas ym mhobman. Doedd dim golwg o Golo Wolf, a dim ond un milwr oedd ar ôl efo fo yn y jîp.

Ond *Samarra*? Oedd o wedi clywed yn iawn?

Trodd at y milwr. 'Lle rydan ni?'

Rhythodd y milwr arno fel petai o wedi synnu bod Jung wedi'i gyfarch. Ysgydwodd ei ben yn swta.

'Tyd, mi fedri di ddeud hynna wrtha i, o leia. Lle rydan ni?'

Edrychodd y milwr o'i gwmpas yn nerfus, er nad oedd 'na'r un enaid byw'n cymryd yr un affliw o sylw ohonyn nhw.

'Sisarha,' meddai'r milwr rhwng ei ddannedd.

Sisarha, Samarra – doeddan nhw ddim yn annhebyg. 'Nid Anogia, felly?'

Ysgydwodd y milwr ei ben. Yna amneidiodd i fyny'r mynydd. 'Anogia,' meddai.

Gwelai Jung glwstwr o adeiladau gwynion yn y pellter; roedd yn amlwg nad oedd y ffordd yn mynd ymhellach na hynny. Ac wrth iddo syllu i fyny'r mynydd, gwyddai Tobias Jung ym mêr ei esgyrn mai Anogia fyddai ei Samarra o.

Marwnad Anogia

Dechreuodd y gân gyda'r wawr. Efallai fod geiriau iddi, efallai ddim. Os oedd rhai, yna roeddan nhw mewn iaith oedd yn hŷn na'r mynyddoedd a chyn hyned â thonnau'r môr.

'Iríni,' meddai Kosta Yrakis. 'A Rodianthe.'

Doedd eu lleisiau ddim yn gryf o gwbl, fawr mwy nag awgrym ar yr awel, ond fe achubon nhw'r blaen ar hynny o geiliogod oedd ar ôl yn Anogia, ac felly ni chlywyd yr un smic oddi wrth y rheiny'r bore hwnnw. Bu Kosta'n gwrando am ganu ei geiliog o, a phan na ddaeth, aeth at y drws a'i agor, a dyna pryd y clywodd y gân.

'Clyw,' meddai wrth Eva. 'Clyw.'

Clywodd Eleni Vandoulakis hi hefyd, ond bu hi'n aros amdani, a phan glywodd ei nodau cyntaf yn nofio dros y pentref, gwenodd yn dawel cyn rhoi llun ei gŵr ar y bwrdd a chodi'n boenus o'i chadair. Syllodd arno am ychydig gan gofio mor gynnes, mor ddiogel yr arferai deimlo yn ei freichiau; yna llithrodd flaenau'i bysedd dros ei wyneb cyn cydio yn ei ffon a mynd allan i'r ardd gefn.

Roedd ei chluniau ar dân fore heddiw, y cryd cymalau'n ei chnoi fel petai'n ceisio'i bwyta'n fyw. Ond roedd Eleni'n benderfynol, a fesul gris esgynnodd y grisiau a ddringai hyd wal ochr ei thŷ. Pan gyrhaeddodd y to o'r diwedd, roedd hi'n domen o chwys. Cofiodd eiriau Kosta Yrakis – roedd Asyn Balaam fel ci defaid o ufudd o'i gymharu efo chi – a gwenodd er gwaetha'r boen. Kosta druan. Ond roedd o yn llygad ei le, a phetai Nikolai, ei gŵr, wedi bod yno ar y pryd byddai wedi bloeddio chwerthin gan ddweud wrth yr offeiriad nad oedd ganddo unrhyw glem pa mor ystyfnig y gallai Eleni Vandoulakis fod mewn gwirionedd.

Yma ar ben y to, gallai glywed cân y Seirēnes yn glir, a throdd mewn pryd i weld goleuni cynta'r haul yn cusanu copa Psiloritis. Eisteddodd ar gadair bren i'w wylio'n peintio'r llethrau, a breuddwydiodd unwaith eto am gael gorwedd yn y rhedyn yn gwylio eryr neu hebog yn troi mewn cylchoedd diog fry yn yr awyr las.

Clywodd Georgios Stagakis hefyd y canu, ac fe'i gwthiodd ei hun i fyny ychydig ar ei fatres, a gorffwys ar ei benelinoedd er mwyn clywed yn well. Gwyddai i'r dim leisiau pwy a lifai i mewn drwy'r ffenestri – fel petai'r rheiny'n llydan agored neu hyd yn oed ddim yno o gwbl – a hoffai feddwl eu bod nhw'n llifo'r un mor glir i fyny llethrau'r mynydd, ac y byddai Eleftheria ac Eris yn eu clywed hefyd. Roeddan nhw wedi gadael ymhell cyn y wawr, ymhell cyn i'r canu ddechrau. Roedd o wedi erfyn arnyn nhw i fynd, wedi crefu, ac yn y diwedd wedi mynnu.

Roedd Eleftheria wedi gwrthod ar y dechrau – wel, wrth gwrs ei bod hi. 'Dwyt ti ddim yn cofio'r hyn ddeudis i wrth y diawl nath hyn i ti? "Dydi ngŵr i ddim yn cael mynd i nunlla hebdda i."'

Ond mi aeth yn y diwedd, hi ac Eris. Roedd Eris wedi'i gofleidio fo mor dynn nes iddo ddechrau pesychu gwaed eto, a fyddai hi ddim wedi'i adael oni bai i'w mam ddweud wrthi, 'Dydi o ddim isio i ti ei gofio fo fel hyn, pwtan. Plis . . .?' – ac aeth o'r ystafell ag un edrychiad olaf ar ei thad, ei hwyneb yn wyn a'i llygaid yn anferth yn ei phen. Arhosodd Eleftheria nes iddi deimlo'n sicr fod Eris wedi mynd cyn estyn rhywbeth wedi'i lapio mewn hen dywel o'r cwpwrdd, a'i osod ar ochr y fatres wrth ymyl llaw dde'i gŵr. Yna penliniodd wrth ei ochr.

'Wel . . .' meddai.

'Wel,' meddai yntau'n ôl, ond dim ond â'i wefusau oherwydd ni fedrai ei dafod ddweud y llythyren 'l' mwyach. 'Dyma ni . . .'

Rhoddodd ei law ar y tywel a theimlo siâp cyfarwydd y pistol drwy'r defnydd. Gwenodd yn sarrug.

Plygodd Eleftheria drosto a chusanu'i dalcen. Pan ymsythodd eto, roedd hi'n gwenu drwy'i dagrau, a meddyliodd Georgios am wanwynau yn Anogia pan fyddai hi'n bwrw haul.

'Oni bai am Eris . . .' meddai Eleftheria, a gwasgodd Georgios ei llaw.

'Dwi'n gwbod.'

Caeodd Georgios ei lygaid. Doedd arno ddim eisiau ei gweld hi'n mynd drwy'r drws, felly gwrandawodd ar y gân a'i lygaid ynghau, a meddwl am gawodydd haul nes i bwl arall o besychu ei lethu eto, a throi'r diferion o law clir yn ddafnau tywyll o waed.

Clywodd Dimítris y canu hefyd, wrth iddo gyrraedd Anogia a'i wynt yn ei ddwrn ar ôl rhedeg i lawr o'r mynydd, ond chymerodd o fawr o sylw ohono; roedd y milwyr yn dŵad i losgi pob dim, roeddan nhw bron iawn yma ac roedd o'n methu'n glir â dod o hyd i'r sach i ddal y melonau. Roedd ei fam wedi creu cymaint o lanast wrth hel pethau at ei gilydd, nes bod popeth oedd ar ôl yn y tŷ ar draws ei gilydd i gyd, a dim golwg o'r blydi sach yn unman.

Roedd Dimítris bron â chrio. Heb y sach, fedrai o ddim mynd â mwy na rhyw hanner dwsin o felonau yn ôl efo fo, a doedd hynny ddim yn ddigon da. Safodd yng nghanol y gegin a golau diwrnod newydd yn ymledu'n gyflym o'i gwmpas, gan ddweud wrtho'i hun nad ydi hogia mawr yn crio dros sachau coll. Ac roedd y milwyr yn dod yn nes ac yn nes drwy'r amser. Efallai eu bod nhw yma'n barod!

Yna gwelodd y sach yn gorwedd o dan y bwrdd. 'O, Mam!' meddai, a phlygu i lawr i afael ynddo. Tasa *fo* wedi gadael y sach yn flêr fel'na dan y bwrdd, mi fasa wedi cael andros o row.

Allan â fo i'r ardd gefn, yn ymwybodol fod y merched yna'n dal i ganu, ond doedd ganddo ddim amser i'w wastraffu'n gwrando, wir. Roedd ganddo fo sach i'w lenwi a mynydd i'w ddringo – hynny i gyd cyn i'w fam ddeffro a sylweddoli nad oedd o yno efo hi, a'i fod o wedi sleifio i ffwrdd i rywle'n hogyn drwg.

*

Yn nhŷ'r teulu Alevizakis, daeth y gân i fod yn farwnad i Yanni'r Chwibanwr.

I Maria, teimlai fel petai rhyw ffawd greulon yn mynnu eu rhwystro rhag dianc o'r pentref. Yr ymgnawdoliad diweddaraf o hynny oedd Nikos. Oedd raid i'r diawl bach agor ei geg am Yanni heno? Oedd raid iddo fo ddŵad yn ôl yn y lle cyntaf? Fo a'i blydi mul.

Roedd Thera a hithau wedi brysio o dŷ Eris Stagakis efo'r bwriad o nôl Adonia, a'i ffaglu hi i fyny i'r mynydd. Y peth cyntaf welson nhw'r tu allan i'w tŷ oedd y mul. 'Be rŵan eto?' meddai Thera, ac wrth iddyn nhw ddod yn nes ato, gwelsant ddau ffigwr yn eistedd ar y clawdd cerrig isel o flaen y tŷ. Roedd sbectol un ohonyn nhw'n sgleinio yng ngolau'r lleuad. Grigori Daskalakis, sylweddolodd Maria – ac efo fo roedd Hanna. Cododd y ddau'n frysiog wrth i Maria a'i mam ddod tuag atynt, ac am eiliad gallai Maria fod wedi taeru eu bod yn gafael yn nwylo'i gilydd . . . ond na. Un o driciau twyllodrus y lleuad lawn, siŵr o fod.

'Chi'ch dau sy pia hwn?' meddai Maria am y mul.

Ysgydwodd Grigori ei ben. 'Nikos. Mae o'r tu mewn, efo Kyría Adonia.'

Neidiodd y geiriau o enau Maria cyn iddi allu meddwl am eu rhwystro. 'O, be ma *hwnnw*'n dda 'ma rŵan!'

'Mae'r hogyn bach isio bod efo'i fam, Maria,' meddai ei mam yn geryddgar.

Tasa gynno fo unrhyw feddwl o'i fam, fasa fo ddim wedi'i gadael hi yn y lle cynta, meddyliodd Maria wrth i Thera frysio i mewn i'r tŷ. Trodd Maria'n ôl at Hanna a Grigori Daskalakis, a'u dal yn sbio ar ei gilydd mewn rhyw ffordd ddigon rhyfedd.

'Ydach chi wedi siarad efo Nikos?' gofynnodd.

Twt-twtiodd Grigori. 'Mi wnath Hanna, yndê. Doedd gynno

470

fo ddim byd i'w ddeud wrtha i, fel arfar, mond sbio arna i fel . . .
fel Mediwsa'n gwgu ar Persews.'

'Lle mae o wedi bod – efo Yanni?'

Unwaith eto, yr edrychiad anghyfforddus yna rhwng Hanna
a Grigori, a gwylltiodd Maria. Roedd ei nerfau'n rhacs fel roedd
hi.

'Be?' meddai'n siarp. 'Hanna – be sy?'

Ond roedd hi'n gwybod yn barod: roedd dim ond dweud
enw Yanni wedi dod â'r freuddwyd honno a gawsai amdano fo
a Marko yn ôl yn fyw i'w meddwl.

'Yanni, yndê?' meddai. 'Mi ddeudodd o rywbath am Yanni,
yn do?'

'Maria . . .'

Ceisiodd Hanna afael yn ei braich ond ysgydwodd Maria'i
llaw oddi arni. 'Be ddeudodd o, Hanna?'

Edrychodd Hanna ar Grigori, a daeth Maria'n agos iawn at
ei tharo. Oedd hi'n bosib i un o'r ddau yma fedru gwneud
unrhyw beth heb edrych ar ei gilydd?

'Hanna!'

'Mae'n ddrwg calon gen i, Maria, ond . . . ond mae Yanni
wedi marw.'

Teimlodd Maria law Hanna'n cau am ei braich, a'r tro hwn
roedd hi'n falch ohoni oherwydd roedd ei choesau'n rhoi oddi
tani. Gadawodd i Hanna ei rhoi i eistedd ar y clawdd bach.
Roedd y nos fel petai wedi dod yn gliriach o'i chwmpas, rywsut:
golau'r lleuad yn gryfach, a sŵn y sicadau'n fyddarol o uchel.
Roedd yn wir, felly: doedd ei breuddwyd ddim wedi'i
chamarwain. Roedd Yanni wedi'i galw i fyny'r mynydd er mwyn
cael ffarwelio â hi.

Edrychodd ar Hanna a Grigori, a rhythai'r ddau yn ôl arni
mewn syndod oherwydd roedd Maria'n gwenu.

'Mae o'n wir, felly,' meddai. 'Mae Marko'n fyw!'

Ond diflannodd y wên oddi ar ei hwyneb wrth i rywbeth
arall ei tharo. '*Skatá!*' rhegodd. '*Nikoooos!*' Welodd hi mo'r
golwg arall o fraw a phanig a rannodd Grigori a Hanna wrth ei

gwylio'n rhuthro tua'r tŷ i lusgo Nikos allan cyn iddo fedru dweud wrth ei mam am Yanni'r Chwibanwr.

Ond roedd hi'n rhy hwyr. Wrth y bwrdd, eisteddai ei mam yn gwmanog. Roedd Adonia ar ei stôl wrth y lle tân, a Nikos ym mhen arall y bwrdd a'i wyneb mor ddifynegiant ag erioed. Prin y sylwodd Maria arno fo ac Adonia: roedd ei sylw i gyd ar ei mam.

Teimlai Maria'r lliw yn llifo o'i hwyneb wrth i Thera wylo. Teimlai hefyd fel dianc allan yn ôl i'r nos, a llusgo Nikos ac Adonia efo hi, oherwydd ddylai neb fod yn dyst i'r fath wylo, y fath dristwch a galar. Roedd y sŵn a wnâi ei mam yn debycach i riddfan na dim arall, a chrynai ei chorff fel petai anifail creulon yn cnoi ei ffordd allan ohoni. Doedd hi ddim wedi wylo fel hyn ar ôl ei gŵr a'i mab, ond dyma hi rŵan yn torri'i chalon ar ôl rhyw greadur a allai, ar brydiau, fod yn un digon rhyfedd ac annibynnol – annymunol, hyd yn oed – un a gyrhaeddai'n annisgwyl ac ar yr adegau mwyaf anghyfleus, gan ddisgwyl pob mathau o dendars, ac a ddiflannai yn ei ôl i'r mynydd heb air o ddiolch na ffarwél.

Ond yna sylweddolodd Maria fod Thera'n wylo ar ôl Manoli a Levtheri yn ogystal â Yanni. Roedd fel petai marwolaeth Yanni wedi rhoi iddi'r hwb roedd hi'i angen i alaru drostyn nhw'u tri, dros ei bywyd ei hun a thros ei byd.

Heno, roedd Thera Alevizakis wedi cyrraedd pen ei thennyn.

*

Pan ddaeth y sŵn galaru o'r tŷ, trodd y ddau oedd y tu allan at ei gilydd mewn braw, a heb wybod yn iawn lle i'w rhoi eu hunain.

'Diolch i Dduw na wnaethon ni ddim deud wrthi am Marko,' meddai Grigori.

Edrychodd Hanna arno'n gegrwth am eiliad neu ddau, yna dechreuodd wenu, wedyn piffian chwerthin, ac yna chwerthin go iawn – y blinder a'r ofn a'r straen wedi peri iddi gael sterics, a'r ddau'n sefyll yno'n cydio yn ei gilydd ac yn gweddïo na fyddai Maria neu Thera'n dod allan o'r tŷ a'u dal nhw.

'Ddylsan ni ddim . . .' meddai Hanna.

'Wn i.'

Gwnaeth hynny bethau'n waeth, yna tynnodd Hanna'i hun o'i afael a throi ei chefn arno.

'Tynna dy sbectol, Grigori.'

'Be?'

'Tynna hi! Dy sbectol.' Yna: 'Wyt ti wedi gneud?'

'Do, pam?' clywodd o'r tu ôl iddi.

Trodd ato. 'Mi ddeuda i wrthat ti ryw dro eto.'

Dyna be sbardunodd y chwerthin gwirion yna, meddai wrthi'i hun. Roedd o wedi edrych mor seriws, ei lygaid yn fawr y tu ôl i wydrau'r sbectol wrth iddo sôn am Marko. Edrychai mor wahanol heb ei sbectol; teimlai Hanna rŵan y gallai o leia edrych i'w wyneb yn ddigon hir i ddod ati'i hun.

Yn llonyddwch y bore bach roedd sŵn calon Thera Alevizakis yn torri'n ddwy i'w glywed yn glir, ac aeth y ddau yn ôl i eistedd ar y clawdd – eu dau, bellach, yn teimlo cywilydd ofnadwy am ymddwyn fel ffyliaid.

'Faint o bobol wyt ti'n meddwl sy'n dal i fod ar ôl yma?' gofynnodd Hanna ymhen sbel.

'Dwi'n trio peidio meddwl.'

Roedd sbectol Grigori yn ei law o hyd, a syllai arni fel tasa hi'n rhyw declyn rhyfedd a dieithr roedd o newydd ei godi oddi ar y llawr. Gosododd hi'n ôl ar ei drwyn. Roedd dwylo Hanna'n gorffwys ar ei chluniau – ac oedd, roedd Maria'n iawn, roeddan nhw *yn* gafael yn nwylo'i gilydd yn gynharach. Pan ddaethon nhw o'r tŷ ar ôl siarad efo Nikos, ac eistedd yn flinedig ochr yn ochr ar y clawdd, roedd llaw Hanna wedi llithro'n naturiol i mewn i'w law o, ac roedd hi'n wyrth, meddyliodd Grigori, nad oedd ei sbectol wedi stemio. Roedd ei galon wedi carlamu a chafodd andros o fin, a diolchodd fod ei siaced yn rhy fawr iddo a bod ei gwaelodion yn hongian dros ei lin.

Dyheai rŵan am gael ailgydio yn llaw Hanna, a'r bysedd hirion, lluniaidd yna fel rhai pianydd, ond wyddai o ddim sut roedd gwneud hynny mewn ffordd fyddai'n teimlo'n naturiol. Dyheai am allu rhoi ei fraich am ei hysgwydd a'i theimlo'n closio'n nes ato a gorffwys ei phen ar ei ysgwydd, gan lenwi'i ffroenau ag arogl rhosmari . . .

'Mi ddyliwn i fynd draw i weld ydi'r Pater wedi mynd,' meddai Grigori'n sydyn. Meddyliodd am ychydig, yna dweud, 'O leia, sdim raid i ti boeni am y fynachlog.'

Gallai deimlo'r naid fechan a roes Hanna wrth ei ochr, a meddyliodd, tasan ni'n dal dwylo rŵan, mi fasa hi wedi tynnu'i llaw hi o'm gafael.

'Wyt ti'n *gwbod*?'

Nodiodd Grigori. 'Sori,' meddai, heb wybod yn iawn pam.

'Ers pryd?'

Cododd Grigori'i ysgwyddau. Yn hytrach nag ateb ei chwestiwn, meddai, 'Mae un Terpsichori'n fwy na digon, Hanna.' Cyfeirio roedd o at ferch ddeunaw oed o'r enw Terpsichori Chryssoulaki-Vlachou a fu, fel Hanna, yn gweithredu fel dynes radio mewn mynachlog – mynachlog Toplou yn nwyrain yr ynys. Cawsai hi a dynes arall – Eleni Marketaki, oedd yn ddeg ar hugain oed – eu harestio a'u dienyddio ddeufis ynghynt, ynghyd â'r abad a dau o fynaich.

Deunaw oed. Yr un oed â Hanna.

Pan ddaeth y newyddion am Terpsichori, penderfynwyd cael gwared ar y set radio o fynachlog Anogia, ac erbyn hyn roedd yr abad a'r mynaich i fyny ar y mynydd yn rhywle.

'Roedd yn rhaid i mi neud rywbath, Grigori,' meddai Hanna, a gallai ei deimlo fo'n tynhau drwyddo cyn symud oddi wrthi ag ochenaid, fel petai hi wedi ychwanegu'n greulon, *Roedd yn rhaid i rai ohonan ni neud rywbath, Grigori, tra oeddat ti'n cuddio mewn cypyrddau yn yr ysgol neu'r tu ôl i greigiau ar y mynydd.*

Ond dim ond dweud y gwir amdani'i hun roedd hi – dweud fel roedd hi wedi bod yn benderfynol o *wneud* rhywbeth. Ei thad oedd un o'r rhai cyntaf o Anogia i golli'i fywyd mewn ysgarmes â'r Almaenwyr. Fis yn ddiweddarach, pan ymwelodd 'Michali' â'r pentref, roedd Hanna wedi magu digon o blwc i fynd ato a dweud fod yn rhaid iddi geisio helpu i dalu rhywfaint o'r pwyth yn ôl.

Roedd Michali'n gyndyn ar y dechrau, ond roedd Hanna'n bendant. 'Os na ffeindi di rywbath i mi ei neud,' dywedodd wrtho, 'yna mi ffeindia *i* rywbath. Cofia mod i'n ferch i Ioannes Kallergis.'

Roedd Michali wedi nodio a gwenu arni. 'Mae hynny, Hanna, i'w weld yn glir,' meddai. 'O'r gora, mi ro i wbod i ti.'

Sylweddolodd Hanna'n fuan iawn nad ffŵl mo'r Sais. Gwyddai'r dyn mor glòs oedd hi a'i mam, ac y byddai colli'i merch yn ogystal â'i gŵr yn ormod i'r ddynes druan, pe bai Hanna'n cael gwireddu'i breuddwyd ramantus o fynd yn *andárte*. Penderfynodd Michali, felly, ei hyfforddi fel dynes radio, gan bwysleisio bod y gwaith nid yn unig yn hollbwysig ond hefyd (hyn allan o glyw ei mam) yn waith hynod beryglus pe câi ei dal gan yr Almaenwyr.

'Ac mi fydd o'n golygu mynd y tu cefn i dy ffrindiau,' dywedodd wrthi. Cododd ei law pan welodd y gwg yn ffurfio ar ei hwyneb. 'Dwi ddim yn awgrymu am eiliad y basa'r un ohonyn nhw'n achwyn amdanat ti, ond gora po leia o bobol fydd yn gwbod, Hanna.'

Ond mi wyddai Grigori, meddyliodd hi rŵan. Oedd o wastad wedi gwybod – a *sut* roedd o wedi dod i wybod? Y Tad Kosta, penderfynodd: doedd neb arall yn gwybod, ac efallai na wyddai Grigori chwaith nes i'r set radio gael ei chludo o'r fynachlog. Trodd ato i ofyn hynny iddo, ond cyn iddi gael y cyfle, cydiodd Grigori'n dynn yn ei garddwrn.

'Clyw!' meddai.

Roedd y wawr yn torri, ac roedd Iríni a Rodianthe wedi dechrau canu eu marwnad i Anogia.

Phlegethon

A phan ddaeth y gân, o'r diwedd, i ben . . .

Ychydig eiliadau o ddistawrwydd, fel petai Creta gyfan yn dal ei gwynt. Yna'r sŵn traed. Cannoedd ar gannoedd o draed, a'r peth gwaethaf amdano oedd y distawrwydd o'i amgylch:

dim gweiddi, dim saethu, dim cerbydau'n rhygnu ac yn rhuo – dim byd ond y sŵn traed yn byrlymu fel afon sych drwy'r strydoedd culion, dros y cerrig crynion, rhwng y cloddiau a heibio i'r ffenestri gweigion, tywyll. A chwmwl trwchus o lwch yn dod yn nes ac yn nes.

Cyn bo hir roedd y sŵn yn fyddarol, fel cenllysg trwm ar do sinc. Yna, peidiodd fesul tipyn – o'r de, o'r dwyrain, o'r gorllewin ac o'r gogledd – fel bod y rhai a oedd yno i'w glywed yn sylweddoli bod eu pentref bellach dan glo.

Eiliadau eraill o dawelwch trwm, ac yna lais y cyfieithydd drwy gorn siarad. Ar ôl dros dair blynedd, doedd clywed Groeg herciog mewn acen Almaenig drwy gorn siarad ddim yn ddigri mwyach. P'run bynnag, doedd 'na ddim plant yma heddiw i giglan ac i'w ddynwared, ac roedd y geiriau a ddôi drwy'r corn yn bell o fod yn ddoniol.

Roedd gan y rhai a oedd ar ôl yma, dywedai'r llais, hanner awr i gymryd i fyny eu gwelyau a rhodio – i lawr i Yení Gavé. Oddi yno, byddent yn cael eu dosbarthu ymhlith gwahanol bentrefi'r ardal. Esboniodd y llais mai'r hyn a olygai 'y rhai oedd ar ôl', mewn gwirionedd, oedd merched a genethod, oherwydd roedd unrhyw wryw fyddai'n cael ei ddal yn y pentref, neu hyd yn oed o fewn un cilometr ohono, i gael ei ddienyddio yn y fan a'r lle. Bloeddiwyd yr un neges o stryd i stryd.

Unrhyw wryw? Brenin trugaredd, doedd hynny rioed yn cynnwys plant, siawns? Hogia? A beth am yr hen ddynion, a'r rhai anabl? Nhwythau hefyd?

O, ia. Unrhyw berson gwryw; roedd yn ddigon syml.

Ac fel petaen nhw'n benderfynol o brofi hynny, daeth clecian yr ergydion cyntaf o rywle yng nghanol Anogia.

*

Pwl arall o besychu, un go hegar, a theimlodd Georgios Stagakis rywbeth arall yn rhoi'r tu mewn iddo, a meddyliodd: Dwi'n falch nad oes yr un o'r genod yma i ngweld i fel hyn, yn boddi yn fy ngwaed fy hun fel pysgodyn ar wal harbwr.

Prin y gallai godi ei ben, dim ond digon i weld bod y gwaed

diweddaraf hwn oedd wedi saethu o'i geg yn biws yng ngolau'r wawr, a darnau bychain o'i du mewn yn gorwedd ynddo fel penbyliaid marw mewn mwd.

Roedd y merched yn dal i ganu – os nad dim ond clywed adlais o'r gân yn ei ben yr oedd o. Digwyddai hynny'n reit aml pan fyddai Iríni a Rodianthe'n canu: roedd eu lleisiau'n tueddu i aros yn fyw yn y cof am ddyddiau wedyn. Daeth mwy o olau o rywle, a sylweddolodd fod drws ei dŷ bellach ar agor led y pen, a rhywun wedi'i gicio ar agor. Meddyliodd y dylai wneud rhywbeth, ond be? Be? Ia, cofiodd – y pistol, a cheisiodd ei fysedd sgrialu amdano ond roeddan nhw'n gwrthod ufuddhau, ac yna roedd rhywun yn sefyll rhyngddo a'r golau ac yn syllu i lawr arno, a meddyliodd Georgios: Hwn ydi o? *Hwn* ydi Angau?

Symudodd ei wefusau â'r bwriad o ddweud wrth y brych lle i fynd, ond pesychodd eto gan ei felltithio'i hun am fod yn rhy wantan i boeri yn wyneb y diafol wrth iddo blygu drosto a lapio'i freichiau amdano a cheisio'i godi. Lle mae o'n mynd â fi? meddyliodd. Dwi ddim wedi bod yn ddyn drwg – ddim yn ddyn drwg iawn, o leia – a go brin mod i'n haeddu hyn.

'Helpa fi!' meddai'r diafol, oedd am ryw reswm yn siarad â llais Kosta Yrakis. 'Helpa fi, Eva!'

Daeth rhywun arall i mewn i'r tŷ.

'Kosta!' crefodd hithau arno.

'Helpa fi, ddynas!'

Roedd y dagrau'n powlio i lawr wyneb Eva Yrakis wrth iddi blygu i helpu'i gŵr. Roedd o wedi rhuthro o'r tŷ cyn gynted ag y clywodd y ddwy Seirēne'n canu, a doedd ganddi ddim dewis ond rhedeg ar ei ôl. Llwyddodd i roi dwy fraich Georgios am wddw ac ysgwyddau Kosta, ond er bod Georgios wedi colli cryn dipyn o bwysau dros y dyddiau diwethaf, un llond ei groen fuodd o rioed a fedrai Kosta ddim sefyll yn syth â phwysau Georgios ar ei gefn.

'Eva!' crefodd.

Llwyddodd Eva i gael y nerth o rywle i roi ei hysgwydd dan ben-ôl Georgios, a gwthio digon i'w gŵr fedru sefyll yn simsan a baglu am y drws agored, ond llifai'r dagrau i lawr gruddiau

Kosta Yrakis wrth iddo sylweddoli ei fod o, ar ôl yr holl drafferth, yn rhy hwyr. Gallai glywed y corn siarad yn bytheirio, ac ar yr un pryd teimlodd rywbeth gwlyb a chynnes yn llifo dros ei wâr wrth i Georgios besychu. Teimlodd hefyd gryndod yn rhedeg drwy gorff yr arlywydd wrth i'r enaid ddianc ohono, a'r pwysau ychwanegol, llipa a ddywedai wrtho mai plisgyn gwag, bellach, a gludai ar ei gefn.

Dwi ddim am ei ollwng o, meddai wrtho'i hun – dwi ddim am ei ollwng o fel hen sach – ond roedd 'na weiddi o'i gwmpas ym mhobman, a chododd yr offeiriad ei ben a gweld yn union pa mor gythreulig o hwyr yr oedd o mewn gwirionedd.

Roedd Eva wedi aros i godi rhywbeth oddi ar y llawr pan glywodd hithau'r gweiddi'n dod o'r tu allan. Brysiodd at y drws heb sylweddoli beth oedd ganddi yn ei dwylo, wedi'i lapio mewn hen dywel, a gweld golygfa megis rhyw ffars greulon yn cael ei pherfformio yn y stryd o'i blaen, a'r stryd honno'n llawn o filwyr. Roeddan nhw wedi ffurfio cylch anferth, ac yng nghanol y cylch, â'i draed yn mynd fel coblyn wrth i'r milwyr ei wthio o un ochr o'r cylch i'r llall, roedd ei gŵr hefo corff marw Georgios Stagakis ar ei gefn.

Roedd y milwyr yn chwerthin ac yn gwawdio Kosta wrth ei wthio 'nôl a blaen, a chlywodd Eva nifer ohonyn nhw'n dynwared asyn yn brefu.

Y rhain – y moch yma – yn gwawdio'i gŵr hi.

'O, Kosta . . .' meddai Eva'n dawel.

Doedd hi erioed wedi caru'r dyn hwn gymaint ag y gwnâi hi rŵan – y dyn ystyfnig, byrbwyll, da hwn. Ac fel petai yntau wedi'i chlywed dros floeddio ffiaidd y milwyr, arhosodd Kosta Yrakis yn stond a throi tuag ati. Gwelodd Eva'n sefyll yno yn nrws y tŷ, yr un eneth ifanc ag y syrthiodd dros ei ben a'i glustiau mewn cariad â hi flynyddoedd lawer ynghynt.

Gwenodd, ac roedd o'n dal i wenu wrth i'r bwledi ei orfodi ar ei liniau ac yna i'r ddaear. Llithrodd Georgios Stagakis oddi arno, ac, yn rhyfedd iawn, teimlai Kosta ddim poen o gwbl, dim ond y rhyddhad o gael gosod y corff i lawr. Gallai weld Eva'n dod tuag ato ond roedd hi'n symud yn araf, yn boenus o araf, a theimlai'n drist oherwydd hoffai'n fawr gael y cyfle i wneud iddi wichian un waith eto wrth iddo rwbio'i locsyn yn erbyn ei hwyneb.

Roedd o wedi mynd erbyn i Eva'i gyrraedd. Gallai weld y golau'n pylu yn ei lygaid wrth iddi ruthro tuag ato, a meddyliodd: Na, Kosta! Paid ti â meddwl dy fod ti am gael mynd i nunlla hebdda i! Lapiodd ei braich chwith yn dynn am ei wddw ac ysgwyd y tywel yn rhydd oddi ar y dryll yn ei llaw dde. Clywodd un o'r milwyr yn gweiddi gorchymyn, a chafodd hi mo'r cyfle i godi'r dryll yn uwch na rhyw fodfedd neu ddwy.

Roedd hi a Kosta hefo'i gilydd cyn i fwled gyntaf y milwyr ffrwydro drwy'i phen.

*

Dechreuodd y llosgi'n fuan iawn wedyn. I mewn i'r tai â'r milwyr hefo'u 'Raus! Raus!', cyn dod allan o bob tŷ'n cario yn eu breichiau beth bynnag roeddan nhw'n ei dybio fyddai o unrhyw werth iddyn nhw, a'u pentyrru yn y stryd – nid bod yr un o'r pentyrrau'n un mawr. Yn ôl i mewn wedyn hefo'r petrol, ac yna'r *whwwfff* wrth i'r fflamau gynnau.

Ymhlith y rhai a welodd hyn oll roedd Thera a Maria Alevizakis, Adonia, a Hanna Kallergis. A Nikos? Dim ond Adonia, ei fam, a welodd Nikos yn llithro dros y clawdd cyn i'r corn siarad roi'r gorau i'w fytheirio.

'Mae o'n gwbod lle i fynd,' ceisiodd Maria sicrhau Thera pan sylwon nhw nad oedd golwg o'r hogyn. 'Fasa fo ddim wedi para pum munud tasa fo wedi aros efo ni.' Ond ar ôl sylweddoli faint o filwyr oedd yn Anogia'r diwrnod hwnnw – rywle tua dwy fil i gyd, a mil arall ar y cyrion – a gweld eu bod ym mhob twll a chornel, diflannodd rhywfaint o'i sicrwydd.

Poeni am Grigori roedd Hanna. Roedd o wedi brysio i dŷ'r Tad Kosta Yrakis pan glywodd leisiau'r ddwy chwaer yn dechrau ar eu cân. 'Cer i roi cic dan benolau'r merched 'na,' ddywedodd o wrthi dros ei ysgwydd wrth fynd i lawr yr allt. Pan gyrhaeddodd ei gwaelod, roedd o wedi aros a throi a syllu'n ôl i fyny tuag ati. Hanner cododd Hanna'i llaw, ond daeth rhyw ofergoeliaeth rhyfedd drosti a'i rhwystrodd rhag ei chodi'n uwch a'i chwifio; ofnai y byddai hynny'n ormod o ffarwél, rywsut, a gweddïai nad ei hatgof olaf amdano fyddai'r un hwn ohono'n sefyll wrth droed yr allt yn ei siwt fudr, yn hanner codi'i law yntau fel petai o'n meddwl yr un peth â hi, ac yn hytrach na chwifio'i law yn ei defnyddio i wthio'i sbectol i fyny'i drwyn, cyn troi a diflannu rownd y gornel.

Roedd y '*Raus! Raus!*' o'u cwmpas ym mhobman wrth i'r pedair frysio drwy'r pentref, yr asyn yn llwythog ac Adonia'n ei dywys fel tasa hi'n gwybod yn union lle i fynd, a merched a genethod yn beichio crio wrth gael eu llusgo o'u tai a'u troi a'u gwthio i gyfeiriad Yení Gavé, a'r milwyr yn cymryd dim sylw o gwbl o'u dagrau na'u rhegfeydd.

O un tŷ, wrth iddyn nhw brysuro heibio iddo, clywsant y '*Raus!*' yn cael ei ddweud droeon, yna'i floeddio, ac yna ergyd o wn. 'Peidiwch â sbio, Mam!' galwodd Maria wrth i Thera ddechrau troi, gorchymyn y bu'n rhaid i Maria ei ailadrodd yn y stryd nesaf lle gorweddai cyrff dau ddyn mewn oed ar draws ei gilydd, yn amlwg wedi cael eu llusgo allan a'u gadael fel sbwriel ar ochr y stryd.

Roedd Maria wedi ofni y byddai'r milwyr yn eu hambygio bob cam, ond eu hanwybyddu wnaethon nhw, ar wahân i ambell '*Schnell!*' piwis.

Wrth geg y ffordd a arweiniai i Yení Gavé roedd yn rhaid iddyn nhw groesi ffordd arall a arweiniai i lawr i Sisarha. Oddi yno y dôi'r milwyr, gwelodd Maria; yn wir, roedd dau Almaenwr yn dod i fyny'r ffordd rŵan, un yn gloff ac yn cerdded efo help ffon. Roedd o'n dal y ffon mewn ffordd ryfedd ar y naw, rhwng ei ddwy law ac o flaen ei ganol yn hytrach na'r ffordd arferol.

Arhosodd Adonia a'r mul yn stond.

'*Schnell! Schnell!*' gwaeddodd yr Almaenwr arall – yr un heb ffon – gan wneud arwyddion arnyn nhw i fynd yn eu blaenau. Ond gwrthododd Adonia symud, dim ond sefyll yno'n syllu arno.

'*Schnell!*' gwaeddodd y milwr eto, a'r tro hwn tynnodd ei bistol o'i holster.

'Adonia!' chwyrnodd Maria.

Ond roedd Adonia'n dal i rythu ar y milwr, ei hwyneb yn wyn a'i llygaid yn anferth. Ag ebychiad, cydiodd Maria ynddi gerfydd ei hysgwyddau a'i throi'n ôl i wynebu'r ffordd i Yení Gavé, gan roi plwc i gortyn y mul yr un pryd. Diolch i Dduw, ufuddhaodd hwnnw. Edrychodd Maria a Hanna'n eu holau rhag ofn bod y milwr wedi penderfynu defnyddio'i ddryll. Ond doedd o ddim hyd yn oed yn edrych arnyn nhw wrth iddo wthio'r dryll yn ôl i mewn i'r holster a phwnio'r Almaenwr arall yn ei gefn. Dyna pryd y gwelodd y genod fod dwylo'r milwr cloff mewn gefynnau, ac wrth iddyn nhw rythu trodd yntau ei ben a syllu'n ôl arnyn nhw.

Roedd ei wyneb yn llawn anobaith. Edrychodd ar Maria, yna ar Hanna, yna'n ôl ar Maria; dyn ifanc â'i wallt golau'n prysur deneuo. Cododd ei ysgwyddau, a chytunai'r ddwy wedyn ei fod o wedi edrych fel tasa fo'n ymddiheuro. Yna rhoes y milwr arall blwc ciaidd i'r gefynnau a gweiddi rhywbeth arno. Baglodd y milwr cloff yn ei flaen am Anogia, ei droed chwith yn llusgo yn y llwch er gwaetha'r ffon, ac wrth i'r ddau ddiflannu rownd y tro, cododd Maria a Hanna eu llygaid i'r awyr mewn pryd i weld y cymylau cyntaf o fwg yn codi dros Anogia.

*

Meddyliodd Dimítris mai cacynen oedd yr un gyntaf a wibiodd heibio'i ben, gan achosi iddo faglu a syrthio ar ei hyd. Clywodd glec yn syth wedyn, ond gan fod cymaint o sŵn saethu wedi dod o'r pentref y tu ôl iddo, chysylltodd o mo'r ergyd honno â'r gacynen oedd newydd wibio drwy ei wallt.

Efallai nad oedd y gacynen wedi'i bigo, ond roedd hi wedi peri i Dimítris ollwng ei afael ar y sach, ac roedd hanner y melonau wedi rhowlio allan ohoni yn ôl i lawr y llethr.

'*Skatá!*' meddai'n uchel, ac edrych o'i gwmpas yn syth ar ôl rhegi, er ei fod yn gwybod yn iawn ei fod yma ar ei ben ei hun.

Roedd o wedi clywed y llais yn gweiddi drwy'r corn pan

oedd o ar ei liniau yn yr ardd gefn yn stwffio'r melonau drwy geg y sach, ac wedi giglan a dynwared y llais fel yr arferai'r plant ei wneud erstalwm, gan wybod yn iawn y byddai'n cael andros o row petai ei fam yma i'w glywed. Gan gydio'n dynn yn y sach, roedd o wedi neidio dros y clawdd a'i lusgo'i hun ar ei fol, fel neidr, drwy ardd y tŷ nesaf – ac felly'r aeth o, o dŷ i dŷ, nes iddo gyrraedd y llwybr i'r mynydd. Arhosodd i gael ei wynt ato. Roedd yr haul allan go iawn erbyn hyn ac yn taro'n boeth, a chafodd Dimítris ei demtio i fwyta un o'r melonau: wedi'r cwbl, wyddai ei fam ddim faint oedd ganddo yn ei sach, na wyddai?

Roedd rhai o hogia'r pentref wedi dangos iddo sut oedd cadw'i gyllell boced yn finiog drwy rwbio'r llafn ar garreg arw, a chafodd o ddim trafferth agor un o'r melonau. Wrth eistedd yno ym môn y clawdd yn cnoi a llyncu, meddyliodd pa mor falch y byddai ei fam ohono os byddai pob un wan jac o'r melonau'n blasu cystal â'r un yma. Reit, meddai wrtho'i hun ar ôl gorffen bwyta, dwi'n teimlo'n well rŵan – felly rŵan amdani! Cydiodd yn y sach gan ofalu bod y geg wedi'i gwasgu ynghau yn dynn, dynn.

'Éna! Dío! Tría!' meddai, ac i ffwrdd â fo i fyny'r llwybr, a mynd yn reit dda hefyd nes i'r gacynen gythral 'na ddŵad o nunlle, a gwneud iddo faglu ar ei hyd. Rŵan byddai'n rhaid iddo fynd yn ei ôl i lawr y llwybr i ailgasglu'r melonau.

Cododd ar ei draed, ac mewn eiliad eistedd i lawr yn ei ôl yn un cocyn wrth i rywbeth ei daro yn ei ochr dde. Cofiai fel roedd un o hogia Anogia wedi'i saethu un tro hefo catapwlt. Roedd y garreg honno wedi'i daro yn ei ochr chwith, ond roedd hi wedi brifo bron iawn cymaint â'r garreg 'ma oedd newydd ei daro fo rŵan. Teimlai'r dagrau'n rhuthro i'w lygaid. Na! meddyliodd, dwi ddim yn mynd i grio – doedd arno ddim eisiau i bwy bynnag oedd newydd saethu'r garreg ato fynd o gwmpas y lle'n dweud wrth bawb fod Dimítris wedi crio, dim ond am fod carreg fach wedi'i daro.

Ond bobol, roedd hi'n brifo! Rhoddodd ei law ar ei ochr a

phan welodd y gwaed ar ei fysedd, doedd ganddo mo'r help – dechreuodd grio.

Yna cofiodd am y melonau. Cychwynnodd estyn am ei sach ond roedd ei fraich yn gwrthod symud am ryw reswm. Teimlai wedi blino'n ofnadwy, a gorweddodd yn ei ôl, ar ei gefn, yn edrych i fyny ar yr awyr. Dyna be dwi'n ei gael am godi ben bora, meddyliodd. Dim rhyfedd mod i wedi blino mor ofnadwy. Pum munud bach . . .

Doedd wiw iddo din-droi yma'n rhy hir, mi fyddai ei fam yn poeni amdano. Dwi wedi bod yn hogyn drwg, meddyliodd.

Roedd yr awyr bron iawn yn ddu mwya sydyn. Bobol bach, oedd hi'n nos yn barod? Doedd o rioed wedi cysgu? Lle roedd yr amser wedi mynd?

Lle roedd yr ams. . .

*

Roedd Jung wedi baglu droeon ac wedi syrthio ar ei hyd, oherwydd llwybr oedd y 'ffordd' i Anogia, a llwybr mynydd ar hynny. Bob tro y syrthiai, câi gic galed yn ei goes giami. Fwy nag unwaith, hefyd, roedd Wolf wedi'i lusgo 'nôl ar ei draed gerfydd ei wallt. Er bod nifer o filwyr wedi aros a chynnig help llaw iddo, gwrthod eu cynnig a wnâi Golo Wolf yn ddi-ffael. Ac roedd Wolf fel petai'n ddall i'r edrychiad od a gâi o a Jung gan bawb a âi heibio iddyn nhw: un *Hauptmann* chwyslyd ac un *Oberleutnant* chwyslyd a gwaedlyd, a hwnnw mewn gefynnau a'i iwnifform yn llwch i gyd ac wedi'i rhwygo mewn sawl man.

O'r diwedd – Anogia. Fy Samarra, meddyliodd Tobias Jung wrth i Golo Wolf ei lusgo trwy'r mwg a heibio i'r cyrff marw. Ond na – Uffern ydi hwn, meddyliodd wedyn. Fel y bardd Dante, dwi'n cael fy nhywys drwy Uffern, a dyma ni yn y seithfed cylch lle mae'r rhai fu'n ymddwyn yn dreisiol tuag at bobol eraill yn cael eu cosbi ar lannau afon Phlegethon, yr afon o waed sy'n llawn o eneidiau'n berwi hyd dragwyddoldeb.

Yna, fe'i cywirodd ei hun unwaith eto: cael ei dywys trwy'r isfyd gan y bardd Virgil wnaeth Dante. Ond rydw i, meddyliodd Jung, yn cael fy nhywys gan Satan ei hun.

Arhosodd Satan gyferbyn â chlawdd uchel. O'u blaenau safai tri hen ddyn, eu tri mewn gwth o oedran ac un ohonyn nhw'n amlwg wedi'i lusgo yno o'i wely, oherwydd roedd y ddau arall yn stryffaglu i'w gadw ar ei draed. Rywsut, fe lwyddon nhw i sefyll yn syth, a doedd dim arwydd o ofn ar wyneb yr un o'r tri wrth i hanner dwsin o filwyr anelu eu reifflau tuag atyn nhw a'u saethu. Clywodd Tobias Jung lais yn sgrechian, a sylweddoli mai ei lais ei hun a glywai: '*Einsatzgruppen!* Dyna be ydach chi – *Einsatzgruppen!*'

Trodd y milwyr tuag ato, ambell un ohonyn nhw'n chwerthin, pob un ohonyn nhw'n crechwenu, wrth i Tobias Jung syrthio i'w liniau, dim ond i gael ei lusgo'n ôl ar ei draed gerfydd ei wallt unwaith yn rhagor i gael parhau ar y daith hyd lannau Phlegethon.

*

Pan glywodd hi sŵn drws ei thŷ yn cael ei gicio ar agor, cododd Eleni Vandoulakis o'i chadair ar ben y to er mwyn gorwedd ar ei chefn, a syllu i fyny ar yr awyr.

Cyn hir teimlai'r to yn dechrau cynhesu oddi tani. Dydi'r awyr erioed wedi bod cyn lased â hyn, meddyliodd.

'Wn i,' meddai Nikolai. 'Arhosa di nes i ti weld y lliwiau ar y mynydd, Eleni.'

Trodd ei phen a gwenu. Doedd hi ddim yn synnu, rywsut, fod ei gŵr yn gorwedd wrth ei hochr.

'Paid â rwdlan,' meddai wrtho. 'Wela i mo'r mynydd 'na eto.'

Rhwbiodd Nikolai flaen ei drwyn yn erbyn ei thrwyn hi, fel yr arferai ei wneud ddegawdau maith yn ôl, a chwarddodd Eleni, yn ferch ifanc unwaith eto.

'*Pwy* sy'n rwdlan?' gofynnodd Nikolai. Roedd mwg yn codi o'u cwmpas a gallai Eleni glywed ei dodrefn yn clecian wrth losgi oddi tani.

'Y chdi,' meddai wrtho. 'Hen rwdlyn fuost ti rioed, Nikolai, a rwdlyn fyddi di byth, mwn.'

'Gei di weld!' meddai Nikolai.

Teimlodd Eleni ei law yn cau'n dynn am ei llaw hi wrth i'r

mwg o'u cwmpas droi'n fflamau. Amneidiodd Nikolai ei ben i gyfeiriad yr awyr.

'Edrycha,' meddai.

Edrychodd Eleni. Gwenodd eto pan welodd yr eryrod yn troi'n ddiog yn y glas uwch ei phen.

'Ti'n barod, 'rhen hogan?'

Gwasgodd Eleni ei law.

'Ydw,' meddai. 'Dwi'n barod.'

Yna, rhoddodd y to oddi tani a disgynnodd Eleni i mewn i'r fflamau, ond theimlodd hi ddim poen: roedd hi'n gorwedd ar ei chefn ar lethrau Mynydd Ida, yn gwylio dau eryr yn chwarae mig â'i gilydd yn yr awyr las, las.

*

Yr un pryd, ddwy stryd i ffwrdd, daeth milwr o'r enw Anton Giesler allan o dŷ'r ddwy chwaer Iríni a Rodianthe Saviolakis. Y tu mewn i'r tŷ, gorweddai'r ddwy yn farw, wedi'u saethu gan Giesler pan wrthodon nhw'n lân â dod allan – bwled yr un rhwng eu llygaid. Goruchwyliodd Giesler y milwyr eraill wrth iddyn nhw ysbeilio'r tŷ – ysbail bitw ar y diawl, hefyd, meddyliodd; wn i ddim pam rydan ni'n trafferthu – ac yna'u gwylio'n rhoi'r tŷ ar dân. Arhosodd Giesler nes ei fod yn sicr fod y fflamau wedi cydio cyn troi i adael.

A dyna pryd yr aeth pethau braidd yn . . . wel, yn od, meddai'r milwyr eraill wedyn. Roedd Anton Giesler wedi sefyll yno a'i ben ar un ochr, fel tasa fo'n gwrando ar rywbeth. Trodd yn ei ôl gan rythu ar y fflamau a gwên hurt ar ei wyneb, ac oni bai fod rhai o'r hogia wedi'i lusgo'n ôl allan, meddai'r milwyr, mi fyddai wedi aros yno tra oedd y tŷ'n llosgi o'i gwmpas.

Allan ar y stryd, trodd Giesler a syllu ar y fflamau a'r mwg, a'r un wên hurt ar ei wyneb. Yna syrthiodd ar ei liniau. Tynnodd ei bistol allan o'i holster, a chyn i neb sylweddoli beth oedd ganddo mewn golwg, roedd wedi rhoi blaen y Luger yn ei geg a'i danio.

Yn ystod y ffwdan a ddaethai yn sgil hyn, roedd un o'r milwyr eraill wedi digwydd edrych yn ôl ar y tŷ yn llosgi'n braf y tu ôl iddo, a gallai daeru iddo gael cip sydyn ar ddwy ddynes ifanc yn sefyll yng nghanol y fflamau ac yn chwerthin arno. Y fflamau'n chwarae triciau, penderfynodd – yn creu siapiau nad oedd yno go iawn. Gwell peidio meddwl amdanyn nhw, eu hanghofio'n llwyr, hyd yn oed.

Ond fedrai o ddim. Hwyrach, tasa rhywun wedi dweud wrtho am y *mystiká prágmata*, y byddai wedi gallu dygymod yn well â'r breuddwydion cas a gafodd bob nos am weddill ei ddyddiau – ond wrth gwrs, doedd 'na neb ar ôl yn Anogia i sôn wrtho amdanyn nhw. Breuddwydion oeddan nhw am ddwy ferch hardd yn ei hudo i mewn i'r fflamau – dwy ferch a drodd yn ddwy hen wreigan wrth iddyn nhw ei gusanu.

Meddyliodd y byddai'r hunllefau'n peidio unwaith y byddai wedi cael cefnu ar Anogia, ond mi aeth â nhw hefo fo gan ddeffro bob bore a llosgiadau rhyfedd ar ei gorff, fel brathiadau a chrafiadau ewinedd, nes o'r diwedd y gwyddai na fedrai wynebu un noson arall. Fel Anton Giesler, rhoes yntau ei bistol yn ei geg a pheintio'r pared â'i ymennydd, ei waed, a sglodion bychain o asgwrn ei benglog.

*

Cyn gynted ag y clywodd Grigori'r ddwy chwaer yn dechrau canu, roedd o wedi sylweddoli mai marwnad oedd eu cân. Onid oedd o wedi dod i nabod eu lleisiau, o ganlyniad i'r breuddwydion cywilyddus y bu'n eu cael amdanyn nhw? Roedd o'n gyfarwydd â phob arlliw o'u lleisiau erbyn hyn – pob tinc – ac er nad oedd o'n deall yr hen, hen eiriau, gwyddai mai alaw o dristwch torcalonnus, o ffarwél tragwyddol, oedd yr un a glywodd ar godiad yr haul heddiw.

Ofnai, wrth frysio tuag at dŷ'r offeiriad, y byddai'n rhy hwyr, a llawer gormod o din-droi wedi bod. Larwm oedd marwnad y ddwy chwaer – eich cyfle olaf, bobol, i gefnu ar eich cartrefi neu farw hefo nhw – a gweddïodd wrth redeg nad oedd Kosta ac Eva yma i glywed y larwm hwn, a'u bod wedi hen adael am y mynydd.

Doedd drws y tŷ ddim ar glo. Yn waeth na hynny, roedd o

wedi'i adael ar agor led y pen. Y pethau cyntaf a welodd Grigori oedd bwndeli wedi'u lapio a'u clymu'n dwt, a sawl *sakoúli*'n llawn ac yn barod ar gyfer mynd.

'Pater?' gwaeddodd, er bod llonyddwch gwag y tŷ yn sgrechian arno fod hynny'n ofer. 'Kosta? Kyría Eva?'

Doedd neb yn yr ystafell wely chwaith. Safodd yn llywaeth uwchben y bwndeli a'r sachau.

Yr eglwys, meddyliodd, maen nhw wedi mynd i ffarwelio â'r eglwys. Caeodd ddrws y tŷ'n ofalus ar ei ôl, a dim ond pan oedd o hanner ffordd i'r eglwys y sylweddolodd fod Iríni a Rodianthe Saviolakis wedi gorffen canu.

Arouraios

Dyna beth oedd nifer o blant y pentref wedi'i alw fo ar un adeg – *arouraios*, llygoden fawr. Oherwydd ei glustiau, a'r ffaith ei fod yn fach ac yn denau. Yn reit fuan daeth y plant eraill – yn enwedig yr hogia fu'n ei fwlio ar fuarth yr ysgol – i wybod ei fod o hefyd yn un slei, yn fwy slei o beth myrdd nag unrhyw lygoden fawr.

Ac yn fwy creulon. Daeth y bwlio i ben yn fuan iawn wedyn.

Gwyddai Nikos fod rhai o'r plant yn dal i gyfeirio ato fel *arouraios* yn ei gefn, ond roedd o'n cael llonydd, dyna oedd y peth pwysicaf. A doedd bod yn slei ddim yn beth drwg o gwbl, penderfynodd; ar ôl bod yn y pentref am ychydig fisoedd, gallai sleifio o un pen o Anogia i'r llall heb i'r un enaid byw ei weld. Daeth i wybod am bob twll a chornel, a chreu sawl cuddfan iddo'i hun yn y strydoedd cefn ac yng nghefnau'r tai oedd yn gartrefi i ferched a genethod oedd ychydig yn ddiofal wrth ymolchi, neu wrth garu hefo'u gwŷr a'u cariadon.

Rannodd o mo'r wybodaeth yma efo neb, er y byddai hynny wedi'i wneud yn boblogaidd iawn ymysg hogia eraill y pentref. Ond doedd bod yn boblogaidd ddim yn bwysig i Nikos, oherwydd doedd o ddim yn hoffi Anogia ryw lawer. Am dair blynedd bu'n gwylio'r *andártes* yn mynd a dod fel roeddan nhw'n dymuno, yn sgwario drwy'r pentref fel tasan nhw wedi trechu pob un o'r Germani. Roedd Nikos yn methu'n glir â deall pam roedd Anogia wedi cael llonydd cymharol, a Kondomari wedi cael ei losgi – a'i dad a'i frawd a'r rhan fwyaf o wŷr a thadau eraill y pentref wedi cael eu saethu, am nemor ddim rheswm.

A'i fam wedi'i throi yn . . . wel, yr hyn oedd hi heddiw.

Theimlodd o fawr o dristwch, felly, pan welodd y cymylau cyntaf o fwg yn codi. Pan glywodd y corn siarad, roedd o wedi plannu cusan sydyn ar gorun ei fam a diflannu drwy'r drws cefn a thros y clawdd. Ei fwriad oedd dianc i fyny'r mynydd ond gwelodd yn syth fod gormod o filwyr o gwmpas, ac roedd y darn yma o'r mynydd yn rhy agored. Felly, ymguddiodd mewn llwyn o ddrain a nadreddu i'w waelod ar ei fol, yn union fel llygoden fawr. Roedd yn eitha peth iddo wneud hynny, oherwydd eiliadau wedyn pwy fustachodd i fyny'r mynydd i'w gyfeiriad ond y dyn Dimítris hwnnw, yr un oedd wastad yn gofyn i Nikos oedd o'n hoffi rhyw fwyd neu'i gilydd.

Roedd Nikos wedi rhegi pan welodd Dimítris yn dod, ac wedi'i wasgu'i hun yn is o dan y drain. Gwyddai, petai Dimítris yn ei weld, y byddai hwnnw'n sicr o wneud môr a mynydd o'r peth a denu sylw'r milwyr.

Ond roedd tri milwr wedi hen sylwi ar Dimítris yn dringo'r llwybr. Disgwyliodd Nikos iddyn nhw weiddi arno i aros a mynd yn ei ôl i lawr, ond yn lle hynny gwyliodd nhw'n gwenu wrth i un ohonyn nhw godi ei reiffl ac anelu. Taniodd, a meddyliodd Nikos fod Dimítris wedi cael ei saethu ond dim ond baglu wnaeth o, a syrthio ar ei hyd gan ollwng ei sach. Melonau, gwelodd Nikos. Eisteddodd Dimítris i fyny'n syth a chwifio'i fraich yn yr awyr fel petai'n trio cael gwared ar gacynen, yna codi ar ei draed, yn amlwg yn bwriadu casglu'r melonau.

Poerodd y milwr cyntaf mewn dirmyg wrth i'r ail anelu ei reiffl. Y tro hwn eisteddodd Dimítris i lawr yn ei ôl a golwg hurt ar ei wyneb, fel tasa fo ddim yn siŵr iawn beth oedd wedi digwydd iddo. Edrychodd o'i gwmpas cyn rhoi ei law ar ei ochr, a phan gododd ei law wedyn gallai Nikos weld y gwaed yn glir.

Yna, gorweddodd i lawr fel tasa fo'n mynd i gysgu, wrth i'r ddau filwr arall longyfarch yr un oedd wedi'i saethu, a rhoi sigarét iddo cyn troi i ffwrdd, a'u chwerthin i'w glywed yn glir.

Arhosodd Nikos yn y llwyn, gan wybod ei fod yn ddigon diogel os arhosai'n llonydd. Roedd hi'n amhosib peidio â meddwl am Kondomari, wrth gwrs, ac yntau'n gorwedd yno yng nghysgod llwyn tebyg iawn i hwn, yn gwylio golygfeydd tebyg. Yn wir, roedd rhai o'r milwyr yn rhyfeddol o debyg i'r wynebau fu'n llenwi'i hunllefau ers y diwrnod hwnnw. Fel nacw, er enghraifft – hwnna efo'r locsyn bach sgraglyd 'na ar ei ên. Roedd o'n tywys milwr arall allan o'r pentref, i gyfeiriad yr eglwys. Meddyliodd Nikos i ddechrau mai helpu'r ail filwr roedd o, nes i hwnnw syrthio i'r llawr a chael ei dynnu'n ôl ar ei draed gan y llall gerfydd ei wallt.

Yna, bron fel petai wedi teimlo llygaid Nikos yn craffu arno, trodd y milwr cyntaf a rhythu i fyny'r mynydd. Teimlodd Nikos ei fod yn mynd i lewygu; aeth yn oer drosto, a llifodd rhyw hen chwys oer ohono. Clywodd chwiban uchel, fain yn ei ben wrth iddo sylweddoli ei fod o, unwaith eto, yn edrych ar wyneb Golo Wolf.

26
Arwr mawr newydd Anogia

Roedd drws yr eglwys ynghlo pan gyrhaeddodd Grigori. Waeth i ti heb â'i ysgwyd, meddai wrtho'i hun wrth ei ysgwyd yn ffyrnig, ond erbyn hynny roedd o wedi clywed y sŵn traed arswydus yn dod yn nes, a'i gorff wedi'i lenwi â'r panig mwyaf dychrynllyd a brofodd erioed – panig ddaeth yn agos at rewi ei gorff a'i feddwl, fel na fedrai wneud dim ond ysgwyd y drws . . . y drws . . . y ffycin drws a arhosai'n ystyfnig ynghlo.

Dechreuodd waldio'r drws â chledrau agored ei ddwylo – *slap-slap-slap* – er y gwyddai nad oedd neb y tu mewn i'r eglwys i'w glywed. Teimlai ei gefn a'i ysgwyddau fel petai 'na filoedd o bryfed cop yn carlamu drostyn nhw, a chododd ei ysgwyddau a gwthio'i ên i lawr fel crwban yn trio tynnu'i ben yn ôl i mewn i'w gragen. Disgwyliai deimlo'r ergydion yn ei gefn unrhyw funud, a gweld ei waed ei hun yn britho drws yr eglwys. Roedd o'n crio, sylweddolodd, ac yn crynu trwyddo; teimlodd gynhesrwydd gwlyb ac anghynnes yn llifo i lawr ei goesau, a phan edrychodd i lawr a gweld y pwll bychan yn ffurfio ac yn stemio o gwmpas ei draed, sylweddolodd ei fod wedi'i wlychu'i hun.

Yna peidiodd y sŵn traed mor ddisymwth â phetai'r sŵn wedi dod o ryw radio anferth, a rhywun newydd ei ddiffodd.

Llithrodd Grigori Daskalakis, arwr mawr newydd Anogia, ar ei liniau â'i freichiau wedi'u lapio am ei ben, yn igian crio, yn drewi o biso ac yn crefu am ei fam.

*

Y llais drwy'r corn siarad yn dod o rywle yng nghanol y pentref a wnaeth iddo fentro codi'i ben. Gwrandawodd, ond fedrai o ddim clywed y geiriau, dim ond y llais undonog. Hyd yn oed wedyn, gwyddai mai geiriau bygythiol oeddan nhw.

Trodd yn sydyn, ar ei liniau o hyd, gan edrych yn wyllt i bob cyfeiriad.

Roedd y lôn heibio i'r eglwys yn hollol wag, ar wahân i ddwy frân oedd yn ei lygadu'n ddilornus o ben y clawdd gyferbyn, cyn codi'n ddiog a hedfan i ffwrdd dan grawcian fel tasan nhw'n ei wawdio – ac yntau wedi disgwyl gweld platŵn cyfan o filwyr yn sefyll yno mewn rhes, a'u reifflau'n pwyntio tuag ato. Dilynodd ehediad y brain â'i lygaid, a rhythu fel llo wrth eu gwylio'n diflannu i mewn i gwmwl trwchus, du. Syllodd ar y cwmwl am rai eiliadau, a hwnnw'n mynd yn fwy ac yn fwy, nes iddo sylweddoli pam nad oedd 'na filwyr wedi cyrraedd yr eglwys eto.

Roeddan nhw wedi aros er mwyn llosgi'r fynachlog. Roedd maint y cwmwl yn awgrymu'n gryf fod y fynachlog yn llosgi'n braf, a bod y milwyr wedi gorffen eu gwaith yno, a mwy na thebyg wedi ailgychwyn ar eu taith tua'r pentref.

Daeth y panig yn ôl fel cyfog. Rhythodd ar y tro yn y lôn o dan y cwmwl. Heibio i'r tro yma y dôn' nhw, meddai wrtho'i hun – unrhyw funud rŵan. A chyn gyntad ag y gwela i'r milwr cynta'n ymddangos, mi fydd ei lygaid yntau'n syrthio arna i; yna'r floedd, a'r martsio'n troi'n rhedeg, a'r dwylo'n fy llusgo i fyny a'r gynnau'n tanio, a'r bwledi'n fy nghroeshoelio'n sownd i ddrws yr eglwys.

Arhosodd yno'n swp wrth waelod y drws. Maen nhw'n siŵr o ddŵad, meddyliodd, waeth imi heb â thrio dianc. Mae'n anochel – fel ceisio dianc oddi wrth bla. Daeth cysgod breuddwydiol dros ei wyneb wrth iddo wylio'r cwmwl mwg yn mynd yn fwy, ac yn codi'n uwch ac uwch.

Dim ond unwaith erioed y bu Grigori y tu mewn i'r fynachlog. Cofiai mor lân oedd y lle, mor dwt: y gerddi'n berffaith, a'r ffrwythau ar ganghennau coed y berllan yn sgleinio ac yn dew fel boliau beichiog – fel petai'r sudd ar fin ffrwydro ohonyn nhw. Cofiai hefyd adael â theimladau cymysg, yn ansicr iawn ynglŷn â'r hyn a deimlai tuag at y mynaich. Ai dirmyg oherwydd eu bod nhw wedi dewis cilio rhag y byd, neu genfigen oherwydd eu bod nhw'n *gallu* gwneud hynny?

Roedd o wedi trio cynnal sgwrs hefo mynach ifanc oedd fawr hŷn na fo. Be oedd ei enw fo, hefyd? – ia, Kallinikos, dyna fo. Ond methiant fu'r sgwrs. Roedd y mynach ifanc yn ffinio ar fod yn llywaeth, yn mwmian wrth rythu ar flaenau'i draed, ac yn ei ddal ei hun yn stiff fel procar. Roedd o'n amlwg yn ysu am weld Grigori'n mynd, ac roedd Grigori wedi dod yn agos iawn at ofyn iddo ai bywyd y fynachlog oedd wedi'i neud o'n greadur mor llywaeth, 'ta un felly oedd o wedi bod erioed. Oedd o wedi dod i'r fynachlog am na fedrai o ymdopi â bod mewn cymdeithas gyffredin?

Gobeithio nad oedd Kallinikos yn rhy lywaeth i fod wedi cymryd y goes efo'r mynaich eraill, meddyliodd. Diolch byth nad ydi Hanna'n dal i . . .

Hanna. Cofiodd ei hanner gwên yn troi'n un fawr, lydan, naturiol. A'r hances boced feddal yn ogleuo o rosmari. Fel ei gwallt, ei chroen.

Stryffaglodd ar ei draed. Gwyddai mai dim ond eiliadau oedd ganddo cyn y byddai'r milwyr cyntaf yn ymddangos rownd y tro. A doedd o ddim am aros amdanyn nhw – roedd arno eisiau arogli'r rhosmari eto.

Cofiodd fel y byddai Kosta Yrakis wastad yn cwyno wrtho am y mieri a dyfai'n wyllt yn yr hen ffos y tu ôl i'r eglwys, gan ddweud ei fod wedi gofyn a gofyn i Dimítris ei glirio – ac edrych ar Grigori trwy gil ei lygaid, fel tasa fo'n disgwyl iddo *fo* gynnig gwneud. Roedd wedi mynd mor bell â'i lusgo yno hefo fo un diwrnod, a dangos y drain a'r chwyn iddo. Gallai fod wedi taeru i wyneb Kosta ddisgyn pan ddywedodd Grigori wrtho, 'Dimítris druan – dim rhyfedd ei fod o'n gyndyn o ddechrau arni.'

Gan obeithio i'r nefoedd nad oedd Dimítris *wedi* dechrau arni, brysiodd Grigori i gefn yr eglwys.

Eiliadau wedyn, daeth y milwyr cyntaf i'r golwg rownd y tro.

*

Nag oedd, doedd Dimítris ddim wedi mynd i'r afael â'r drain, diolch i'r drefn, ac roeddan nhw'n fwy trwchus o lawer nag y cofiai Grigori. Roedd y drain eu hunain yn fwy, hefyd, ac yn finiocach o beth wmbredd. Ond gallai glywed y sŵn traed yn dod yn nes, a lleisiau'r milwyr. Roedd 'na gryn dipyn o chwerthin, hefyd; roeddan nhw'n amlwg wedi'u cyffroi ar ôl llosgi'r fynachlog, Felly, heb feddwl ymhellach, tynnodd Grigori Daskalakis goler siaced ei siwt dros ei ben fel rhywun yn chwarae bwgan mewn gêm blant, a'i hyrddio'i hun i mewn i ganol y llwyni.

Rhwygodd ei arddyrnau a chefnau ei ddwylo – a'i dalcen a'i ên a'i fochau, a hyd yn oed ei drwyn – ond trwy ryw wyrth roedd ei sbectol wedi aros ar ei drwyn, a hynny heb falu. Felly roedd ei lygaid gwantan yn iawn, oni bai am y gwaed a lifai i mewn iddyn nhw o'r crafiadau brwnt ar ei dalcen.

Yn syth bìn, sylweddolodd ei fod wedi gwneud clamp o gamgymeriad. Os oedd yr Almaenwyr yn bwriadu llosgi'r eglwys, yna byddai'r llwyni drain, oedd yn sych fel llwch lli, yn siŵr o fod yn wenfflam ymhen munudau; roeddan nhw'n rhy agos at yr eglwys i gael eu harbed. Ac mi aent â Grigori hefo nhw – Grigori, na fedrai ddychmygu marwolaeth waeth na chael ei losgi'n fyw. Buasai cael ei groeshoelio i ddrws yr eglwys gan ffiwsilâd o fwledi'n fwy trugarog.

Clywodd ddrws yr eglwys yn cael ei ysgwyd, yna'i gicio. Ychydig o drafod, yna ffrwydrad uchel a fuasai wedi gwneud iddo'i wlychu'i hun eilwaith petai ganddo rywfaint o ddŵr ar ôl. Roeddan nhw, felly, wedi defnyddio grenâd i chwythu'r drws ar agor. O'r tu mewn i'r eglwys dôi synau cadeiriau'n cael eu malu – ar gyfer coed tân, hwyrach?

Yna, yn ddirybudd, ymddangosodd dau filwr heibio i fur cefn yr eglwys.

Ceisiodd Grigori ei wthio'i hun yn nes at y ddaear – o, am fod yn bryf genwair! – a theimlo rhagor o grafiadau wrth i'r drain droi arno'n giaidd. Rhwng y brigau gallai weld y milwyr yn edrych o'u cwmpas mewn ffordd ddigon ffwrdd-â-hi, yn amlwg heb ddim diddordeb mewn llwyni drain a ffos wedi hen sychu. Fe symudon nhw ychydig ymhellach i ffwrdd wedyn, ond roedd Grigori'n gallu clywed eu lleisiau o hyd, ac yna sŵn dŵr . . . a sylweddolodd Grigori fod y ddau'n piso i mewn i'r drain.

Ar ôl iddyn nhw fynd, dychwelodd y cryndod i'w gorff. Gorweddodd yno a'i drwyn yn y ddaear, yn ysgwyd o'i gorun i'w sawdl. Unrhyw funud disgwyliai glywed y *whwwfff* poeth fyddai'n dweud wrtho eu bod wedi rhoi'r eglwys ar dân, ac yn ei feddwl gwelodd ei hun yn sgrialu allan o'r llwyni drain yn belen o dân, yn gweddïo am y bwledi fyddai'n rhoi terfyn ar ei ddioddef.

Ond ddigwyddodd hynny ddim. Yn hytrach, aeth nifer o'r milwyr i gyfeiriad y pentref. Gallai ddweud fod y rhai a adawyd ar ôl yn grwgnach yn flin ymysg ei gilydd am iddyn nhw gael eu gadael yma.

Roedd hi'n amlwg fod yr eglwys wedi cael ei harbed. Ond am ba hyd, ac i ba bwrpas? Daeth mwy o filwyr rownd i'r cefn, ond dim ond er mwyn lluchio gweddillion y cadeiriau i mewn i'r ffos, a dyfalodd Grigori eu bod nhw'n clirio'r eglwys er mwyn cael ei defnyddio fel storws – rhywle i gadw'u hysbail.

Erbyn hynny, roedd Anogia wedi dechrau llosgi.

*

Roedd garddyrnau Tobias Jung bellach yn gig amrwd, a throwsus ei iwnifform yn garpiau. Teimlai ei glun a'i ysgwydd fel petai'r creithiau ynddyn nhw wedi cael eu rhwygo ar agor, ac anifeiliaid rheibus yn gwledda ar yr archollion.

Roedd meddwl, hyd yn oed, bron yn amhosib iddo erbyn hyn. Roedd y lladd a'r llosgi a welsai yn Anogia wedi dechrau rhewi ei ymennydd, a'r holl gerdded, yr holl lusgo, fel petaen nhw wedi gorffen y gwaith. Yr unig beth oedd ar ei feddwl bellach oedd rhoi un droed o flaen y llall yn ddigon cyflym i osgoi plwc arall ar y cortyn.

Roedd yr haul wedi codi go iawn, ac yn gwgu i lawr arnyn nhw fel petai ganddo rywbeth personol yn eu herbyn. Roedd

Jung yn wlyb socian o chwys, a'r chwys yn peri i'r gefynnau rwbio'n fwy arteithiol yn erbyn ei arddyrnau.

O'u blaenau, ychydig y tu allan i'r pentref ei hun, roedd 'na eglwys fechan. Eisteddai oddeutu hanner dwsin o filwyr y tu allan i'r eglwys, i gyd yn ysmygu. Neidiodd y milwyr ar eu traed a diffodd eu sigaréts pan welson nhw Wolf yn dynesu.

'*Heil Hitler!*'

Ond roedd eu llygaid ar Jung, yn llawn chwilfrydedd a phenbleth. Fedrai Jung ddim edrych yn ôl arnyn nhw; roedd yn rhy brysur yn canolbwyntio ar beidio â syrthio i'r ddaear mewn llewyg.

Methodd. Doedd ganddo ddim cof o syrthio, nac o weld y ddaear yn rhuthro i fyny i'w gyfarfod, dim ond o ddwylo creulon yn ei lusgo ar ei draed a'i bloncio ar gadair bren. Eisteddodd arni'n llipa, fel pyped heb linynnau. Ond i Tobias Jung y munud hwnnw, teimlai'r gadair galed fel cadair freichiau esmwyth. Roedd o mor ddiolchgar amdani.

Roedd yn hanner ymwybodol o Golo Wolf yn gorchymyn i'r milwyr wneud rhywbeth neu'i gilydd, a phan lwyddodd i godi'i ben, gwelai fod y milwyr yn cerdded i fyny'r lôn am y pentref gydag ambell edrychiad dryslyd yn ôl dros eu hysgwyddau wrth fynd. Dechreuodd lewygu eto, a theimlo bysedd Wolf yn ei wallt eto fyth, yn rhoi herc boenus arall i'w ben i fyny a thuag yn ôl, ac yna'n syllu i'w wyneb.

'O, Golo – be bynnag ydi o, gwna fo, wnei di? Be bynnag sgen ti mewn golwg.'

Gwenodd Wolf, y tro cyntaf i'w wyneb ddangos unrhyw emosiwn ers iddyn nhw adael Knossos.

'Dwi *yn* ei wneud o, Tobias,' meddai. 'Dwi wedi bod yn ei wneud o ers oriau. Ro'n i am i ti weld hyn – am i ti ddŵad wynab yn wynab â dy fethiant.'

'Methiant?'

'Chdi a d'ymdrechion pitw i arbed ychydig ar y pentrefi 'ma – os pentrefi hefyd. Ydi casgliad o hofelau'n golygu pentref? Meddylia di am ein pentrefi bach del ni gartra – y gerddi taclus a'r tai solet – a sbia ar y rhain.' Poerodd i gyfeiriad drws yr eglwys. 'Mae hyd yn oed eu heglwysi nhw'n debycach i feudái. A dyma ti'r math o bobol rwyt ti a'r dreipan dena 'na fuost ti'n ei dobio wedi . . . O ia, sut ffwc oedd hi, gyda llaw? Un ddigon gwael, dybiwn i – fel ffwcio un o'r sgerbyda 'na sgen meddygon yn eu syrjyris. Ydw i'n iawn?'

Waeth i ti heb â thrio ngwylltio i, Wolf, meddyliodd Jung, sgen i mo'r nerth i wylltio. Ond trodd Wolf oddi wrtho a thanio sigarét, fel tasa fo eisoes wedi blino ar y pwnc.

Cododd ei law i gyfeiriad Anogia. 'Hwn heddiw – y twll tin byd 'ma,' meddai. 'Mond megis dechra ydw i efo hwn, Tobias.' Tynnodd dudalen o boced ei diwnig a'i hagor. 'Dyma iti be fydd yn digwydd dros yr wsnosa nesa; dyma'r pentrefi y byddwn ni'n ymweld â nhw. A dwi'n siŵr, dan yr amgylchiada, y gwnei di fadda i mi os dwi'n camynganu amball enw.'

Dechreuodd ddarllen. 'Damasta. Kamariotes. Sarkhos. Sokara. Gergeri. Nivrytos. Skourvoula. Magarikari. Kamares. Vorizia . . .'

'O'r gora, Wolf.'

'Dal dy ddŵr, dwi'm wedi gorffan eto. O bell ffordd.' Aeth yn ei flaen. 'Ano Meros. Drygies. Vryses. Kardaki. Gourgouthi. Gerakari. Krya Vrysi. Kouneni. Limni. Floria. Kakopetro. Smíles. A Malathyra.' Plygodd y dudalen yn ei hanner a'i rhoi yn ôl yn ei boced.

'Dwi am fod yn hogyn prysur ar y diawl, Tobias. Erbyn i mi orffan, erbyn i ni gael canu'n iach i'r ynys uffernol 'ma unwaith ac am byth, fydd nemor ddim ohoni ar ôl, mond rwbel a lludw. Hen dro, yndê, na fyddi di'n gallu'u rhybuddio nhw?'

Syllodd Jung i fyny arno. Gallai ei weld yn hollol glir, pob manylyn o'i iwnifform werdd a'r awyr las yn gefndir iddo.

'*Fallschirmjäger*,' meddai Jung.

Trodd Wolf ato. 'Be?'

'*Fallschirmjäger* – elît y *Wehrmacht*. Ia, o ddiawl. Ar un adag, yn sicr – ond rŵan, ar ôl Creta?' Ysgydwodd Jung ei ben. 'Go brin, Golo, go brin. Y streipan o gachu y tu mewn i drôns y *Wehrmacht* erbyn hyn. Mae'r ffycin *Einsatzgruppen* yn fwy o elît o bell . . .'

Daeth dwrn Wolf o nunlle gan ffrwydro'n galed yn erbyn ei

496

geg. Poerodd Jung, a doedd o ddim yn synnu pan welodd ddarnau o ddannedd yng nghanol y gwaed.

'Be sy, Golo? Y gwir yn brifo, ia? Dyma iti ragor o wirionedd – be bynnag rwyt ti'n bwriadu'i neud efo fi, y peth lleia fedri di neud wedyn ydi rhoi dy bistol yn dy geg a'i danio fo. Neu ruthro i Berlin a chrefu ar Reichhart i dorri dy ben i ffwrdd, oherwydd rwyt ti wedi cyflawni brad llawer iawn mwy na f'ymdrechion bach tila i. Rwyt ti wedi dy fradychu dy *hun*, Golo. Duw a'th helpo di. Duw a'th helpo.'

Disgwyliai gael dwrn arall, ond yn hytrach edrychai Golo Wolf yn hynod o drist wrth iddo syllu i lawr ar Jung.

'Wyt ti'n meddwl y gwnaiff o, Tobias? Fy helpu? Dwi ddim, rywsut. Erbyn i mi roi marc ar ôl pob un o'r enwau sy ar y rhestr 'ma' – trawodd boced ei diwnig – 'go brin y bydd unrhyw dduw yn barod i'm helpu i.'

Gollyngodd ei sigarét ar y llawr a'i sathru. Yna tynnodd un arall o'i baced a'i gosod rhwng gwefusau Jung a'i thanio iddo.

'Fel hyn bydd hi. Rwyt ti am drio dianc. Yn anffodus, fydd gen i ddim dewis ond dy saethu di. Felly, pan wyt ti'n barod . . .'

Dechreuodd dynnu'i bistol o'i holster.

A dyna pryd y ffrwydrodd y bachgen o'r llwyni wrth ochr yr eglwys, gan ruthro am Golo Wolf a chyllell anferth yn ei law.

*

Unwaith y dechreuodd Anogia losgi, bu'r mwg o gymorth mawr i Nikos. Cyn belled â'i fod yn cadw'n weddol agos at y ddaear, gallai ymguddio'r tu ôl i'r llen o fwg wrth iddo symud ar draws y llethrau i gyfeiriad yr eglwys. Siwrnai go araf, ond doedd y ddau Almaenwr ddim yn symud yn gyflym iawn chwaith, diolch i'r un gwallt golau a faglai drwy'r amser.

Cyrhaeddodd Nikos y llethr uwchben yr eglwys o'u blaenau, a dod o fewn dim i gael ei weld gan chwe milwr oedd yn ysmygu'r tu allan i'r drws – neu'n hytrach, y tu allan i lle'r arferai'r drws fod. Roedd Nikos yn ymlusgo ar ei fol trwy'r llwyni, ac oni bai i un ohonyn nhw gyfarth rhybudd o ryw fath, byddai wedi dod allan o'r llwyni reit o dan eu trwynau.

Gorweddodd yno'n llonydd, ac yna gwelodd y rheswm dros y rhybudd. Roedd y ddau Almaenwr arall yn cyrraedd. Neidiodd y milwyr â'u 'Heil Hitlers', a gwyliodd Nikos wrth iddyn nhw godi'r un gwallt golau oddi ar y llawr a'i sodro ar un o gadeiriau'r eglwys.

Melltithiodd ei hun am fod mor fympwyol: dylai fod wedi meddwl cyn mentro at yr eglwys, ond cyn gynted ag y daeth dros y sioc o weld yr union wyneb y bu'n cael hunllefau amdano ers dros dair blynedd, roedd fel petai o wedi anghofio bod Anogia'n berwi o Germani, ac wedi cychwyn ar ôl y milwr hefo dim ond un peth ar ei feddwl. Roedd o wedi'i weld ei hun yn gwibio o rywle neu'i gilydd efo *mavrománika* Marko yn ei law, ac yna'n gwibio'n ôl o'r golwg, fel cysgod, gan adael y milwr yn gwaedu fel mochyn ar y llawr.

Ond ac wyth ohonyn nhw yma – wel, saith; roedd yr un mewn gefynnau'n edrych fel tasa fo ar fin ymadael â'r byd 'ma – doedd ganddo fo ddim gobaith. Mi fyddent wedi'i saethu ymhell cyn iddo fedru mynd yn agos at y diawl oedd wedi chwalu ei fyd yn Kondomari.

Yna – gwyrth!

Dywedodd y diawl rywbeth wrth y milwyr eraill, ac er nad oeddan nhw'n hapus ynglŷn â'r peth, fe gydion nhw yn eu harfau a chychwyn ar hyd y lôn i gyfeiriad Anogia.

Pan ddechreuodd y ddau oedd ar ôl sgwrsio, allai Nikos ddim deall yr un gair o'u sgwrs, wrth reswm – nes i'r diawl 'na ddechrau darllen ei ddarn papur, a gallai Nikos daeru iddo glywed ambell enw cyfarwydd.

Plygodd i dynnu'r gyllell o'i *sakoúli* . . . a neidiodd wrth i'r diawl blannu'i ddwrn yn wyneb y milwr arall. Mwy o siarad wedyn rhwng y ddau, a'r un golau'n poeri gwaed â phob brawddeg, bron. Yna gosododd y diawl sigarét rhwng gwefusau'r llall, a phan welodd Nikos ei law'n dechrau tynnu'i bistol o'i holster, rhuthrodd allan o'r llwyni bron heb sylweddoli ei fod yn gwneud hynny.

*

O'i guddfan yntau yng nghanol y drain, roedd Grigori Daskalakis wedi rhythu'n gegrwth pan welodd Nikos yn symud drwy'r llwyni a dyfai yr ochr arall i'r eglwys.

Oedd o'n gweld pethau? Na – Nikos oedd o, yn bendant. Ond be ar y ddaear . . .?

Rhoddai'r byd am fedru gweld beth bynnag oedd yn digwydd y tu allan i ddrws yr eglwys. Gallai glywed sŵn traed milwyr yn cerdded oddi yno, ac wrth glustfeinio'n astud, ddau lais yn sgwrsio.

Yna, heb rybudd o gwbwl, roedd Nikos wedi rhuthro tua'r eglwys ac o olwg Grigori.

*

Symudodd Golo Wolf yn anhygoel o gyflym. Daeth Nikos o fewn trwch blewyn i blannu'r gyllell yn ei fol, ond ar yr eiliad olaf un, llwyddodd Wolf i droi'i gorff fel wimblad a baglodd Nikos heibio iddo. Chafodd Nikos ddim cyfle i ddod ato'i hun a throi am ail gynnig; cydiodd Golo Wolf yn ei fraich a'i throi'n giaidd, a disgynnodd y *mavrománika* i'r llawr. Gwaeddodd Nikos mewn poen, ond aeth yn llipa i gyd wrth i garn pistol Golo Wolf ei daro'n galed ar ochr ei ben.

Taflodd Wolf yr hogyn oddi wrtho fel petai'n taflu rhyw hen glwtyn anghynnes. Yna, paratôdd ei bistol a'i bwyntio at ben y bachgen.

'Golo – na!' crawciodd Jung.

Llwyddodd i godi o'i gadair ond trodd Wolf tuag ato a rhoi ergyd ddirmygus iddo â'i ysgwydd. Yn ei wendid, syrthiodd Tobias ar ei hyd eto fyth. Trodd Wolf yn ei ôl at yr hogyn.

'Plentyn ydi o!' ceisiodd Jung weiddi. 'Mond plentyn.'

Anwybyddodd Wolf o'n llwyr. Ond roedd hynny'n gamgymeriad; petai o wedi troi at Jung, mi fyddai'n sicr o fod wedi gweld Grigori Daskalakis yn sleifio tuag ato o gysgod yr eglwys. Welodd Jung mohono fo chwaith nes i draed Grigori fynd heibio'i wyneb. Cydiodd Grigori yn y gadair bren, ei chodi'n uchel, a dod â hi i lawr â'i holl nerth ar ben Golo Wolf.

Syrthiodd Wolf i'r ddaear gan ollwng ei bistol. Ond rywsut,

cododd ar ei eistedd ac edrych i fyny ychydig yn hurt ar y ffigwr blêr, carpiog a gwaedlyd a safai yno'n rhythu arno trwy sbectol drwchus, fel tasa fo ddim yn coelio'i fod o newydd wneud y fath beth.

Yna dechreuodd Wolf chwilio am ei ddryll.

'*Wieder*!' meddai Jung, ac edrychodd Grigori arno fel llo. '*Wieder*!' meddai wrtho eto, cyn sylweddoli nad oedd y brych yn ei ddeall. '*Ach . . . Encore! Encore!*' cynigiodd, a deallodd Grigori hyn. Trodd eto â'r gadair, a tharo Wolf ar ei ben am yr eildro. Syrthiodd Wolf tuag yn ôl nes ei fod ar wastad ei gefn.

Gollyngodd Grigori'r gadair a throi at Nikos, a'i weld yn dechrau dod ato'i hun. Helpodd Grigori'r bachgen i sefyll ar ei draed, a'r peth cyntaf a wnaeth Nikos oedd plygu'n ei hanner a chwydu. Yna gwthiodd Grigori oddi wrtho.

Trodd Grigori at yr Almaenwr arall. Roedd Jung wedi codi pistol Golo Wolf oddi ar y llawr, a gwelodd y braw ar wyneb Grigori.

'*Nein,*' meddai Jung. '*Nein . . .*'

Safodd a'r dryll yn hongian yn llac wrth ei ochr, ac ymlaciodd Grigori ychydig. Nodiodd ar Jung.

'*Danke . . .*' meddai.

Nodiodd Jung yn ôl. '*Bitte.*'

Y tu ôl iddyn nhw, ymsythodd Nikos a syrthiodd ei lygaid ar Golo Wolf yn gorwedd ar y llawr, a hwnnw fel petai'n dechrau dod ato'i hun. Gwibiodd rhywbeth tywyll drwy lygaid Nikos, a throdd tua drws yr eglwys.

Gwnaeth Jung ystum ar Grigori i fynd. '*Schnell!*'

Nodiodd Grigori eto, a throi mewn pryd i weld Nikos yn dod o ddrws yr eglwys, a chlamp o garreg yn ei law. Cerddodd at lle roedd Golo Wolf yn griddfan.

'Nikos!'

Ond chymerodd Nikos ddim sylw ohono. Cododd y garreg drom mor uchel ag y gallai uwchben Golo Wolf. Agorodd Wolf ei lygaid, a deall beth oedd ar fin digwydd iddo. Agorodd ei geg i sgrechian.

A gollyngodd Nikos y garreg.

Yna plygodd a'i chodi, a'i gollwng hi eto.

Ac eto.

*

Cael a chael fuodd hi, meddyliodd Jung, wrth wylio'r ddau'n diflannu i fyny'r llethr uwchlaw'r eglwys. Cael a chael, oherwydd gallai glywed rhai o'r milwyr yn dod â'r llwyth nesaf o ysbail i'w gadw yn yr eglwys.

Roedd o'n penlinio wrth gorff Golo Wolf, â'r garreg drom, waedlyd ar ei lin. Fedrai o ddim edrych ar y llanast wnaeth y garreg ar wyneb Wolf heb deimlo'i stumog yn troi. Felly edrychodd i fyny i'r awyr, a meddwl am ei dad yn arwain y côr gartref yn Regensburg, a gallai daeru iddo deimlo glaw mân Regensburg yn gwlychu'i ruddiau, nes sylweddoli ei fod o wedi dechrau meddwl am Magda a'i fod o'n crio.

Yna cyrhaeddodd y milwyr cyntaf. Rywsut, llwyddodd Tobias i godi'r garreg uwchben gweddillion wyneb Golo Wolf. Edrychodd i fyny. Roedd y milwyr yn rhythu arno'n gegrwth.

Gwenodd Jung arnyn nhw. Gollyngodd y garreg a chodi'r pistol.

Teimlodd gic y fwled cyntaf wrth iddi ei daro yn ei fron, ond roedd y tu hwnt i deimlo unrhyw beth erbyn i'r deg bwled arall ei luchio dros gorff Golo Wolf.

I fyny ar lethrau'r mynydd, clywodd Grigori a Nikos yr ergyd gyntaf, yna'r ffiwsilâd a'i dilynodd. Edrychodd y ddau ar ei gilydd.

Heb ddweud gair, trodd y ddau eu cefnau ar yr eglwys a brysio i fyny, yn uwch ac yn uwch, at ddiogelwch cadarn Mynydd Ida.

27
Glaw mân

Medi 1944

Fe ddaethon nhw yn eu holau, pobol Anogia, fesul tipyn. I lawr o'r mynydd ac i fyny o'r dyffrynnoedd, er nad oedd yna bentref yn eu haros.

Cymerodd bron i dair wythnos i'r Almaenwyr orffen ysbeilio a llosgi Anogia, cyn ailadrodd y cyfan yn y pentrefi eraill oedd ar restr Golo Wolf, gan gynnwys naw o bentrefi dyffryn Amari.

Cyn iddyn nhw fynd o Anogia, hedfanodd awyrennau'n isel uwchben y murddunnod duon, gan ollwng nifer o fomiau. Erbyn i'r rheiny orffen, dim ond yr eglwys oedd ar ei thraed.

Roedd Maria, Hanna, Thera ac Adonia wedi cyrraedd Yení Gavé yn ddiogel. Yno, fe gawson nhw'u rhoi yn yr ysgol i aros i'r Almaenwyr benderfynu beth i'w wneud hefo nhw a'r merched eraill oedd yno. Ond y gwir amdani oedd na hidiai'r Almaenwyr ryw lawer amdanyn nhw, a thrannoeth cododd y pedair a'i throi hi am y mynydd. Os gwelodd unrhyw Almaenwr nhw'n mynd, mae'n rhaid ei fod o wedi edrych i'r cyfeiriad arall.

Cyn diwedd y dydd, daeth y pedair ar draws criw o *andártes* a'u hebryngodd at y gymuned fechan oedd wedi ymgartrefu yn Embriski. Oddi yno, fe wylion nhw'r mwg yn codi'n ddiddiwedd ac yn feunyddiol uwchben Anogia nes, o'r diwedd, y daeth y diwrnod pan nad oedd 'na fwg i'w weld o gwbl.

Dyna pryd y cychwynnon nhw'n eu holau am adra.

Hyd yn oed os oedd adra wedi mynd.

*

Glaw mân y mynydd.

Mi fydd 'na hel malwod eto, meddyliodd Maria wrth iddi hi a Nikos ddringo llwybr y mynydd. Cofiodd am y noson honno pan gafodd ei hanfon adref gan Eleni Vandoulakis wedi'r gwffas rhyngddi ac Eris. Doedd dim ond eisiau iddi gau ei llygaid a gallai weld yr hen wreigan fechan yn sefyll yno'n ei dwrdio.

Rhuthrodd y dagrau i'w llygaid, fel tasa hi heb grio digon dros yr wythnosau diwethaf. A doedd wybod faint o wythnosau eraill tebyg oedd i ddod. Faint o fisoedd – o flynyddoedd, hyd yn oed.

Dechreuodd y llwybr droi'n llithrig. Roedd Thera wedi trio bob ffordd i'w cael i aros nes bod y glaw wedi peidio, ond roedd Maria'n benderfynol. Fel arfer.

'Gora po gynta, Mam,' meddai. 'Yndê?' Ac yn y diwedd, roedd ei mam wedi nodio.

Pwy ddywedodd wrth Thera am Marko, Duw a ŵyr. Nifer o bobol, mae'n siŵr; pawb yn cyfrannu ei bwt, nes bod rhyw fath o lun yn cael ei greu yn y diwedd, fel jig-so a darnau ohono ar goll.

Roedd Hanna'n amlwg wedi syrthio mewn cariad efo Grigori Daskalakis, o bawb, a fynta efo hitha. Roedd Maria'n ddigon gonest i gydnabod ei bod wedi teimlo rhyw bigiad bach o genfigen; er iddi fod wastad yn ddilornus o Grigori, roedd rhan fechan ohoni wedi mwynhau gwybod ei fod o wedi mopio'i ben efo hi. Cyn i Hanna fynd â'i fryd.

A'r peth rhyfeddaf rŵan oedd fod agwedd Nikos tuag at Grigori wedi newid yn llwyr – ac un Grigori tuag at Nikos hefyd. Doedd neb yn gwybod be'n union oedd wedi digwydd iddyn nhw yn Anogia, a neb yn teimlo fel eu holi'n ormodol chwaith. Roedd llawer gormod o straeon annifyr o gwmpas y lle fel roedd hi.

Fe ddaethon nhw at y goeden ddraenen wen.

'Nikos. Aros am funud bach, wnei di?'

Trodd Maria ac edrych i lawr y llethrau. Rywle, y tu ôl i'r glaw, roedd y fan lle'r arferai Anogia fod. Yna edrychodd dros ei hysgwydd i fyny'r mynydd, lle, gyda lwc, roedd Marko hefo'r defaid a'r geifr a oedd, tan yn ddiweddar iawn, yn eiddo i'w thad ac i Yanni.

'Ond be'n union fedra i ddeud wrtho fo, Mam?' gofynnodd Maria pan grybwyllodd Thera – cyn iddi ddechrau bwrw – y dylai Maria fynd i weld sut siâp oedd ar ei brawd.

Roedd Thera wedi meddwl am ychydig. Yna meddai, 'Deud wrtho fo am ddŵad adra, Maria. Pan fydd o'n barod, wrth ei bwysa'i hun. Deud wrtho fo am ddŵad adra, dyna'r cwbwl.'

Ac mi fydd 'na adra ar ei gyfer o, hefyd, meddyliodd Maria wrth iddi hi a Nikos ailgychwyn i fyny'r mynydd. Dwi'n gwbod hynny. Rywsut. Maen nhw wedi dechrau sôn am ailgodi'r pentref yn barod, a dwi'n gwbod y bydd y tai i gyd fwy neu lai'n union fel ag yr oeddan nhw.

Dwi'n gwbod, oherwydd dwi'n nabod fy mhobol.

Fyddan nhw ddim yn hir iawn wrthi, chwaith. A chyn i ni droi rownd, mi fydd y *tsikoudiá* a'r gwinoedd yn dechrau llifo unwaith eto, a'r malwod yn ffrio, y nionod a'r tomatos a'r garlleg yn hongian oddi ar y trawstiau. Ac mi fydd y *mantinádes* yn cael eu canu, ac mi fydd 'no ddawnsio, a rhyw lencyn arall yn dangos ei hun wrth neidio'n wirion. A phwy a ŵyr, hwyrach y bydd holl gŵn Anogia'n ei sgidadlio hi am eu bywydau unwaith eto wrth i rywun arall – Nikos, hwyrach – chwibanu'n uchel a chlir. Yn union fel ag y gwnâi Yanni'r Chwibanwr.

Daliodd ei hwyneb i fyny tua'r glaw mân, a dechrau gwenu wrth ddringo'r llwybr llithrig at ble bynnag yr oedd ei brawd.

Y DIWEDD

Y CYMERIADAU

1. Y Cretiaid

(a) Anogia a Mynydd Ida

Y teulu Alevizakis:

MANOLI Alevizakis – y tad, bugail, ymladdwr gyda'r *andártes*

THERA Alevizakis – y fam, gartref yn Anogia

LEVTHERI Alevizakis – y mab hynaf, bugail, ymladdwr gyda'r *andártes*

MARKO Alevizakis – y mab ieuengaf, bugail, ymladdwr gyda'r *andártes*

MARIA Alevizakis – y plentyn ieuengaf, merch 18 oed

YANNI Tyrakis (Yanni'r Chwibanwr) – bugail, ffrind pennaf Manoli Alevizakis a'r teulu

ELIAS Vernadakis – rhedwr (Elias y Rhedwr)

NIKOS – bachgen 12 oed, wedi'i gymryd i mewn gan y teulu Alevizakis

ADONIA – mam Nikos, hefyd wedi cael cartref gyda'r teulu Alevizakis

GRIGORI Daskalakis – athro ysgol yn Anogia

GAIA Leladakis – merch oddeutu 18 oed, ffrind Maria

ERIS Stagakis – merch oddeutu 18 oed, ffrind Maria, merch arlywydd Anogia

HANNA Kallergis – merch oddeutu 18 oed, ffrind Maria

KOSTA Yrakis – un o offeiriaid Anogia

EVA Yrakis – ei wraig

ELENI Vandoulakis – bydwraig yn ei 80au

IRÍNI a RODIANTHE Saviolakis – dwy chwaer yn eu 70au, bydwragedd

DIMÍTRIS Peros – dyn yn ei 40au sydd â meddwl plentyn

MAIA Peros – ei fam

NIKOLAOS Leladakis – tad Gaia, ymladdwr gyda'r *andártes*, ffrind Manoli

XYLOURIS (Michali) – arweinydd *andártes* ardal Anogia

GEORGIOS Stagakis – arlywydd Anogia, tad Eris
ELEFTHERIA Stagakis – ei wraig, mam Eris

PAULOS, PETRAKA a STAVRO – bechgyn 10 oed, ffrindiau Nikos

KALLINIKOS – mynach ifanc
STAMATI – rhedwr ifanc

(b) Knossos ac Iráklion
ALEXANDROS – glanhäwr ffordd yn Knossos
DISMAS – dihiryn, aelod blaenllaw o isfyd Iráklion
EFTHALIA – gwraig Dismas
ILTHYIA – gwraig o Iráklion, hen gariad i Yanni'r Chwibanwr
IANOS – ffrind coleg Grigori, mab perchennog sinema yn Iráklion

(c) Kondomari
IOANNIS a MARIOS – ffrindiau Nikos
VANGELI – brawd mawr Nikos
GEORGIOS – tad Nikos
MANOUSSOS – gŵr ifanc, ymwelydd â Kondomari
EMMANUEL Kostifis – hen ŵr

2. Yr Almaenwyr
TOBIAS Jung – is-gapten gyda'r gatrawd barasiwtio, cyn-gerddor o Regensburg
MAGDA Dürr – cariad Tobias Jung

GOLO Wolf – capten gyda'r gatrawd barasiwtio, yn wreiddiol o Köln (Cologne)

Heinrich KREIPE – cadfridog
Hans FRUNZE – milwr, gyrrwr Kreipe

Friedrich-Wilhelm MÜLLER – cadfridog, 'Cigydd Creta'
Dieter LOSCH – aelod o'r Gestapo
Josef KELLER – rhingyll, garsiwn Yení Gavé

CHRISTOPH Jung – tad Tobias, cyfreithiwr a cherddor
Walter SCHULTZE – cyfaill Christoph
GRETA Schultze – merch Walter

Sophie SCHOLL – merch ifanc, cyfaill Magda
Hans SCHOLL – brawd Sophie

MANFRED Reikmann – arweinydd criw o'r Hitler Youth
GERDA Lehmann – cyn-gariad Golo Wolf

3. Y Prydeinwyr
'SIPHI' – Cymro, gweithredwr radio gyda'r Special Operations
   Executive
'MIHALI' – Sais (sef Patrick Leigh Fermor), SOE

AM Y CYMERIADAU

Dychmygol yw'r rhan fwyaf o gymeriadau *Awst yn Anogia*, ond cafodd ambell un ei ysbrydoli gan gymeriadau o dudalennau hanes.

Michali yw'r diweddar Patrick Leigh Fermor, a drefnodd ac a gyflawnodd yr herwgipio enwog ar Greta ac a aeth ymlaen wedyn i ysgrifennu nifer o lyfrau teithio. Dylai *A Time of Gifts*, er enghraifft, fod ar silff lyfrau pawb.

Seiliwyd **Siphi** ar yr awyr-ringyll Jo Bradley, DFM, MM, o Flaenau Ffestiniog. 'A charming man, who sang beautifully in Welsh, to the delight of the Cretans' yw disgrifiad Leigh Fermor ohono. Mae'r hanes amdano'n ymguddio dros y Nadolig mewn atig, a'r tŷ oddi tano'n llawn o Almaenwyr meddw, yn stori wir.

Cafodd **Elias y Rhedwr** ei ysbrydoli gan George Psychoundakis, awdur y llyfr *The Cretan Runner*, sef cyfieithiad Leigh Fermor o atgofion George o'r cyfnod pan weithredai fel rhedwr ym mynyddoedd Creta yn ystod y rhyfel. Yn wahanol i Elias druan, goroesodd George y rhyfel a bu farw yn Hania ar 29 Ionawr 2006 yn 85 mlwydd oed. Yn ogystal â'r llyfr uchod cyhoeddodd George nifer o gerddi, a chafodd ei anrhydeddu gan Academi Athen am ei gamp yn trosi'r *Iliad* a'r *Odyssey* o'r hen Roeg i dafodiaith Creta, gan ddefnyddio cwpledi ar batrwm cerdd hir yr *Erotókritos*.

Seiliwyd **Golo Wolf** yn rhannol ar filwr Almaenig o'r enw Horst Trebes. Hwn oedd yn gyfrifol am y gyflafan yn Kondomari. Lladdwyd Trebes ei hun dair blynedd yn ddiweddarach yn Normandi. Ar y we, gellir gweld lluniau ohono'n cyfarwyddo'r dienyddio yn Kondomari.

Yn rhannol, seiliwyd **Bruno Nagel** – y ffotograffydd a ddaeth yn ffrind i Tobias Jung – ar Franz-Peter Weixler. Aderyn go frith oedd Weixler, mewn gwirionedd, ond cafodd ei arestio gan y Gestapo am dynnu lluniau o'r gyflafan yn Kondomari ac am helpu rhai Cretiaid i ddianc. Goroesodd y rhyfel, fodd bynnag, a rhoddodd dystiolaeth yn erbyn Müller a nifer o Natsïaid eraill mewn achosion llys. Mae lluniau Weixler o'r lladdfa yn Kondomari i'w gweld ar y we.

Yn rhannol eto, seiliwyd **Josef Keller** (o'r garsiwn yn Yení Gavé) ar y *Feldwebel* Josef Olenhauer. Fel Keller yn y nofel, cafodd Olenhauer ei ddienyddio gan yr *andártes* ar ôl ceisio mynd â'r gwystlon o Anogia yn Awst 1944.

*

Yn ogystal, mae yna nifer o gymeriadau hanesyddol yn ymddangos wrth eu henwau yn y nofel:

Y Cadfridog Kreipe
Yn dilyn ei herwgipio yng Nghreta, treuliodd Kreipe weddill y rhyfel yn garcharor rhyfel. Bu am gyfnod mewn gwersyll ym Mhen-y-bont ar Ogwr. Mewn rhifyn o fersiwn Groegaidd y rhaglen deledu *This Is Your Life*, daethpwyd â Leigh Fermor a Kreipe yn ôl at ei gilydd, ynghyd â nifer o gyn-*andártes* a gymerodd ran yn yr herwgipio. Mae'r rhaglen i'w gweld ar y we.

Y Cadfridog Müller
Cafodd Müller ei arestio ar ddiwedd y rhyfel, ei lusgo gerbron y llys milwrol yn Athen a'i ddedfrydu i farwolaeth, ynghyd â'r **Cadfridog Bruno Bräuer**, ei ragflaenydd yng Nghreta. Saethwyd y ddau fis Mai 1947. Er bod yna amheuon cryf ynghylch cosb Bräuer – gŵr llawer mwy addfwyn a llai creulon na'i ragflaenydd, Andrae, a gafodd ychydig flynyddoedd o garchar yn unig – doedd dim amheuaeth o gwbl am euogrwydd Müller, 'Cigydd Creta'. Aeth Leigh Fermor i'w weld ar ddiwedd yr achos llys, a phan ddeallodd Müller mai Leigh Fermor oedd yn gyfrifol am herwgipio Kreipe, meddai wrtho, 'Ach, Herr Major, you would not have captured *me* so easily.'

Hans a Sophie Scholl

Dienyddiwyd y brawd a'r chwaer yma yng ngharchar Munich ar 22 Chwefror 1943. Roeddent yn aelodau blaenllaw o fudiad 'Y Rhosyn Gwyn', a'u hunig drosedd oedd iddynt argraffu a dosbarthu pamffledi'n condemnio triniaeth y Natsïaid o'r Iddewon. Ceir portread gwych o Sophie a Hans yn y ffilm Almaenig, *Sophie Scholl: Die letzten Tage* (Sophie Scholl: Y Dyddiau Olaf).

Xylouris

Arweinydd criw o *andártes* o Anogia oedd **Mikhali Xylouris**. Cofir amdano o hyd yn Anogia fel un o arwyr y gwrthsafiad, ynghyd â'r Tad **Ioannis Skoulas**, y 'parachuting priest' – offeiriad o Anogia a gafodd ganiatâd arbennig gan yr esgob i siafio'i locsyn a hyfforddi gyda'r corff Prydeinig SOE (y Special Operations Executive). Mae sawl aelod o'r teulu Skoulas yn byw yn Anogia hyd heddiw, gan gynnwys un o'r offeiriaid presennol.

Er mai ei chrybwyll yn unig a gaiff hi yn y nofel, rhaid cydnabod hefyd ddewrder y ferch ifanc **Terpsichori Chryssoulaki-Vlachou** a gafodd ei dienyddio am weithio fel dynes radio ym mynachlog Toplou. Dim ond deunaw oed oedd hi, ac wrth ddisgwyl am y sgwad saethu fe ysgrifennodd ar fur ei chell: 'Rwy'n ddeunaw oed ac wedi cael fy nedfrydu i farw. Rwy'n disgwyl am y sgwad saethu unrhyw funud rŵan. Hir oes i Wlad Groeg. Hir oes i Greta!'

DIOLCH

– i Gyngor Llyfrau Cymru am eu nawdd; i Bethan Gwanas, Nan a Marian am olygu, ac i Alwyn a Nan Elis, Gwasg Gwynedd, am gyhoeddi. Maent oll yn haeddu aur y byd a'i berlau mân am eu ffydd, eu cefnogaeth a'u hamynedd di-ben-draw.

– i Geraint V. Jones am sgwrs ffôn ddefnyddiol dros ben.

– i Rachel Matthews a Marion Löffler am eu cymorth gwerthfawr.

Diolch arbennig i Costas Mamalakis o'r Amgueddfa Hanesyddol yn Iráklion, Creta, am y sgyrsiau hirion a'i atebion amyneddgar a pharod i'm holl gwestiynau (nifer ohonynt, rwy'n siwr, yn rhai hollol hurt); hefyd i Nikos Skoulas o Anogia, Creta, am fod mor hael â'i groeso a'i amser, ac am fy nhywys o gwmpas Anogia a'r cylch a 'nghyflwyno i gymaint o bobol ddifyr. Fuaswn i ddim wedi gallu ysgrifennu'r nofel hon heb eich cymorth chi, gyfeillion. Mae'r diolch pennaf i nifer fawr o drigolion Anogia a phentrefi eraill ucheldiroedd Creta am eu croeso, eu caredigrwydd a'u parodrwydd i rannu eu hatgofion poenus.

Ac wrth gwrs, diolch i'm gwraig, Rachel, am rannu pob milltir o'r siwrnai faith, chwyslyd a dyrys hon.

Am restr gyflawn o lyfrau'r Lolfa, mynnwch
gopi am ddim o'n catalog
neu hwyliwch i mewn i'n gwefan

www.ylolfa.com

lle gallwch archebu llyfrau ar-lein.

TALYBONT CEREDIGION CYMRU SY24 5HE
ebost ylolfa@ylolfa.com
gwefan www.ylolfa.com
ffôn 01970 832 304
ffacs 832 782